U0139293

中國倫理精神的歷史建構

樊 浩 著

文史哲學集成
文史哲出版社印行

國立中央圖書館出版品預行編目資料

中國倫理精神的歷史建構 / 樊浩著. -- 初版.
-- 臺北市 : 文史哲, 民83
面 ; 公分. -- (文史哲學集成 ; 323)
ISBN 957-547-888-6(平裝)

1. 倫理學 - 中國 - 歷史

190.92 83009192

文史哲學成集 ㉓

中國倫理精神的歷史建構

著 作:樊 浩
出版者:文史哲出版社
登記證字號:行政院新聞局局版臺業字五三三七號
發行人:彭正雄
發行所:文史哲出版社
印刷者:文史哲出版社
臺北市羅斯福路一段七十二巷四號
郵撥〇五一二八八一二 彭正雄帳戶
電話:(〇二)三五一一〇二八

定價新臺幣五六〇元

中華民國八十三年十月初版

本書經行政院新聞局同意出版字號爲新聞局局版臺陸字第一〇〇〇五六號

ISBN 957-547-888-6

中國倫理精神的歷史建構

目　次

中篇　漢唐——中國倫理精神的抽象性發展

下篇　宋明理學——中國倫理精神的辯證綜合

序

「倫理」一詞，是指人類社會中人與人關係與行爲的秩序規範。人類社會是在歷史的過程中形成的，其形成及以後的發展、變遷或維護都有其精神與物質的決定因素。物質因素主要指生態環境、自然資源、科技與經濟創設；精神因素則主要指政治體制、社會與儒理規範、文化活動。如果再區分一個人類社會中的外在生活秩序與內在生命秩序來表明人類社會精神因素的兩個層次，則倫理規範顯然是屬於內在生命秩序層次的一個主要的內容，甚至是唯一主要的內容。如果一個人類社會沒有倫理規範，則其群體生命必然失去自主與自律而面臨崩潰渙散的命運。

基於上述意義，倫理規範應該具有下列各項特質：

㈠它有歷史演化的特質：倫理規範基於民族歷史演化而來，與一個民族社會的形成有密切的關係，自然地也直接地影響民族歷史的發展；㈡它有社會結構的特質：倫理規範有其社會結構的基礎。如果社會結構改變，產生新的社會需要，則倫理規範也可以有相應的改變。但若社會面臨瓦解，則倫理規範也會陷入失序和混亂，加速社會趨向衰敗和毀滅；㈢它有理性自覺的特質：倫理規範固然一方面依自然形成，它方面卻是發自個人的自由意志，表現爲一種社會理性的自覺。無論是透過宗教的立法或透過哲學的啓蒙而建立，它都包含著一種對人類主體性的尊敬肯定；㈣它具有目的性與理想性的特質：它不但提供了一套人際關係與個人行爲的規範，也隱含著此套規範所以爲規範的理由以及其指向的理想目標，因而彰顯了個人存在與社會存在的共同意義。在此一意義下，倫理規範緊密地結合著社會中的各項秩序系統，為社會的發展同時提供推動力與制約力。

基於上述諸特質，倫理規範不能脫離實際的倫理行為，更不能脫離理性與哲學的批評，作為改進社會、創造新規範的經驗基礎。這是由於倫理規範同時有其傳統性與時代性。它的傳統性指向它的文化根源；它的時代性則指向社會進化中的文明與理性的標準。一個社會的內在需要若有所改變，則其倫理規範當與時偕進，作適當的調整。事實上，我們看到的是：在一定條件下，倫理規範往往引導一個社會和文化走向一個新的經濟和社會形態，由此形態再導使倫理規範的改變。這種倫理、政治與社會、經濟的相互制約和相互影響顯現了倫理規範與社會各因素形成的多重機體相關性，而不可對其意義與功能作片面和單向的理解。

於此，我們應更進一層理解倫理(Ethics)和道德(Morality)的差異與關聯。倫理是就人類社會中人際關係的內在秩序而言，道德則就個人體現倫理規範的主體與精神意義而言；倫理側重社會秩序的規範，而道德則側重個人意志的選擇。固然就具體行為及其目標著眼，兩者不必有根本差異，但就個人與社會的相互關係而言，倫理與道德可視為代表社會化與個體化兩個不同的過程：道德可視為社會倫理的個體化與人格化，而倫理則可視為個體道德的社會化與共識化。透過社會實踐，個體道德才能成為社會倫理；透過個人修養，社會倫理才能成為個體道德。倫理與道德的相互影響決定了社會與個人品質的提升與下落。若要促進一個社會向眞、善、美的高品質發展，顯然社會倫理與個體道德的雙向發展必須推行。因而一個社會中的倫理規範教育與道德修養教育是維護一個社會中的內在秩序及其健全發展的樞紐。

一個人類社會可以包含不同層次的社會組合。而從個人、家庭、社區，到社會、國家，乃至國際社會都展現了人類社會不同層次的組合。每一層次的社會組合都有其每一層次的人性需要以及滿足此等需要的倫理秩序，因而我們可以相應這些層次界定不同層次的倫理。就上述的社會組合而言，我們可以區分個人倫理、家庭倫理、社區倫理、社會倫理、國家倫理，乃至國際社會倫理（亦即世界倫理）。如果視人類全體形成一個人類社會，自然我們也可以界定人類倫理或世界倫理。如果我們把人與宇宙的關係當作「內在秩序」建立來考慮，我們也可以提出宇宙倫理的概念。事實上，目前人與自然環境的密切依存關係已不能不讓我們面對「環境倫理」的課題了。若就中國人的倫理精神立言，環境倫理自然導向宇宙倫理，因為它強調個人與宇宙中天地精神的合德與合一，並具備了濃厚的宗教倫理的意味。

除上述不同層次的倫理規範外，任何持續影響社會全體的團體行為或專業行為都應有其實現其內在秩序的特殊要求的倫理。因之，商業行為應有商業倫理的要求；工業行為應有工業倫理的要求；法律行為則應有法律倫理的要求。以此類推的各項倫理並不必然相互矛盾，更不必與普遍化的社會各層次的倫理規範有所衝突。事實上，吾人應以補充或充實社會生活及其倫常秩序為前提來規範各項專業性與特殊性的倫理要求，使社會生活的內在秩序在科技、經濟、政治新發展的氣候下獲得平衡和改善。

個人倫理與個體道德的區別在於前者純以個人存在為單元建立行為規範以達到個人生活的和諧，後者則以個人主體的自覺建立以實現精神的自由和人格的價值。兩者的差異也就是西洋哲學中「倫理」與「道德」的差別。但中國哲學中「倫理」與「道德」兩詞涵義的分野則比西洋哲學中兩詞涵義的分野更為顯著，此乃由於「倫理」即指人倫之理，而「道德」則指得（德）道之行，後者顯然具有強烈的形而上意味。這是由於「道德」一詞是與老子《道德經》的本體論與人生哲學密切關聯的。經過宋明理學、心學的陶鑄，「道德」之學更與一個人的心性與智慧修養融合為一。這不但提供了倫理學一個形而上的基礎，更把「倫理」內化為心性的「道德」成就與境界，使倫理與道德形成心性的知與行的一體兩面，並發展為一個「合內外之道」、「故時措之宜」的大系統。

基於以上對中國哲學中倫理與道德合而為一的了解，我們可以在理論上指出人類文化中倫理體系的兩類。第一類的倫理體系從涵容一切層次的倫理的大系統著眼，強調個人倫理到宇宙倫理的一體性、統一性與連續性。此類倫理體系並以個人倫理的內在化道德為整個倫理體系建立及實現的起點。事實上，個人倫理與宇宙倫理被認定具有共通的存在基礎，故宇宙倫理即為個人倫理實現的最高目的，而個人倫理的建立則有賴於宇宙倫理的啓發。依此觀之，兩者互為因果，也互為基礎，構成一個動態的「道德」與「倫理」、「形上」與「形下」的思辨的融合體。

第二類倫理體系卻與第一類倫理體系有相反的性質。它是以各層次倫理的不相隸屬，不相關聯為前提的，同時也不作包涵一切倫理的大系統的假設。個人倫理獨立於家庭倫理之外，正如家庭倫理獨立於社會倫理與國家倫理之外。當然，社會倫理與國家有倫理也相對獨立，兩者並同時獨立於宇宙倫理或宗教倫理之外。這種各層次倫理不相隸屬、不相關聯的認知是基於視個人之事無關於家庭之事，家庭之事無關於社會之事，社會之事無關於國家之事，而前述各事也無關於宇宙之事的認知。這種認知並非否認個人、家庭、社會、國家、自然宇宙等存在之間的邏輯和自然的關係，但卻明確地肯定這些存在現象的相對獨立性，即以這些存在現象的相對獨立性為此一認知的對象。我們也可以說此一認知即是西方古典邏輯與西方古典科學的認知。在此一認知下，整體複雜的現象被抽象與分析為互不相連的性質空間，以便找尋每一性質空間中事物的規律性。科學的分門別類的知識就是基於此種認知方法而來。應用此一認知方法於倫理體系的建立上，就是先行區分不同存在領域，並假設不同存在領域應要求一個相互獨立的人的行爲秩序規範。因之，每一個倫理都有其應遵守的行爲準則，正如每一種遊戲都有其獨特的遊戲規則而不必相互關聯。若將倫理主體化爲道德，則每一個個別倫理都有其相應的內在的道德意識，不容相互逾越與相互連貫。

此一針對個別存在現象規範的倫理或道德是以客觀的個體爲單元的，而非依主體與客體的相互依存關係作整體性的倫理或道德規範。據此，我們可以理解第一類倫理體系著重追求道德目的性和實現此一目的性的德性能力；第二類倫理體系則著重遵從客體現象的道德責任性和承擔此一責任的理性能力。第一類倫理體系可名爲德性倫理，第二類倫理體系可名爲責任倫理。

目的性的德性倫理是與第一類倫理體系中各倫理的一貫相連性有密切關係的，個人倫理的目的在追求生活的和諧和人格的完美。爲達到此一目的，個人必須經過家庭、社會、國家等倫理修養層次才能達到最高的天人合一的境界。這就必須假設各倫理的相連一貫，並在一個整體的大系統中融合爲一。與目的性的德性倫理相反，分辨性的責任倫理是以知識而非單純的主體的目的性爲其成立條件。在分辨性的責任倫理中，目的性是在知識的限定下存在，即個人必須在知識認定的範圍內找尋目的。即使先有目的提出，目的的可行性卻要經過知性的評估來確定，故人生的最高目的只可看成個人的信仰部分，而不必與社會倫理或國家倫理相互關聯。至於知識的新開拓及其社會化則必然導向新的目的性的產生，這就是各行業的專業倫理發生之由了。知識既限定既有目的，也導向新的目的的認定，因而更精確地固定了各層次倫理，也擴展了不同的專業倫理。在此種了解下，目的性轉化爲責任性，目的性的德行也就轉化爲責任化的行爲。責任行爲具有內在的目的性，但卻不具有目的性德行具有的最高目的指向意義。這一特性也就是個別倫理相對獨立、不相連結的重要原因。由於此種相對獨立與不相連結，一個倫理不必為另一個倫理的起點與終點，而表明此一特性的第二類倫理體系也就不必有一個公認的起點與終點。在此一理解下，社會倫理與各項專業倫理均可視為社會與面對專業所必要遵循的不成文規則而已。同時，在此一倫理體系中，由於並無一個作為起點的個人倫理，也無一個作為終點的宇宙倫理，宗教往往被視為結合個人倫理與宇宙倫理的超越倫理而獨立於各項倫理系統之外。

上述兩類倫理體系實為中西文化與哲學中實際體現的兩套倫理系統的理論描述。第一類連續、貫串的倫理體系是典型的傳統中國的儒家倫理；而第二類不連續、不貫串的倫理體系則是典型的現代西方的責任倫理。它是在康德倫理學與基督教倫理及神學的影響下逐漸完成的。因之，可名之為現代西方倫理體系。此一倫理體系以責任意識為主體，面對人類社會各項需要，基於理性分析和科學知識，建立了各層次的倫理規範和法則。這一現象也可視為社會現代化的主要特徵，標誌出西方從古典的德性倫理和中世紀的目的性宗教倫理演化為現代工業社會多元生活和專業領域中責任和能力分化與分立的過程。

社會現代化所包含的責任倫理化有其優點也有其弱點，此處不擬詳加評論。但可以立即指出的是：此一責任倫理對理解與規範人的行為具備理性的分析力和精確度，故較能掌握權利和義務的分野；並較重視行為的效率和效果。然而它卻因之削弱了人的主體性整體的投入，限制了自我擔當的道德創造力，使人的品質平庸化和現實化，把人推向機械和商品的存在，根本無法眞正突顯人的崇高和尊嚴。

相反的，德性倫理體系具有強烈的目的性，也更能激勵人性中的創發力量，展現人的道德、勇氣、智慧和活力以及為理想犧牲的精神。這是人的主體性的至高表現，且基於其與宇宙本體的連貫性，充滿了沐漓盡致的生命精神。但是在社會與國家層次，面臨現代科技和經濟分工的需要，卻無法有效地動員協合衆人的力量。這是由於德性倫理無法如責任倫理透過理性的立法，使社會產生共識與共同責任，要求每一個人都能理性地去實現社會的共同目標。這就礙於社會與國家現代化和知識技術化的進步。

綜觀上述兩類倫理體系的優點和弱點，我們應能了解這兩類倫理體系面對的相互挑戰。這也就是中西倫理體系的相互挑戰和相互批評。首先我們要問：西方倫理體系如何安頓人生的最高目標？如何掌握人的根源和人的理想？如何建立各不相屬的倫理系統之間的整體關係？這些問題都是針對人生的需要提出的，不可單純的解釋和輕易的化除。同時又由於科技快速發展，如何避免機械化及非人性化的危險以掌握人生的價值更是現代化社會急需探索的課題。至於中國倫理體系如何掌握知識和理性，適應現代社會的需要，建立責任與權利相互界定，律則與自由相互依持的功能社會秩序，更是中國社會必須嚴肅面對的問題。在這一個現代化的過程當中，卻又不能不關注人之爲人的主體性與最高目的性的精神安頓和維護。這原是中國倫理的精華所在，是不容忽視和漠視的。

我曾在我寫的《孝的倫理及其現代化》與《自目的論與責任論交融觀點重建儒家的道德哲學》兩篇論文中提示了一個中國倫理體系保存化及現代化兩面兼俱的架構。在這個架構中，我以個人倫理、家庭倫理與宇宙倫理爲目的性的追求，以社會倫理、國家倫理和專業倫理爲功能性的追求。個人倫理在提升個人德性及品質，家庭倫理在完善個人生活，宇宙倫理則在實現宇宙與個人本質上的和諧和統一的人生最高境界。這都是目的論和德性論的。但社會、國家及各行專業都是個人生存和發展的路途與工具。人不可逃於天地之間，也不可逃於社會、國家和工作職事，故面對龐大的社會、國家和分類日繁的工作職事專業，必須要以平衡互持的權利和責任意識來盡一己之長，以求創造一個能夠完美實現個人倫理、家庭倫理與宇宙倫理的最有利條件，也爲完美實現整體而多元的世界倫理創造最有利的環境。在此一架構中，德性與理性必須並重，智慧與知識必須兼顧，目的必須寓於生活，自由必須寓於責任。此一架構也可以說融合了中西兩個倫理傳統體系，形成了一個新的倫理圈，解除了兩者各自潛存的困境與危機，更爲世界文化開拓了新方向。對中國倫理體系來說，也是爲它釐定了一個世界性的價值地位與貢獻功能。

中國倫理體系的建立是中華民族作爲一個民族社會逐步揉合、凝聚、演化出來的一個成果。中華民族起源於遠古華夏諸族，到紀元前十六世紀與十一世紀夏、商、周之時逐漸混合爲一體，自名爲華夏。故《左傳》有日：「裔不謀夏，夷不亂華。」（《左傳・定公十年》）此一華夏民族又匯合東夷、荊吳、百越諸族，形成漢民族，發展到近代遂形成了中華民族。此一融合同化的過程可以看做中華文化凝聚與擴展的過程，亦爲中國社會倫理秩序凝聚和擴大的過程。一個民族與一個文化有凝聚和擴展的過程，而中國倫理體系就表現了一個民族和一個文化的凝聚力和擴展力。在開始階段，此種倫理秩序的建立也許並未成爲民族社會的自覺與共識，但在文化日新、文明日新的行程中，乃逐漸發展爲倫理規範自覺的要求和實踐。此處吾人可舉出中國古代文獻《尙書》中包含及提示的倫理政治哲學爲中華民族社會早期倫理體系的自覺範型，也可視之爲中國倫理體系之原點架構。

《虞書・大禹謨》中說：「捨己從人，不虐無告，不疲困窮。」又說「罔遊於逸，罔淫於樂，任賢勿貳，去邪勿疑。疑謀無成，百志惟熙，罔違道以干百姓之譽。罔弗百姓以從己之欲，無怠無荒，四夷來王。」「德惟善政，政在養民。水火金木土谷惟修，正德利用厚生惟和」《皋陶謨》言「知人在安民」。這些話明顯包含了一套力求社會穩定和諧的國家倫理。《皋陶謨》中列舉「行有九德」（寬而栗，柔而立，願而恭，亂而敬，擾而毅，直而溫，簡而廉，剛而塞，強而義）。又言「都愼厥身修思永」，與《大禹謨》所說「人心惟危，道心惟微，惟精惟一，允執厥中」等言乃顯示了一套完整的個人倫理。更值得注意的是：這套言國家之治的「國家倫理」與言個人之修的「個人倫理」已聯成一片，認知了國家之治亂是以個人的守德與否爲前提的，同時更進一層把「民」與「天」聯繫起來，也就是把「宗教倫理」與「政治倫理」結合在一起，使「政治倫理」有其形而上的基礎。《皋陶謨》中「天聰明自我民聰明，天明畏自我民明畏，達於上下」，也就是《堯典》中所說：「克明俊德，以親九族，九族既睦，平章百姓，百姓昭明，協和萬邦，黎民於變時雍」的基礎。這是一套貫通首尾上下的大倫理系統。到了《周書》記載的「洪範」篇更明顯地擴大爲涵蓋天地萬物、人事政行的一貫圓融的倫理系統了。「洪範」一詞意乎天地之大經大法，故爲一套「宇宙倫理」，包含了自然論的五行五紀，治民哲學的三德、卜筮、庶徵、五福、六極，以及爲人處世的五事，從事生產的八政，而統之以皇極之中的大準則。

以上舉出《尙書》中之倫理體系以表示中國倫理體系由來有自，可以溯源到中華民族社會及華夏文化的造形階段，約當中國歷史中夏、商、周政治文化發展擴展時期。綜觀此一倫理體系，我們可以舉出下列五大特徵以爲中國倫理體系理論性的說明。

一、整體性：倫理是以建立整體爲目的，因之不必限於一個有限的層次，而是要伸展到世界層面與天地萬物合爲一體。在這個意義下，倫理體系也就與宇宙體系合而爲一了。此乃把宇宙倫理化，而宇宙也不必具有獨立的單純的本體意義。中國倫理系統的倫理化宇宙與西方智識系統的知識化宇宙正好形成一個對比：西方知識體系把人知識化，正如中國倫理體系把自然倫理化一般，都是整體性原則的推演。但西方的知識有其向低層次約化的傾向，而中國的倫理則有其向高層次提升的傾向。近代西方的倫理學在西方的知識約化原則下依循基本的律則體現意志自由或追求最大的功利。傳統儒家的倫理學則在中國的價值提升原則下提出貫通人類、範圍天地與萬物一體同流的「仁」的理念，以爲人生價值追求的最高目標。

二、內發性：倫理的建立是以一己的修持功夫爲起點的。此即是說，倫理是根源於人性的內涵，絕非外緣於宗教或政治的規定。孔子的「修己以敬」，孟子的「四端說」都表明了倫理發自於內在的生命根源。這種內在的生命根源叫做「性」。故倫理的內發性就是指倫理行爲和倫理秩序都發自於「性」。「性」是根源，也是動力。人的求善行善也莫不以「性」爲依歸、爲理由。而人之趨向於倫理並努力使其整體的實現也就是「盡人之性」了。明白簡捷地指陳倫理這種內發性的根源意識是《中庸》的首句「天命之謂性」。性來自於天，天是生命之源，更是涵蓋一切存在的。故「天之所命」既是生命又是實現生命的潛能。故倫理必然要擴展到天地萬物，由「盡己之性」達到「盡人之性」、「盡物之性」以及最後的「參天地之化育」的境地。這種「盡性」、「與天地參」的過程就是倫理秩序內在性與內發性的最好說明。

三、延伸性：上述整體性與內發性時即已提及中國倫理體系的逐層發揮、依次推廣的特性了。倫理體系的建立是以宇宙爲最高的和最大的內涵，但卻開端於個人的自省和修持。若謂倫理的最高目標爲「至善」，則其最初的起點即爲「至誠」。從「至誠」到「至善」是要逐步推展的。在一般正常的情況下，是歷經「個人倫理」、「家庭倫理」、「國家倫理」、「世界倫理」等建立的過程，表現爲實質的「修、齊、治、平」的效果。《大學》在個人倫理的層面上，特別強調「格物」「致知」以「誠意」「正心」。這又表現了一個尊重客觀、融納知識以規範主觀心態的灼見，也可以說是孔子「智及仁守」精神的發揮。依此，中國倫理體系中的「致知以誠意」，或可與西方尊重知識、並以知識爲德性的基礎的重知主義（首創於蘇格拉底）相互發明，兼可爲現代「責任倫理」奠一基礎。但自《大學》看，無可否認的是：重知是返回重德的一個進階，故格致之道實可看成個人心知的倫理，循此可以發展個人的「心意倫理」亦即誠正之道。「個人倫理」自然也可以看爲心知到心意的發展以及心知與心意（志）的綜合一體。這就是《大學》所稱的「修身」，也就是孟子所說「盡心以知性」的過程。這自然也與《中庸》「盡性」之意相合：「知性」是偏知的，「盡性」則是偏德的。基於心知和心意的統一，兩者也就合而爲一。修身、齊家、治國、平天下都是一己心知和心意眞切篤實的推展，以達到「宇宙倫理」中「天人合德」與「天人合一」的最高目標。於此也可以看出人性本質的善和人性追求至善的善。

四、提升性：上述倫理的延伸性是就其涵蓋的時空而言，若就其延伸的動力方向及其價值高低來判斷，則其延伸性就是提升性了。中國倫理是提升人的精神生活和精神的，故可稱之爲德性的修持和發揚。《尙書》中已提及修持九德的重要。《尙書》中的帝堯帝舜也都是德化的權力。權力若無德相伴則只是威勢，若有德則具啓導與感化之功。故《中庸》有「大德敦化，小德川流」的說法。事實上，從中國倫理的理想來看，權力必須依持德性而成立。《尙書》中的堯舜都是以大德或玄德即帝位的。堯的「欽明文思安安」、「元恭克讓」，舜的「睿哲文明，溫恭元尊」都是德的表徵。後來儒家繼承此一重德的傳統，把德的自我修持看成是人性的一種實現，此即爲人性同時向外的延伸與向上的提升，不但自覺地掌握了生命的精神價値，也使人的生活有所寄，有所安。

《論語》言「志於道，據於德，依於仁，遊於藝」就點明了人性自覺以求實現的精神境界。「志於道」以至「致其道」都明顯地表明了人性提升的方向。這一提升性也顯示了中國人倫理體系所包含的宗教意義。中國論理體系發展到「天人合一」而人能「贊天地之化育」的境地，已不是西方哲學中的倫理體系了。它已兼含宗教的「終極關懷」之義。古代中國以天為至高的精神境界。中國倫理體系的根源和目標都指向天，透過「天命之謂性」的內在人性的動力，把內在之性實現為外在之命，此即為一種終極與超越的行程。當然這種「超越」不是離性而主命，而是即性以主命或即性以即命的修持，與西方宗教中之離性以至命的外在超越不一樣，，故可名之為「外化的」而非「外在的」超越。「外化的超越」即實現自我之性於「民胞物與」、「與天地參」的投入與貫注之中。此一投入與貫注在價值上即是至善，亦即人性最高的精神提升。上述指出中國倫理體系中的「宇宙倫理」隱涵了一個宗教倫理之意即在此。

五、連續性：基於對中國倫理體系的延伸性和提升性的了解，中國倫理體系實已涵攝了政治體系、經濟體系和社會體系，而呈現了一整體性的結構。事實上，從《尚書》等古代文獻及制度歷史的探討中，我們就已看出古代中國政治是以倫理為基礎的。不但政治的權力德性化了，德性也政治權力化了。同時，德性也被認為政治合法化的唯一依據。人有德即有天命，天命又與德性一致，故有德必能喚起百姓大衆的共信與共識，形成政治權力的基礎。政治權力之施行又有待於教化百姓，使百姓同登德性之堂，故倫理又為政治的手段與工具。由於倫理與德性包含甚廣，凡是增進或維護整體生活秩序的都是倫理之事。因之勤勞奮勉、儉廉恭讓、和諧協力等行為在在都是德性的表現，其效果則不僅為社會政治上的安和，也是經濟上的自足自給了。

在歷史上，中國為一歷經凝聚和擴展變動的民族融合體，因地理環境發展為一重農經濟的體系，其表現為一重德尊命的一元政治。中國倫理體系也以此一經濟和政治體系爲其背景，發展爲與此一經濟和政治體系相互依存的連續整體。甚至說中國倫理與中國政治實爲一體兩面。並與中國經濟互爲因果，也不爲過。這也就說明了何以在中國歷史中赤裸裸的政治權力也要藉用德性來做文飾，而且更利用倫理體系來達到專制統治的目的。這種現象相應於儒家理想的「以德率政」、「政教合一」而言，可稱之爲中國倫理體系的異化作用。

中國倫理體系的多面連續性也間接說明了何以在現代化的中國社會中經濟發展必然受到社會倫理體系的刺激而得到支助，同時也因其發展逐步推展及轉化了傳統的社會倫理體系。

以上所舉五項中國倫理體系的特性是與中國早期民族社會的形成以及此一民族社會的經濟政治體系化的發展密切關聯的。春秋儒家倫理哲學的建立顯然是此一倫理體系更細密的、自覺的、理性的發揮，因而突出爲一個理想社會建立的指導原則。孔子的「述而不作」，「好古敏求」就指的這種倫理文化的繼承。孔子哲學表現爲倫理體系，但在其深層的文化意識之中已實質地包含了一個形而上的宇宙論和一個宗教哲學。這是由於中國倫理體系原本（也就是在其原點上）已包含了宇宙層面與宗教層面。這在孔子後儒家哲學的展開中已清楚地表現出來。故自中國倫理體系的整體性言，孔子哲學也不可以單純地自倫理學來了解，而應視爲一個包含上述五項特性的一個整體開放體系。

值得注意的是：孔子哲學中的德性都可以自上述五項特性來作了解。表現這五項特性最完美的、最完全的德就是孔子哲學的中心觀念——「仁」的觀念。無疑地，「仁」是一個整體性的、內發性的、延伸性的、提升性的與連續性的觀念，因爲「仁」是涵蓋人的生命一切的，內發於人性的，是推己及人的，又是提升人性，完成人性於逐步推展的人格與行爲中，更是實踐於實際經濟、社會與政治的連續活動。「仁」之具有這些特性也許並非偶然，因爲「仁」可以說是中國倫理經驗與精神自覺的集中表現。因之，「仁」也就可以被看作一個至德或全德了，而儒家的「仁」的哲學也就成爲中國倫理體系的最高發展了。不但爲中國倫理體系找到了一個「原點」，也爲中國倫理提出了一個理念和理想。

在「仁」在哲學架構上，其他諸德也都或多或少地顯示上述倫理體系的五種特性，然而卻沒有任何一種德性像仁一樣兼具五種特性到絲毫無缺的地步。這也就說明了「仁」何以涵蓋諸德，而諸德則在不同的社會層面上遵行「仁」的觀念和理想。

首先，我們可以視「義」爲相應整體性的個體性原理，顯示辨別差異的重要。「義」就是尊重分別和差異，以尋求部分和部分、全體與部分之間的平衡和對稱，藉以實現整體的個體性與個體的整體性。「義」也有內發性，但相對於「仁」而言，卻有較多向面的外在性。這也就是告子與孟子辨難「仁內義外」的原由。「義」有擴伸性，然就「義」的實際應用言，則表現爲因人因事因地因時制宜的凝聚和關注。「義」可以提升到宇宙的高度，故孟子言「吾善養吾浩然之氣」是可視爲由「集義」而來。但一般言之，「義」是要對人對事言的，是有特定對象的，故與其言有提升性，寧可言其有落實性更爲妥當。「義」之兼具倫理與政治兩面，是毋容置疑的。使民固然要以仁，但只有「務民之義」才能使仁政落實。故「義」的功能是同時依據「仁」的原理與事實的需要而建立的。

「禮」之爲德也兼具社會倫理與政治倫理兩面。就儒家言，「禮」是道德規範，也是政治規範。故「禮」原與「法」並列合用，到荀子則幾與「法」合一。「禮」的提升性與「樂」相同，是一種社會教化與安定的力量，這在《禮記》中言之甚詳。但「禮」的內發性卻是間接的，是透過「仁」和「智」的功能而來的。故儒家認爲具體的「禮」是聖王所制作，而非個別人性的發用。「禮」當然是整體的，也是延伸的，但卻如「義」一樣，必需考慮人事、物象、時空等因素的相關與限制，表現爲不同的形式和內涵，但也隨著時代的轉移，獲得新的形式和內涵。

「智」是與「仁」有同功異能的人性之德。孔子言「智及仁守」，並以爲「智」就是對「仁」的選擇，對善之固執。故「仁」之德的自覺實行就是「智」的開始。經過反省，「智」就能引發爲更大的「仁」，而「仁」也能促進更多的「智」。「仁者無憂，智者不惑。」不惑就不憂，不憂就不惑了。故「智」有整體性，經下學而上達，能致天下之道。「智」也有內發性，是人性的啓蒙和自覺，經「學」與「思」的並用而有發展。故「智」應具推展性與提升性。但「仁」與「智」雖相互爲用。相互爲基，卻在連續性上顯出不同：「仁」是包含的，「智」是分別的；「仁」以愛民、親民爲目標，故可言仁政，「智」卻是以正名、正己、正人、守法爲行政的手段。故「智」傾向於法治，「仁」卻傾向於人治。這是很大的分野點。

「信」具有內發性與推展性，是基於「仁」與「誠」而來的個人和社會的凝聚力，可視爲「仁」的推展、「誠」的凝聚。「信」也可說有提升性，因人之立足於社會就在其信之有無，可信度之大小。故孔子有言「民無信不立」。在整體性和連續性上「信」不能沒有「仁」和「義」的引導。故「信」之爲「信」就是「仁」和「義」在人的實際行爲中的表現和效應了。

以上僅就儒家倫理體系中的重要德性依照上述五特性，作了較系統的分析和鑑定。其他德性自然也可比照此確定。同樣，其他諸子百家的倫理體系（道、墨、法等）也都可以依上述五特性作一分析和解說，它們在中國社會發展的歷史中扮演的角色和貢獻也可因之得到一個較爲客觀的料定。

基於以上的理解，我們可以看到儒家哲學及其顯示的倫理體系都有其歷史上的源頭活水和理論上的價值標準。就此言之，儒家哲學的發展也就有其內在的動力了。兩漢是中華民族另一融合時期，儒家的倫理體系也就發揮了當時融合諸族的功能。兩漢以後，外來民族陸續融合於漢族之中。外來的佛教更直接地提供了當時社會秩序所需要的穩定力和包含力，而儒家倫理體系則處在「退藏於密」的地位，成爲隱含於制度與社會生活上（非價值意識上）的凝聚力量。到了宋明，儒學融合了佛道，在更細密廣博的層面上建立了宇宙哲學與倫理哲學，而兩者較之先秦儒家更能表現形上和形下時空中「象」的一貫性、圓融性、系統性。明清以來，這個大系統，固不論其爲理學或氣學或心學，就成爲近代中華民族倫理精神之所寄並爲其表達。但自清中葉以後，西方挾其經濟、政治、社會、科技的力量衝擊了中國傳統的經濟、政治、社會與學術，遂使中國倫理體係面臨著空前的崩潰危機。百年來的中國現代歷史，事實上更證明中國傳統的經濟、政治、社會與學術已有實體的與結構的改變與發展。中國社會的倫理秩序在人的主觀意志和理念上也應作相應的調適，藉此主動而整體地重建一個現代中國社會所需要的社會倫理秩序。

在此一自覺的要求中，中國倫理體系要求大幅度的改造是自然的。這種改造在我前面的討論中已確定爲融合西方倫理體系中的理性化的、知識化的「責任倫理」於中國倫理體系中的心性化的、德性化的「目的倫理」之中。若相應於本部分所析中國倫理體係五特性而言，此一融合乃在接納、強化與引進個體性、外化性、一般立法性、離宗教獨立性、離政治獨立性等原則，以建立一個個人、家庭、社會、國家、世界、宇宙相互區別並相對獨立的倫理體系。這是人類社會步向現代化、理性化的一個重要特徵，也是人類社會滿足其發展的需求所必須。但吾人也不可忘記人類建立倫理秩序之時有其積極的主動性與主體性的需求，又不可忘記中國倫理體系具有包含及融合的能力，而包含及融合也原爲人性個體與世界整體所必須。因之，理性化的現代倫理體系也面臨著如何整合人性個體與世界整體的難題，這也就是後現代化的一種要求。面對這種要求，中國倫理系統中的五種特性又顯出其重要的時代意義了。理想的人類倫理體系也許就在於如何結合、融和中國倫理體系的五項特性與西方倫理體系的相反特性以形成一相輔相成、機體關聯的大系統，不但爲未來人類的個體定位，也爲人類未來的社會定向。

東南大學哲學與科學系主任樊浩君是當代中國哲學界的新軍與新血。他具有時代眼光，卻更有根源意識。他對中國文化中的倫理體系已作深刻與整體的反思與理解，更抱著釐清中國倫理體系發展過程中各門各派思想特色的宏志。這項兼具宏觀與微觀的研究工作，是我們這個時代重建中國哲學的偉大事業所必要的，這也是一項艱巨的學術任務。能夠努力去承當這項任務的中國年青學者當中，樊君無疑是傑出的一位。他已寫成《中國特色的道德文明》與《中國倫理精神的歷史建構》兩書，要我爲他作序，我很欣然地接受了。但爲了不說空洞的勉勵之辭，我乃論述了中國倫理體系的歷史根源與其所面對的時代挑戰，藉爲樊君的著作提供一個更進一層發展的理論架構，也藉以透視樊君論著兩書於時需的重要性。

【美】夏威夷大學　成中英序於客次台北市台灣大學

1989.12

緒　論
中國文化與中國倫理精神

本書取名爲「中國倫理精神的歷史建構」，其主旨不在闡釋中國倫理史的具體內容，在這方面，目前的幾本中倫史專著已經介紹得很詳備，本書的主要目的在於探索作爲民族精神主體部分的中國倫理精神的有機結構、生長過程以及各個時期倫理精神生長發展的脈絡與內在聯繫，並由此探討民族道德現代化的現實途徑。它可以說是從歷史的角度，在倫理的層面上對中華民族所作的精神結構的分析。

在給本系倫理學方向研究生開設中國倫理史課的過程中，我深深感到：中國倫理史的研究最容易產生的也是最難克服的缺陷就是「味」、「感」不明或「味」、「感」不強。作個不恰當的歸納，就是：在理論體系上缺乏「倫理味」；在邏輯構架上缺乏「歷史感」；在分析解剖中缺乏「中國味」；在主題思想上缺乏「時代感」。具體地說，對倫理與倫理史的概念缺乏深入的疏解與恰如其分的把握，不能使人們準確地把握倫理、倫理史尤其是「中國倫理史」的特質，使人們很難把倫理與政治作區分，體現不出在中國獨特的文化方向上生長出來的中國倫理的特殊韻味，或者說這種韻味不濃；對倫理文化背景下倫理與民族精神的關係著力不夠，往往把倫理史看作是各時期思想家的倫理學說匯編，不能清晰地體現民族倫理精神的自我生長與自我更新，看不到民族精神建構與民族性格的自我完善，對中國文化土壤上生長出來的民族倫理精神的結構缺乏解剖，使倫理史變成了孤立的、靜態的故紙堆，缺乏運動的主體性與內在搏動的活力，朝代的更迭成了劃分倫理史發展階段的唯一依據，因而在理論出發點與總體構架上，中國倫理史與西方倫理史幾乎沒有什麼區別。不僅如此，在倫理史的研究中，爲古而古的傾向比較明顯，對倫理史的考察缺乏明確的目的性和時代的高度，沒有站在民族現代化尤其是民族道德現代化的高度闡釋和分析倫理思想的發展，因而倫理史變成毫無生氣的傳統思想的傳載。

這本書所要著力或希圖突破的就是它的倫理味、歷史感、中國味和時代感。爲了達到這個目的，就必須對作爲理論基礎、體系出發點與構造原理的基本概念作專門的疏解，力圖對它有一個準確的把握。

一、文化的認同

中國倫理是在中國特殊的文化土壤上孕育、生長出來的。文化，是一個民族主體性的體現；中國文化，就是中國民族的主體性、自覺性的表現。要體現出中國倫理的「中國味」，就必須牢牢地把中國倫理奠基於中國文化的背景與土壤上。

文化理念與文化價值

這裡，我用「理念」代替慣用的「概念」一詞，因爲「理念」比起「概念」更具體、更辯證。它不僅要指明對象的內涵與外延，而且要確立把握與疏解對象的原則與方法。文化理念必須解決兩個問題：一是對文化的界定，即對文化概念的認知；二是用什麼樣的觀念區分、認知各種不同類型的文化。爲了突破現有的文化研究模式，這裡，我提出了兩個不同的概念：「人化」與「文化方向」。

近代以來，隨著文化研究的興起，文化的定義日益繁多。美國學者克羅伯和克拉克洪在《文化：概含和定義的批判性回顧》中就列舉了歐美對文化的一百六十多種定義。中國文化熱中對文化的定義也很多，其中比較有代表性的觀點是認爲文化就是文明；文化就是生活方式的總和；文化包括一切物質產品和精神產品。我認爲，文化是一個廣泛已極的概念，對它的定義必須體現兩個方面的特徵：一是人與動物的區分；二是人的主體性。「文化」是人的自我確立、自我提升、自我實現的方式、過程與狀態，或者從最抽象的意義上說，是人的自我肯定。在這裡，「文化」具有動詞的性質，「文」者，紋也，「化」者，變化之謂也，「文化」即是通過文飾而使自身變化，它是人擺脫質樸的本然狀態或野蠻狀態，不斷開化，走向文明的方式與過程，也是人不斷地擺脫動物界使人成爲人的方式與過程。也可以說，文化是指人的開化的方式與開化的程度，由此產生了各民族不同的文化方式與各個體不同的文化程度。在這個意義上，文化既包括了現有文明的一切成果；又包含了人類走向文明的過程；還體現了不同民族對自己文明方式的選擇。它是客觀狀態、歷史過程、主觀選擇的統一。就是說，文化是「人化」的方式、過程、程度、狀態，其中包含了極爲豐富的主體性內容。

如何把握文化的特徵，如何把各種類型的文化加以區分？這是文化理念的核心問題。它對把握中國文化尤其是中國倫理文化具有絕對的價值，因爲它直接關係到以下幾個至關重要的問題：如何判斷中西文化的價值？中國傳統文化有無超越自身文明的意義？中西文化兩個方向的倫理能否在更高的形態上達到統一？爲了解決這些問題，我提出一個新的文化理念：文化方向。在文化區分問題上，目前國內學術界主要有兩種基本傾向：一是從文化層面的角度，把中國文化放在世界文化發展的過程中，認爲世界文化發展的順序是希臘文化、羅馬文化、中國文化、印度文化、西歐文化等；二是從文化所代表的時代來區分，認爲中國文化是一種傳統的古代文化，而西方文化則是近代資本主義文化。這兩種劃分法，都有一個共同特點，即西方文化優越論。前一種劃分法實際上是黑格爾絕對精神發展過程的翻版，後一種劃分法實際上抹煞了中國文化在現代社會的價值。它們都不能解釋文化價值的多樣性，不能解釋多樣性文化存在的客觀必然性，實際上仍是用一種既定的文化模式圈套多樣性的世界文化，也是民族虛無主義在文化問題上的理論根源，它實際上認爲中國文化在現代社會已經失去了存在的根據與活力。我認爲，文化既爲「人化」，就不能從所謂文化層面的角度，也不能從所謂時代的角度，而只能從文化所代表的人類文明特定方向的角度進行考察，這樣才能發現某種文化所特有的價值與內在合理性。任何一種民族的文化作爲人類特殊的開化方式或文明方式，都代表著人類自身發展、完善的特定方向，是人類特定的「人化」方向與「人化」方式。文化既爲「人化」，其生長的元點與發展的特殊方向的最深刻的根源便存在於人類由野蠻社會向文明社會轉化的方式與過程中，它就像遺傳基因一樣對人類文化的發展起制約作用。雖然不能說奴隸社會取代原始社會的方式與過程確定了日後人類文明的方向，但它確實奠定了文化方向的基礎。世界人類文化的方向是豐富多樣的，但從以上角度考察，主要有兩個方向：一是古希臘與古羅馬所代表的方向，二是中國古代社會所代表的方向。前者是在徹底打破原有的氏族組織、氏族社會基礎上建立起來的文明與文化，後者是在對氏族社會進行改良的基礎上進入文明社會的大門；前者是以國代替家，後者則是使「國」涵蓋於「家」中。這兩種方向代表人類文明的兩種基本形式，在現代社會中各自具有獨特的價值，它們都在特定的方向上充分發揮了各自的內在要素，使「人」的內涵從不同側面得到提升、豐富，並在此過程中展現了其合理性與現實價值。因此，現代文明發展的結果不是以一種文化取代另一種文化，而是中西文化的整合，因爲在現代社會中，這兩個方向交叉重合，產生了互補互攝的內在要求與客觀可能，這宛如兩列不同方向駛來的列車在到達同一車站後又向著同一方向邁進。所以，中國文化建設的任務就是要建設一種具有中國特色的現代化與世界化相結合的新文化。倘若把這種文化觀運用到道德領域中，就意味著：中西方倫理代表了人類道德文明的不同方向，在現代社會生活中各自具有特定的價值。中國傳統道德的前途就是要建設一種具有民族特色、體現時代精神、在中西道德整合的基礎上的新的現代化的道德文明。

中國文化精神的結構要素

從「人化」與「文化方向」的理念出發，我們便可以對中國文化自身的結構要素作出探討。文化既為「人化」，在微觀上就應當與主體的人性結構、精神品格相一致，在宏觀上應當與中國民族的「人化」要素相吻合。我認為，如果把中國文化作為一個完整的、有機的主體精神形態來考察，它具有三方面的結構要素：血緣、情理、入世。血緣是中國文化的價值取向、出發點以及人的確立方式；情理是「人」的主體品格、價值判斷的機制與主體的精神結構；入世則是「人」的生活意向以及對自身的安頓。三者形成由客觀到主觀、由精神原理到價值機制的完整的「人化」結構要素。這種結構要素形成中國文化特殊的「人化」方式與「人」的品格。由於文化的血緣性質，也由於文明發展的自身慣性，這種特殊的「人化」方式在某種程度上會延續下去，只是在時代精神的衝擊下，達到與新的民族精神的整合。

血　緣

一種文化的特色是通過生活方式、價值系統、物質設施體現出來的，但是文化所代表的人類文明的特殊方向卻深藏於人類由原始社會向文明社會過渡的過程中，也就是說，深藏於人類開化的狀態中。

我國先民由原始社會向奴隸社會的過渡，沒有經過像古希臘、羅馬那樣由奴隸主民主派推翻氏族貴族的革命。西方文明史上，原始社會向文明社會的過渡是通過一系列的變革打破了舊的氏族統治的體系，用地域性的國家代替了血緣性的氏族，用個人本位的社會代替了家族本位的氏族，從而用政治性的國家統治代替了家族式的血緣統治。而中國上古社會的歷史記述與神話傳說表明，我國先民跨入階級社會的門檻的途徑是由氏族首領直接轉化爲奴隸主貴族，以後又由家族奴隸制發展成爲宗族奴隸制，並建立起「家邦」式的國家，而不像希臘羅馬那樣由家庭奴隸制轉化爲勞動奴隸制，隨之建立起「城邦」式的國家。因此中國古代史發展的脈絡，並不是像西方社會那樣用奴隸制的國家取代氏族血緣紐帶聯繫起來的宗法社會，而是由家族走向國家，以血緣紐帶維繫奴隸制度。於是，血緣關係成爲社會的基本關係，形成整個社會關係的原型，血緣關係的結構方式成爲整個社會關係的結構方式。在此基礎上，便形成家——國一體的社會體制與社會結構。在血緣文化中，「家」與「國」這兩個本來迴然不同甚至在組織結構原則上相互反對的社會形式便融爲一體並合而爲一了。「家」成爲「國」的原型的與母體，「國」變成「家」的擴充與放大，「國」的結構原理便是「家」的結構原理的延伸。「家」不僅成爲價值的出發點、價值的取向，而且成爲整個社會關係的理想模式，「四海爲家」、「天下一家」便反映了中國文化的特殊價值理想。於是，倫理與政治便直接同一。

家——國一體的社會結構以及在此基礎上形成的血緣文化是中國文化最爲重要的基礎與特徵，也是全書立論的重要基石，對此這裡有必要稍加論證。

正如有的學者所指出的，以農業爲基礎的中國新石器時代延續極長，氏族社會的組織結構發展得非常充分和牢固，產生在這一基礎上的文明發達得很早，血緣親屬紐帶極爲穩定和強大，沒有爲航海、遊牧或其他因素所削弱和衝擊。步入階級社會後，雖然經歷了各種經濟政治制度的變遷，但以血緣宗法紐帶爲特色、農業家庭小生產爲基礎的社會生活和社會結構卻很少變動①。我國古代國家制度的形成可以劃分爲兩個階段：夏、商、周三代爲初級階段，秦漢以後爲成熟階段。三代以前的遠古時代是無君無父的氏族社會，當時只有氏族、部落、部落聯盟，而沒有國家。正如《呂氏春秋・恃君篇》所寫：「昔太古嘗無君矣。其民聚生群處，知母不知父，無親戚兄弟夫妻男女之別，無上下長幼之道。」從三代到秦漢這段漫長的歷史階段，正是我國古代國家制度形成的時期。《周易・序卦傳》寫道：「有天地然後有萬物，有萬物然後有男女，有男女然後有夫婦，有夫婦然後有父子，有父子然後有君臣，有君臣然後有上下，有上下然後禮義有所錯。」這實際上揭示了我國上古社會的演進過程：從無夫婦父子之別到有父子長幼親疏之序的宗法制度的建立，再從宗法制度到君臣上下之禮的國家制度的形成，這是我國社會政治結構演變的基本走向。夏、商、周三代的王權都直接脫胎於氏族部落的酋長職能，而且三代的國家制度都是從氏族社會後期形成和發展起來的宗法血緣關係和宗法制度中直接引申和發展而來的。西周實行分封制的實質，就是把氏族組織發展成社會政治組織和國家制度，雖然它已突破氏族組織而初步具備了國家制度的雛形，但在形式上這種國家制度必然是以宗法血緣系統來建立和維繫國家統治秩序和行政組織的。因此，有人認爲：「夏、商、周三代獨特的國家結構，都是以血緣關係爲紐結的家長制家族關係的國家化。後期的周朝，則是它的典型形式。」②在周以後的封建社會的長期演變中，這種政治制度被發展爲十分完善的家長制。中國這種社會結構與政治制度的實質，就是以家族制度作爲國家制度的原型，家族制度成爲政治統治的手段，使家與國、血緣倫理與政治等級合而爲一、直接同一。因而血緣關係、血緣心理、血緣精神成爲中國社會、中國文化的最重要、最基本的結構要素，它滲透到民族文化、民族心理、民族精神的一切方面，成爲中國「人化」的最基本的特徵，使中國文化成爲一種血緣文化。

在中國，家——國一體的社會結構鞏固、定型的過程中最重要的事件之一就是西周的維新。西周社會基本上奠定了日後中國社會的雛形，社會的結構原理、人倫的最一般的準則在這時已基本上具有了。西周的維新，在中國社會與文化發展史上具有特別重要的地位，對西周維新及其文化突破的分析，可以尋找到解釋日後中國社會與中國倫理精神的一把鑰匙。

在西周以前，中國階級社會經歷了夏、商兩代，到商代，中國奴隸制便走向成熟。從倫理的角度看，商代奴隸制有兩個特徵值得特別注意：一是氏族血緣關係的存在。商代奴隸主的內部關係都是靠血緣關係來維持的，財富的多少、權力的大小、等級的高下都與種族血緣關係有著密切的聯繫。這與古希臘的奴隸制是不同的，它不是用奴隸制的國家代替氏族血緣紐帶的家族，而是由家族到國家，以血緣紐帶維持奴隸制，這種傳統給中國倫理精神以極大的影響。二是祖先崇拜與天神崇拜的結合。祖先崇拜是父系社會的產物，是血緣的產物，而天神崇拜是由對各種自然現象的崇拜的抽象、上升而成的。殷人爲證明自己是天神在地上的代言人，採取祖先崇拜與天神崇拜相結合的辦法，把自己的祖先上升爲上帝，是天神，自己也名正言順地成爲下帝，這實際上是把祖宗神的屬性加給了天神。這種辦法賦予自然神以某種社會的屬性，既使天道與人道合一，又使家的統治與國的統治合一，達到人的規律與神的規律的統一。

西周時期，中國社會發生了一次影響深遠的變化，這就是周公的維新。實際上這是中華民族在歷史的岔道口，對自己的發展道路所作出的獨特選擇。西周的維新，既是對政治的維新，也是對社會的維新，其核心是建立一整套社會關係、政治關係的組織結構，並把它以僵化的形成固定下來，在本質上是弱化神靈權力而強化血緣權力，由神道設教轉向尊尊親親，將人類血緣關係的自然秩序轉化爲嚴密的統治秩序。西周維新的主要內容有三方面。第一，加強宗法制，使建立在家族血緣關係基礎上的宗法制成爲社會關係與政治關係的結構。其基本的方面是從注重部族血緣關係變爲特別注重家庭的血緣關係，以家庭血緣關係而不是部族血緣關係的遠近來確定地位的高低。主要措施有：廢除兄終弟及的繼統法，採取「父死子繼」制；嚴嫡庶之分，實行嫡長子繼承制；定立嫡立庶的原則。於是，繼統法又轉化爲宗法制。第二，實行分封。把大批的宗室和姻親分封到各地去，實行以血緣爲紐帶、倫理與政治合一的家——國一體的統治體制。第三，制禮作樂。這實際上是把上層建築的各個方面加以制度化，從各個方面把上下尊卑的等級差別確定下來，從此，禮便成爲人們社會生活的倫理政治準則。至此，中國終於發現了一條有助於形成穩定統治秩序與社會秩序的有效方法——血緣宗法制，它引導中國社會走上了一條特別的道路。可以說，以後中國社會的變化包括春秋戰國之際的社會變遷都不是結構原理的質的變化，而只是量的變化或部分的質變。

但是，這種維新還包括許多不完善之處，存在著不少內在的矛盾，這爲以後的社會發展和理論發揮留下了廣闊的餘地。首先，它沒有在理論上爲宗法制找到本然的根據，就是說未能與學理結合而達到理論的自覺。其次，未能在家族制度與國家即「家」、「國」中間找到比較完備的過渡環節，而是直接地把「國」同一於「家」，使「家」上升爲「國」。再次，西周的維新把權力建立在血緣關係上面，通過倫理政治的機制把血緣關係變爲赤裸裸的政治統治，而要將政治與倫理成功地結合在一起，還必須有一個反向的運動：政治倫理化，否則，只能是政治的強制或客觀倫理；而不能達到內在的自覺或主觀的道德。

這些方面，被孔子和他創立的儒家出色地完成了。中國倫理精神的結構，實際上就是各家在發揮解決這些特點和矛盾的過程中的互補互攝、競相生長。

家——國一體、由家及國既是華夏民族走向文明亦即「人化」的特殊道路，也是中國社會結構的特徵。在這樣的文化方向中，血緣便成爲中國文化精神的基本結構要素。「血緣」是家的抽象，它是由家及國的起點、基石和範型，是「人」的確立方式、「人化」的原理以及「人」的價值取向與價值理想。在中國文化中，人的確立與造就首先是在血緣關係中完成的，「家」既是人的生活的依歸，更是人格生長的母胎。細密的稱謂，既把各種血緣關係加以區分，也對「人」作了嚴密而又基本的規定。人的社會化，首先的也是主要的就是家族化，身、家、國、天下是「人化」的過程與步驟，而其中基本的就是家，「人化」的原理就是由血緣關係中的人格放大爲國「家」關係中的人格。血緣在中國文化中，不僅是一種基本的人倫關係，而且是其他一切社會關係的原型，是人際關係的組織結構形式，倫理關係、政治關係就是以血緣關係爲原型建立起來的，因爲既然家與國是一體的，血緣、倫理、政治便是三位一體、直接貫通的。於是，幾千年的傳統社會，始終如一的倫理體制與政治體制便是家長制。

家長制是中國血緣文化的特殊產物與典型表徵，它集中體現了家——國一體、由家及國的社會組織與結構形式的特徵，體現了父與君、血緣與宗法、倫理與政治的直接同一。這種家長制的基本原理就是把宗法這個父氏社會的組織結構形式上升爲政治社會的結構形式，父親在家庭中「君臨一切」，君王則是全國的「嚴父」，因而在社會規範體系中，忠孝一體，孝悌爲本，基本的原理就是「移孝作忠」，「君子之事親孝，故忠可以移於君」。正是在這個意義上，黑格爾把中國文化的精神概括爲「家庭精神」。正因爲如此，人際關係的價值取向就是血緣，人們的價值理想就是所謂「家」，形成一種以血緣爲根本的特殊的文化價值系統。在這裡，不管社會的政治如何殘酷，但在社會的組織結構與個體的價值取向與行爲選擇中都滲透著濃烈的家族氣息。人們的思維方式習慣於從小家出發而歸結爲「天下一家」。於是，整個中華民族形成了一個大家庭。「親如一家」成爲幾千年來人們所追求的大同社會的理想，就連古聖們所津津樂道的「不獨親其親，不獨子其子」，「老吾老以及人之老，幼吾幼以及人之幼」的高尚情懷也是以「親」爲本，以「親」爲先，只是反對「獨」而主張「兼」、「及」。就是在當今社會刮起的「西北風」中，這種氣息也芬芳四溢，一首《祖國讚美詩》深深地體現了這一點：「我們都是同一個血緣，共有一個家，黃皮膚的旗幟上寫著，中華！」有人曾經從文字學的角度研究了這個問題，認爲在各國文化中，只有中國把"country"譯爲「國家」，即放大了的家；也只有中國把母親與國家聯繫在一起，稱之爲「祖國」，於是濃烈的故鄉觀念、國土觀念，便成爲中國人深層的情感意識。難怪有人說，中國的愛國主義是女兒思念母親的情懷。這種泛家族主義或許是中國血緣文化的特殊產物。

總之，血緣或者說家在中國文化中具有絕對的意義，它既是「人化」的起點與元點，又是中國人安身立命的基地，抽掉了這個家，抽掉了這個血緣，中國人的精神就會失重，社會就會瓦解，價值體系就會解體，人們就會喪失文化與精神的家園。也許，在這種血緣精神中隱藏了中國文化的遺傳基因，從中可以找到疏解中國文化的一把鑰匙。

情　理

情理是中國文化也是「中國人」的主體品格、判斷機制與行爲方式。與由家及國、血緣本位的社會結構方式相適應，中國文化一開始就選擇了情感的道路而拒絕向純粹理性方面發展。在文化的開端，這是一種自然的傾向，而日後向同一方向發展的文化傳統又加強了這一傾向，因而情理便成爲中國文化精神的重要結構。血緣本位直接導致了人們對情感的重視，因爲情感是家庭生活的絕對標準，血緣關係的絕對邏輯，而家族血緣又是情感培養的母胎，這種雙向的運動及其相互作用導致了情感在文化價值系統中的絕對意義。然而在中國文化中，血緣以宗法爲秩序，同時又具有社會結構的功能，是倫理與政治的原型，因而在文化精神的主體品格中除了純粹的情以外，還必須有疏解這種情的「理」。這種「理」是「情」之理，它的職能與特點是一方面堅持「情」的絕對性，另一方面又給「情」以秩序與運作的邏輯。它規定了「情」運作與擴充的秩序，就是說必須照宗法、倫常與政治的要求涵育、宣洩、投射自己的情，否則情就不具備道德的屬性。因此，「合情合理」成爲中國文化價值判斷的機制。正是在這個意義上，林語堂先生把中國文化稱爲情理主義的。這裡，關鍵是要對「理」有一個眞切的把握。這裡的「理」不是所謂理性，而是情之理，或人情之理、人倫之理。這種理以情爲主體，它不是冷冰冰的，而是充滿人情味的。在這個意義上，如果說西方文化是理性的話，中國文化就是性理的。就是說，在主體的判斷機制中，是由性而理，從血緣本性、血緣的情出發，進行「合理」的判斷，說到底，就是情之理，性之理。從社會運作的現實原理看，在由家及國的中國社會中，組成社會的單元是家或家庭成員，因而理性、個體權力，與此相聯係，政治生活中的法律便居次要的位置。而西方文化是在打破了原有的氏族關係基礎上形成的國家文化，在這種文化中，社會的單元是獨立的、互不相干的個體，於是個體、個體利益與權力，與此相聯繫，主體的理性與政治法律便處於重要的位置。因此，在中國文化中，不但強調所謂親情，而且具有泛情感主義的傾向，孔子就曾提出過「以情治國」的主張。不僅如此，這種情還會從活人追及古人，愼終追遠，甚至對毫無感知的物也賦予情。而西方文化卻把人定義爲「理性的動物」（亞里士多德），即使在注重信仰的中世紀，也是建立所謂「理性的神學」，以邏輯與哲學來證明上帝的存在。如果說中國文化是把非情感的東西情感化，即惟情是鍾的話，西方文化便是把人的情感理性化，即惟理是從。不同的文化方向，孕育了截然不同的主體品格。

必須強調的是，在中國文化中，「情」不僅是靜態的本位，而且是深層的文化機制。在中國文化對人際關係的設計與處理中，十分注重「感通」的機制，「身無彩鳳雙飛翼，心有靈犀一點通」就是對這種「感通」最好的注釋。這種感通，包括人與人間的感通，今人與古人的感通，甚至人與物間的感通。而所謂的感通，就是人際間情感的共通，或情感的共鳴、共振，我們常說的「動之以情，曉之以理」，「以情動人，以理服人」，「征服人心」，正是對這種情理文化的自覺把握與運用，因而「感動」、「感化」、「感人」等等就是這種文化特有的機制。這些機制，說到底是以情感爲主體的互動。「感動」是由「感」而「動」，「感化」是由「感」而「化」，前者是手段，後者是目的，說到底是在情感上下功夫、起作用，通過情感征服、顛覆別人。在這個意義上可以說，不了解情感，就不了解中國文化；不理解情感，就不理解中國文化，也就不能理解中國人。而一旦超出中國文化的氛圍，這種「情理」的運作馬上就會中斷。中國文化的作品，幾乎都有在心靈中直接起作用的傾向，因此幾乎都有賴於情感性的因素。台灣學者項退結在其著作《中國民族性研究》中，曾把中國詩人與中國哲學家作過比較，認爲這兩種性質截然不同的文化作品在作用於情感這一點上都是相通的。「中國詩人與中國哲學家，都是直接在人的情感中發生作用，不過二者的範圍不同而已。中國詩人是在美的領域中，中國哲學家是在倫理與善的領域中，二者都直接影響別人的心靈（西方哲學家卻並不如此，他們即使在討論倫理哲學的時候，首先要達到的是純粹的思考。）」③中國文化與情結下了不解之緣，中國人樂於生活在血緣關係的脈脈溫情中，而對冷冰冰的抽象思維則拒之甚遠，因而情感、情理成爲中國文化精神的重要品格。

入 世

血緣與情理陶冶了中國文化的入世意向。在現實的或虛幻的血緣關係中，人們可以得到人倫的實現與情感的滿足，人們安身立命的基地牢牢地奠定於現世，因而在人生態度上，中國文化又是一種入世文化。

在文化研究中，西方文化人類學家本尼迪克特把文化分爲兩種模式：罪感文化與恥感文化。前者以宗教爲根基，後者以倫理爲核心。在文化史上，西方文化往往與宗教密不可分。西方文化是建立在國家關係基礎上的城邦文化，理性、個體權力、民主法律是這種文化的主格調，而情感的寄托、心靈的安頓只有在來世的天國中尋找到基地。因此，宗教便成爲西方文化中一個不可分割的組成部分。古希臘人確信，現世之上有一個以奧林帕斯山爲中心的神的世界，神間衝突、神人衝突構成希臘神話傳說和悲劇的基本內容。當希臘文化和羅馬文化走向衰落之際，基督教風靡歐洲，成爲歐洲文化的主幹，上帝成爲人的行爲的調節者。正是在這個意義上，人們把西方文化稱爲「罪感文化」。與此相反，中國文化卻走了一條不同的道路。在中國文化的童年，也曾經產生過宗教意識，但這種宗教不是西方超越性的宗教，而是與中國血緣文化相適應的、以祖先崇拜即倫理關係爲特徵的宗教。春秋時期，這種宗教意識便發生動搖，占主導地位的是「子不語：怪，力，亂，神」（《論語·述而》），「天道遠，人道邇」之類的入世意識。在中國文化中也有普遍信奉的「天」、「天命」之類的迷信觀念，但是這種「天」是倫理道德的天，其天命觀念最後也歸結爲倫理學說、道德觀念，故而「天」是人格、人倫的神聖化與永恒化。在中國文化史上也曾有儒、道、佛三教，但儒教只是從儒家學說被神聖化的意義上說的，從本質上說它不是一種宗教團體而是一種學派。道教從其主要方面說也是一種學派與修養身性的方法。而佛教則是隋唐之後傳入我國的外來宗教，它一經傳入便被中國化，成爲中國現世倫理生活的一種補充。因此作爲中國文化完整體現的宋明理學不是一種出世的宗教文化，而是一種以修身、齊家、治國、平天下爲核心的入世文化。正是在這個意義上，人們把中國文化稱爲「恥感文化」，就是說，是通過社會輿論調節個體行爲的一種文化形式。

因此，中國文化的精神是人本的，即使在宗教中，人也處於本位的地位。其文化學說出發點是人，最終也歸結爲人，孔子「祭神，如神在」的說教就體現了這種人本的精神。與此相聯繫，這種文化精神又是現世的，它把價值目標、人倫關係都奠定於現世的基礎上，追求的是一種現實的人倫境界。這種入世意識避免了全民族的宗教迷狂，形成了民族精神、民族性格的崇實性與包容性；同時也具有宗教文化所特有的那種內聚力。當然，這並不是說在中國文化中就全無出世的因素。從文化結構上說，中國文化主要由儒、道、佛三大文化系統構成，其中儒家文化是主幹與核心，道家與佛家文化則是對儒家的補充。儒家作爲一種以修身、齊家、治國、平天下爲己任的文化，其根本的精神意向是「明知不可而爲之」的入世；道家主張隱世與避世，然而這種隱世與避世，不僅從根源上說是因爲入世不得意或不得志，而且從最後目的上說也是爲了更加成功地入世，其根本的精神是「無爲而無不爲」。這種精神的兩重性在魏晉的竹林七賢身上體現得更明顯。他們的生活方式一方面是「風聲雨聲讀書聲，聲聲入耳」，逃世避世，追求世外桃源；另一方面又「家事國事天下事，事事關心」，根本的精神基地仍牢固地安頓於現世，因而道家在根本的精神意向上仍然是入世的，可以說是以避世的方式入世。佛家是主張出世的，但他們的出世，其實質並不是要走出這個世界，而是要擺脫塵世以及自身情欲的困擾，達到人生的永恒。儒、道、佛相交融而形成的完整意義或成熟意義上的中國文化，其人生的意向與最高境界並不是像西方文化那樣是「在出世中的入世」，而是「在入世中的出世」，即在現世生活中克服各種人倫矛盾與人欲之累，求得道德上的超越與完成，以期最後成賢成聖。如果說西方文化的精神是神像人，即用人的特徵塑造了神的話，中國文化的精神就是人像神，即把人神聖化，努力把現世的人塑造成神。二者都有超越的意義，但體現了不同的文化格調。

血緣、情理、入世構成中國文化的特殊模式。其中血緣文化是中國文化的基本方面，而情理文化、入世文化的特點則是它派生出來的。可以說，血緣文化的取向造就了情理文化、入世文化的特點。因此，在人類文明史上，中國文化代表著與西方文化大相異趣的特殊的文化取向，走過的是一條特殊的文明軌跡。在現代社會中，這兩種方向的文化均有著其特殊的價值與內在的缺憾，同時也陶冶、造就了東西方不同的文化精神與文化範型。

中國文化的品性

對中國文化的品性特徵或文化範型，學術界一般認爲它是一種倫理性（型）文化。我以爲，爲表達的準確，也爲更清楚地揭示出中國文化的內在原理與機制，不妨可以把它稱爲倫理——政治性（型）的文化。

對中國文化的倫理性，黑格爾曾經作過精闢的論述，他指出：「中國純粹建築在這一種道德的結合上，國家的特性便是客觀的『家庭孝敬』。中國人把自己看作是屬於他們家庭的，而同時又是國家的兒女。」④如上所述，中國文化的基本特點是把氏族社會的宗法傳統繼承下來，使之在奴隸社會、封建社會得以充分發展，並成功地與政治相結合，形成幾千年一貫的家長制，使宗法等級成爲社會結構的政治原則，這使中國文化歸於以求善爲目的倫理型，而同希臘以求眞爲目標的科學型大相異趣。科學型文化，把宇宙論、認識論、道德論加以區分，分別向縱向研究、探索各自的發展系統，而且對道德問題的研究也是從哲學與科學出發，用哲學的方法進行論證與闡發，因而道德認識實際上成爲科學認識、哲學研究的一個領域，康德的《實踐理性批判》典型地體現了這一特徵。而倫理型的中國文化，不講或少講脫離倫理的智慧，其基本的思維方式就是《易經》所說的「近取諸身，遠取諸物」，從人、人倫出發，把人倫情理推廣到其他一切領域，許多哲學的、政治的觀念的產生都以倫理思想爲起點、爲核心，向外作水波式的擴散，因而具有泛倫理化的傾向，其思維方式是倫理型的。而處理人倫關係的原則又是情感型的，最典型的就是對於「英雄」的界定。漢代的楊雄曾把「英雄」解釋爲「自知者英，自勝者雄」，描述的是一個克己自律的倫理人格，與西方英勇奮鬥的人格形象截然不同。對眞理的追求也有倫理情感的特點。孔子曾說過「父爲子隱，子爲父隱，直在其中」的話，初看起來，「隱」與「直」似乎毫不相干，甚至正相對立，但如把它們放到中國文化的氛圍中，這個問題馬上得到融通：這裡的「直」不是理性的「直」，而是在倫理中情感的「直」。在中國文化系統裡，有關宇宙和認識問題的探討，往往都從屬或立足於倫理問題的基點上，把倫理宇宙化，宇宙倫理化，形成一種倫理化的思維方式，認爲齊家、治國、平天下要以「修身」爲本。因此，如果說，西方文化是把倫理問題當作認識問題來研究的話，中國文化則是把科學、哲學、認識的問題作爲倫理問題來研究。

但是，必須看到，中國文化的品性絕不是一種孤立的倫理性，它是與政治聯繫在一起的，是一種倫理——政治的文化。倫理與政治是中國文化的兩條主線，它們互相交織，或者是整合爲一的。如前所述，中國社會結構與社會體制的基本特徵是家——國一體、由家及國，這種特徵表現到文化原理與文化精神上，必然是倫理政治。在這裡，以血緣爲根基的倫理是政治的基礎，整個政治結構就是以倫理結構爲原型或母胎脫胎出來的，是家族血緣的延伸。

當然，在中國宗法社會與血緣文化的氛圍中，以血緣爲內核的倫理具有直接的政治結構的功能。倫理成爲政治的組織結構形式，履行著政治的特殊功能，倫理的原理上升爲政治，便變爲政治的原則，在這裡，倫理與政治是合一的。倫理具有政治的實質，而政治則具有倫理的形式，因而形成一種特殊的政治體制與社會意識形式——倫理政治。倫理政治化，政治倫理化。對被統治者來說，這種政治是倫理，以血緣宗法爲形式；對統治者來說，這種倫理是政治，具有政治等級的實質。而且由於這種倫理與政治的同一就使得政治神聖化，血緣、情感、德治使傳統倫理在中國社會中起著準宗教的作用。父家長制的政治體制就是這種倫理政治的集中體現；修身、齊家、治國、平天下的「大學之道」是這種倫理政治的展開與個體化；而五倫三綱的倫理原則便是這種倫理政治的結構原理。在這個意義上，我把中國文化稱之爲倫理——政治的文化。不過，應當強調的是，在這種倫理——政治的文化中，倫理是基本的方面，是政治的原型，說得明確些，血緣家族是政治的範型與原理。倫理與政治直接同一是這種文化的基本特色。

對於中國文化的品性，國內學術界曾提出許多不同的觀點。一是認爲中國文化是大陸型文化、農業型文化、宗法型文化。二是認爲中國文化是政治、倫理、哲學三位一體的文化。也有人在對中國文化倫理性的確認下，把中國倫理說成是政治倫理、宗法倫理。第一種立論，我以爲只是從客觀的、客體的方面對中國文化作描述，而不是從主觀的、主體的方面揭示中國文化的基本原理與精神品格，最多只是比較準確地說明了中國文化產生與生長的客觀基礎。而且，既然承認它屬某種「型」的文化，那麼，就必須承認在此以前有一種先驗的或客觀的文化範型存在，這在思維方式上是難以成立的。誠然，大陸、農業、宗法的客觀基礎給中國文化以深刻的甚至是決定性的影響。其中，大陸型是中國文化形成的地理環境，它決定中國人特有的民族心態；農業是中國生產方式的特徵，它對中國文化的產生與發展有著決定性的作用，宗法則是中國社會結構的原理，是中國文化的生成機制。而中國文化政治、倫理、哲學三位一體的格局則是這種文化精神的理論表現，中國哲學就是對這種倫理——政治的文化精神的提煉和升華，因而這種格局只是中國文化的客觀形態或理論結構，而不能說是中華民族「人化」的精神結構與主體品性。

二、倫理　倫理史　倫理精神

對倫理、倫理史、倫理精神概念的疏解，是把握中國倫理精神特殊韻味的基本方面，也是本書構架的基本原理。

倫　理

倫理與數學、物理等學科不同，它具有鮮明的民族內涵。民族是倫理的實體，倫理是民族的精神；民族按照倫理的方式構成，倫理體現民族的根本精神。因而對數學、物理來說，它們是一般的，而對倫理來說，卻總是具體的。確實只有具體的中國倫理、日本倫理、西方倫理，而沒有所謂一般的倫理。

倫理或倫理學，在英文中爲Ethics，德文爲Ethik，它來自希臘文Janok，這個詞的詞根爲Eoos和Novs。前一個字的原意爲品質、氣質，後一個字的原意爲風俗習慣。所以，從西方語義學的淵源上看，倫理是指社會的風俗習慣與個人的品質氣質。近代倫理學者多以倫理爲研究人類行爲的是非善惡價值與目的，而人類行爲的價值與是非，時常以外在的風俗習慣爲依據，同時人類行爲的善惡，顯然受內在品質、氣質的影響。就是說，人類行爲的是非善惡，主觀的表現是內在的品質氣質，客觀的表現是外在的風俗習慣，其行爲乃依循固定的風俗習慣來表現品質氣質。這就是西方文化中的倫理的概念。

「倫理」二字，在我國具有特殊的意味，《說文解字》釋曰：「倫，從人，侖聲，輩也」。「理，從玉，裡聲，治玉也」。倫即輩意，而「車以列分爲輩」，車的列即爲輩。將此意引申到人的生活中，輩即人的所謂「輩份」、「倫份」。也有人將「倫」形象地比喻成石子投下水後形成的一圈一圈向外擴散的波紋。因此，在中國，「倫」並不是指一般的人際關係，而是以血緣、宗法、等級爲內容的人際關係的網絡，是以血緣關係爲起點和核心外推擴散而形成的人際關係。「理」訓爲「治玉」，即是把玉石即所謂璞治爲玉。玉質至堅，治玉必循其理。這裡涵有兩層意思：其一，治的對象必是玉石，它內在地含有變爲玉的可能性；其二，使璞變爲玉必須經過「治」的工夫。二者的統一，就是「治玉」必以其理爲條理法則。個中深藏的意味，實際上包含了中國倫理以人性尤其以善之人性爲基礎，主張通過修身養性獲得善之德性的內涵與特點。

因之，在中國文化中，「倫理」二字合用，原指事物之倫類條理，而用之於人類社會，就是人與人相處的道理，爲人的道理，亦即是人類社會生活關係中正當行爲的道理。顯然，中國的「倫理」二字，至少包括三層含義：⑴人倫，此爲客觀倫理。它是在血緣關係基礎上形成的以宗法等級爲特徵的倫理關係。它認爲，人類生活關係中的規範行爲有血緣關係與非血緣關係之分，血緣關係乃指家族親族的組織，係以尊卑長幼而定其次第；非血緣關係乃指鄉黨鄰里，乃至社會國家之組織，是以親疏遠近、上下貴賤而定其等級。傳統倫理將人群社會關係概括爲君臣、父子、兄弟、夫婦、朋友五倫。其中，父子、兄弟是天倫；君臣、朋友是人倫；夫妻則介於天人之間。人倫關係的基本原理是：人倫本於天倫。(2)人倫之理，此爲主觀倫理。它是各種人倫關係的原則、原理。《孟子・滕文公上》說：「人之有道也，飽食、煖衣、逸居而無教，則近於禽獸。聖人有憂之，使契爲司徒，教以人倫：父子有親，君臣有義，夫婦有別，長幼有序，朋友有信。」君仁，父慈，子孝，兄友，弟恭，夫義，婦順，朋友有信，乃爲人倫之理，藉此構成社會秩序與和諧。(3)倫份，此爲現實倫理。每個人在具體的倫理關係中都有特殊的地位，這種地位以人倫關係的不同而不同，此即所謂「輩份」、「倫份」。倫不同，個體的地位即權力義務亦即所謂「份」也就不同，在父爲子，在婦爲夫，子孝夫義，正當的行爲必須是安倫盡份，安份守己就是對自身義務與行爲準則的恪守。這種現實倫理也就是所謂道德。

由上所述，在中國文化中，「倫理」至少內在地具有三個方面的特點。

第一，區別與秩序是倫理的第一要義。「倫猶類也，理猶分也。」這種區別性，其一是人與動物之區別，即人之倫；其二是人與人之區別，即倫份、輩份。不同倫份的人具有不同的「理」，「倫份」不同，正當行爲的「理」也就不同，因而在中國，倫理總是有特殊意義的，就是說，同一個主體，在不同的人倫關係中，具有不同的角色，不同的義務與權力，因而也就具有不同的行爲準則，一切依倫份的不同而不同，否則，便是僭越。這種區分所要達到的目的就是秩序，這種秩序也就是倫理的和諧。在中國，這種以區分爲內涵、和諧爲境界的秩序，用一個字概括，就是「禮」。

第二，它是人際關係的法則與原理，是人際關係、社會關係的組織建構原理。這種法則，這種原理，亦即所謂的「禮」，其基本的特點是：人倫本於天倫而立。血緣關係的原理直接上升、同一為社會關係與政治關係的原理，所以倫理對社會來說，是正當人際關的原理，對個體來說，是正常行為的道理，人之所以為人的道理。因此，倫理是人的確立、提升、實現的原理。正如成中英先生所說，倫理是人類內在的生命秩序。這種生命秩序，體現在社會中就是正當的人倫關係，體現在個體身上就是正當的行為的原理，是人之所以為人的原理。因而倫理便是人的內在生命存在及其生長的原理。它是人在人倫關係中尋找自己的正當位置，安頓、確立自身，是人的自我肯定，同時通過正當的人倫關係的建立，通過自身的正當行為，追求人的價值，提升人的品性，升華人的精神，以達到個體的人與整體的人的實現，因而又是人的生命的原理。

第三，倫理以人性，確切地說以善之人性為前提。既然理為「治玉」，它必然內在地以人性為邏輯前提。「治玉」必須按照玉的不同特質使之成器，推之就必須有一個前提，承認人性是可以雕琢、教化的，承認人性本善，人性之中具有善的本能、潛能，只是不同倫份的人，這種善的內容及其發揮有所不同。

質言之，在中國文化中，倫理即人類社會關係及其行為的原理，或者簡約地說，倫理即人理。而論述盡性合理的行為規範，以實現人類生命的最高理想或善的目的與理想，乃稱為倫理學。所以，在台灣，倫理學又稱為人理學。倫理闡明人類社會正當行為的準則與待人處世的道理，以表現出人類眞、善、美的感情。倫理所表現出來的精神，是人本的、現實的、實踐的、和諧的、非功利的。因此，倫理的使命，一為追求人類生命的至善理想；二為達到人類生命至善理想的行為規範。

把握中國文化中「倫理」概念的特殊韻味，關鍵是要把握人倫關係與一般意義上的人際關係的區分。人倫關係是一種立體的、等差的、結構性的關係。「立體的」是說它以家族關係爲核心向外作水波式擴散，一直延伸爲政治關係；「等差的」是說有親疏、遠近、厚薄的區分；「結構性的」是說它具有社會結構的功能，是社會關係的原型。人倫關係以「家庭成員」爲基本的角色，因而具有某些先驗的內涵。如果用一個簡單的圖式表示，「人際關係」的模式是：「人←→人」，

人

其中人與人是平等的、互通的；人倫關係的模式是↕，其中人與人間

人

的關係是包涵的、結構性的、等差的。在傳統中國文化中沒有一般的人際關係的概念，只有具體的人倫關係的概念。這種人倫關係構成「倫理」的基本對象，並由此派生出「人理」的基本要求，形成中國倫理的特殊韻味。

在以往的倫理、倫理史研究中，往往對倫理與道德不作或不注重作區分，使倫理與道德的內涵暖昧不明。對此，黑格爾曾作過區分。他認爲，倫理是社會的，道德是個體的；社會道德爲倫理，個體倫理爲道德。在中國文化中，倫理與道德既相互區別又互爲表裡。倫理之內容爲道德，道德之延展爲倫理。用台灣學者林子勛的話說，倫理以人與人的關係爲主，道德以人與理的關係爲主；倫理是人倫關係的原理，道德是個體對這種原理及其規範的內化與行爲表現。前者爲人倫之理，後者爲得道之行。

爲了對中國倫理與道德的內涵以及二者關係有一個清晰的把握，有必要從以下幾方面進行剖析。

理與道：人倫原理與客觀法則

衆所周知，「道」在中國文化中具有道路、規律、法則之意。但在倫理與道德兩個概念中，「道」則直接是從倫理或人倫之理轉化而來的。倫理是人倫的原理與原則，是社會的倫理規範；一旦落實到個

體行爲中，就變成個體的行爲準則，是爲人之道，待人之道。在這裡，「理」與「道」是直接同一的，「理」是客觀形態的人倫原理，而「道」則是個體化、現實化的行爲規範，「道」是「理」的落實化，人倫之理向人倫之道的轉化就是人倫原理向個體行爲的轉化。在這裡，「道」比「理」更具體，更具有行爲的意義，社會的人倫原理轉化爲「道」，不僅是個體行爲的客觀法則，而且具有內在的行爲意義。

道與德：社會倫理與個體德性

相對於人倫原理而言，「道」是倫理的個體化與現實化，而這種個體化與現實化的完成只有達到了「德」才能實現。倫理是人與人之間的關係及其原理，人與人之間有一條路，這就是「道」（即人←—道—→人），「仁也者，人也。合而言之，道也。」（《孟子・盡心下》）如何行道？這就是「德」，「行道而得之於心謂之德」。「道」與「德」的關係是一般與個別的關係。「道」是一般的、客觀的行爲準則，而「德」則是這種準則的內化。「仁」是道德存之於心，「德」是道德見之於事。這裡，用得上西方哲學中的「分享」的概念。「德」是對「道」的分享，個體在行爲中分享了「道」，就是「德」，正所謂「月映萬川」，一切月映一月，一月攝一切月。這種分享，從潛在形態上說，是對作爲本體、作爲全體的人性的分享；從自在的意義上說，是對人倫原理、社會規範的分享。人倫原理、行爲準則的內化，在個體行爲中就轉化爲人的自覺的、恒常的品性——德性，它是「道」在個體深層的凝結，也是人倫原理的自覺顯現。

德與得：應然與必然

要把握中國道德的本質，必須把握「德」與「得」的關係。傳統的也是經典的對於「德」的解釋是：「德者得也。」這裡的「得」有兩個內容，一是得道即個體分享了道，內得於己，外施於人，便凝成自己的德性。二是得天下，得於人之意。對這一層含義，學術界的研究卻忽視了。「德」與「得」相連，實際上自周公始。他用「德」解釋「得」，認為周之所以滅商而得天下，就是因為有「德」，於是有了「德」便可「得」，這就是後來的天下，就是因有「德」，於是有了「德」便可「得」，這就是後來的德化、感化的本意。而到封建倫理政治形成、道德成為封建統治工具的時候，又用「得」解釋「德」，認為「得」到天下者必然有「德」。「得」天下必須有「德」，此謂「聖王」；而「得」天下必然有「德」，此謂「王聖」。這就是中國特有的內聖外王之道。在這種「德」與「得」的互動中，人倫得到了實現，個體得到了提升，人的內在精神的提升與外在的德化之功都是「得」的內容。把「德」與「得」相連，用「得」解釋「德」，說明「德」的內容，才能準確地把握中國倫理與中國道德的實質。在這個意義上，說中國倫理是反功利主義的便是不妥當的。

至此，我們可以對「倫理」、「道德」的概念以及二者之間的關係有一個整體的把握。「倫理」之中，客觀倫理——主觀倫理——現實倫理形成「倫理」概念具體——抽象——具體的辯證內涵，從客觀的人倫關係出發，把客觀的人倫關係抽象為主觀的人倫之理，再外化為個體的道德行為，就是說，具體的人倫關係經由人倫之理的抽象，逐步向人們的行為落實。「道德」之內涵中，「理」與「道」解決的是「倫理」與「道德」的銜接問題，即客觀之「理」向行為之「道」的轉化問題，「理」一旦轉化為「道」便有了直接的行為意義；「道」與「德」解決的是普遍與特殊的關係問題，即普遍的行為規範如何內化為個體的德性以及內化的方式問題；「德」與「得」解決的是道德與社會生活、德性與個體命運之間的關係問題。於是「道德」便一步一步地落實，先由客觀之理到行為之道，再由普遍準則到個體德性，最後落實到社會生活的層面。「倫理道德」就是這樣由客觀到主觀，由外在到內在，由普遍到特殊，由理念到行爲，一步一步向社會生活落實，形成一個由社會的人倫關係出發，最後又回歸到社會生活的辯證結構。

倫理史

在對「倫理」概念作疏解的基礎上，我們可以探討「倫理史」的概念了。既然倫理是客觀倫理、主觀倫理與現實倫理的統一，即是客觀的人倫關係、主觀的人倫原理與現實的行爲道德的統一，因此，倫理史便是社會關係發展史、民族精神與民族性格發展史、人性完善史。

倫理史是社會關係發展史。從本性上看，倫理是人際關係的道理，是人與人相處的原理，是爲人的道理。客觀的社會關係是倫理的直接的與現實的基礎。倫理一方面是對現實的社會關係的反映，另一方面，又是社會關係的組織結構原理。倫理思想的變化，體現了社會關係與人際關係原理的變化，即社會關係組織、結構原理與形成的變化，表現了人們對社會關係、人際關係的重新認識與調節。倫理思想的發展，在主觀上體現了人們從應然、從人性的角度對合理的人際關係、社會關係與善良人性的追求，在客觀上體現了人際關係、社會關係的發展與變化。倫理是人際關係、社會關係的自在表現，因而倫理史就是社會關係在自在與主觀意義上的發展史。

倫理史是民族精神與民族性格發展史。前面說過，民族是倫理的實體，倫理是民族的精神，倫理作爲人際關係的原理與人們追求至善理想的道德行爲，集中體現了民族的精神與民族的性格。民族精神是民族的靈魂與氣質特徵，民族性格則是民族精神的行爲表現。民族精神體現的是民族的素質特徵與價値取向，民族性格則是多數成員共有的、反覆出現的心理素質和性格特點的總和。一定的倫理思想，總是這樣那樣地體現了民族精神、民族性格的特徵。我國以家族爲本位的倫理，就體現了中華民族建立在特殊文化方向基礎上的宗法精神；而為人、待人、治人的倫理精神結構，體現了家——國一體的人情主義倫理政治精神；反躬內求、修身養性的修養方法則體現了中華民族向內探求的民族性格。另一方面，倫理思想的變化，體現了民族精神與民族性格的變化，魏晉時期的玄學精神，隋唐以後的佛學精神，就體現了民族精神與民族性格剛柔相濟、進退互補的特質，以及自我克服自身內部人倫與人格矛盾的特點。

倫理史是人性的完善發展史。倫理的重要使命之一就是引導人們趨向人生的最高理想或至善，以養成理想、完美的人格。倫理行為是盡性合理的行為，從人與動物相區的角度看，倫理史便是人性的完善發展史，它反映了人類自我完善、自我超越的過程。從最概括的意義上說，人性是人的自我肯定，它與人的本質、人的根本屬性等概念都有所區別，是人的全部屬性的總和，包括人的自然屬性與社會屬性，體現了人對自身生物性本能的超越。倫理史就是人戰勝自身的生物性本能而不斷自我肯定、自我超越的歷史，是人們獲得這種肯定與超越的途徑與過程。在中國倫理史上，人性始終是貫穿倫理史的基本問題，從告子的「生之謂性」，孟子的「人之所以為人」之性，荀子的「生而自然」之性，到宋儒的天命之性，氣質之性，反映了人們對人性的不斷認識和發現。探索人性的過程，也是人的不斷發現、不斷完善的過程。

倫理史最需要的不僅有倫理味，而且有歷史味或歷史感。這種歷史味或歷史感就是歷史的原則或發展的原則。歷史就是發展。何為發展？發展就是由自在到自為的展開過程，或者說，從發生到展開、從潛在到現實的生長過程。發展的原則是生長的原則。倫理的發展具有三方面的特徵：第一，倫理的發展是一個過程，是自我運動，它是民族精神的自身超出——自身裂變——自身復歸的過程。自身超出即對自身的突破，突破是自身分裂，產生出否定自身的因素，然後自身復歸，復歸為統一，形成發展的整體，這就是否定之否定的過程，這個發展過程的特點就是自我運動。第二，發展是一個具體運動。倫理的發展不是空洞的抽象，而是具體的生長，它體現民族精神從自在、展開到最後復歸統一的具體過程。第三，發展是一個歷史的運動。邏輯的起點與歷史的起點是一致的，倫理思想的發展體現出隨著社會的進步和社會關係的演進，人類不斷完善、超越的歷史過程。

倫理精神

從倫理的本性與倫理史的特質出發，本書選擇「倫理精神」作為剖析層面與突破口。倫理精神概念的建立，確立了貫穿整個倫理史的一根紅線，有利於貫徹倫理的原則，體現倫理史的特質。

在中國文化中，精神是一個十分複雜的概念。一方面，它是內在的理性與外在的氣質的統一，內在的要義精華與外在的風格表現的結合就構成了它的內涵。另一方面，精神往往又與心靈、靈魂等詞同義，具有自身運動的特點，是主體的意識，心理的自在狀態。黑格爾認為，精神的法則就是生長原則與主體性格，概而言之，就是主體的自我更新、自我生長。作為人的生命活力的體現，精神有有機的結構體系，有自我發育、自我生長的過程與意義，是一種活動之力，或者說既是一種內聚力，又是一種外張力，因而它在生命有機體中既是一種精髓、精華，又是一種性格特徵。把這種對「精神」的詮釋運用到「倫理精神」的理解上，便可以認為：倫理精神是社會內在生命秩序的體系，它體現人們如何安頓人生，如何調節人的內在生命秩序。倫理精神是民族倫理的深層結構，是民族倫理的內聚力與外張力的表現。倫理精神的層面體現的是人倫關係、倫理規範、倫理行為的價值取向，對民族社會生活的內在生命秩序的設計原理，民族倫理精神的完整結構與倫理性格生長發育的過程。

爲了準確把握倫理精神的層面，必須把倫理精神與倫理思想、道德精神相區分。如前所述，精神的含義在於它是一個完整有機的體系；它有自我發育生長的過程，每一環節都是它生長的必然步驟。因而倫理精神的層面是從民族倫理的有機精神結構著手，對倫理思想及其發展進行把握，而不是客觀地介紹各家各派的倫理思想或關於倫理的理論。就是說，它不是一般地提出有關倫理的學說，而是從整個民族倫理的精神原理上說明它爲什麼提出這種理論，以及它在整個民族倫理的精神結構中的地位。精神比思想更深刻，它體現與把握的是某一思想、學說的價值取向、精神指向，是這一學說在民族文化大系統中產生的緣由，以及它自身的原理。如對「禮」的說明，與「倫理思想」的層面不同，它著力的不是孔子或其他思想家對禮的種種規定及內容，而是「禮」作爲對民族倫理實體的設計的實質，禮與家——國一體、由家及國的社會結構的關係，以及人倫本於天倫而立，倫理與政治直接同一、貫通爲一的原理。而且，精神與思想相比，它是思想理論中主要的、核心的、實質性的內涵，因而對它的分析就必須撇開思想理論中許多個別性的具體內涵，把握其精華或精髓。

作爲本書透視層面的「倫理精神」，是自覺的思想理論所體現出來的精神，而不是習俗性的倫理精神，相對於習俗性生活中的倫理精神而言，它是自覺的，而不是自發的。就是說，這種「倫理精神」是自覺的倫理思想所表現出來的精神實質與精神結構，這種自覺的倫理精神與自發的實際生活的倫理精神既有聯繫，又不能等同。因爲它是倫理的理論所抽象出的精神，具有理論性、理想性，倫理思想或理論雖然指導著實際的倫理生活，但它與現實畢竟有一段距離，其眞正實現還必須通過人們的道德實踐。因而這種自覺的倫理精神，主要是統治階級或其他階級的知識分子的倫理理論所提出或呈現出來的精神，與勞動人民實際的倫理精神亦有一段距離。

倫理精神與道德精神是有區別的。倫理精神是社會的人倫精神而不是個體的德性精神或人格精神；倫理精神是社會內在生活秩序的精神，道德精神是個體內在生命秩序的精神；倫理精神是社會秩序的精神，道德精神是個體意志選擇的精神。前者追求的是社會生活的和諧，後者追求的是主體的自覺、精神的實現、人格的價值。從邏輯上說，雖然倫理精神包融兼攝了道德精神，但二者又不能直接同一，倫理精神的現實化有待向道德精神轉化。

根據以上「倫理精神」的設定與理解，「倫理思想」中屬於「倫理精神」範疇的是其中的精神性、體系性的元素，主要指倫理實體設計的原理，人性認同的方向，倫理規範的體系與價值取向，社會倫理的內化方式及個體德性的原理。概括地說，倫理精神就是人理精神。具體地說，這種「倫理精神」涵蓋的內容有：⑴倫理精神的有機結構、生長過程，其主要方面是中國文化背景下各種倫理精神結構生長的歷史必然性、精神結構的形態與內在矛盾；⑵人倫關係的原理，倫理精神反映人際關係的設計、組織、調節的原理與方式，是社會生活中各種倫理關係以及社會成員在社會生活中倫理地位的安排與設置；⑶倫理規範的體系、價值取向、精神指向、性格特徵，它集中體現人們社會生活的價值趨向以及調節處理人際關係的性格特徵；⑷個體生命的秩序，即個體人生安頓的方式與性格特徵，亦即個體德性的原理，這是生命提升、升華、實現的方式。四者之中，主要是倫理精神的結構、原理與生長過程。在實際操作中，這種「倫理精神」的層面與倫理思想史不同的是：論述分析的重點不在概念、命題、理論、學說本身，而在它們所體現出來的精神本質與精神傾向。因而必須把各家各派倫理思想、倫理學說納入民族倫理精神的有機結構體系中去了解與把握，只有對民族倫理精神有總體的把握，才能剖析各家各派倫理學說產生的必然性、合理性與精神傾向；而要具體眞切地把握民族倫理精神，又必須對各家各派的倫理思想有透徹的了解，並透過對它們的分析說明民族倫理精神的生成結構與生長方向。在這裡，邏輯與歷史不僅是一致的，而且應當是一體的。

與宗教的、政治的精神相比，倫理的精神有其特殊的方面。它是人本的，而不是神本的或權本的。倫理以人爲本，追求的是人的價值、人性的完善，調整的是人群的關係。人，始終是倫理的核心和主體，因而它必定是現世的，追求的是在現世生活中的生命至善與人際關係的至善。倫理的善，是現實生活的善，一旦離開了現實生活，這種善也就失去了它的價值。倫理需要超越，但其超越只是通過修養超越自身的生物性本能，它以對現實人的需要與人的生活的肯定爲前提。倫理的精神可以講是一種人倫的精神與人格的精神，從社會來說，它是一種人倫精神；從個體來說，它是一種人格精神。人倫的實現與人格的圓滿就是倫理所追求的境界，或者說，至善的人倫關係與至善的人格是倫理的價值目標，以此達到人性的完善，即人「類」自身的完善。因此，可以說，人倫實現，人格圓滿，人性完善，就是倫理精神的內涵。

三、中國倫理精神的特質

在對文化認同與「倫理精神」認知的基礎上，我們可以對中國倫理精神的特質作概略的分析。

中國倫理精神的體系與境界

要把握中國倫理的精神原理與精神特點，必須從中國社會、中國文化的基本特質出發。如前所述，中國社會最基本的結構是家——國一體，由家及國，這是中國倫理精神的邏輯與歷史的出發點。這種社會的基型，西方學者頓尼斯稱之爲「通體社會」，其根本特點是通體相關，聯繫密切，它以意志之協同爲基礎，建立在社會中各分子的和諧關係基礎之上。在這種社會裡，人與人的關係本身就是目的，各分子之間必須有密切的關係，人們的行爲是以已經確定並且爲大家視爲當然的規範爲依據。與此相對立，他把西方社會稱之爲「聯組社會」，這種社會的結合以理智爲基礎，而且是建立於約定和協議之上。在這個社會裡，各分子及其關係是工具性的，行爲的相互影響是超出特定人生之外的，情感是可以配給的。特殊主義與普遍主義、感情主義與理性主義、家族中心與契約中心的區別是二者間的主要區別。說明確些，中國家——國一體的通體社會的模型是把身、家、國、天下看作是緊密聯繫、遞次提升、一以貫穿的有機系統，而不是彼此分離、互不相關的抽象結構。在這個基礎上形成的倫理精神體系是一種目的性的德性倫理精神。就是說，社會中的個體以人倫實現與人性提升爲目的，從人性出發，通過身、家、國、天下各個層次與環節，涵養德性，從而最終實現人的目的。在這裡，身、家、國、天下不僅彼此貫通、緊密聯繫爲一體，而且都是人自身目的提升與實現的現實環節與現實步驟。在這種體系中，各層次的倫理是相聯一貫，並在一個整體的大系統中融合爲一的，因而個人倫理到宇宙倫理是一體的、統一的、連續的，它追求是的是人倫的和諧與人格的完美。它追求的倫理的目的性，就是依據個體的德性能力，通過修身、齊家、治國、平天下的各個層次與環節，最後達到天人合一的境界。這種目的性的德性倫理，與在以各社會層次相互區別爲前提的聯組社會基礎上形成的、以理性能力與倫理責任爲前提的分辨性的責任倫理是大相異趣的。

「天人合一」是中國目的性的德性倫理的最高境界。中國文化把天、地、人並列，稱爲「三才」。人在天地間，由地出發，通過德性的修養與弘揚，涵融人我與萬物，接於天地，達到天人合一。因而《易經》一開始就強調「天行健，君子以自強不息」，「地勢坤，君子以厚德載物」。「自強不息」、「厚德載物」可以作爲中國民族精神最集中、最典型的概括。只有厚德載物，才能涵融人我與萬物，達到萬物一體；而這種德性的發揚又不是一朝一夕所能完成的，因而又必須自強不息，方能達到天人合一的境地。也就是說，人們的德性一方面要擴展，從個人到家庭、社會、國家、天下，達到「仁者以天地萬物於一體」；另一方面要深入，從個人的身體到心知、靈覺、神明都要發擇。前者是向外擴展的，後者是向內深入的，由此便是陸象山所說的「十字打開」的功夫。值得注意的是，這裡強調以「厚德」而「載物」，故僅有靈明的德性還不夠，還必須「載物」，即化育萬物，這就是所謂的德化之功。《中庸》爲我們描寫了這樣一個「極高明而道中庸」的境界：「唯天下之至誠，爲能盡其性；能盡其性，則能盡人之性；能盡人之性，則能盡物之性；能盡物之性，則可以贊天地之化育；可以贊天地之化育，則可以與天地參矣。」這就是中國倫理精神天人合一的境界。

中國天人合一的目的性的德性倫理精神境界的孕育有兩個方面的基礎。一是大陸型、農業型的地理環境與生產方式；二是家——國一體的社會結構。在大陸型的農業生產中，人們靠天吃飯，天與人基本上處於一種和諧的關係中，因而與西方天人對立的觀念不同，中國強調天與人的相通和諧，形成天人合一的思想與境界。但這種「天」只是自然的無生命的天，最多只是人格化的天，只有家——國一體社會結構下的「天人合一」，才是倫理性德性化的精神境界。在這裡，「天」是指人的本性；「人」是指人的德性修養，道德屬性。主體通過德性的弘揚，達到個體倫理、家族倫理、社會倫理、國家倫理、宇宙倫理的貫通與合一，達到人的血緣本性與社會規範、德性實踐的合一，最終達到人與我、物與我、天與人的合一。這是中國倫理中「天」與「人」的特殊含義。這裡，「天」是倫理化的天，也可以指人的自然本性；「人」是指人事，主要指德性的涵養與修持。

爲了更清楚地說明天人合一的德性倫理精神，我們可以建立以下圖式：

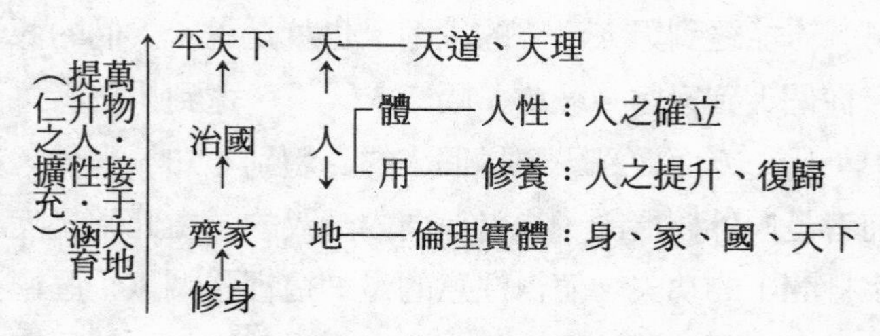

天人合一的模式（中庸境界）

這裡，「天」是倫理之天，是倫理化的宇宙，它出自人的本性，又是各種倫理準則、人倫之理的集合，故是理，到宋明則稱之爲「天理」。「倫理實體」是人倫、人倫關係的實體，即禮之實體，是身、家、國、天下貫通。「人」則是包括兩個方面，從本體上說是人性，它是人之確立；從發用上說，它是修養，是人之提升。「人」則由人性與「地」合一，出自「地」，由「地」生長，通過修身、齊家、治國、平天下諸環節，提升人性，弘揚德性，以下求上達，止於天人合一。這個過程就是「命」，或「天命」，其內容是提升人性，涵育萬物，接於天地，這也是人固有之仁的擴充。這裡「命」是倫理的使命，道德的絕對命令，而不是宗教的命運。中庸則是天人合一之境界，是各層次倫理的貫通與和諧，意指人不偏不倚、恒常不易地守禮行仁，以自覺地、永遠地與天合一，達到永恒與不朽。因此，中國天人合一的倫理精神體系，包括以下幾方面的內涵：倫理實體論（人倫設計），人性論（人之確立），修養論（人之提升），理則論（規範體系），到宋明，形成完整的精神體系則包括：天理論，人性論，修養論。倫理上各家體系雖然大相異趣，但基本上沒超出這個天人合一的體系。

中國倫理精神的一般原理

在對中國倫理完整的精神體系與精神境界作整體認知與把握的基礎上，我們便可以對中國倫理精神的一般特點與原理作一具體的說明。對中國倫理與道德的特點，海內外許多著名的學者進行過深入的研究與比較。台灣學者黃建中先生認爲，中西倫理有六大異點：政治倫理與宗教倫理；家族本位與個人本位；義務平等與權力平等；私德與公德；尙敬與尙愛；恕道與金律（恕道以推己及人爲原則，金律以愛人如己爲根據）⑤。吳森先生認爲：中國倫理與西方倫理有四大差別：效法先賢與服從律令；人倫本位與個人本位；義務本位與權利本位；情之所鍾與唯理是從（情感主義與理性主義）。⑥這些都從不同的方面對中國倫理與道德的特點作了比較準確的概括。從「倫理精神」的層面考察，我認爲中國倫理具有以下幾方面的特點。

家族本位　　中國血緣文化的特點，決定了中國倫理精神以家族爲本位。正如黃建中先生所說：「中土以農立國，國基於鄉，民多聚族而居，不輕離其家而遠其族，故道德以家族爲本位。所謂五倫，屬家者三，君臣視父子，朋友視昆弟，推爲則四海同胞，天下一家。」⑦這種家族本位主要表現在人倫關係中以家族血緣爲原型，設計整個人際關係。血緣家族是傳統倫理的根本，它在倫理生活、倫理精神中具有絕對的意義。家族既是人倫的原則與出發點，又是人倫的歸宿；既是人格的生長點，又是人格的最高理想。家族的原理就是整個社會的基本原理，家族精神不僅是中國倫理的根本精神，而且也是中國文化的根本精神。這種家族精神對中國傳統倫理思想的影響是多方面的。第一，在社會倫理上，它使血緣關係成爲整個社會的根基；在個體道德上，它使孝悌成爲封建道德的核心；在思維方式上，它以由親及疏、親親尊尊為道德思維模式。第二，它確立了傳統道德的核心——維護血緣關係和等級統治的孝親忠君始終是封建道德的基本原則，並在此基礎上形成具有宗法特徵的三綱五常體系。第三，以血緣為最高價值取向，「親」成為價值的始點與標準，血緣宗法是社會結構的原理，形成一種家族式的集體主義。這種家族的原理與精神「對家庭來說是比較滿意的，而對國家來講則是災難性的」。「在現代人看來，儒學在社會關係中忽略了每個人對自己不相識的人所應有的社會職責，這種忽略的災難是嚴重的……結果正如人們見到的那樣，家庭成了有圍牆的城堡，城牆之外的任何東西都可以是合法的掠奪物。」⑧

倫理政治　倫理與政治二位一體，貫通為一，是中國倫理精神的另一特點。在這裡，血緣宗法的原理與精神直接就是國家政治的原理與精神。這種倫理政治精神在倫理思想中體現在以下幾方面：第一，家與國相同一，修身、齊家、治國、平天下相貫通，由孝及忠，忠孝一體。第二，由於這種原理，倫理思想對君臣、父子關係最為重視，形成以忠君孝親為核心的龐大體系。第三，政治從倫理中派生，並以倫理的形式出現，使政治具有神聖的性質，倫理具有政治的功能，直接成為政治統治的工具，倫理的原則成為政治的原則。第四、人性提升、德性弘揚的脈絡就是由家及國，由倫理走向政治，因而以修、齊、治、平為宗旨的道德修養與道德教育成為不可缺少的組成部分。這種倫理政治的原理在價值取向上就表現為整體至上。如前所說，「德」「得」問題是中國倫理的基本問題，到宋明理學中，它演化為天理與人欲的關係問題，而天理人欲又以義、利為內核，義、利最終又落實為公私問題，因而「存天理，滅人欲」的命題實際上就是「存公滅私」，「公」是統治階級的整體利益，「私」則代表個體利益。「禮」的精神歸根到底就是要求個體意志服從整體秩序，維護宗法等級的和諧。

人情主義　家——國一體必然導致倫理政治，而倫理政治生長出來的精神形態必然是人情主義。人情精神是中國傳統倫理精神的突出特點，它用人情的法則建立起人們間的倫理政治關係，使人情成爲宗法社會的深層的人際結構原理與社會結構原則。這種人情精神的根基與原型是家族的血緣關係，在這裡，「親親」是出發點，它通過「忠恕」的外推，建立起一種愛有差等與泛愛衆相結合的倫理關係，以及「老吾老以及人之老，幼吾幼以及人之幼」的道德人格，這就是仁愛。而「愛人」的目的是爲了「化人」即治人。施人以愛，便產生心意的感通，在「將心比心」、「以心換心」的「推」的人情原則作用下便達到治人的目的與人格的完成，這就是所謂德化。然而，由於嚴格的等級秩序，不同「倫份」的人「心」之內容是不同的，於是血緣便上升爲宗法，宗法便上升爲政治，血緣的原則便成爲倫理的原則、政治的原則，人情便成爲倫理政治的一種原理。

克己自省　涵養德性是人性提升的需要。中國倫理精神中的修養主要是指個體的道德修養，其根本旨趣是改變自己，以適應或維持社會秩序，這是中國倫理精神中道德主體性的特殊表現。它以個體本性即善之人性爲起點，強調個體的正心誠意與修身養性。在中國文化中，「修身養性」的潛台詞是認爲「身」是不道德的欲望主體，「性」則是道德性的「本我」，因而「身」需要「修」，「性」只要「養」，修身養性的實質就是以「道德我」克服「欲望我」，達到道德上的超越。在個體與整體、個人與社會的關係上，突出個體爲善的主動性，強調通過個體道德主動性的發揮來完善人格。這種道德修養的根本方法是「克己」，即克服「本我」達到道德的超越，因而從本質上講是一種自律性的自我超越倫理精神。克己自省的修養是中國倫理原理、倫理結構與倫理性格的典型特徵。

進退相濟　從精神結構上說，中國倫理精神是進退相濟的。儒家德性的根本特徵是道德性的「進」，因而是「剛」，但又同時有所謂「窮則獨善其身，達則兼善天下」的教誨，「獨」與「兼」就是一種道德上的「退」與「進」。道家的道心以隱世與避世的方式克服人我及自我內在的矛盾，可以說是一種獨善其「心」的「退」。但這種退比儒家更富有韌性，精神上的清高與行爲上的混世揚波形成靈與肉的二重性。佛教的「忍」與普渡衆生更是這種進退相濟精神發展到極端的產物。「剛」、「柔」、「忍」形成中國倫理精神的三維結構，從結構學上說，其最大的特點就是進退相濟。如果說德性是一種「進」的精神，道心、佛性則是一種「退」的精神，儒、道、釋的統一就形成了一種能進能退、剛柔相濟、能伸能屈、富有自我調節功能、入世與出世相結合的安身立命的精神基地。這集中體現了中國倫理精神的價值取向與性格特徵。

中庸和諧　中國倫理精神的最高境界是天人合一的中庸境界，這種「極高明」的中庸境界落實到道德行爲上就是求和執中，無過無不及。具體地說，就是嚴格按照禮的要求行動，求得個人倫理、家族倫理、國家倫理、宇宙倫理的貫通和諧，並在修身、齊家、治國、平天下中達到人性的提升，由此也達到人倫建構與人性提升的和諧。於是，萬物化育，天地一體，人也便達到「與天地參」的境地。和諧是中庸的精髓，中庸和諧的精神是中國倫理的最高精神，而天人合一則是這種精神的最高價值與最高精神指向，它是中國倫理的整體精神形態。

「倫理精神」是本書透視的主要層面。作爲一個民族的精神，中國倫理精神的結構應當與中國文化的結構是一致的（文化既爲「人化」，就應當具備「人」的精神結構），與中國民族的精神結構是一致的，也與一個具有典型意義的「中國人」的精神結構是一致的。因而，中國倫理精神的歷史建構，在宏觀上是文化精神、民族精神的歷史建構，在微觀上就是「中國人」的倫理精神的歷史建構。中國倫理精神的生長史應當與中國文化精神的生長史、中國文化中個體精神的生長史相吻合，惟有如此，才能把中國倫理精神當作是一個有機的整體。根據以上概念分析，我們把「倫理精神」的結構規定爲三個要素，即人倫建構，人性（或德性）提升，實現人倫與人格和諧所具有的精神結構。它既是民族人倫實體的結構，也是個體在人倫中安頓、提升、實現自身所具有的精神結構。

中國倫理精神的結構

所謂「倫理精神」結構，主要指人們在建構人倫、提升人性、實現人倫與人格和諧中所具有的精神結構。它既是民族精神的結構，也是個體在人倫中安頓、提升、實現自身的精神結構。

從中國文化生長發展過程看，中國傳統文化主要是以儒、道、佛爲主幹結構，融合兼攝其他文化形式而形成的結構系統。中國傳統文化的精神，既體現了這三種文化各自的精神特點，又在總體上體現了這三個結構形成的整體文化的特質。從系統論的觀點看，整體大於部分之和，由儒、道、佛三種文化融合兼攝所形成的整體，才是中國傳統文化的完整結構與形態。

文化、民族、倫理是三個相互說明、相互融攝的概念，文化是民族的主觀形態，民族是文化的客觀載體；民族是倫理的實體，倫理是民族的精神。文化精神與倫理精神在總體上是統一的，或者說，在一般意義上，它們是一般與個別的關係。中國文化是一種倫理文化，倫理構成中國文化的主體與核心，因而在系統結構上，傳統文化的結構與傳統倫理精神的結構是同一的。

從傳統倫理精神生長發育歷史過程看，也必然有其內在的結構體系。從文化淵源的意義上考察，中國傳統倫理精神孕育於如下三個文化理念：一是西周所開創的「德」「得」相通的道德精神傳統。這種原理本是從周取代商的史實中得出來的歷史經驗與人生哲理，由於體現了我們民族的特性與中國文化的基本價值取向，因而成為傳統倫理的基本價值取向。二是《周易》所概括的「自強不息」、「厚德載物」的民族精神。三是善惡報應的信念。這三種文化理念可以說是中國文化固有的因子，是中國倫理精神直接的文化源頭。三者之中一以貫穿、作為靈魂和核心的便是「德」「得」相通的道德傳統。「厚德載物」強調的是以「厚德」而「載物」，價值目標是要「載物」，而必由之路則是「厚德」為了「載物」，就必須自強不息，在道德上不斷進取，體現的是「德」與「得」的關係。而善惡報應強調的是人的善惡品行與命運之間的必然聯繫，善惡說的是「德」，「報應」的實質性內涵則是「得」，反映的也是「德」「得」相通的必然性。可以說「厚德載物」、「善惡報應」只是「德」「得」相通的不同表述。這種「德」「得」合一的理念在日後倫理精神展開的過程中就被表述為「德者，得也」的命題。

然而在原初的文化中，「德」「得」相通與善惡報應一樣只是一種道德的信念與文化原理的設定，在現實道德生活中當它展示為自覺的道德理論時，必然有許多課題需要解決，或是說必然碰到各種矛盾，這些課題與矛盾集中起來就是：「德」「得」同一是否具有現實性與必然性？如果沒有，如何克服這種矛盾。這就需要在「德」「得」的文化源頭建立起一種有機的、能自我克服「德」「得」矛盾的健全的倫理精神體系。因此，我們發現，在中國倫理史上，當誕生了儒家倫理精神的同時，就誕生了道家倫理精神。儒家倫理、道家倫理成為中國傳統倫理的雙胞胎；經過漫長的生長後又引進、孕育了佛家倫理精神。對此，學術界往往只作為一個客觀的事實加以說明，而沒作更深一層的考慮：為什麼中國文化在產生儒家倫理的同時又創造道家倫理，日後又需要佛家倫理？它們是歷史的偶然還是文化的必然？（注：當然按既定的理論從歷史的必然性上是容易得到解釋的。）實際上，儒家倫理、道家倫理、佛家倫理是由「德」「得」相通的倫理文化的源頭孕生出來的中國倫理的有機體系的不可缺少的結構。

因此，儒家倫理精神，道家倫理精神，佛家倫理精神，便構成中國傳統倫理精神的三維結構。儒家倫理精神我們稱之爲「德性」、道家倫理精神爲「道心」；佛家倫理精神爲「佛性」。於是，德性、道心、佛性即是中國倫理精神的邏輯結構。在這三維結構中，德性處於核心與主體的地位，道心、佛性則是其補充與完善，或者說是克服德性內在矛盾的需要。

何爲德性？從傳統倫理精神結構上說，德性有廣義、狹義之分。廣義的德性是由儒家、道家、佛家倫理精神的三維結構所形成的完整的中國傳統倫理精神；狹義的德性則是指儒家倫理精神。從理論上說，德性的基本問題是社會秩序與個體欲望、整體利益與個人利益的關係問題。在儒家倫理中，還有個體至善與社會至善，是改變自己的欲望還是改變社會的秩序的問題；從個體行爲上看，還有「道」與「德」的關係問題。在中國傳統倫理尤其是儒家倫理中，「德」是從屬於「道」的，如果說「道」是社會倫理，「德」就是個體道德；「道」是社會倫理精神，「德」便是個體倫理精神。「得」的對象是「道」，分享得到了「道」，就凝結爲「德」，即個體分享得到了社會的倫理，轉化爲自己的情感、信念，就形成自己的道德屬性，即德性。而這種道德屬性，必然轉化爲個體的行爲。這裡，關鍵是「道」的內涵的確定與對道的不同認同方式。「道」本有規律、道理之意，與西方哲學中的「邏格斯」意義相近，引用到倫理學上就變成了人生的規律，人倫的道理。於是，社會具有什麼樣的人生規律、人倫道理或者說道德原則、規範，個體即具有什麼樣的德性。也就是說，社會倫理決定個體道德。不僅如此，在不同的文化氛圍中，「道」具有不同的特點，個體對「道」的認同方式與機制也不同。西方文化是一種理性文化、科學文化，個體道德機制的主要內涵是理性與意志，因而，理性與意志的統一往往構成個體德性的本體特徵。在「理性＋意志」的結構中，意志是行爲機制與行爲能力，其主體是理性，意志據理性而行事，理性向意志發布命令。而中國文化是一種血緣文化、情理文化，因而，情感以及與之相聯繫的人們在人倫關係，尤其是血緣關係中形成的日用理性，就形成了它對「道」認同的特殊機制，情感與理性的統一就是傳統倫理中個體德性的特徵。在「情感＋理性」的結構中，情感本身就具有行爲能力，且這種行爲往往是一種身不由己的反射，理性只是情感運作的法則與原理。如幫助他人的德性，按照費爾巴哈的解釋，之所以要幫助他人，是因爲見到別人痛苦，自己也不會安寧和幸福，別人的呻吟會破壞自己的寧靜與幸福，因而產生幫助他人的德性，歸根到底這種德性產生於以個體爲本位的理性。而中國倫理在這種情況下往往是出於推己及人、設身處地的情感體驗，是由己及人、由親及疏的「推」的結果。這種主體德性的差異在文化歸根到底表現爲以求眞爲目標的科學型文化與以求善爲目標的倫理型文化的差異。

儒家的所謂德性有其內在的結構，主要是良心、良知與良能。這三者均由孟子提出，經過漫長的融合攝取後，最後由王陽明加以闡發。其中良心是情感，即在血緣情感基礎上形成的道德情感，其典型的或基本的形態就是孟子所講的惻隱之心；良知爲理性，即血緣關係基礎上形成的日用生活理性，也就是所謂君惠臣忠、父慈子孝、兄友弟恭那一套人倫原理，其特點是「不慮而知」；良能則是個體道德行爲，其特點是「不學而能」，亦即孟子所講的「見父自然知孝」，「見兄自然知弟」，「見孺子入井自然知惻隱」。在德性這三維結構中，良心是核心，它既是一種情感，又升華外化爲一種情操。良知實際上是一種道德意識的積澱，良能是一種道德本能。

儒家德性的特點，在社會倫理上表現爲家族本位，以家族關係爲原型與出發點，建立起「天下一家」的倫理實體；在個體道德上表現爲情感本體，以血緣情感基礎上形成的道德情感作爲認識與判斷的機制；在精神結構的原理上表現爲血緣、倫理、政治的直接統一，按照血緣的原則建立起倫理政治的關係；在精神性格上表現爲道德性的進取，修身養性，自強不息，最終達到「至善」的境界；在價值取向上是整體至上，秩序至上，以整體和諧與社會秩序爲最高價值。血緣、倫理、政治三位一體的倫理實體，善之人性的道德本體，仁、義、禮、智的人格內涵，家族本位的人倫模式，中庸和諧的倫理境界，是儒家德性的內在要素與結構系統。在古典儒家的德性中，性、心、命、天是自然統一的，但在這種統一中，其內涵並沒有得到具體的展開，且它在人倫與人格和諧的過程中存在著不可克服的內在矛盾，因而必須展開與補充。

在此基礎上，中國傳統倫理精神中的廣義的德性就是儒家的狹義德性與道心、佛性組成的復合體，其特徵與實質是通過修養改變自己，以適應、維護社會的秩序，其內在機制則是在血緣關係基礎上形成的道德情感。因此，德性中便內在地包含著「德」與「得」、社會秩序與個體欲望、理性與情感、眞與善的矛盾。

道心是道家倫理精神的特點。之所以用道心來概括道家倫理精神，是因爲道家倫理主要是一種人生理性，而在中國文化中，「心」則是理性智慧的主體，孟子就有「心之官則思」的命題。同時，「道」也體現了道家精神的特點，不僅其學派以道命名，其倫理學說也主要講的是一種人生之道，人倫之道，因而，道心集中體現了道家倫理精神的特點。儒家德性的基本內核是繼承並發揮了「德」「得」相通的文化傳統，並把它具體展開爲內聖外王的理論模式、人情主義的精神形態，但也具有重義輕利的傾向。倫理精神的基點是基於「德」「得」

相通的信念，以入世的態度倡導人們不斷地向內追索，修身養性，在道德上自強不息，以期建立完善的道德人格，達自我的實現，因而在德性精神中就必然包含著許多內在的矛盾：一是性與命的矛盾，這是「德」、「得」矛盾的具體表現。修身養性，陶冶德性，然而，德性與福禍往往不能一致，甚至正相對立，性善得禍，性惡得福。二是整體與個體的矛盾。片面強調整體即社會秩序而忽視了個體、個體利益與意志，個體淹沒於整體之中。三是個體之中靈與肉，即生理欲求與道德意識的矛盾。重義輕利，抹殺了個體欲望，這就是王陽明所說的「破心中賊」。四是入世與超脫的矛盾。主體的生活意向爲入世，然而現實生活中又碰到各種不可克服的人倫、人生的矛盾。在這種激烈的矛盾衝突中個體往往喪失安身立命的基地，因而需要人倫超脫、人格超越的機制。道心、佛性就是實現這種超脫與超越的機制。

道心是代表中國血緣、情理、入世文化主要傾向的德性的必然要求與必要補充，是中國文化與中國倫理精神內部產生的克服自身矛盾的必然結構與機制。道家倫理精神即道心具有其特殊的品格。在價值取向與人性體認上，它表現爲自然主義。從自然人性論出發，主張順乎自然，見素抱樸，復歸自然。在個人與社會的關係上，它表現爲個人主義，但與西方的個人主義相比，又具有不同的性質，是一種消極的個人主義，其主要特點是片面追求個體的超脫與解脫，逃避社會責任，追求沒有任何約束的絕對自由，但它不是以損害他人與社會爲前提的，毋寧說，它寧可逃避社會而不破壞現有的社會秩序。在人生觀上表現爲宿命論，這是由自然主義的價值觀必然引出的結論，其特點是聽天由命。在人倫關係上，它表現爲「無爲而無不爲」。其人倫戰術是「無爲」，最終要達到的目的卻是「無不爲」，這在某種程度上可以說是道家人生智慧的精髓。

道家倫理精神即道心的實質是明哲保身，全性保眞。它要探討的主要是在複雜的人倫關係與無常的人生歷程中如何保全自己，因而看破紅塵、洞察人生是其首要的方面，它的洞察人生是爲保全自己作論證的，這種保全自己，尤其是指保全自己的本性，這種本性他們稱爲「眞」，即純樸未分，與自然混爲一體的人性，因而其人生智慧的核心，就是要人們超脫各種人倫關係與利害得失，從社會關係中求得徹底的解脫。由此，道心便克服了德性的一些矛盾。在整體與個體的關係中，它主張消極無爲的個人主義——既不損害他人與整體，也不對整體負有義務。如果說德性是一種「心」的哲學的說，道心便是一種「身」的哲學；如果說德性是一種集體主義，準確地說是家族集體主義的話，道心便是一種消極個人主義。前者以積極的形式維護社會秩序，後者以消極的形式維護社會秩序。在性與命的矛盾中，道心則以宿命論的形式消解了這對矛盾，德性的人生意向是積極入世，而道心的現世超脫與解脫則用虛無主義、相對主義超越了人生的各種矛盾。於是，德性與道心的結合便達到了倫理精神內在的平衡，儒與道、士與隱互補互攝，人們在各種境遇下也就能尋找並確定安身立命的基地。

但是，道心作爲德性的補充結構具有現實上的消極性與理論上的不徹底性。道心以明哲保身、消極個人主義的形式克服德性的內在矛盾，其直接的社會效應是社會責任感、義務感的匱乏，只求自我解脫，不求衆人得救與社會至善，道家倫理精神培養的往往是一批老於世故、玩世不恭之徒。正因爲如此，道家倫理在中國文化發展的各個時期都沒能占主導地位，即使在崇尚黃老之術的兩漢，也是內儒外道，內法外道。而以老莊自居的玄學家在心理深層上仍然是儒學家。同時，道心的超脫，也具有不徹底性，以消極個人主義爲特徵的現世解脫最終只能是流於混世揚波、隨波逐流的庸人，不能實現人格的升華、人倫的改善、社會的合理。就是說，道心只是一個個體超脫或解脫的機制，而不是一種超越的機制。道心精神對德性精神內在矛盾的克服，本質上是以某種對立的形式出現的，因而道家精神往往處於與儒家精神的對立抵觸之中。作爲一種健康的、完善的精神結構，它必然要爲另一種結構所補充或完善，這種結構就是佛性。

佛教是漢以後流入中國，在隋唐得到發展的一種外來文化。佛教在中國生長發展的過程實際上就是中國化的過程。一方面印度佛教雖是現實社會人生矛盾的產物，但作爲一種文化現象，最大的特色是它的思辨傳統，流入中國以後，它爲中國的倫理文化所改造同化，成爲一種倫理化的宗教。另一方面佛教的出世、一切皆空的精神與中國傳統的血緣宗法精神也相抵觸，因而必須貫徹中國的傳統倫理精神。所以，佛教中國化的過程，主要地就是倫理化的過程，而在中國的經典文化與世俗文化中，佛教倫理精神往往是通過佛的人格與倫理本性體現出來的，因而佛性就是佛教倫理精神的概括與集中體現，在中國傳統的倫理精神，始終閃耀著佛性的光環。佛性對德性道心的補充與完善主要是通過三個方面實現的。第一，自度度人的社會責任感。與道家一樣，佛家著力洞察人生的哲理，這種洞察佛家稱之爲「覺」，覺行圓滿是佛性的一大特徵，然而佛家強調的不僅是「自覺」，而且要「覺他」，就是說，不僅要自己覺悟，而且要使別人覺悟，在道德行爲上，不僅要使自己得救，而且要使別人得救，這就是所謂自度度人，普度衆生。當然其內容與形式是宗教性的，然而在深層的文化精神上卻富有一種強烈的社會責任感、義務感、使命感。這與儒家的所謂「己立立人，己達達人」精神在深層結構上是一致的，是對道家個人主義的克服與完善。第二，現實的超越。道家倫理精神強調的是現實的超脫，薰陶的是伯夷、叔齊式的隱士，並未實現人格、人倫的超越。而佛性則用宗教的形式實現了這種超越。佛家倫理精神實際是人生哲學的超人生表現，是以超人生的形式論述人生哲理，最終達到的是人生的超越。在佛家倫理精神中主體既超越了自我，又超越了人倫與社會。在宗教的色彩下，人們看到了義務與崇高，而絕無道家的混世與平庸。第三，清心寡欲，克己自律的人格生長。對個體人格，佛性以清心寡欲爲特徵，以此保持人格的純潔與完善。在個人與他人、總體的關係中，佛性強調的是克己自律，寬容寬厚，改變甚至克服自己的欲望而維護人倫秩序，這與儒家精神在本質上也是一致的，比起道家的自然主義、個人主義、宿命論，毋寧說它更具有合理性。

佛性對於德性、道心人生哲學自我矛盾的克服是通過超人生的形式實現的，其機制有二：一是因果報應，一是生死輪回。倫理與道德產生於人類的需要，而個體的道德也產生於個體的道德需要。與其他規範形式一樣，道德也需要激勵與制裁的機制，這是道德需要培養與再生的要求。在中國的入世文化中，這種機制的構成是通過社會輿論以及背後的物質力量實現的。佛性的確立是通過既是超越人生的，又帶有思辨色彩的個體動機、行爲與命運即因果之間的報應機制來實現，所謂「善有善報」，「惡有惡報」。然而單憑這一點還不能解釋並克服現實社會中「性善者得禍，性惡者得福」的現象，於是，他們對報應作了區分：現報、今報與來報，即善惡行爲當即得到報應，善惡行爲在今生今世得到報應，善惡行爲在來生來世得到報應。因而，在人們的世俗行爲中就會得出這樣的結論：「不是不報，時間未到。」然而，這種理論就提出了一個要求，必須延長人生的歷程，於是佛教與一般宗教一樣，借助靈魂不死確立「生死輪回」的信仰。這樣，人生就處於無止境的周期性的輪回中，在這種生與死的輪回中，善惡的因果報應也就取得了永恒的現實性。從此，以德性爲特徵的中國傳統倫理不僅具有無上的神聖性，而且具有了巨大的無所不在的震懾力量。人們都說，中國傳統倫理在中國傳統社會中起到了準宗教的作用，其實，這種準宗教的作用之所以能產生，除了它深深扎根於人的血緣情感的原因外，宗教，確切地說，佛教精神與結構機制的滲入具有舉足輕重的作用。

至此，德性、道心、佛性的有機統一，便形成了中國傳統倫理精神有機而完善的結構。在這個精神系統中，德性是這個結構的主幹，它集中體現了血緣、情理、入世的文化方向特徵；道心是中國文化自身產生的調節與補充的機制；佛性則是中國文化融合外來文化，同化、改造外來文化而產生的調節與完善的機制。三者的統一，便形成渾然一體的三維結構。在這種三維結構中，德性強調的是入世的道德進取，道心尋找的是避世的人生智慧，佛性則賦予善惡的因果報應以永恒性，從而以宗教的機制徹底克服了「德」與「得」的矛盾。這種特點在「中」的價值取向中得到最典型的體現。「中」是中國文化共同的價值取向。但如何理解「中」，三家卻有不同的旨趣。儒家德性提出「中庸之道」，道家道心提出「中虛之道」，而佛性則提倡「中道」。「中庸之道」的眞諦是由「盡己之性」到「盡人之性」、「盡物之性」，最後達於「贊天地化育」，與「天地參」的境界，是一種以入世爲意向的道德進取。「中虛之道」的要害是如何在複雜人際關係的縫隙中保存自己，發展自己，實現自己，其最恰當的注腳便是「庖丁解牛」，它提供的是一種人生的技巧與智慧。而「中道」的核心則是要達到對現實世界「空」與「假」的認識，由此達到對現實世界與現實人生的超越。「中庸之道」、「中虛之道」、「中道」是德心、道心、佛心的集中體現，三者的結合形成剛、柔、忍一體的三維結構。入世——避世——出世的人生基地、「德」「得」合一的精神原理，是三維結構兩個內在的邏輯。德性、道心、佛性的特點以及由此形成的三維結構的特性在儒、道、佛三家所推崇的，既是現世的倫理，又具有神聖的性質；既具有情感的特性，又是理性的法則；既是客觀的道德法則，又是自覺的內在要求。於是，儒家的聖人、道家的眞人、佛家的佛三大理想人格熔鑄，便形成了「中國人」這個整體人格或復合人格。這種有機統一，一方面使倫理政治或禮的人倫關係得到建構與實現，另一面使人性得到提升與升華，達到心、性、命、天、理的具體歷史的統一，從而止於「天人合一」的中庸境界，形成完整的目的性德性倫理精神。

四、中國倫理精神建構的歷史過程

我認爲，中國倫理精神的生長可分爲三個階段。先秦時期——中國倫理精神的孕育與展開；漢唐時期——中國倫理精神的抽象性發展；宋明時期——中國倫理精神的辯證綜合。三個階段構成中國倫理精神具體——抽象——具體的辯證發展過程。

先秦是中國倫理精神的孕育與展開時期。中國倫理精神的孕育主要經過了三個環節：一是古神話中的倫理精神傾向；二是《周易》所確立的倫理精神體系與倫理哲學模式；三是殷周萌發的自覺的倫理道德觀念。古神話是原始社會末期與階段社會早期的文化產物，中國古神話所體現的倫理精神傾向主要有三方面：一是崇德不崇力；二是重天命而非命運；三是懲惡揚善，因果報應。崇德不崇力是倫理型文化的體現，重天命輕命運表現的是重整體而輕個體的價値取向，而懲惡揚善、因果報因則是倫理生活、倫理精神的機制。《周易》是中國最早的思想體系與哲學模式，可以說它體現的是中國人原初的世界觀與人生觀，是整個中國文化的源頭活水之所在。《周易》所奠定的中國倫理精神的基本結構主要是天人合一的精神模式，陰陽相對的思維格局，自強不息、厚德載物的精神意向，因果報應的倫理機制。殷周時期，中國產生了最初的道德觀念，而最重要的就是把「德」與「得」相連，以「德」說「得」，即以「德」作爲「得天下」的深刻原因。它既是中國文化自覺的倫理精神萌發的標誌，又確立了中國倫理精神

「內聖外王」、道德實用主義的基調，構成中國倫理精神的元點及發展的基線與基軸，中國倫理精神的展開與發展都是以此爲胚胎與基因。在這一孕育時期，中國人的倫理精神雖然是朦朧的，但它卻以孩童式的天眞眞實地體現了中國人的精神意向與精神旨趣，日後生長出的倫理精神幾乎都可從中得到解釋。

春秋以後，誕生了中國倫理史上第一個理論形態——孔子的倫理思想體系。孔子在倫理史上的地位主要體現在兩個方面：一是氏族體制政治化；二是客觀倫理主觀化。其突出的貢獻主要是把氏族的倫理習俗上升爲自覺的倫理政治，從而按血緣氏族的原理提出了一套倫理政治主張。孔子的思想可以說是日後儒家倫理政治精神的母胎，它從三個層面確立了中國倫理精神的基本格局：(一)禮之精神。這是對中國倫理實體的規定與設計，是人倫建構的基本原理，也是倫理政治精神的主要表徵。(二)仁之精神。這是禮的內化，是日後一切德性的基礎與模式，在這裡，孔子奠定了德性弘揚、人性提升的基本原理。(三)中庸性格。在孔子那裡，中庸既是一個行爲準則與性格特徵，又是一種精神境界，它實際上是社會倫理與個體德性的和諧模式。孟子從主觀方面發展了孔子的學說，他重點闡述了孔子仁與義的思想，是主觀倫理精神的擴充。他從人的先驗情感的角度提出性善論，把道德訴諸於人性，又把人性奠基於人的血緣本能，奠定了中國人性認同的基調。他的五倫說，奠定了中國倫理實體與人倫關係的基本結構與基本原理，於是，全部倫理關係歸結爲血緣關係，整個人倫原理便立足於血緣原理，血緣成爲倫理的本體與本位，而他的「萬物皆備於我」、反躬內求的修養論則奠定了日後中國倫理德性回歸的基本模式。與孟子相比，荀子則發展了孔子倫理精神的客觀方面，其倫理思想的主要內容爲禮與教。他的「化性起僞」的性惡論，「禮以定倫」的禮教論，修養與教化相結合的修習論，確定了傳統倫理的客觀精神。正因爲如此，其倫理思想具有向法家轉化的可能性，他的學生韓非便成爲春秋戰國時期的法家思想代表。可見，儒家倫理精神是一種倫理政治精神，它在先秦時期得到了較充分的發展。然而，從文化發生學與文化結構的角度看，中國倫理不可能只有儒家這樣單一結構，由於儒家奠基於血緣倫理的基礎上，具有很大理想性與空想性，這種以入世爲主導意識的倫理不能克服各種人倫與人生的矛盾，尤其在動亂不息、禍福無常的春秋戰國時期，據此更不足以安身立命，於是便有道家倫理精神的補充。

如果說儒家倫理是入世的，道家倫理則是隱世的。儒家倫理強調的是人倫情感，而道家倫理強調的則是人生智慧。老子的「無爲而無不爲」，確定了道家見素抱樸、修身養性的自然主義的人性論基礎；而其以柔克剛、知足不爭、不爲天下先的人生態度和處世原理，則成爲日後道家倫理精神的精髓。莊子發揮了老子倫理中的主觀成分，形成相對主義、虛無主義的道德價值觀；保身爲我、不譴是非、隨遇而安的厭世逍遙的人生態度；其眞人人格對中國倫理精神影響尤大。由此，道家自然主義、厭世避世、明哲保身、超脫老滑的人生態度與處世精神便基本形成，並與儒家精神相結合，形成一個互補的雙重結構。

如果說，儒家倫理體現了中國文明直接由氏族原理轉化爲國家的血緣倫理與倫理政治的現實的話，法家倫理則體現了中國文明社會政治的本質。雖然儒家把社會的倫理、政治的原理歸結爲人們的血緣關係與血緣情感，然而階級社會的政治本質是不可能改變的，法家倫理的法教論與道德觀就顯示了倫理的政治本質。因此，如果說儒家倫理的精神是倫理政治精神的話，法家倫理的精神則是政治倫理精神。在人倫關係與人倫情感中，除了儒家愛有差等的仁愛與非功利的精神外，還有墨家的兼愛理想與功利精神。中國文化孕育與展開的就是這樣一些既相殊異又相聯繫、相補充的多重結構。

從天人合一的精神體系看，先秦至秦漢之際的中國倫理精神主要解決了以下問題：⑴設計了完整的倫理實體，確立了人倫建構的基本模式與基本原理，這就是五倫，其基本原理是人倫本於天論而立，倫理與政治貫通為一。⑵初步建構了一個規範體系，這就是仁、義、禮、智，到宋明被推至天理的高度。⑶確立了人性提升的模式，這就是向內追索的德性修養。⑷奠定了性善的人性基礎，可以說以抽象的形式確立了人。但從「天人合一」的境界看，它還有以下問題未解決：首先，倫理規範只是從人性中推出，未上升為天，變為天理，因此可以說「天」的境界還未達到。其次，作為使命、道德命令意義上的命、天命的觀念還未確立，因此天與人之間缺乏必然的聯繫，在倫理生活中「天」還不是人的最高的與唯一的精神指向。最後，更為重要的是，它未建立比較完整的，既有效而與中國文化主流相吻合，具有多樣性與崇高性的和諧人倫建構模式與人性提升模式的倫理精神機制，就是說還未眞正地、自覺地建構起個體在人倫中安頓自己、提升自己、而又使自己達到自我平衡、自我實現的機制。這一過程經過漢唐的漫長發展，到宋明理學才得以完成。

漢唐時期，是中國倫理精神抽象發展的階段。先秦孕育的民族倫理精神的多維結構在日後的社會發展中並沒有得到全面展開，其中有些因勢單力薄沒有占主導地位，有些則被隱涵於其他精神形態之中，這裡有一個文化選擇的過程。這一過程，可分為三個階段：兩漢儒學，魏晉玄學，隋唐佛學。

兩漢在中國文化史上的地位有二：一是以漢民族為主體的中國文化形成；二是中國民族找到了一種適合自身發展的文化精神形態，這就是儒學，在倫理史上就是儒家倫理精神。儒家倫理之所以在兩漢能占主導地位，道先是因為它體現了中國社會家——國一體的特徵，最能體現中國社會的需要，也最能適應中國社會的發展。同時也由於其理論本身發展比較充分，形成了一個比較完備的理論體系。兩漢倫理精神的特點是儒家德性的大一統與封建化，這種精神的形成除了社會歷史的需要外，也有其理論發展的內在邏輯。秦漢之際，《大學》、《中庸》出現，至此作爲日後中國倫理精神生長的元點與本體的《四書》倫理精神事實上已經形成。《大學》、《中庸》是先秦儒家倫理思想的提煉與概括。《大學》指出了一個個體德性與社會倫理貫通的以內聖外王、倫理政治爲特徵的「大學之道」，《中庸》則建立了一個明確的「天人合一」的精神模式，指明了德性提升的「極高明」的精神境界。《四書》確立的是一個以德性提升爲目的，身、家、國、天下貫通爲一的目的性的倫理精神模式，這種模式的特徵便是天人合一，它是中國倫理原初的精神模式，也是古典的或經典的精神模式，它實際上爲以後儒家倫理的獨尊作了理論的準備。因爲只有理論上的完備，獨尊才得以形成與確立。經過儒與道的論戰與選擇，最終確定了「罷黜百家，獨尊儒術」的局面。在倫理史上，這一事件標誌著中國倫理封建化的完成，同時也標誌著儒家德性精神的內在分裂，是倫理宗教化的開始。董仲舒以權威主義、等級主義的三綱代替了具有雙向義務性質的五倫；性三品的等級人性論代替了先秦的均等人格論。正由於如此，在人的血緣情感與人性中就不可能找到充分的根據，因而就要借助「天」的威力，建立強制性的「天人相通」、「天人感應」的天人合一的精神模式。這種天人合一的精神是《四書》天人合一的異化，是天人合一精神模式的否定階段。

董仲舒三綱五常道德體系的出現，標誌著倫理完全政治化，倫理與政治完全同一。然而這種封建化的倫理精神本身就孕育了它內在的否定性，使中國倫理陷入民族性與封建性的衝突之中，產生民族倫理精神的內在內裂，這種內在否定與內在分裂由王充的「性命論」揭示出來，而玄學則是其直接的否定形式。

玄學是儒、道融合的產物，具有儒與道的二重性。玄學家在風格上是道家，而在實質性內涵上則是儒家。玄學倫理的中心論題是「名教」與「自然」之辯，它經過了何晏、王弼的「名教本於自然」，即名教應當合乎人類的自然本性；阮籍、嵇康的「越名教而任自然」；向秀、郭象的「名教即是自然」，即人的自然本性本身就是綱常名教三個辯證發展的階段。這裡「名教」即為綱常政治，而「自然」則為倫理本性。「越名教而任自然」實際上是越政治而任倫理。在精神分裂、安身立命基地動搖甚至喪失的情況下，玄學家便到道家那裡尋找歸宿，形成避世苟生、逍遙惟我之倫理精神。玄學倫理，從內容與形式上說實際是儒家倫理與道家倫理的結合。然而，道家精神的不徹底性與不完備性，並不能解決中國倫理精神內在的矛盾，避世只能解決人倫問題，並不能解決人生問題，而其缺乏義務感與責任感的人生態度與傳統的民族倫理精神則格格不入。在這種情況下，兩漢時流入中國、魏晉得到了發展的隋唐佛學便起到了結構上的補充作用。隋唐佛學是中國化了的，說到底是經過儒家精神充實、改造過的中國佛學，它用超人生哲學方法解決了中國倫理精神中的人生矛盾，其因果報應、生死輪回的原理，在理論上比較徹底地解決了傳統倫理中性與命的矛盾，而其「自度度人」的精神與儒家「己立立人」的境界又相吻合。於是，佛學在隋唐便成為中國倫理精神的主導形態。

儒學、道家、佛學都是中國倫理精神的抽象性展開與否定性發展，它們都是克服對方矛盾的必然結構。然而，任何一個單個結構都不足以成為整個中國倫理精神的主體，抽象必然復歸於具體，否定必然復歸於肯定。漢唐的抽象發展到宋明，必然達到辯證的綜合。宋明理學是以儒家倫理為主幹，道家、佛家為補充的民族倫理精神的三維結構，是自給自足的民族倫理精神形態。宋明理學中，天地之性與氣質之性的二元人性論解決了傳統倫理中性善與性惡的矛盾；而性、理、心的一體化，又克服了傳統精神結構中靈與肉、德性與欲望的分裂；存天理滅人欲的修養方法與倫理精神更是封建道德精神的最集中的體現。中國倫理經過兩千多年的發展至此變爲「天理」。在先秦，儒家把倫理根植於人的血緣本性之中，具有先驗的性質；兩漢以後，這種原初的帶有較大民族性的倫理變爲「名教」，具有外在性與對抗性；而「天理」的概念則使天與人、名教與自然、先驗與經驗、倫理與政治合一，達到所謂「天人合一」的境界，宋明理學把心、性、理、天先驗地合一，通過「命」的環節使其內在的心、性外化實現爲外在的理，使天與人達到內在的合一。更爲重要的是，它通過道家與佛家人倫與人性精神結構的融合，建立起一個自給自足的和諧人倫建構與人性提升的完備機制，從而實現了天與人的現實、具體的合一。正是在這個意義上，我們說宋明理學是中國倫理精神的辯證綜合。

爲清晰起見，我們可以描述出中國天人合一的德性倫理精神模式建構的歷史圖式：

《四書》天人合一的模式：古典形態或經典形態——董仲舒的天人合一模式：異化形態或否定形態——宋明理學的天人合一模式：綜合形態或復歸形態。

總之，中國倫理精神歷史建構的大思路是：邏輯起點與理論元點是「德」、「得」相通的精神原理，與此相應的是「自強不息」、「厚德載物」的民族精神，以及善惡報應的文化原理。這是中國倫理精神的胚胎。胚胎的發育便是春秋戰國時期中國倫理精神的展開，形成儒家的倫理政治精神，墨家的社會倫理精神，法家的政治倫理精神，道家的人生智慧，這是家——國一體的社會體制的必然結構。然而「百家爭鳴」必須確立起一種占主導地位的精神形態，於是便有漢唐的抽象發展。這一發展階段實際上是文化選擇的過程，也就是中國文化如何選擇並確立起一種適合中國社會發展的倫理精神形態。先是兩漢儒家，確立儒家德性的獨尊地位，然而其內在的性命矛盾又注定了必然被否定的命運，在此情勢下內儒外道的玄學便應運而生，它實際上是揉合儒道的一種努力，而玄學倫理精神的消極性是顯而易見的，值此之際中國文化又建構並倡行佛家倫理精神，並使之成爲與盛唐鼎盛相匹配的意識形態。經過漢唐儒、道、佛的漫長選擇與揉合，經過韓愈的道統說、李翺的復性論，中國文化終於確立起以儒家爲主流與正宗，以道、佛爲輔佐的倫理精神格局，在這一基礎上便產生了宋明理學的大綜合，確立起完整與成熟意義上的中國倫理精神。宋明儒學表面上是向先秦儒學的復歸，但它融合了道、佛，又以三綱五常爲核心，因而又是一種新儒學，即新的倫理精神形態。

中國倫理精神歷史建構的大思路，如果用圖式表示，就是：胚始（邏輯起點與理論元點）：「德」「得」相通（周以前）——展開：倫理政治精神、人生智慧、社會倫理精神、政治倫理精神（春秋戰國）——抽象發展與文化選擇：兩漢德性、魏晉道心、隋唐佛性（漢唐）——辯證綜合：德性、道心、佛性融合的三維結構（宋明）。

最後，必須再次說明，本書透視的層面是「倫理精神」，這種「倫理精神」是中國傳統的倫理精神，主要是古代的即明清以前的，至於近代以後則不在詳論之列，因而本書的確切題目應當是「中國傳統倫理精神的歷史建構」。而且，「中國倫理精神」恰當地說應是中國傳統倫理思想中貫穿、體現的根本精神，是對中國傳統倫理思想的精神層面的把握與透視，是中國傳統倫理思想中所體現出來的精神傾向、價值取向、人際關係、社會關係的組織結構形式。它不是一般意義上所說的「倫理精神」，一般意義上「倫理精神」的概念應當包括現實生活中的道德精神，尤其是勞動人民在社會生活中所表現出來的道德精神。本書所謂的「中國倫理精神的歷史建構」是對中國倫理思想發展的精神性的把握與描述，如果把它理解爲一般意義上的「倫理精神」

的話，那本書所寫的內容就具有較大的片面性，甚至是對中國倫理精神的不可容忍的歪曲了。這種區分不管全面否，設為一種假定，暫且作為一種方法與出發吧。

需要特別強調的是：傳統倫理精神歸根到底是由中國特殊的社會存在即生產方式、地理環境等因素決定的，因而中國倫理精神的歷史建構最終只能從中國社會及其發展變化中得到解釋，這是歷史唯物主義的基本原理。不過本書的重點不是要揭示這種一般的哲學規律，即傳統倫理的結構、原理、生長過程與中國社會的歷史一致性，這一點現有的中倫史著作已經揭示得很充分。本書的側重點在於揭示中國倫理精神的內在結構、機制原理、生長邏輯及傳統倫理自身的發展規律。我以為這是目前該領域學術研究的薄弱環節，因而企圖由此對學術事業的發展作出點新貢獻。這種努力，與歷史唯物主義的立場方法並不矛盾。本書的戰略與突破口就是歷史唯物主義的前提下探索中國倫理精神自我建構、自我生長、自己運動的內在邏輯及其精神體系的自我發展，揭示傳統倫理精神自身發展的邏輯。

【附註】

① 參見《論中國傳統文化》，三聯書店1988年版，第22—23頁。

② 蘇鳳捷：《試論中國古代社會的特點及其成因》，載《中國史研究》1984年第1期。

③ 項退結：《中國民族性研究》，台灣中央文物供應社1981年版，第49頁。

④ 黑格爾：《歷史哲學·東方世界·中國》，三聯書店1956年版，第65頁。

⑤ 郁龍余主編：《中西文化異同論》，三聯書店1989年版，第177～183頁。

⑥ 同上書，第184～196頁。

⑦ 同上書，第172頁。

⑧ 林語堂：《中國人》，浙江人民出版社1988年版，第155頁。

上篇

先秦—中國倫理精神的孕育與展開

倫理的建構與民族社會的形成往往是同步的。當中華民族形成的時候，就開始了中國倫理精神的孕育、發展的歷程，隨著民族的成長，精神的胚胎得到展開，顯示出其豐富多樣的結構內涵。在中國歷史上，當民族意識還處在朦朧狀態的時候，在人類孩童時期的文化形式—遠古神話中就體現出了中國特殊的倫理精神傾向。西周時期，實現了中國文化的第一次突破，中國社會的基本雛形奠定，民族倫理精神開始孕育。春秋戰國時期，隨著社會的發展和百家爭鳴局面的出現，中國文化出現第二次突破，中國倫理精神展開，多樣性的精神結構紛呈出現。中國倫理精神的孕育展開在民族倫理精神生長的歷程中處於感性具體的階段，其特徵是精神的各個因素分別發育，中國民族倫理精神的胚胎形成，經過日後漫長的抽象發展，它逐步走向成熟健全，並復歸於一個有機的精神形態。

中國倫理精神的展開，有一個基本的事實：在中國文化孕育了儒家倫理精神的同時，也誕生了道家、墨家、法家等其他學派的倫理精神，形成中國倫理精神的有機整體。這種現象當然可以從當時的社會變更以及思想文化上的百家爭鳴得到解釋，但我以爲更直接的可以從中國特定的社會結構中找到答案。從倫理精神的角度說，先秦倫理精神的展開主要有儒家、道家、墨家和法家，它們的精神特點與這種社會結構有直接的聯繫。如前所述，中國社會結構的特徵是家——國一體，從邏輯上說，這種家——國一體包含三個不同側面：一是由家到國，即從家族出發，以家族爲本位，將家族倫理上升、擴充爲社會、國家的倫理，這便是儒家的倫理政治精神。二是從文明社會國家的特點出發，以國家爲本位，由國到家，建立倫理精神的價值系統，這便是法家的政治倫理精神。三是在家與國之間，還有個過渡環節，它既不是家族的血緣倫理，也不是國家的政治倫理，而是一般的社會倫理，這便是墨家的社會倫理精神。這三種精神都是以入世爲特徵的，其文化精神內在的矛盾必然需要解脫與超越的機制，以實現精神自我平衡，確立安身立命的基地，這個機制便是道家的人生智慧。這四方面，構成中國倫理精神有機體的基本要素。當然，除此之外，中國文化還有名家、兵家、農家、雜家、陰陽家等學派的倫理精神，但它們都沒有形成自身的精神系統，對以後的中國倫理精神的生長也沒有產生廣泛持久的影響。在倫理精神的有機體中，儒家的倫理政治精神是正宗與主流，它代表了中國社會由家及國的基本文化邏輯。法家的政治倫理精神則代表了家——國一體文化結構中倫理精神的政治本質。倫理政治與政治倫理精神的整合運作體現了中國社會與文化內法外儒的特徵。墨家的社會倫理精神一定程度上是對家族本位、政治本位精神的揚棄，而道家的人生智慧則是中國入世的倫理精神的解脫與超脫機制，它使中國的倫理精神富有極強的彈性與韌性。日後中國倫理精神的抽象發展與辯證綜合從根本上說都涵蓋並整合了中國倫理的這些精神要素。

第一章 中國倫理精神的孕育與發端

這部分在邏輯上包含三個方面的內涵：一是古神話中的倫理精神傾向；二是《周易》奠定的倫理精神與倫理哲學模式；三是自覺形式的倫理精神的發端。三方面形成邏輯與歷史的一致性。

一、古神話中的倫理精神傾向

神話是人類童年的印記，它雖然具有孩童的天眞與幼稚，但透過它我們可以清晰地把握民族自身脫胎出來的遺傳特性，也可以窺視民族初年在建構自己的倫理世界時所體現出來的精神傾向，從而透視出民族文化價值體系的起點。

從哲學上說，神話是人類認識世界、表達情感的最初形式，是人類在特定時代認識世界所留下的足跡。對人類的初年來說，神話既不是純粹的幻想，也不是自覺的藝術形式，而是對世界的「眞實」的敘述。在這個意義上神話與童話在本質上是一致的。神話，就是原始人的世界觀。既然神話被視爲眞實，它必定眞實地體現了原始人的世界觀。既然神話被視爲眞實，它必定眞實地體現了原始人的眞實的精神傾向，透過它，可以捕捉到歷史的影子。神話的特點是由神話思維的特點所決定的，而神話思維的特點則是由民族生活的特點所決定的。不僅如此，神話是一種跨時代的產物，是原始社會末期與階級社會早期的產物，它是一個民族在文明社會的門前，懷著極其複雜的心情，使勁叩門時發出的奇妙聲響，體現了人類對自身特殊的文化方向的選擇。它生成記錄於早期階級社會，既包含有野蠻的遺存，又開啓了文明的端緒；既有質樸剛健的精神，又反映階級社會的種種面貌，是文明誕生前後新舊交替的混合體。因此，對古代神話的研究，有助於我們追蹤民族倫理的源流，對中國倫理精神的把握，具有很大的價值。它可以使人們了解神話意識在民族由原始文化向文明文化過渡中的作用，發現造就了古代民族道德文明的各種文化的基本元素，深刻理解從中派生出來的文明社會的倫理文化及其精神的性格特徵。馬克思在《〈政治經濟學批判〉導言》中對神話曾作過一段十分精彩的論述：「一個成人不能再變成兒童，否則就變得稚氣了。但是，兒童的天眞不使他感到愉快嗎？他自己不該努力在一個更高的的階段上把自己的眞實再現出來嗎？在每一個時代，他固有的性格不是在兒童的天性中純眞地復活著嗎？爲什麼歷史上的人類童年時代，在它發展得最完美的地方，不該作爲永不復返的階段而顯示出永久的魅力呢？①

正像中國文化代表了人類文明的特殊方向一樣，中國神話也代表了一種獨特的神話系列。與其他民族的神話相比，中國神話具有兩個方面的特徵。

第一，從在文化系統中的地位看，中國神話沒有占主體文化的地位。世界及其他民族都有自己較爲純粹的宗教經典、神話作品，有些民族還創造了自己的神話史詩，《荷馬史詩》就是最典型的一部。而在中國古籍中卻全然不見這些聖書，即使保存神話最多的《山海經》也只是民間的傳說，絕無神聖的光彩。中國古代經典的精神是倫理的、人本的、現世的，雖不乏思辨色彩，但卻抹殺了神的存在。其他民族的宗教經典和神話作品都占主體文化的地位，受到全民的信仰和尊崇，是不折不扣的上層建築，而中國不但沒有一部完整的宗教經典和神話作品，零星的神話傳說也是爲政治、歷史或哲學作證的，占據不了支配地位。

第二，從神話的內容看，中國神話是倫理性的，而不是哲理性的。從中國特色的濃厚的心理土壤裡生長起來的是以五帝、三皇傳說為脊柱的古史神話，以歷史意識為主導線索的古神話傳統系列，其凝聚劑不是希臘式的哲理性，而是中國式的倫理性；不是希臘窮根追底式的理念王國，而是中國式追求和諧的實踐原則。就「世俗性」而言，中國神話和希臘神話分別代表了世界神話的倫理化與非倫理化的極端。在不同的民族精神的作用下，中國形成了尊崇「有德者」的歷史系統，希臘形成了尊崇「有力者」的神話系統。在希臘是歷史化為神話，人格化為神格；在中國卻是神話化為歷史，神格化為人格。因此，支配中國神話故事的是一些或隱或顯的「倫理原則」。在黃帝與蚩尤、顓頊與共工、舜與象、湯與桀爭鬥的一系列故事中，到處可見的是懲惡揚善的倫理原則的廣泛影響。它對不同層次的中心人物都採取了徹底的人格化的形式，不同層次的差別只有倫理的意義，而沒有外在的形式和生理的特徵。

中國古代神話是早熟的，它過早地開始了歷史化、倫理化的過程，當其他民族還沉溺在早期奴隸社會通常瀰漫的宗教意識、神話氣氛的包圍時，中國已經開始探討歷史的、社會的和政治的行為的因果關係了，因而它是現世的和崇實的。古代中國民族的歷史意識覺醒較早，人們沒有把全部的精力花在來世的神話想像上，他們的思想是「現世的」，具有鮮明的崇實特徵和直接的社會功用。希臘神話和民族精神的形成得力於經濟的、力量的、技術的聚合力，而中國神話與民族精神的形成則得力於禮儀的、倫理道德的聚合力。

中國古代神話是倫理性的，這種神話所體現的倫理精神的傾向主要有有四個特徵：

天人一體

天人一體是中國人對於宇宙模式的最初認知，也是對人在宇宙中地位的最初把握，這種文化基因在古神話中得到了充分的體現。值得注意的是，中國人童雅時期的神話的這種精神取向有兩個顯著的特點：第一，在天、地、人三者中，以人爲核心，爲主體，這在後來發展成「人是萬物之靈」的信念，這種信念與西方神話把人看作萬物一部分的認知是不同的，可以說它們是兩種不同的天人關係模式。第二，在古神話中，天人一體不是後來的所謂「人」合於「天」，而是認爲「天」本來就是「人」的作品，是人的意志的產物，或者說是人的精神、德性甚至肉體的凝結。這些特點在「盤古開天闢地」和「女媧補天」的神話中得到充分的體現。人類的德性化生了天地，並使自己與天地萬物融爲一體，依照古神話的這種認知，天不僅是人的作品，而且就是人體本身，天人所以成爲天，就是由於人的德性的參與與作用。反過來說，天的完美就是因爲的人的獻身。這種特點與後來的「天人合一」精神模式把「天」作爲「極高遠」的德性境界而供人們效法的特點在旨趣上是大不相同的，但又包含著日後把「天」看作是人性的實體、倫理規範的凝結的所謂「天理」的「天」的可能性。可以說，「天理」的「天」與古神話中的「天」有著一脈相承的聯繫。

崇德不崇力

中國神話大體分爲兩個系列：古史神話與獨立神話。前者所記載的英雄人物取得了完全的人形、人性，但他們失去了神的資格，演化成一些文化英雄或聖君賢相，以及各種道德的首領人物；後者則保留了原始的風貌，但帶有濃厚的動物色彩和人獸同體的特點。中國神話的基本因素是對社會政治等世俗生活方面的尊崇，雖然人們也認爲宇宙現象也體現爲力，但支配這些「力」的超自然的宇宙秩序，他們稱之爲天命。因此，在古代神話的倫理意識裡，值得崇拜的不是「力」，而是「力」所體現出來的道德性質，是「力」所擁有的道德裝飾。在這裡，「力」不是諸神之力，而是「倫理之力」，人們的普遍信念是「道德就是力量」。因此，活躍在這些崇德氣氛中的是一些富於倫理色彩、對文明歷史和人類生活有重大貢獻的文化英雄，相反，有力的征服者退居不顯著的地位。征服型的英雄在中國古代並不是沒有，而是不像前一種那樣濟濟一堂；如射神后羿，它與希臘神話中的大英雄赫拉克勒斯頗相似。不僅如此，這些英雄往往只是帝王的助手，而且往往會淪爲反面角色，后羿就逐漸成爲窮兵黷武的典型。這種對德的尊崇，對倫理行爲的過分關注，導致了日後人們精神的實用化和經驗化。

信「天命」而非「命運」

對於社會生活中的固有矛盾，希臘神話用一個簡單而又普遍的解釋加以疏通——命運。在那裡，命運超越人間的和社會的因果律，是盲目的；命運通過神諭表明將要發生的事情；命運與生俱來，絕不可抗拒。而在中國神話裡，知性思維採取了倫理色彩十分濃厚的「天命」觀念。「命運」與「天命」是不同的。人人都有自己的命運，但天命卻只能唯獨一人享有；至高無上的命運反映的是一個多樣化的社會現實，而天命觀念則產生比較單一、集權的現實；從理論上說，命運是生而注定的，與個人奮鬥和道德品質無關；天命則依據人的德性或才能有所變遷。前者是哲學的思考，後者是倫理的詮釋。天命比命運具有更多的倫理色彩。命運超越善惡，而天命則合乎社會的因果律，具有道德的意義。天命可以通過帝王、賢人的道德權威或傑出能力實現，它合乎社會的因果律，並且可以通過人的努力影響改變它。不僅如此，命運的潛台詞是強調個體的重要性，其中傾注了自由意志的力量，只有把個體或個性的發展列在人生價值首端的文化系統，才會重視命運。

與此相反，強調社會一致性的倫理文化卻把個性或個體的命運推到次要的地位，轉而推崇有助於強化社會一致性的天命觀念。天命觀念與倫理範疇密不可分：要麼有德者獲得天命，要麼獲得天命者有德。這種「天命」與「命運」的精神取向的不同，產生了日後中西方倫理精神的基本差異。「天命」注重的是整體秩序，要求個體絕對服從於整體，而命運則是以個體爲本位，追求個體的確立與實現。命運對人們來說是盲目的、必然的，然而在這種盲目的必然性中，人們又獲得了最大的自由，命運的邏輯可以爲人們的行爲作道德上的開脫，對任何行爲都可以不負道德的責任，《荷馬史詩》中的大英雄赫拉克勒斯「殺父娶母」的故事就是如此，由此導致了日後西方的非道德主義。相反，在天命面前，人具有主動性、主體性、能動性，命運掌握在自己手中，但其潛台詞是人們必須對自己的行爲負道德上的責任，在天命觀念下，人們唯一的自由就是道德的自由，由此產生日後中國的泛道德主義。

善惡報應

倫理的善惡是中國神話的主格調。中國神話所歌頌的是那些造福社會、爲民請命的德性人物，像開天的盤古，補天的女媧，治水的大禹，懲惡揚善成爲神話的主題，而作爲生活原理與精神邏輯的則是善惡報應，通過善惡報應建立起人的行爲與命運之間的因果關係，這是在天命籠罩之下人的能動性的發揮，集中體現了遠古初民調節人際關係與自身行爲的原理與價值取向。即使最富有浪漫色彩的「嫦娥奔月」也賦予了懲惡揚善、因果報應的主題。嫦娥的丈夫羿因射九日、除惡獸有功，西王母贈他唯有的一葫蘆不死之藥，讓羿與嫦娥長生不死。嫦娥出於自私的心理，趁著羿不在家，一人獨吞了這不死之藥，於是扶搖直上，向月宮飛去。然而一到月宮，她就覺得脊骨下縮，周身膨脹，渾身長滿疙瘩，只能在地上跳躍，原來這個超群絕世的美貌仙子，只爲了一念之差的自私，已經變成了一個最醜陋而又可恨的癩蛤蟆了，只能在月宮度過凄涼的歲月。這個神話，集中體現了善惡報應的生活邏輯與價值意向。也許正是這種朦朧的善惡報應的意識，孕育了西周以後把「德」、「得」相連的倫理精神傳統。而且，更重要的是，在中國缺乏宗教超越的文化傳統裡，正是這種文化潛意識或文化本能中的善惡報應意識，成爲以後中國人十分重要的，有著與宗教信念、宗教情感相類似的功能的倫理信念與倫理情感，成爲中國人固有的精神支柱之一。

二、《周易》的倫理精神體系與倫理哲學模式

當中國民族擺脫神話想像步入文明社會的門檻後，中國文化孕生了第一個具有理論形態的思想體系——《周易》。作爲人類童年的作品，它具有朦朧未分的特點，但也正因爲如此，它比較明晰地體現了中國文化的生命意向，簡潔地反映了中國民族的精神體系與哲學模式，就像出生不久的嬰兒以非常直觀的形式體現了上輩的生命特徵一樣。按照成中英先生的觀點，《周易》是中國文化、中國哲學的元點與本體，從中可以找到中國文化生長轉化的根源動力。出於這種認知，有必要對《周易》所昃出的倫理精神體系與倫理哲學模式作一個大概的描述。作爲整個中國文化的元點，《周易》所提供的倫理精神體系當然是十分粗略的，但是，它所蘊涵的民族倫理精神的意向，它自身的哲學模式與思維方法，卻規定了日後中國倫理精神生長的大致方向，可以說，它同樣也是中國倫理精神的元點與本體。

《周易》所體現的，成爲日後中國倫理精神範型的倫理精神體系主要由以下幾個方面所組成。

第一，天人合一的精神意向與精神模式。中國「天人合一」的思想的自覺發端是《周易》。整個《周易》的思想方法，就是把天、地、人看成是一體相通的大系統，《系辭・下》說：「古者包犧氏之王天下也，仰則觀象於天，俯則觀法於地，觀鳥獸之文，與地之宜，近取諸身，遠取諸物，於是始作八卦，以通神明之德，以類萬物之情。」這段話是說八卦是觀察天、地、身、物、鳥獸的書的共理，反過來說就是，天、地、身、物、鳥獸都是相通的。《周易》的宇宙觀就是認爲，宇宙是一個大系統，大系統是由許多小系統所組成的，自然界是宇宙中的一個小系統，人類社會又是自然界中的一個子系統，身、家、國、天下則是人類社會的組成部分，而人身又是一個小天地，因而在宇宙中天人是相通的、合一的。在人類社會中，身、家、國、天下是相通的、合一的。《周易》把這一切歸之爲天通、地通和人通。這種理論，不僅規定了中國倫理天人合一的精神指向與體系，而且也可以說是身、家、國、天下相通的德性倫理精神的文化淵源。

第二，陰陽結構。陰陽是《周易》的基本概念，「立天之道曰陰曰陽；立地之道曰柔曰剛；立人之道，曰仁曰義。」（《說卦》）「一陰一陽謂之道」（《系辭・上》），它給中國文化以廣泛深遠的影響。這種影響不僅在其二分合一的方法，而且在於它對陰陽結構的規定。在《周易》中，卦的圖式爲陽在上，陰在下。陰陽的概念本是「近取諸身，遠取諸物」而得出的，甚至說它直接就是從人分男女的事實中體悟出來的，但它一旦上升爲一種哲學、一種宇宙觀，就對整個中國文化和中國民族的精神取向產生廣泛的影響，成爲一種主要的思想方法。這種二分一體的思想成爲人倫關係建構的最終的理論根據。《序卦》說：「有天地然後有萬物，有萬物然後有男女，有男女然後有夫婦，有夫婦然後有父子，有父子然後有君臣，有君臣然後有上下，有上下然後禮義有所錯。」人倫關係是對應的關係，根據陰下陽上的結構，必然要在各種對立的人倫關係中區分出尊卑長幼，到漢代，董仲舒則直接從陰陽概念中推出以等級服從爲特徵的三綱五常。當然，宗法等級的倫理觀念歸根到底是中國社會的產物，但作爲一種自覺的理論，陰陽觀念不能不說是直接的根據。

第三，自強自厚的德性精神。《周易》宣揚剛健有爲的人生觀，以天人合一爲最高理想，而要實現這種理想就必須通過不斷的道德進取和德性提升。《乾第一》說：「天行健，君子以自強不息。」「地勢坤，君子以厚德載物。」（《坤第二》）君子要以德性涵育萬物。這裡，「厚德載物」有兩層意思：一說「載物」必須以「厚德」爲前提，二說「厚德」是爲了「載物」。前者是德性主義，後者則是成中英先生所稱的道德實效（用）主義。德能「載」物，這是中國倫理的突出精神。而「厚德載物」主要靠自己的努力，因而要「自強」，這種努力要不斷進行，因而要「不息」。兩句話的意思綜合起來，就是通過德性提升實現自己，化育萬物，達於天人合一的境地。它所稱道的理想人格「大人」就是這樣的立於天地、合於天人的人格。「夫大人者，與天地合其德，與日月合其明，與四時合其序，與鬼神合其吉凶。」（《乾第一》）與天地萬物渾然一體，達到永恒。這就是日後《中庸》所發揮的「與天地參」。

第四，善惡報應。如前所述，善惡報應思想，中國文化生而有之，在神話中就體現出這樣的精神意向，這種意向在《周易》中明確地闡述出來了。《坤第二》曰：「積善之家必有餘慶，積不善之家，必有餘殃。」就是說，做好事的人家將得到得好報應，做壞事的人家必得到壞報應。作爲中華民族的一種必不可少的倫理情感與倫理信念，它對中國倫理精神的生長建構起了相當大的作用，既是中國倫理生活的原理，又是個體精神自我平衡的機制。因而當中國倫理精神的生長因激烈的社會矛盾產生性與命的分離與衝突時，佛家就是通過生死輪回、因果報應的機制解決了這個矛盾。

以上四點，一、二兩點表面看來並不是中國倫理的直接概念，然而作爲中國文化精神的基調與基石，它們恰恰在最高的層面上制約、引導著中國倫理精神的生長。天人合一是中國倫理的精神體系與價值取向；陰陽二分是人倫建構的基本模式；自強自厚是人性提升的精神方向；善惡報應是中國倫理精神的自我平衡機制。應該說，日後中國倫理精神生長發育的基本範型與基本要素在《周易》中已具備了（當然是以朦朧的形式）。而宋明理學時期中國倫理精神的復歸，某種程度上也可以說是向《周易》精神模式的復歸。

三、倫理精神的發端

當《周易》以文化的本性勾勒中國倫理的精神體系與倫理哲學的時候，一些自覺的倫理精神要素也正在發端，這些要素成爲日後中國倫理精神生長的源頭活水。

西周時期，自覺的倫理意識開始孕生。這一方面是由周以小邦取代大邦的實踐而導致的對「德」的重視；另一方面也由於家庭血緣關係的突出而產生的權力義務觀念；同時也是宗法制所導致的外在約束的需要。但在這一時期，道德意識還沒有完全達到自覺，天命觀念仍然占主導地位，人們強調的是「以德配天」，社會生活中的權力義務觀念很大程度上是靠族類的親情維繫，因面只能說是倫理精神的發端。在當時的社會中，孕育出來的是三個基本的道德觀念：孝、德、禮。

「孝」的觀念的產生必須基於兩個基本的條件，一是由血緣而產生的親親關係以及由此而產生的親親之情，這是維繫孝的基本情感紐帶；二是個體家庭的形成以及與此相聯繫的家庭中的權力義務關係。當然，它的延續和發展還需要其他社會與文化的條件。在西周，孝包括對活人的孝即奉養、尊敬與服從，以及對死人的孝，即所謂「追孝」。孝的作用在於以此爲紐帶維繫宗法制，使統治階級在血緣關係的基礎上加強團結，作爲同心同德的政治基礎，並確定其內部的等級秩序。而孝的擴大，由家庭中的父子關係延伸爲政治上的君臣關係，使之由家庭走到國家，達到倫理與政治的統一。孝是家族血緣關係的產物，而對孝的極端重視則是中國家族本位、家——國一體、由家及國的社會結構的要求。孝是中國倫理政治的根本的和核心的精神，因而歷來的倫理學家、政治家都強調孝道，提出所謂的「孝治天下」。

在西周，「德」的觀念的產生與天命的觀念是相聯繫的。周以小邦取代大邦，用原來的天命便不能解釋。爲解決這個矛盾，周統治者提出了一種理論：接受、擁有天命是有條件的，這就是「德」。殷商的統治者沒有「德」，因而失去了天命；周公有「德」，所以獲得天命，所以要以德配天。可見，周人取德，一方面是對天命的懷疑，另一方面是對人自身力量的自覺，是對道德修養必要性的認識。這一事實不僅是政治策略的需要，而且也是眞正意識到德的重要性。在西周的文字中，「德」與「得」是相通的，「德」就是獲得統治，周從商手中獲得統治是因爲有「德」，有「德」就能獲得統治。在這裡，「德」與「得」的內容就是受民受疆土。由此，「德」就從「得」中延伸出盡人事的結論。然而，「德」的道德含義，不在於「獲得」，而在於「如何獲得」，當探究如何盡人事，如何受民受疆土時，「德」才具有道德的含義。以「得」說「德」，「德」爲如何獲得，這清晰地體現了中國道德的實質。

「禮」來源於祭祀，「禮」從「示」從「豐」，表示感謝上帝賜予的豐收。殷人執禮禮器事鬼神，表明了人的身份與等級，因而具有等級制的內容。「周人尊禮尚施，事鬼敬神而遠之，近人而忠焉。」（《禮記・表記》）周禮比商禮具有了更明確的社會屬性，由「近人」

而引申出道德規範的含義。在商代，祭祀就是政治，禮是以祭祀體現的對社會秩序的規定，因而禮等同於政治。而在周代，禮雖然還有祭祀的一面，但人們把更多的精力轉向了人事，禮就從神器轉化爲一種等級制度。就是說，禮抽象化、普遍化了。於是便產生如何維護這種抽象的禮，即宗法等級秩序的問題。殷禮靠迷信維持，周人的一個重要轉變是把禮本身作爲區別善惡是非的準則，於是宗教的、政治的禮，便變成了道德的規範，也成了一種價值判斷的標準。「禮」就是這樣從風俗習慣到社會秩序再到道德觀念一步一步地演化。而從倫理的角度考察，禮不僅是一種道德規範與價值標準，而且是一種社會秩序的設置。這一點，以後再作詳論。

【附　註】

① 《馬克思恩格斯選集》第二卷，人民出版社1972年版，第114頁。

第二章　儒家的倫理政治精神

繼西周確立了中國社會結構的基本原理與中國文化的本體特質之後，中國出現了春秋戰國時期的社會變革與思想上的百家爭鳴。從社會政治上說，這種變革是實行由奴隸制向封建制的轉變；從思想文化上說，它是民族精神的展開。西周以前中國倫理精神雖然已經開端，但它仍然處於朦朧未分化的時期，其精神結構與精神內涵還沒有充分展開。春秋戰國時期的社會現實與思想文化領域的百家爭鳴爲中國倫理精神的展開提供了客觀的與主觀的條件。於是，儒家的倫理政治精神，道家的人生智慧，墨家的兼愛功利精神，法家的政治倫理精神競相生長。中國倫理精神的多樣性結構紛呈出現，彼此互補互攝，形成有機的倫理精神系統。

儒家倫理精神在這種展開過程中盎然爭春，開出了艷麗的花朵。儒家倫理精神最基本的特質是什麼？從不同的角度考察，會得出不同的結論。如果從倫理精神，即社會關係、人際關係的設計、組織方式，個體爲人、待人的方式看，我以爲就是倫理政治精神。儒家是中國文化的最重要的代表者，儒家的倫理精神最充分地體現了中國血緣文化、情理文化、入世文化的文化特質與文化方向。儒家倫理精神是一種以血緣宗法爲核心和根基的精神，其特徵是家族精神、宗法精神、政治精神三位一體，在血緣關係的基礎上確立宗法的原理，再把血緣宗法的原理直接上升爲政治的秩序，形成一種特殊的社會關係、人際關係的組織結構形式與特殊的意識形態——倫理政治。倫理政治是政治與倫理的直接同一。政治建立在倫理，確切地說建立在血緣宗法的基礎上，從家族血緣中引申出政治的原理，由血緣到宗法，由宗法到等級，對被統治者來說，這種政治是倫理；對統治者來說，這種倫理是政治。儒家倫理精神集中體現了中國家——國一體的社會結構特徵，也正因爲如此，它才成爲傳統倫理的主流與正宗。於是，政治具有了倫理的至上性，倫理具有了政治的強制性，二者所植根的血緣根基又使二者的復合體具有了宗教的神聖性。於是儒家的倫理政治精神在中國便具有了準宗教的作用。

應該說儒家倫理精神的目的不僅在於倫理政治化，也試圖將政治倫理化。因爲只有倫理政治化與政治倫理化的結合才是完整的倫理政治的內涵。然而，倫理政治化是必然的，它反映了其階級實質；而政治倫理化的努力在階級社會中只能是一種軟弱的要求，或者只能是爲政治的神聖性作論證，而不能充分實現政治倫理化的目標。儒家倫理具有理想性，同時也具有空想性，因此，儒家倫理的締造者在道德的諄諄教導中包含有許多迂闊之談與虛僞說教，具有欺騙性。從這個角度可以說，儒家倫理政治精神在最初出發點上具有理想性，但由於在社會生活中根本無法落實，具有空想性，於是在客觀社會效應上便具有欺騙性，理想性——空想性——欺騙性，就是這種精神在現實社會生活中的生長邏輯。儒家這種倫理政治的原理與機制在客觀倫理及社會倫理即人際關係上是血緣、宗法、政治的三位一體，直接同一；在主觀倫理與個體道德上是訴諸血緣文化中蘊育出的「情」，即人們間的情感；二者之間相互溝通與運作的基本原理是具有中國特色的倫理政治的法則——人情；最終要達到的是人倫的實現與人格的完善。

儒家倫理精神的一般模式是把身、家、國、天下看成是一個相通一貫、直接同一的大系統，並以家族血緣關係作爲其原型建構人倫關係，形成人倫結構與倫理實體。它主張個體在這樣的倫理實體中通過血緣關係形成愛人之情的孕育擴充，以涵育德性來提升人性，其根本方法則是以求己內省、修己安人爲特徵的上達下求。儒家倫理精神人倫建構的原理是禮，人性提升的原理是仁，而人倫建構與人性提升的和諧原理是修養，三者共同的精神特點則是倫理政治。禮由倫理的原理直接同一、上升爲政治的原理，即血緣家族的原理擴充爲國家政治的原理；仁由倫理性的修身齊家直接上升爲政治的治國平天下；而修養則是按照這種倫理政治的原理涵育與光大德性。人倫建構的原理是由家族倫理到國家倫理，人性提升的原理是由修身齊家到治國平天下，而德性修養的原理則是由修己到安人，由成己到成物。三者之中，倫理政治精神一以貫之，體現的是一個融個人倫理、家族倫理、社會倫理、國家倫理、宇宙倫理貫通一體的德性倫理精神，最終要達到的是天人合一的境界。

在先秦，儒家倫理精神主要有三個代表人物。孔子繼承了西周文化，把潛在於西周社會隱而不彰的倫理精神挖掘顯現出來，並達到理論的自覺，提出了中國倫理的兩個最基本的也是最核心的範疇：仁與禮，培育了儒家倫理精神的母胎。孟子發揮了孔子倫理精神的主觀性即仁的方面；荀子發揮了孔子倫理精神的客觀性即禮的方面。經過這一個過程，到漢代，儒家倫理便臻於成熟。

一、孔子的「禮」與「仁」：儒家倫理精神之母胎

如前所述，孔子處於由自發的倫理精神向自覺的倫理精神轉化的樞紐地位。孔子在中國倫理精神發展史上的地位有三：一是使氏族體制政治化，把西周建立的那套政治體制理論化、系統化，形成自覺的人際關係的組織、結構原理；二是客觀倫理主觀化；把客觀的、外在的倫理規範轉化爲內在的道德要求；三是確立了中國倫理的中庸風格。

在這些方面，孔子對中國倫理精神以永恒性的影響，可以說，他的倫理思想不僅是倫理精神的母胎，而且也奠定了民族倫理精神的基調。

對孔子倫理思想形成的社會歷史原因，其他專著中論述較多。我認爲，孔子自身的品格特徵對他的倫理精神的孕育也具有深刻的影響。這些品格特徵主要有：積極進取的精神；中庸的風格；求實的態度。他自強不息，世人稱之爲「明知不可而爲之」；他主張入世但又反對隨波逐流的混世，具有積極的生活態度；他的中庸風格使他的倫理思想具有老成的風格；而求實的態度則使他的倫理精神具有嚴肅的責任感和莊重健樸的性質。按照目前的研究成果，一般認爲孔子的倫理思想的來源主要有四：宗法的禮的思想；民本的仁的思想；無過無不及的中庸思想；天下爲公的大同思想。對孔子的倫理思想的評價，必須把它的思想中的某些主觀因素與時代局限性相區分；同時要把孔子本身與五四時期所要打倒的、經過封建統治階級神化了的「孔家店」區分開來。惟有如此，才能得出實事求是的結論。

禮之精神

「禮」在西周以前是一種祭祖儀式，孔子發現了其中深層的精神內核，把它上升爲意識形態上的自覺主張，變爲中國最爲重要的倫理範疇與道德規範。禮的精神，從根本上說規定了中國倫理實體的模式，設計了中國社會人倫關係的基本原理，是中國倫理的範型。雖然禮的內在的原理最後爲孟子所展開與補充，但它確實指明了中國人倫關係設計的總方向與基本原理，並成爲中國倫理精神的一個最基本的概念。

禮——倫理實體的設計

「禮」是孔子倫理思想中最爲重要的概念之一。一部《論語》談到「禮」的有43章，「禮」字出現75次。孔子「禮」的範疇的倫理本質是什麼？我認爲，除了作爲衡量人們行爲的道德規範外，最爲重要的就是它是對於中國社會倫理實體的設計。所謂倫理實體，就是按照倫理的特質與原理所建構的人際關係的實體。民族是倫理的實體，因而也就是對整個民族人際生活方式的設計，它包括：人際關係的價值取向，人際關係的原理，人際關係設計方式與組織結構形式。「禮」是儒家倫理政治精神的最集中的體現，它不僅設計了倫理的關係，而且也規定了政治的關係及其原理。因而禮的設計，是一種倫理政治的設計，只有把握了禮的原理，才能把握整個中國人際關係與社會關係的原理及其實質。

孔子的「禮」直接是由西周的禮演化而來的。一般認爲，周禮是周初確定的一整套的典章制度、規矩禮節，它的一個基本特徵是在原始巫術禮儀基礎上晚期氏族統治體系的規範化和系統化。作爲原始禮儀，它的原型具有極爲重要的社會功能和作用，氏族社會正是通過這種禮儀活動將其集體組織起來，按照一定的規則、秩序和規範進行生產和生活，因而它對每個氏族成員具有極大的強制性和約束力，實際上是一種未成文的習慣法。周禮一方面有著上下等級、尊卑長幼等嚴格而明確的秩序規定，原始的禮儀已爲少數貴族所壟斷；另一方面，由於經濟基礎延續著氏族共同體的基本社會結構，因而這套禮儀一定程度上又仍然保留了原始的民主性。有些學者認爲：所謂周禮，其特徵就是以祭祀祖先爲核心的原始禮儀加以改造，並予以系統化、擴展化，成爲一整套奴隸制習慣統治法規。以血緣家長制爲基礎的等級制度是這套法規的核心；分封、世襲、井田、宗法等級的政治經濟體制則是它的延伸和擴展。因此，周禮的實質是「序」。強調以血緣爲基礎的遠近、貴賤、上下、等級的嚴格秩序。區別性原則是它的基本原則，這種原則通過禮體現，又通過禮維護，由此便達到一種宗法式的和諧。宗法式的和諧是它的價值目標，敬祖、祭祖只是它的具體形式，而秩序與區別才是它的實質所在。到孔子所處的時代，原始的周禮已經瓦解，開始出現「禮崩樂壞」的局面，孔子牢牢抓住周禮的根本精神，發展了這個「禮」，使之成爲中國社會的一種自覺的形式。

從某種意義上可以說，「禮」是聯結中國原始社會與文明社會的一根臍帶。它既是中國原始社會的組織形式，經過孔子的發揮，又成爲文明社會的政治秩序。中國通過「維新」的形式步入文明社會的獨特道路，家——國一體的社會結構都貫穿了這種禮的精神。「禮」是貫穿中國原始社會與文明社會的共同原理與共同精神，是中國民族「人化」的特殊樣式，或者說是中國人共同的臍帶。正因爲如此，「禮」不僅是中國倫理的根本精神，也是中國文化、中國社會的根本精神，因而具有了很強的民族性。孔子的突出貢獻，就在於把後期原始社會的習慣法規上升爲意識形態上的自覺主張，並成爲倫理政治的最高範疇與最高要求。

「禮」在《論語》中有多種含義，從最直接的意義上說，它有三種：第一，泛指西周以來的社會制度。《論語‧爲政》中說：「子曰：殷因於夏禮，所損益可知也；周因於殷禮，所損益可知也。其或繼周者，雖百世可知也。」（以下凡孔子引文，均出自《論語》）這裡所說的禮是指奴隸制時代的上層建築，其核心是宗法等級制度。禮就是用來調節人的各種行爲的規範，以及區別尊卑貴賤的等級秩序，統治者把它作爲治理國家的綱領。《左傳》曰：「禮，治國家，定社稷，序民人，利後嗣者也。」第二，指各種禮節儀式。區分尊卑貴賤的行爲規範是通過各種禮節儀式表現出來的，這就是禮儀。禮儀是不同「倫份」的人的生活方式的標誌，「生，事之以禮；死，葬之以禮，祭之以禮。」（《論語‧爲政》）第三，表示尊敬，有禮貌，即講禮的樣子。這是個體行爲對「禮」的修養，這種含義，孔子講得不多，到孟子那裡，這種用法便逐漸清晰明確起來了。

「禮」的這些含義，都是同等級制度相適應的。因此孔子所說的

「禮」，在個體道德上主要是指遵守宗法等級秩序的生活規範和道德規範，他對「禮」的這種理解繼承了西周的傳統。但是，孔子透過個體道德的外在要求，實際上已經把禮作爲對整個民族的倫理實體的設計。他把禮作爲衡量人的道德行爲與人倫關係的價值標準，使禮成爲倫理關係的理想樣式。這種倫理實體設計的基本原理是把政治關係訴諸倫理關係，再把倫理關係歸結爲血緣關係，由血緣的原理上升爲倫理的原理，再把倫理原理上升爲政治的原理。於是血緣——倫理——政治，血緣原理——倫理原理——政治原理便直接同一，三位一體，其核心便是建立在血緣基礎上的宗法等級。這樣，既使整個人際關係具有溫情脈脈的家族氣息，又使政治的等級制度具有天經地義的神聖性質，使中國倫理精神一開始就具有不可克服的內在矛盾。這種狀況與家——國一體、由家及國的中國社會特有的結構方式與文化方式是直接相關的。這種設計原理，孔子在對「仁」的論述中闡述得更明確些。當然，總的來說，禮的倫理實體的設計在孔子那裡還是不完善甚至不清晰的，他的主要成就與努力是對這種秩序與倫理實體的認同，到孟子的「五倫」說的確立，這種倫理實體的設計的內在原理才逐漸完善起來。

那麼，孔子的禮所體現出來的社會倫理精神與個體道德精神是什麼呢？以下幾方面是孔子比起前人的獨到之處。

其一，正名。正名是孔子「禮」的重要思想內容。《子路》篇說：「名不正則言不順；言不順則事不成；事不成則禮樂不興；禮樂不興則刑罰不中；刑罰不中則民無所措手足。」這裡的「名」，既指名詞稱謂，更主要的是指人的「名份」。君臣父子的等級身份不同，權力義務也不同，就是說，「倫」不同，其地位、倫之理的「份」也就不同，用君臣父子這些不同的稱謂把這些內容規定下來，就叫做名份。孔子的正名，正是就正名份而言的，其實質是固守自己的倫份，按自己的名份去行動，安份守己，安倫盡份。因此，他把自己的爲政之要概括爲八個字：「君君，臣臣，父父，子子。」（《顏淵》）他把正名看成是推行等級規範的手段或方法，用等級稱謂來保證人們遵守禮制。因而他強調以禮立國，「子曰：能以禮讓爲國乎，何有？不能以禮讓爲國，如禮何？」（《里仁》）「道之以政，齊之以刑，民免而無恥；道之以德，齊之以禮，有恥且格。」（《爲政》）其本意是說，禮樂的薰陶，較之法令的制裁，更能使民德歸厚，風俗淳美。但這種維護等級制度的方法，爲漢代儒家政治化、極端化爲名教，即用「名份」去教化別人，用等級稱謂約束人們的行爲。

其二，致和。「和」是「禮」的境界，是人倫的境界，也是孔子的倫理實體設計所要達到的境界。《學而》篇中說：「禮之用，和爲貴。」「和」即指倫理的和諧。孔子認爲，禮的推行和運用要以和諧爲貴，但這種和諧一方面是建立在血緣基礎上以宗法等級爲內容的倫理實體的和諧；另一方面是人自身的和諧，即陶冶自己高尚的情操。凡事都要講和諧，但爲和諧而和諧，不受禮的約束是不行的。既要遵守規定的等級秩序，相互間又不可出現不和，而要達到和諧統一。在中國文化中，與「和」易相混淆的概念是「同」，「君子和而不同，小人同而不和。」（《子路》）「同」是表面的同一，而不是內在的多樣性的和諧。在孔子看來，宗法等級的禮本身就是不同名份的人之間的和諧，禮的最本質的方面就是和，推行禮制，實現各等級之間的和諧，對立雙方都有義務，「君使臣以禮，臣事君以忠。」（《八佾》）遵守禮，就能實現君君臣臣、父父子子的宗法式的和諧。很顯然，這樣的「和」，是爲調和當時的階級矛盾、社會矛盾服務的。

其三，禮本。這是說，禮的本質不在其外在的形式，而是背後的內容。「人而不仁，如禮何？人而不仁，如樂何？」（《八佾》）「君子義以爲質，禮以行之」，強調禮儀之內在本質的重要。孔子的學生子思從孔子「繪事後素」的話中悟出「禮後」的道德意義，備受孔子讚賞，孔子認爲只有達到這種境界才能與之談禮。在他看來，「禮」是指約束人們行爲的外在形式，「素」是指行爲的內在情操，外表的禮節儀式與內在的情操是統一的。因此，他認爲，「質勝文則野，文勝質則史。文質彬彬，然後君子。」（《雍也》）這說明，孔子最重視的已不是西周以來的繁瑣的禮節，而是禮所借以表現出來的政治和倫理實質。

禮之精神：人性提升與倫理政治

在孔子的倫理體系中，禮不僅是外在的倫理實體的規定與倫理規範的設立，而是人性提升的路途。正如杜維明先生所說：禮是一個「人性化的過程」。禮作爲倫理實體的設計，首先是一個社會關係的概念，它規定的是各種人倫關係的結構。對個體來說，就是把自身安頓於這種社會關係、人倫結構的網絡中，從生物我轉化爲社會我，並在對禮的履行中得到人性的提升與自我的實現，因而禮又是人的行爲的規範與準則。孔子十分強調禮對於個體的重要性，他認爲一個人的學習要「興於詩，立於禮，成於樂」（《泰伯》），「不學禮，無以立。」（《季氏》）孔子在解釋仁時，把「復禮」作爲成爲仁者的充分必要條件，認爲「克己復禮爲仁」。這裡，復禮並不是簡單地回復到禮，作爲人的行爲的規範與準則，「復禮」是要人們按禮來行動，不是消極的順應，而是積極的參與。因而，禮既充滿著宗教的含義（它本源於祭祀），也有「合乎時宜」的引申義，是一個客觀狀態與動態過程的統一。到孟子那裡，禮被發展爲內省的自律。作爲倫理實體的設計，禮綜合了個人、家庭、國家、天下四方面，並把它們貫通爲一。因此作爲一個綜合性的概念也就包含著關於個人活動、社會關係、政治組織及宗教行爲的種種禮儀，它實質上包含著人類文化的所有方面：心理的、社會的和宗教的方面。在儒家學說範圍內，一個人如不經過「

禮儀化」的過程就成爲一個眞正的人，這是不可想像的，因此，禮儀化在這裡也即是「人性化」①。這種作爲人性化過程的禮，被後來的儒家發展爲修身、齊家、治國、平天下四個階段。在《論語》中，孔子「克己復禮爲仁」，「非禮勿視，非禮勿聽，非禮勿言，非禮勿動」（《顏淵》）的訓誡集中表達了禮的人性化。成仁成聖是孔子倫理精神的最高理想，而仁的實現、聖的造就必須遵循禮所規定的途徑，這一點是無可非議的。總之，儒家的禮，從人類天然具有的敬祖親子的情感出發，發展成維護尊卑之別的等級制度，形成以血緣爲原型與紐帶、宗法等級爲核心、德性提升爲本位的精神體系與思想體系。

在此基礎上，孔子提出了禮治，即以禮治國的主張。他認爲解決一切社會問題的症結就在於復禮，「悠悠萬事，唯此爲大，克己復禮。」他的禮治的實質就是用以血緣爲基礎的宗法等級的規定來進行統治，這種統治實質上就是倫理政治的統治，即用倫理的形式進行政治統治，或倫理與政治融爲一體的統治。這種統治表現在政治體制上就是家——國一體，把家庭家族的原理上升擴充爲國家政治的原理。中國社會在西周時期就實行了第一次文化突破，按人類社會的血緣關係創造了血緣——宗法——政治相通的統治秩序，至孔子，又開始實行第二次文化突破，在前一個突破的基礎上作倫理化、道德化的提升和轉化。這個運動創造了完整的社會秩序與倫理實體——禮治秩序。家族共同體、家族制度是這個結構中的基礎部分；而宗法化的官僚制度與政治結構則是其推廣；高度理論化的倫理體系是二者的靈魂。三者的結合，便是禮治秩序。

孔子通過對周禮的「損益」創造出了他自己的禮，提出了禮治主張和禮治秩序。他把禮提升到很高的高度，「克己復禮爲仁。一日克己復禮，天下歸仁焉。」（《顏淵》）這種倫理實體或禮治秩序是血緣關係與政治權力的疊加混和。父權擴展爲政權，政權又帶有父權的色彩，人倫關係強化爲尊卑等級的人身依附，而這種政治關係又具有親親仁民的色彩。對二者的關係，孔子曾以「孝悌」爲例作了推論：「其爲人也孝弟，而好犯上者，鮮矣；不好犯上而好作亂者，未之有也。」（《學而》）然而這種治權與親權的混合造成了嚴重的混淆，既失去了政治權力中明確的責任與權力的劃分，也失去了親權的純潔與情感特徵。對這種社會結構的原理，盧梭曾作過揭示：「一切社會中最古老而又唯一自然的社會，就是家庭……我們不妨認爲家庭就是政治社會的原型，首領就是父親的影子，人民就是孩子的影子。」② 這種禮治秩序的結果，必然是人身依附的強化與對個性的扼殺。

禮之現實價值

禮作爲一種古老的範疇，其具體的內涵已失去現實性，但在很大程度上作爲民族文化與精神特徵的禮的精神卻具有許多不可抹殺的社會作用。不可否認，禮作爲一種文化精神，它在深層上對現代社會的心理、文化等也潛在地發揮著它的影響。

從倫理精神方面考察，「禮」具有以下幾方面的深層的精神內涵。第一，「禮」強調人的道德實踐。它實際上是把人的情感、信念、準則外化爲現實的道德行爲並指明行爲的路途，因而許慎《說文解字》云：「禮，履也。」《周易・序卦》云：「履者，禮也。」「履」即實踐。禮之爲用，並非僵死的規矩準則，尤在追求生活、生命之完美，貫通人之所以爲人之道，所以禮之精髓在崇尚實踐，無事空言。「禮者，人之所履也。」（《荀子・大略》）必篤實躬行，才能體現禮之精神。故孔子云：「禮云禮云，玉帛云乎哉？」（《陽貨》）第二，「禮」即條理秩序，亦即合理。禮者，合乎道理也。「禮」作爲對宗法等級秩序的設定當然有其消極性，但它強調秩序條理，強調循理向善則是其合理的方面。萬物莫不有理，社會也有其倫常秩序，禮的精神就是要人的行爲合乎自然的倫常秩序。故《禮記・仲尼燕居》曰：

「禮也者，理也。……君子無理不動。」孔穎達《正義》曰：「理謂道理，言禮者使萬物合於道理也。故古之君子，若無禮之道理，不妄興動。」人的行爲合乎道理的，就是禮。第三，「禮」即是應然。由前義引申，「禮」即應當之行爲。禮者，宜也。因而在孔子那裡，禮實際上成了中庸之標準。孔子也十分強調禮本身也可因時而異，對周禮也可有所損益。第四，「禮」是對人的行爲的節制，使人的行爲達到「文質彬彬」的君子境界，因而禮即是體情制文。《淮南子・齊俗》訓曰：「禮者，體情制文也。」無禮，人的行爲則流於「野」或「史」的極端境地。

明瞭禮之精義，便可深察禮之現實價值。正如台灣學者孔德成所說：「禮是人際間維持互敬、互助、諧和的互動行爲。任何一個健康的社會，除了以法律作爲維持社會秩序的最後屏障外，文化的提升，風俗的淳美，經濟的交往，都有待於人們依禮交往。」③從維護社會秩序的方面說，禮的首要功能是維護社會秩序：「夫禮者，所以定親疏，決嫌疑，別同異，明是非也。」（《禮記・曲禮上》）現代社會強調法治，西方社會更是走上泛法制主義，然而，孤立的法治只能「免而無恥」，並導致人性，尤其是人的主體性的喪失，儒家強調德化與禮治，既正面地肯定人性，亦可有防範未然之效，到達「有恥且格」。人治固不可取，完全的法治亦有其弊，要形成一個情、理、法結合的社會控制體系，禮法的結合也許是一條具有中國特色的道路。因此時至今日，孔子創設和發揮的禮，在提升人性的意義、肯定人生的價值方面仍有其不可抹煞的意義。

總之，禮的核心是宗法等級，禮的實質是倫理政治，禮的特點是用血緣宗法的原理建立起君臣父子的人倫，使血緣、宗法、等級三位一體，最終所要達到的就是倫理實體的「和」。禮治的原理是倫理政治的原理，禮治的精神是倫理政治的精神。

仁之精神

仁是孔子倫理精神的另一個重要部分，是他道德學說的根本。在《論語》中談到仁的有 58章，仁字出現 109次。仁學的創立，是人文意識完全覺醒，倫理文化由自發走向自覺的標誌，它設計了中國文化中道德自我與主體德性提升的基本模式，確立了個體道德的理想境界與價值取向，奠定了客觀倫理主觀內化的精神原理與精神機制，是中國倫理目的性德性精神的集中體現，規定了我國道德生活的基本範型。

仁之精髓

何謂仁？《論語》之中，「仁」的含義主要有以下幾種。第一，「仁」是一種道德意識與道德情感。《孟子》曰：「仁者，人也」，「仁，人心也。」宋儒也說：「仁乃心之德」（《朱子語類》卷六）。仁是人的品質特徵，是人「心」的內容。《論語》中孔子雖未給仁明確的解析，但其意還是明確的。《述而》曰：「志於道，據於德，依於仁，遊於藝。」把仁看成內心情感的自然流露，「仁遠乎哉？我欲仁，斯仁至矣。」（《述而》）第二，「仁」的道德意識與道德情感的內容就是愛人。孔子對仁的解釋並不一樣，然其中有一條比較鮮明：「愛人。」「樊遲問仁，子曰：愛人。」（《顏淵》）仁就是愛人，仁就是愛人的道德意識與情感，實行仁的方法就是由親親通過忠恕向泛愛的擴充。第三，「仁」爲全德之名。孔子把所有的德都歸結爲仁，仁爲全德之名，包括各種品德，又表示人的最高道德境界。當子張問「仁」的時候，孔子就回答，能行恭、寬、信、敏、惠五者於天下者爲仁，還把有德的人稱爲仁者。第四，「仁」爲禮的內化。仁與禮是不可分的，內仁而外禮，把禮的客觀要求轉化爲仁的內在德性就是仁，所以說「克己復禮爲仁」。

孔子的仁的實質是對道德自我與人倫關係的設計。在孔子之前，人們對道德的自我建立沒有提出明確的要求，而孔子用一個仁，提出了對人的根本道德要求，主張用「仁」來設計道德自我。禮是整個倫理實體的設計，具體的個人如何處理人倫關係，應當如何在人倫關係中提升人生，孔子用仁給予了概括。孔子仁學的提出，體現了人們的人格意識與人倫意識的自覺。孔子對當時人倫關係作了概括，區分爲長幼、上下、君臣、父子、夫妻、朋友等，雖然沒有後來孟子那樣全面系統，富有結構，但他是中國倫理史上第一個進行這種概括的思想家。這種概括形成了我國倫理的基本結構，這便是所謂「常」或「倫常」。而仁的人格模式的提出與建立，更是爲世人奠定了一種道德的基調。

作爲一種最爲重要的民族倫理精神，「仁」的精髓是什麼？在這方面，僅僅依賴於對孔子或者儒家使用仁的概念的各層含義的分析恐怕是不夠的，必須在孔子倫理的整個精神體系中才能有所把握。

首先，應當從仁與禮的關係入手。「禮」這個概念遠在儒學產生以前就存在了，孔子提出仁這個新概念，在中國精神文化史上可以說是一個具有決定意義的突破。「仁」在孔子及儒家倫理體系中的地位是把外在的禮內化爲內在的德性，並由此德性出發，外化爲道德行爲，只有有了「仁」，「禮」才成爲內在的道德要求。如前所述，禮主要是一種社會關係的概念，同時也隱含著在社會的、道德的，甚至是宗教環境中的行爲的規範和準則的意味。而仁則是關於個體道德的概念。《說文》解釋「仁」字即含有「社會關係中之人」的意義。「仁」是「人」和「二」組成的，這就說明了人際關係的原始形式，引申開來就是在多種「二人」對應關係中通過愛人情感的擴充與升華實現自己，「禮」就是「仁」在具體環境中的外在表現。「仁」的精神在中國確有「只可意會，不可言傳」之感。

其次，倘若將「仁」放到孔學甚至整個中國倫理精神的完整體系中去考察，有兩方面的底蘊似乎是肯定的。第一，仁是一切德性的生命本源與種子。龔寶善先生認爲：「仁是一切道德行爲生長發源的根基。任何德性都必須從仁心中滋長出來，如果缺乏仁心，人類也許不會講求倫理，更不會產生什麼道德。」「仁是富有生命的潛力，成爲一切道德行爲誕生的本源。」④一切德性發端於仁。《禮記·儒行》引孔子言曰：「溫良者，仁之本也；敬愼者，仁之地也；寬裕者，仁之作也；遜接者，仁之能也；禮節者，仁之貌也；言談者，仁之文也；歌樂者，仁之和也；分散者，仁之施也。」一切正當行爲，都是仁之表現於外。第二，仁是最高層次的品德，是德性的最高境界，是人性的自我提升與實現。正如杜維明先生所說，「探討仁這個概念的最好辦法，是首先把它看作是儒學價值體系中最高層次的品德，換句話說，仁規定著在儒家社會中起綜合作用的所有其他倫理規範的含義。」⑤仁既是一個人固有的生命種子，又是一個過程，還是一個具有終極目的意義的實體。仁爲人性固有：「仁遠乎哉？我欲仁，斯仁至矣。」（《述而》）每個人都布一定程度上體現著仁，但孔子本人從未讚譽過誰是「仁人」，問題在於「仁」存在於追求「仁」的過程中，在達到爲完全體現「仁」的過程中卻沒有一個人達到仁這種完善的境界，這裡需要不屈不撓，始終一貫的努力。「君子去仁，惡乎成名？君子無終食之間違仁，造次必於是，顚沛必於是。」（《里仁》）過程本身就是目的，這就是宋儒所說的「變化日新」，也就是《周易》所說的「自強不息」。因而如從實體的觀點看來，仁就不是一種個體的道德，而且也是一種形而上學的實體。換句話說，不僅從心理學的意義上每個人都有體現「仁」的可能性，而且從形而上學的意義上看，這個道德的精神或仁的精神按其本質說是等於宇宙精神的。這樣，仁就是道德自我修養和本體論的基礎。

復次，仁一方面被認爲是一種推動力，而在另一方面卻被認爲是建構在道德行爲上的有意義的結構。所以，如果說禮是一個人倫關係的概念，仁則是一個內在精神的原則，是自身具有的品質。孔子說：「當仁，不讓於師。」這即意味著，仁是一個自我更生、自我完善、自我完成的過程。在這個過程中，人性得到了提升，自我得到了升華，最終止於「天人合一」的最高境界。由此，我們便可以對孔子甚至儒家的道德體系有比較眞切的認知。仁是孔子倫理的核心，而智、仁、勇是孔子提出的成爲我國倫理精神傳統的三達德。三者之中，又以仁爲中心，智、勇爲輔翼，彼此結合爲一體，以此將知、情、意打成一片，使心靈活動得以調和，品格得以陶冶，其他的德性如溫、良、恭、儉、讓、寬、信、敏、惠都是由此三達德衍化而來，而智、勇又以仁爲生長基地。所以，仁無疑是一切德性的生命力與最高境界。

孔子仁的精神體系給我們當今的道德建設提供了十分重要的啓示：即道德規範體系的理想性與現實性、崇高性與平實性的關係問題。道德規範如果不具有現實性、平實性，就不可能落實，也就不能轉化爲人們的道德行爲，但如果太平實，不經過任何努力就可以達到，就會顯得平庸，缺乏境界，形成一種平面性的人格。道德的目的在於提升人性，而人性的提升就在於不斷向善的追求中，在於境界的不斷提高中。在這種無止境的追求中，人性不斷提升，自我不斷升華，最終達於至善。這種至高至遠的境界實際上成爲個體道德進步的內在推動力。因此，任何道德體系必須是理想性與現實性、崇高性與平實性的統一，在具體德目上是現實的、平實的，在最高境界上是理想的、崇高的，這也可以說道德的此岸世界與彼岸世界的統一。仁與以仁爲核心的德性體系就具有這樣的特點。

仁之原理

孔子仁的原理，就是以愛人爲核心，由親親通過忠恕的環節向泛愛的轉化，它既是人格建立、人性提升的過程，也是人倫實現、人性完善的過程。

仁之核心：愛人　　在孔子的思想中，愛人是仁的核心和主要內容，「樊遲問仁，子曰：『愛人』。」（《顏淵》）「仁者無不愛也。」這裡的人應當說是泛指一切人。在另一個地方，孔子曾提出「泛愛衆而近仁」。這種愛人之心從何而來，就必須從他的人性論中尋找答案。孔子言性只有一句話：「性相近也，習相遠也。」這裡他沒有明確地說性善性惡的問題，但從他認爲人之所以爲人是因爲具有愛人之心的思想看，他實際上是傾向於性善的。性何以相近，就在於人們的血緣情感；何以相遠，是因爲有政治的宗法等級。孔子從人們的血緣情感出發，推出了「仁者愛人」的結論，並把它擴而充之。而「仁者愛人」的口號，在一定程度上超出血緣宗族的親近關係的局限性，把愛人的範圍從親親擴展到泛愛，由家族走向社會。但他不是主張無原則地愛一切人的，在愛人的同時也主張惡人。他曾說：「唯仁者能好人，能惡人。」（《里仁》）眞正的仁者，就是既能好仁者，又能惡不仁者。總之，孔子「仁者愛人」的命題使倫理關係突破了宗族親近的習俗領域進入社會領域，使家族倫理變爲社會倫理，它主張用仁的方法對待一切人，建立起普遍的愛的關係，使倫理精神富有原則性、嚴肅性、積極性，奠定了中國倫理仁道的基調。

仁之本體：親親　　孔子講「泛愛衆」，又講「篤於親」，這種形式上的矛盾是中國特定的社會歷史背景所決定的。中國的社會結構和社會關係以家族爲本位，家族血緣關係成爲其他社會關係的本體，而家族結構形式則成爲社會結構的原理。愛人情感的最深厚的根源是血緣關係的親親之愛，可以說，在中國血緣文化背景下，離開了親親之愛、家族之愛，愛人的情感就會成爲無源之水、無本之木。因爲愛人情感本身就是愛親之情的擴充，愛人之情從愛親之情中發育生長。

在血緣文化的背景下，中國人的道德思維方式是從家族關係出發，再把血緣親情外推於他人，從而作出道德判斷，進行行爲選擇，由親及疏、推己及人就是中國血緣文化下的道德思維方式。而這種思維方式是以血緣、宗法、等級的直接同一爲機制的，因而政治是它的必然歸宿。因此，親親之愛的家族精神歸根到底就是一種倫理政治精神。反過來說，倫理政治精神必然以家族精神爲起點，親親之情必然成爲社會道德之情的本體，對個體來說，涵養、陶冶這種愛親的情感與情操便成爲「爲仁之本」。

由此出發，孔子把孝悌在他的仁學中提高到一個十分重要的地位，「君子篤於親，則民興於仁。」（《泰伯》）要求「弟子入則孝，出則弟」（《學而》），且推論道：「其爲人也孝弟而好犯上者，鮮矣；不好犯上而好作亂者，未之有也。君子務本，本立而道生。孝弟也者其爲仁之本歟！」（《學而》）這意味著孔子確立了以孝悌爲本位，由此向外延伸的民族道德體系與民族道德思維方式，即把個體道德、社會倫理牢牢奠定於親親之情、血緣本體上。

家族情感之外推：忠恕之道　愛親的情感如何外推，仁的人格如何建立，人倫如何實現的問題，也就是家族倫理如何向社會倫理轉化、個體道德如何轉化爲社會倫理的問題。爲解決這一問題，孔子設立了一個特殊的環節與機制：忠恕之道。忠恕在孔子倫理體系中占有極爲重要的地位，有的學者認爲，以孔子爲代表的儒家倫理體系是由兩部分組成的：修身和恕道。前者指獨處時的個性修養，後者指與他人發生關係時，將已獲得的心性修養推己及人。⑥孔子認爲：孝悌是「爲仁之本」，而忠恕則是「爲仁之方」。

對忠恕之道的重要性和內容，《論語》中曾多處論述：「子曰：『參乎！吾道一以貫之。』曾子曰：『唯。』子出，門人問曰：『何謂也？』曾子曰：『夫子之道，忠恕而已矣。』」（《里仁》）「子貢問曰：『有一言而可以終身行之者乎？』子曰：『其恕乎！己所不欲，勿施於人。』」（《衛靈公》）孔子把忠恕之道作爲一以貫之思想。從內容上說，忠恕有消極和積極兩方面意義，忠者誠以待人，恕者推己及人。從積極的方面說是己欲立而立人，己欲達而達人；從消極的方面說是己所不欲，勿施於人。在孔子那裡，忠不像後世那樣，專指處理君臣關係，而是具有更廣泛、更普遍的意義。「忠」即「心」放於「中」，含有眞心誠意、積極爲人之意，如「主忠信」，「爲人謀而不忠乎？」（《學而》）。恕就其內容說含寬恕容人的意思，這就是孔子所提倡的以直報怨，以德報怨。

忠恕是家族倫理向社會倫理過渡的環節。孔子倫理以孝悌爲本，這種立於血緣之情的家族倫理如何向社會倫理轉化呢？就是通過忠恕之道。這裡，他實際上指明了一條具有民族特色的道德思考、道德論證、道德活動的方式。忠恕之道的特點是「能近取譬，推己及人」，即設身處地，從自己的感受欲望推想到他人的感受欲望，進而推知自己施加於他人的道德行爲的善惡屬性。忠恕之道在孔子以後被儒家加以發揮，成爲極爲重要的道德生活原理。這種將心比心、以己推人的心理既具有質樸的特色，又具有極強的實用性。

需要說明的是，忠恕之道強調「推己及人」，在本質上是以「己」爲核心，爲本位的，「己」不同，人們作出的道德選擇也不同，就是說，它以人們的道德經驗、社會地位爲基礎，體現了在將心比心中人與人、天與人的合一的道德精神特點，其推演的邏輯必然是人同此心，心同此理。然而這種方法在一開始就陷入了個別性與特殊性、特殊性與普遍性的矛盾之中。既然承認「己」不同，「將心比心」得出的結論也就不同，因而它的普遍性本身也就受到了懷疑，而這種以己爲本位的思維方式也使人們的道德永遠停留於私德的範圍而不能上升爲公德。

當然，在中國，無所謂公德、私德，因爲公德應當是具有團體性結構中個人與團體關係的價值準則。中國的社會結構是根據血緣關係往外推的，這是一種家族化的構成，個人不可能超越血緣規範直接同國家發生關係。在這種情形下，私德就同於公德，修身通於治國平天下。而且，這種忠恕之道運行的必然結果，只能是倫理政治，因爲既然「己」是本位，而「己」是具有特殊倫份的，宗法等級是推己及人的鐵的規則，於是，不同倫份的「己」，其「推」的內容及結果也就不同。君之「心」是惠，臣之「心」是忠，父之「心」是慈，子之「心」是孝，順著這個邏輯，將宗法等級的原則貫徹到極端，便出現了：父要子死，子不得不死；君要臣亡，臣不得不亡。具有濃厚人性氣息的忠恕之道在宗法等級中的運行就這樣得出了十分不合人性的結論。當然，我們不能由此特殊規則而否認忠恕之道本身的人文與人情的特色。忠恕之道以對人的尊重爲前提，在人際關係中強調普遍的人性，強調人與人之間的心意感通，這種道德思維方法與西方理性化的思維方法相比具有較強的人情特點與人性氣息。

作爲一種道德思維、道德活動方法，忠恕之道具有合理性與普遍性。它強調將心比心、推己及人，是人類從道德上把握人與人關係的特有方法，在倫理生活中具有特別的意義。這種方法以感性經驗與心理體驗爲出發點，合乎道德認識的規律，爲深刻理解並建立起自覺的道德責任感奠定了感性經驗的基礎。因爲人們對相同道德關係的認識，總是需要通過個人不同的親身體驗；人們可以從他人施於自己的行爲中感到對他人提出道德要求的必要，而設身處地的體驗，又會使他認識到對人的要求，同時也就是他人對自己的要求。

仁之正路：仁道　　衆所周知，在孔子那裡，仁與禮又是密不可分的，仁就是按照禮的要求去愛人，這就是孔子的所謂仁道。這種仁道是親親——忠恕——泛愛的統一，其中忠恕是二者之間轉化的橋樑。

實現了這個過程，就是仁之完成。在「仁」的原理的四方面中，「愛人」是一種抽象的情；「親親」是血緣的自然情感，是愛人之情的根源；「忠恕」是自然情感向道德情感、社會情感的轉化；而「仁道」則是血緣情感、道德情感、政治意識的結合，由此構成血緣——倫理——政治的有機統一。

對於禮與仁的關係，孔子講得很明確：「克己復禮爲仁。一日克己復禮，天下歸仁焉。」而仁的具體內容就是「非禮勿視，非禮勿聽，非禮勿言，非禮勿動」（《顏淵》）。「克己」訓爲勝己，它不僅是要人們竭力克制自己的物欲，使自己的行爲符合禮的規定；而且是說愛人不能違背禮的規定，要按禮的規定去愛人。而按禮的規定愛人，就是按照血緣——宗法——等級的邏輯去愛人。按後來的儒家的解釋，這種內容的邏輯有二：一是愛有先後，二是愛有厚薄。對親者、貴者、尊者、要愛在先，愛得深，對遠者、賤者、卑者，要愛在後，愛得薄，這就是儒家的泛愛與差愛結合的所謂仁道。這種仁被墨家指責爲「親親有術、尊賢有等」（《墨子・非儒》）。

因此，仁的精神，實際上就是主觀精神與客觀精神的統一。作爲客觀倫理精神的內化，是把禮的要求具體落實在個體的道德行爲上，其形式是主觀的、能動的，而內容則是客觀的，其特點同樣是政治倫理化，倫理家族化。所不同的是，它把這樣的過程演繹轉化爲個體的情感信念和行爲邏輯，建立起以親親爲起點、泛愛爲境界、宗法等級爲核心的情感模式與行爲模式。這種特點，使得中國倫理與中國道德的愛人之情有著深刻的堅實基礎，具有質樸的特徵，也使它具有致命的缺陷與某種程度上的虛僞性，在社會道德中，這種仁道具有較濃的人情味與人性氣息，然而這種人情不僅是人際關係的特點，而且成了爲人、待人、治人的手段。它直接就是倫理政治的原理，人情最終蛻變爲非人情，甚至是對人情的扼殺。難怪孔子及後來的儒家都把仁作爲諸德之本的母德。

仁之建立——道德修養

孔子以仁爲本體，建立了一整套道德規範體系。從總的方面來說，有智、仁、勇。三者之中，仁是核心，智是對仁的意識，勇是對仁的實踐。在此基礎上，他具體展開爲：恭、寬、信、敏、惠、溫、良、儉、讓等具體德目，這些德目都是些爲人處事的要求。孔子對這些德目的論述，給人的一個強烈感覺，似乎是一個飽經風霜、老於世故的道德老人在對人們進行諄諄教導，它們雖然沒有經過充分的理論論證，卻很富有實用性。

如何建立仁的人格？或者說如何建立仁者的道德自我？當然就是按照孔子提出的道德原則和道德規範去行動，加強自己的道德修養。然而，孔子關於道德修養、道德人格建立的理論有其特殊的理論前提和原理。

孔子道德修養的理論前提是他的人性論。如前所述，孔子對人性的論述很簡約，「性相近也，習相遠也。」（《陽貨》）但其包含的內容很廣泛，基本上涵蓋了日後中國倫理史上的主要人性理論。抓住前一句話加以發揮，就是孟子先天性的人性論；抓住後一句話加以發揮，就是荀子注錯習俗的後天人性論；而把二者結合起來，就是宋儒天命之性與氣質之性的人性論。不僅如此，孔子的人性論奠定了中國人性理論基調，其特點是承認人格的獨立性、能動性、平等性與自足性。

孔子仁學的核心是愛人，而這種愛人有一個重要的理論基礎，即承認人格的獨立性與能動性。在他的學說中，很少把人性歸結爲神性，他對天命採取回避態度，而對人始終積極地加以強調，他強調「三軍可以奪帥，匹夫不可以奪志。」這意味著，孔子不僅肯定人的自我意識和尊嚴，而且突出了個體的價值。從這一點出發，他把建立人格和遵循道德原則的主動權交給人的內在意志，提出了個體在道德活動和道德修養中的主動性和責任感，認爲「爲仁由己，而由人乎哉？」（《顏淵》）「仁遠乎哉？我欲仁，斯仁至矣。（《述而》）

由於肯定了個人格的獨立性、能動性，就必然產生人性論的另一個特徵，即人格的平等性。在《論語》中，他多次講到兩個概念：君子和小人。在社會的政治現實中，這兩個概念代表不同階級；然而在孔子的學說中，它們還包含了另一個意義，指的是道德人格。通過教化與修養，達到仁這個人格的是君子，反之則爲小人。因此，在孔子那裡，不平等的君子、小人卻在抽象的道德人格基礎上平等了。由於這種人格平等關係的確立，孔子認爲，在實現這一道德原則問題上，每個人無論是君子或小人都應有同樣權力。這種命題後來被孟子更明確闡發出來，提出「人人皆可爲堯舜」。

人格平等是中國人性論的特點，中國沒有政治平等的觀念，卻有人格平等的觀念。人格平等可以成爲政治平等的前提，但不就是政治的平等，而且人格平等的假設往往會扼殺人們政治平等的要求，這是中國長期民主政治難以實現的一個重要原因。人格平等是中國倫理理論與道德實踐的要求，唯有人格平等才能向人們提出普遍的道德要求，才有教化與修養的可能，否則只能人爲地造就一批天生不具道德或反道德的人，這對政治統治是十分不利的，這是中國人性論比西方人性論高明的地方。不僅如此，孔子的人性論還有一個重要的特點，即人性的自足性。既然爲仁由己，既然修養是向人性復歸，就必然要求人性的自足。反過來說，之所以要反躬內求，之所以修養成爲可能，也是因爲人性自足。這一點後來被孟子進一步發揮，提出了「萬物皆備於我」的命題。

在人性論的基礎上，孔子確立了他的修養原理。總體說來，他的修養原理，是一個由自我出發，通過自己的修養再向自我與人性復歸的自我探求、自我圓滿、自我完善的模式。這一模式所包含的具體內容有：

前提：爲仁由己　爲仁由己是孔子道德修養的立足點。他認爲，個人是否能成爲有仁德的人，關鍵在於能否以自身的努力去實現仁。「君子求諸己，小人求諸人。」（《衛靈公》）「爲人由己，而由人乎哉。」（《顏淵》）他還作了生動的比喻，「譬如爲山，未成一簣，止，吾止也。譬如平地，雖覆一簣，進，吾往也。」（《子罕》）從這一點出發，他主張嚴以責己，寬以待人。「躬自厚而薄責於人，則遠怨矣。」（《衛靈公》）

方法：克己修身，反躬內省　克己與修身是孔子修養論的一大特色。他特別強調「克己」、「修己」、「正身」的功夫，認爲「苟正其身矣，於從政乎何有？不能正其身，如正人何？」（《子路》）在《憲問》篇中，有這樣的記載：子路問君子，子曰：「修己以敬。」曰：「如斯而已乎？」曰：「修己以安人。」曰：「如斯而已乎？」曰：「修己以安百姓。」修己安人，修己安百姓成爲孔子德化、德治的重要內容。他要求人們從近處著手，一步步去做，「能近取譬，爲仁之方」，提倡「篤實躬行」，「君子欲訥於言而敏於行」（《里仁》），「君子恥其言而過其行。」（《憲問》）爲此，他特別注重內省的功夫，認爲加強道德修養，必須強調反躬內省的自我探求。「吾日三省吾身：爲人謀而不忠乎？與朋友交而不信乎？傳不習乎？」（《學而》）

道德修養的境界：從心所欲不逾矩　從爲仁由己，經克己修身，反躬內省，便完成了自我修養、自我復歸的過程，依此方法，循環往復，便達到了道德修養的最高境界——從心所欲不逾矩。他在總結自己修養經歷時說：「吾十有五而志於學，三十而立，四十而不惑，五十而知天命，六十而耳順，七十而從心所欲不逾矩。」（《爲政》）「從心所欲不逾矩」即是道德自由的境界。道德修養達到了這一境界，一思一念、一舉一動都道德化了，宋儒說的「安而行之，不勉而中」，指的就是這種境界。

當然，對於孔子的仁的精神，仁的境界，僅從個體德性方面理解還是不能把握其眞諦的，而必須放到他的整個世界觀、宇宙觀中去把握。《國語・越語下》說：「夫人事，必將與天地相參，然後乃可以成功。」因而講仁，就不能就事論事，必須通於宇宙，合於天地。在現實中，個人以治天下爲理想；在道德理想中，個人以通天地爲最終目的。孔子在其倫理體系中，設立了一個特殊的範疇：「天」。這個天，不是宗教的天，而是倫理的本源和本體，也是德性的最高境界。而「五十而知天命」，「唯天爲天，爲堯則之」，「天生德於予」，便表現出這樣的意思。正如周輔成先生所說，孔子見到了這樣一個眞理，仁所倚靠的「天」，是人所不易接近的，但也是人最容易接近的。因此天地大而人小，這是困難所在。孔子自己也說：「若聖於仁，則吾豈敢！」但人就是天地中的一粒存在物，本身就是天地的縮影，他的本性及其作爲，只要不走邪門歪道，那就是無一不合於天道，誠如孔子所說：「力行近乎仁。」因而孔子的仁，既是人格的組成部分，也是人倫的道理，又是隱伏在宇宙中的發展力量。仁既高遠又可近，欲仁仁至，通過自強不息的德性修煉，最終定可達於仁的境界。

歷史的反思使我們發現，孔子的道德修養論在中國社會的發展中起了極爲複雜的作用。在個體道德上，它既培養了一批仁人志士，也培養了一批迂腐不堪的書呆子。他試圖通過個體以仁爲目標的道德修養調節社會關係，開了中國泛道德主義的先河。孔子的修養論中包含了許多深層的內在矛盾，這些矛盾本身也就是中國倫理精神的基本矛盾的反映。這些矛盾主要有：

第一，心與身的矛盾。孔子強調修身養性，把身作爲修的對象，通過修養培養、陶冶人們的道德之心，這實際上是以人們心身的二元分裂爲前提的——心是道德的，而身則是不道德的主體，是克服的對象，這使中國倫理內在地具有節欲主義的傾向，推向極端，到宋明理學便形成禁欲主義。

第二，個體至善與社會至善的矛盾。修養是以個體至善爲目標的，而它又以對社會規範、社會秩序的認同爲前提。善的價值標準是社會的秩序，即使所謂的修己安人，也是不僅使自己有道德，而且使別人有道德，這一矛盾在中國歷史上造成了只求個體至善，不求社會至善，只求改變自己的欲望，不求改變社會的秩序的精神格局。

第三，向內追索與向外探求的矛盾。修養是一個由自身出發，再向自我復歸的首尾相接的鏈環，因而這個過程是封閉性的，只是向內追索而不是向外探求；只有善的追求，缺乏眞的執著；只有向內的凝聚力，沒有向外的張力。

第四，修養與專制矛盾。既然修養以修「身」爲內容，以個體至善爲目標，因而在對社會秩序認同的前提下，修身的結果只能是對自己一步步的剝奪，克制自己，無條件地服從社會，在宗法等級的社會政治下，它只能導致專制主義。於是，修養本來是要追求一個聖化的大同社會，然而修養本身卻走向了它的反面，變成了道德專制主義的工具。

當然，這些矛盾在孔子學說中只是潛在的，這些矛盾既是中國社會的矛盾，也是中國文化的內在矛盾，隨著社會矛盾的加劇，這些矛盾逐步突出出來，激化起來，並最終導致傳統倫理精神的解體。

中庸風格與精神模式

孔子的倫理精神除了禮的精神、仁的精神外，還具有特別濃厚的中庸風格，這種中庸風格，經過發揮，形成一種「極高明」的倫理境界。孔子的中庸風格從體（境界）、用（性格）兩方面對日後中國人的倫理精神與倫理性格的發展都產生了巨大的作用。

中庸風格

孔子對中庸的評價很高，「中庸之爲德也，其至矣乎！民鮮久矣。」（《雍也》）然而完整的中庸概念在《論語》中僅出現這麼一次，至於什麼是中庸，他沒有論述，但有一點可以斷言，中庸是孔子十分嚮往的德性，也許這正是《中庸》把它作爲最高境界的理論緣由。至於中庸概念，根據後人的解釋：「不偏不倚爲之中，恒常不易謂之庸。」「中者天下之定理，庸者天下之達道。」「中」爲價值標準，「庸」爲對「中」的固守，「中」爲體，「庸」爲用，因而「中庸」也可解釋爲「用中」。從倫理精神的角度觀察，孔子的中庸風格具有以下幾方面的意義：

第一，「中」就是適度、適宜、恰當。「中」是孔子《論語》的思想方法，他對一切問題的論述都貫穿了「中」的思想。這種「中」實際上就是指最能體現禮與仁的要求的思想與行爲。如「子貢曰『師與商也孰賢？』子曰：『師也過，商也不及。』曰：『然則師愈歟』。子曰：『過猶不及。』」（《先進》）這種過猶不及的方法在對文質、學思、古新、寬猛等問題的論述中都體現出來。在道德方面，孔子「中」有客觀標準，這就是禮。「中」就是合乎禮的無過無不及。他指出：「不得中行而與之，必也狂狷乎！狂者進取，狷者有所不爲也。」（《子路》）在這裡，「狂」是道德的進取，「狷」就是不做違反道德的事。因此，只有以「禮」來規定「中」才符合道德的要求。

第二，孔子除了爲人們的道德行爲提供了禮、仁這樣的規範外，還提出「中」這一不僅具有靈活性，而且具有很高境界的價值標準，它實際上也有禮與仁的內在要求。如前所述，中國的人倫關係具有結構性，禮的實質就是「君君臣臣，父父子子」，而仁的要求就是要愛有先後，愛有厚薄，因此，要把人們的行爲調節在禮的最佳點上，個體要使自己的行爲最恰當，就必須使自己的行爲因人、因己、因時、因地而宜。這樣，價值的標準便一方面具有禮的嚴格性、嚴肅性，另一方面又必須要有很強的靈活性。

第三，孔子的「中」是與「和」分不開的，「中」所要達到的境界就是「和」，此即所謂「中和」。通過「中」而達到「和」，在倫理上，就是要以血緣關係爲根基和原理，通過對「中」的固守，達到和諧的境界。在具體內容上，孔子的「中」，實際上是把氏族社會的血緣邏輯與階級社會的政治邏輯中和起來，形成血緣——宗法——等級三位一體的倫理實體，這就是所謂和。它在現實社會中，表現爲對社會矛盾和階級矛盾的調和。

中庸概念雖然是孔子首先提出來的，但類似的思想很早就存在了。堯的「十六字眞傳」中就有「允執厥中」的訓戎，舜也教育貴族子弟要「直而溫，寬而栗，剛而無虐，簡而無傲。」（《尚書·舜典》）這些都是中庸的表現。孔子一向標榜自己「述而不作」，這個思想的提出是不會沒有根據的。中庸風格在我國的形成，有著特殊的原因。我國是通過維新的道路步入文明社會的，這種維新，既在相當程度上保留了氏族社會的特徵，又具有政治社會的內涵，可以說，中庸就是這種社會進步的方法。而和諧的意識既是血緣關係的要求，又是古代階級社會的重要課題。

總之，中庸思想是倫理精神發展到一定歷史階段的必然產物，它的出現是歷史的進步，標誌著人類自覺能動的價值標準的出現，是自我意識進一步發展的產物。同時，中庸反對極端，追求和諧的境界，體現了民族的特徵，深刻地影響了日後民族倫理精神的發展。

精神模式

對於孔子所奠定的倫理精神模式，學術界有人把它描述爲：血緣根基——心理原則——人道主義——個體人格——實踐理性。這種觀點很富有啓發性，不足之處是沒有充分體現中國文化，尤其是中國倫理文化機制的特徵。我認爲，孔子的倫理精神模式是：血緣原理——情感原則——自我反求——倫理政治——實用理性。

血緣原理　孔子的倫理是以血緣爲根基的。禮與仁是他的倫理精神的兩個根本範疇，而仁則是禮的內化。如前所述，所謂禮就是以血緣——宗法——等級三位一體所構成的倫理實體。親親是孔子道德論的基礎，其核心是孝悌，孝悌通過縱橫兩個方面加以擴充，把血緣關係與等級制度構造起來。在當時禮崩樂壞的背景下，孔子把血緣關係的歷史傳統加以提升，轉化爲意識形態上的自覺主張，使這種血緣關係超出物種性質，起著社會結構的作用。因此，血緣既是孔子倫理的根基，也是他進行倫理設計的根本原理。

情感原則　血緣的最根本的原則就是情感原則。孔子把社會倫理訴諸人們的情感，並以血緣親情爲淵源，提升爲社會道德與政治意識，從而使他的倫理具有了人性與心理的基礎，在對宰我對「三年之喪」提出懷疑的批評中，他對這一原理作了最明顯的揭示：「予之不仁也！子生三年，然後免於父母之懷。夫三年之喪，天下之通喪也。予也有三年之愛於其父母乎？」（《陽貨》）父母懷抱三年，故須爲父母守三年之喪。於是，一般的人倫之理便訴諸返本回報的情感原則。不僅如此，這種血緣之情外推的邏輯也是情感，忠恕所依賴的也就是人們的情感體驗。情感，在孔子所設計的倫理關係與道德活動中具有絕對的意義。於是，禮便有了親親之愛的基礎，外在的約束變成了內在的要求，客觀的強制規定變成了主觀的自覺信念，倫理規範成爲內在欲求，倫理實體的禮被人性化。這是中國倫理之所以在中國社會中長期起到準宗教作用的重要原因。

自我反求　孔子是以自我修養來實現個體人格的。這種自我修養，遵循的是反躬內求、向內追索的自我封閉模式。這種自我反求的邏輯前提是人性的自足性和人格的獨立性、能動性及均等性。它可以激發人們道德修養的自覺性與積極性，從而把「復禮」的使命直接交給了個體成員。因此仁既神聖高遠，又親切可行；既是歷史責任感，又是主體能動性，它是儒家倫理也是中國倫理精神所特有的主體性倫理精神。

倫理政治　　孔子的倫理精神，很難說是人道主義或人文主義的，倒可以說是人情主義的，它通過返本回報、互惠互動的人情為人處世，把倫理訴諸人的情感，經過情感的機制為人、待人、治人，最後建立起倫理政治的秩序。在這裡，血緣具有倫理的性質，倫理具有政治的功能；政治訴諸倫理，倫理訴諸血緣。整個倫理精神以血緣為根基，以政治為實質。倫理政治可以說是整個儒家倫理精神的實質，而人情主義則是這種倫理政治的依據。

實用理性　　這是孔子倫理精神的整體特徵。孔子的倫理的確具有重視實踐的特點，但作為最重要的特性同時也最應該引起我們注意的則應是他對道德實用主義的強調。這種道德實用主義與西方的實用主義不同。西方的實用主義，以直接的外在功利為目的；中國的實用主義是以道德為手段，通過人的修養和德性以引起別人的感應和回報，從而達到行為上的互動與互惠。在中國倫理史上，為人待人的目的是為治人，是一種無功利的功利性，非實用的實用性。因而道德成為一種需要，既是德提升、人倫實現的需要，也是利益滿足、自我實現的需要。而這種實用又是出於主體的理性。作為孔子倫理精神中的理性，一方面是父慈子孝之類的生活情理，倫常日用之理；另一方面這種理性又出自人性，根源於人的血緣本性，因而這種理性又可稱性理或情理，這種理性主義可稱為情理主義或性理主義。理論上的情理性，目的上的實用性，構成孔子道德理性的兩個重要元素。

二、孟子的「仁」與「義」：主觀倫理精神之擴充

孔子的學說爲其曾孫子思所繼承，子思又傳於孟子，於是形成思想史上一個十分重要的學派——思孟學派。孟子的使命，主要是捍衛發揚孔子的學說。在倫理思想方面，其最大的貢獻和特色是發揚了孔子思想「仁」的方面，提出了一個十分重要的範疇「義」。孔子把外在的「禮」內化爲內在的「仁」，孟子的「義」則使「仁」具有行爲的意義，使主觀倫理外化爲個體道德。禮——仁——義，形成客觀倫理——主觀倫理——個體道德的鏈環，從而擴充了孔子思想中主觀能動的方面，形成一種強烈的主觀倫理精神。在中國倫理精神建構的歷史過程中，孟子具有極爲重要的地位。他提出了五倫的人倫建構原理，確立了中國倫理對倫理實體的設計；他系統發揮的性善論，奠定了中國倫理精神人性認同的基調；而向內反求、天人合一的德性提升模式，仁、義、禮、智的價值體系更是成爲日後宋明理學的直接理論淵源。可以說，到孟子，中國倫理精神的雛形已初步建構。

正如蔡元培先生所說，孟子崇拜孔子，但他的氣度並不像孔子。孔子給人們的感覺是老成持重，是溫良恭儉，是心平氣和；孟子給人們的感覺是生機勃勃，是剛健果敢，是心直口快。若說孔子有聖哲風度，孟子就具有英雄氣概；若說孔子是個長者，孟子就是個青年。孟子的主觀倫理精神成爲中國主體性倫理精神最典型的代表。

倫理政治的五倫精神

在人倫建構方面，孟子的特殊貢獻是提出了五倫說，進一步完善了倫理實體的設計，並在此基礎上提出了仁、義、禮、智的道德規範，

形成比較完整的倫理政治精神。五倫精神在孔子「禮」的基礎上進一步清晰明確地規定了中國倫理的根本原理，並解決了客觀倫理主觀內化的問題，建立了中國道德的基本體系，是中國倫理精神的典範。

五論說——倫理實體的設計

對社會倫理實體的設計，雖然孔子提出了禮，但缺乏明確的概括，其具體內涵與原理隱而不彰，而孟子提出的五倫說，明確地把君臣、父子、兄弟、夫妻、朋友作爲社會關係的結構原理與具體內容，完善了孔子的道德思考、道德論證方式。五倫說的提出，具有劃時代的意義，它勾畫了幾千年來中國封建社會倫理和倫理實體的基本格局，奠定了中國倫理政治精神的基調。

在中國文化中，倫理之所以成爲倫理，乃因爲每個人都能遵循自己的本份或義務而行事，表現出善良的道德行爲，能使自己成爲健全的人，達到社會的完美和諧，這就是所謂「安倫盡份」。人生活在社會中，由固定的但又相互區別的人倫關係維繫著，對象不同，關係的性質就不同，人就有不同的行爲表現。對於人倫關係的設計，孟子以前就已經出現，《尚書》就有所謂五教之說，孟子的貢獻在於概括出五種典型意義的人倫關係，使之結構化，並由此提出人倫關係的正當行爲規範。

何謂五倫？五倫即五種社會關係，它是五種社會對應體。《孟子·滕文公上》曰：「人之有道也，飽食、煖衣、逸居而無教，則近於禽獸。聖人有憂之，使契爲司徒，教以人倫：義子有親，君臣有義，夫婦有別，長幼有序，朋友有信。」五倫的內容就是父子、君臣、夫妻、長幼、朋友。長幼即兄弟，故後來的思想家把長幼換爲兄弟，使意思更明確，結構更完整。

五倫的結構原理的是把血緣、宗法、等級結合起來，形成三位一體、貫通爲一的倫理關係。五倫之中，父子、兄弟是天倫，君臣、朋友是人倫，夫婦則介於天人之間。除朋友之外，其餘四倫都是上下尊卑關係，其中主要是君臣與父子，而作爲原型和基礎的則是父子一倫。這種倫理實體的基本原理在於先把血緣上升爲宗法，然後再把宗法上升爲等級，這樣使等級建立在血緣宗法的基礎之上，政治建立在倫理的基礎之上，長幼親疏與尊卑等級合而爲一。等級具有血緣的基礎，政治具有倫理的性質。在五倫之中，君臣是最高一倫，但其內容卻是由父子關係推衍而來，君臣關係是父子關係和父子之情的放大與擴充，朋友之情則是兄弟之情的擴充。歸根到底，作爲社會關係結構原理和組織結構形式的主幹線是父——子原型。因爲，「國」說到底只是放大了的「家」，而夫婦則是家與國延續的必要條件，是男女關係的原型。五倫關係，概括了一切社會關係及其結構原理，這種關係與原理是直接由家——國一體、親貴合一的社會結構衍生出來的。

五倫的設計，具有三方面的特點。第一，它把政治關係歸結爲宗法關係，又把宗法關係立根於血緣關係，這樣政治上的等級就變成日用倫常之情，具有人情的特點和人性的根基，使人情成爲社會關係、倫理實體的設計、組織結構原理。第二，它具有倫理政治的特點，體現爲民族所特有的倫理政治精神，使政治具有倫理的形式和原理，倫理具有政治的內涵和本質，這是中國幾千年家長制統治的根本原理，是倫理道德之所以在中國社會中具有重要地位的根本原因。第三，就其本身的內涵來說，這種五倫設計具有人性氣息與人情特點，但它把血緣的情、社會的理、政治的法直接同一，因而一旦爲封建統治階級加以利用，就具有了兩種對立的內涵和雙重性質：一方面溫情脈脈，另一方面又極端殘酷，以禮殺人。它形成中國特有的政治體制——家長制籠罩下的專制主義——親民式的專制主義。

孟子五倫說的內容不僅確立了五種相對應的人倫關係，而且規定了在這些人倫關係中各自的不同義務。這些義務被《大學》具體化爲

「爲人君，止於仁；爲人臣，止於敬；爲人子，止於孝；爲人父，止於慈；與國人交，止於信。」這種理論，後來被完善爲父慈子孝、君惠臣忠、夫義婦順、兄友弟恭、朋友有信。這就是中國傳統倫理的所謂「五倫十教」。具體地說，第一，父子有親。父子之倫，其關係是先天的，作爲父母與子女關係的代表，它是民族延綿的基礎，因此五倫之中，以父子爲根本，其他倫理關係皆由此衍生出來。「親」是處理血緣關係尤其是父子關係的原則。在父子關係上，孟子主張：「入則孝，出則悌，守先王之道。」（《孟子·滕文公下》）（以下引文均出自《孟子》）把維護血緣的親親關係視爲最重要的事。「事，孰爲大，事親爲大。」「事親，事之本也。」（《離婁上》）孝親是他的倫理不可動搖的根基。第二，君臣有義。中國傳統社會以父子關係爲主軸，而父子關係的規範，可以適用於君臣關係。在家庭之中以父爲尊，在社會上以君爲上。「義者宜也，君臣之間各有其義。」孟子認爲「人莫大焉，亡親戚君臣上下」（《盡心上》）。君有君道，臣有臣道。「欲爲君，盡君道；欲爲臣，盡臣道。」「君之視臣如手足，則臣視君如腹心；君之視臣如犬馬，則臣視君如國人；君之視臣如土芥，則臣視君如寇仇。」（《離婁下》）君臣有上下之分，然兩者相待各有其宜。第三，夫婦有別。《中庸》上說：「君子之道，造端乎夫婦。」家庭爲社會的基礎，惟有家庭美滿幸福，才能使社會得以和諧安定。故孟子說：「男女居室，人之大倫也。」（《萬章上》）按照孟子的意思，所謂「別」有二義：一是男主外，女主內；二是夫主婦從。《禮記·郊特牲》云：「男女有別，然後父子親；父子親，然後義生；義生然後禮作，禮作然後萬物安。無別無義，禽獸之道。」因爲夫婦關係爲一切男女關係之範型。故夫婦之別，不可苟且。第四，長幼有序。長幼是兄弟關係的擴展，兄弟亦爲一天倫。孟子以「長幼有序」爲一倫，到中庸則以兄弟爲一倫。長幼關係由兄弟關係延伸而來。兄弟手足之情，亦出於天性。「孩提之童，無不知愛其親者。及其長也，無不知敬其兄也。」（《盡心上》）惟有這種兄弟之情的擴充，才能形成「四海之內皆兄弟」，「老吾老以及人之老，幼吾幼以及人之幼」的境界。第五，朋友有信。人倫關係，除血緣的上下和政治的尊卑外，還有其他關係。對其他人倫關係，孟子以朋友一倫論之。朋友之倫，旨在一「信」。「與朋友交，而不信乎？」信者誠也，誠信相待，乃能莫逆於心，融合人我界限，擴大個人有限的人生。孟子對朋友之倫的要求是：「不挾長，不挾貴，不挾兄弟而友。友也者，友其德也，不可以有挾也。」（《萬章下》）

五倫之特點，在強調義務之雙向性，這與日後董仲舒的「三綱五常」有原則的區別，但以父子、君臣、夫婦爲主要的三倫，這又爲董仲舒突出這三對人倫關係提供了理論前提。

五倫是由中國社會生活中生長出來的人與人之間關係的獨特結構，是人倫關係的根源，它十分典型地體現了中國家——國一體、由家及國的社會結構特徵。可以說，在中國抓住了這五倫關係，也就抓住了中國社會關係的根本，五倫關係穩定了，整個社會的穩定也就有了可靠的基礎。而且，五倫說也爲個體人性的提升提供了一個大脈絡，由個體而家庭，由家庭而社會，由社會而國家，在這些遞次擴大的人倫關係中，人的價值逐步得到了實現。這種思路對我們進行道德文明建設，具有一定的啓發意義。而且，五倫精神也體現了中國文化的特點。

五倫之內化——仁之規範體系

在五倫設計的基礎上，孟子建立起了仁、義、禮、智的道德規範體系。孟子從人性的角度探討四德的根源，認爲四德是人的本性，「仁義禮智，非由外鑠我也。我固有之也，弗思耳矣。」（《告子上》）他從人的情感活動的角度探討四德的心理基礎，認爲四德來自人的四種心理狀態：「惻隱之心，仁之端也；羞惡之心，義之端也；辭讓之心，禮之端也；是非之心，智之端也。」（《公孫丑上》）仁、義、禮、智形成完整的德性。

仁　仁是孔子倫理的重要範疇，在他那裡，愛人是仁的基本涵義，孝悌是仁的核心，忠恕是爲仁之方。孟子繼承了這一思想，認爲「仁者愛人」（《離婁上》），但卻對此作了新的解釋，認爲仁來自人的惻隱之心，「惻隱之心，仁之端也。」所謂惻隱之心，即不忍人之心，它是人們發自內心的眞實情感，是憐憫、同情同類的本能情感。所以他說：「仁，人之安宅也；義，人之正路也。」（《離婁上》）仁是人的本體、歸宿，是一切德的本源，因而他說：「仁也者，人也。」（《盡心下》）「仁」成了人的代名詞，二者可以相互詮釋。就是說，人之所以爲人，人之所以能爲人，都是出於仁。孟子從人的心理情感活動的角度探求仁者愛人的深刻原因，這是他與孔子的不同之處。把倫理活動同人的情感結合，體現了中國文化的特點，可以說是一種文化的自覺，使仁更具有堅實的基礎。

義　仁既然是人的情感的一種流露，是內在的，那麼它怎樣成爲人們的道德規範而進入人們的道德實踐呢？就是說，道德意識如何轉化爲道德行爲呢？爲此，孟子提出了義，並把它與仁結合在一起。何爲「義」？在中國文化中，「義」有多重含義，從一般意義上說，義爲善行之本，義便是「恰當」，「應然」，「義者宜也。」「義，能斷時宜。」義是行爲之正途。「義，正也。」「義，人之正路也。」（《離婁上》）義即是理，因而爲利之本。「義，利也。」（《墨子·經上》）不僅如此，義還是個裁斷性的道德判斷。「明是非，立可否，謂之義。」在他看來，義根源於人們的羞惡之心，是對行爲進行道德評價、判斷和制裁的範疇。「仁，人心也；義，人路也。（《告子上》）仁根源於人的內在情感，是道德的本體，義是依仁而行的方法、途徑和標準。「以義辨等，則民不越。」（《周禮·大司徒》）

仁是內在的，義是外在的；仁較爲抽象，義則較爲具體；仁根源於人的惻隱之心，帶有感情的色彩；義根源於羞惡之心，是「應該」之標準，帶有理性的性質。仁雖然站在本體的高度對人的行爲進行指導制約，但卻需要通過「義」的環節才能過渡到人的道德行爲；仁是義的依據，義使仁獲得了現實性。仁與義在一定程度上概括了人的全部道德意識，以至於幾乎成了道德的代名詞。那麼，如何把仁和義相結合，進行道德活動呢？孟子提出了「居仁由義」的命題。「居仁」即守仁，立足於仁，把仁加以推廣擴充，用孟子的話說即「推恩」，此即孔子的忠恕之道，但是他比孔子更突出地強調推己及人的順序性和差別性。居仁必須推恩，推恩必須由義，否則便是不仁不義。其步驟首先是：親親。居仁由義是愛有差等厚薄，由親及疏，否則便是禽獸之舉。其次是：仁民。不親親而愛人是不義，只親親而不愛人同樣是不義。愛人，就是將親親之情推及他人，即「老吾老以及人之老，幼吾幼以及人之幼」（《梁惠王上》），把愛人之心由家庭擴大到社會，這就是仁民。親親仁民，就是居仁由義。至此，孔子的忠恕之道更加發揮成熟。

禮　仁義雖高尚，然如無節制文飾，失之於無度、粗野，則有礙於仁義的推行，於是禮就成爲必要的了。「禮也者，節文斯二者也。」焦循注曰：「太過則失其節，故節之；太質則無禮敬之容，故文之。」（《孟子正義》）他明確指出，禮來自人的恭敬辭讓之心，禮是仁義道德的節度及由此而產生的待人接物的禮節儀容。至此，禮更精確化、抽象化了。仁義規定著禮，禮受制於仁義，產生於仁義，是第二性的。在孟子的體系中，禮的地位下降了，但禮作爲人的道德實踐的節度和制裁，作爲人的道德行爲的文飾，又反作用於人的道德實踐。他把禮與義作了比較，指出「夫義，路也；禮，門也。」（《萬章下》）義是仁的外化，它只是依於仁而一般地回答應該怎樣和不應該怎樣的問題，並不能對此作具體的回答；禮則具有更大的直接性、具體性，它把仁與義的要求具體化爲一系列規範與準則，並由此衍生出一系列形式化的禮儀，直接付諸人的道德實踐，於是道德規範由仁出發，經過義，最後落實到禮。在儒家倫理中，禮有自律與他律的雙重含義。所謂自律乃基於先天良知，其德性爲謙恭、辭讓、踐履。所謂他律，乃依據後天風俗習慣、儀節規則。由上述分析，可以概括出禮的三種特點：一爲敬。「禮，敬也。」（《墨子·經上》）「恭謙莊敬，禮教云；」（《禮記》）二爲履（行）。《說文解字》曰「禮，履也，所以事神致福也」；三爲理，是道德的準繩。「禮者，經天地，理人倫。」（《禮記·曲禮上》）「道德仁義，非禮不成；教訓正俗，非禮不備；分爭辨識，非禮不決；君臣上下，父子兄弟，非禮不定」。（同上）禮之功用在「養情」。「禮者，體其情也。」禮能定人之情，安人之情，使人的情感、情欲不但能自我節制，而且也受規則節制而不犯分亂理。因此，「禮」的德性在孟子的規範體系中具有雙重功能：一方面，「節文」人們的道德情感與道德行爲，使之不但具有善的內涵，而且具有美的屬性，使德性至善至美，人性純善淳美，這就是所謂倫理美、道德美。在這個意義上，「禮」可以說是一個倫理美學的範疇；另一方面，又具有實踐的意義，它不但告訴人們「應該做什麼」，而且告訴人們「應該怎麼做」，是「仁」與「義」向行爲落實的一個環節。總之，「禮」不但是「理」，而且強調「敬」「理」，即對「理」、對道德的尊敬肯定，這便是道德美，同時還要「履」「理」，即實踐「理」，踐履「理」。

智　有了仁義的道德情操和禮的規範儀容後，還必須有自覺的道德意識，對此孟子概括爲「智」。「智之實，知其二者弗去是也。」智的功能就是認識仁義並保證它的實踐，它根源於人們的是非判斷之心，因而是一個依據仁義道德對人們的行爲進行道德判斷和選擇的範疇，它包括道德認識與道德自覺，前者是對仁義的道德理論與道德情操的理解和信念，後者是對仁義規範的自覺維護和遵守。惟有如此，才能「窮不失義，達不離道」（《盡心上》），做一個「富貴不能淫，貧賤不能移，威武不能屈」（《滕文公下》）的大丈夫，也才能進行堅定的行爲選擇，所謂「生，亦我所欲也，義，亦我所欲也；二者不可得兼，捨生而取義者也。」（《告子上》）在儒家倫理中，仁智不離，仁本於人的情感，智則本於人的智慧靈明，智爲才智，是辨別是非的一種心智能力。「是非之心，智之端也。」（《公孫丑上》）「是是非非謂之智。」（《荀子·修身》）智的功用就在於體人性，知人倫，明是非，辨善惡，故爲德性之重要內容。孔子以智、仁、勇爲三達德，孟子以仁、義、禮、智爲四德目，直到宋明理學，其地位一直與仁、義、禮並列。

由此，仁、義、禮、智便構成一個完整的德性體系與道德價值體系。仁，宅也；義，路也；禮，門也；智，知也。這四個方面是緊密聯繫，不可分割的，用傳統倫理的術語說，就是「居仁由義」；「禮門義路」；「必仁且智」。「仁」是道德的本體，又根源於人們的惻隱之心，是先驗的愛人之情；「義」是愛人的方法與途徑；「仁」是道德的源泉；「義」是正當的德性行爲，二者的結合形成道德的「體」與「用」。「禮」是對「仁」「義」的「節文」，它規定了愛人的秩序與行爲準則，是對道德價值的尊敬肯定，因而又是一種內在的情操，有了這種情操，人們在道德上也就登堂入室了。而「智」則是對仁義的認同，形成對仁義的道德認識與道德信念，使仁義的踐履走向自覺。四者之中，仁、智爲德性，爲心能；義、禮爲德能，爲作用；仁智爲體，禮義爲用。它從人的本性出發，逐步落實、外化爲人的行爲，最後又向人的主體回歸，凝結爲主體的信念，形成體與用、內在與外在的有機統一。

四德是情感與理性的統一，其中情感是本體與主體，它統攝人的理性與行爲。之所以如此，不僅因爲作爲四德根源的惻隱之心是情，而且作爲「義」、「禮」根源的羞惡之心、辭讓之心也是情，只是以是非之心爲基礎的「智」是理，而這種理又不是西方式的純粹理性，而是情理之理，是情之「理」，或者說，是「情」的發用流行之「理」。仁、義、禮、智，可以說是中國四德，日後中國道德規範體系與道德價值體系的發展只是在此基礎上加了個「信」。也正是在這個意義上可以說，中國人的德性狀態主要是一種情感狀態，中國文化中的道德價值判斷，主要受人的情感的制約與支配。這四德與希臘四德：理智、公正、節制、勇敢形成強烈的比照，具有很強的民族特色。

這裡，需要特別加以強調的是仁、義、禮、智四德在中國文化體系中的必然性及其內在聯繫問題。誠然，中國四德歸根到底是中國特殊的社會存在的產物。但不可忽視，它們的確立具有深刻的文化機制，具有邏輯上的一貫性。從文化體系上看，仁、義、禮、智四德是中國血緣文化及性善的人性認同的產物。如前所述，中國文化是建立在家族血緣關係基礎上，以血緣關係爲原型，以親親爲價值取向的文化價值系統。而家庭關係本質上是一種情感關係，它以彼此間的「愛」爲內涵，由此便衍生出以「愛人」爲核心的「仁」的德性。而性善的信念則使中國倫理確信，每個人都有愛人之情，只要擴充本有的善性，便可親親仁民，仁民愛物，「仁」就是固有的人性。在這個意義上可以說「仁」是血緣文化的必然要求和必然產物。然而中國血緣關係的結構性內涵是強調「親親」、「尊尊」、「親疏等級」的宗法性，在「愛人」之情的擴充的過程中不可能一視同「仁」，必須按宗法等級的秩序去愛人，於是就需要「義」，所謂「居仁由義」。每個人都必須愛人，每個人都能夠愛人，但愛人必須按照嚴格的等級秩序，否則便是對倫份的僭越。在現實的道德生活中，如何按照「仁」、「義」

行動？這就要遵循「禮」，「禮」以「仁」、「義」爲核心，從內在的情操到外在的規則，按照「倫份」的不同，把人們的行爲嚴格控制在宗法等級的範圍內，同時又不失愛人的內涵，其目的是安倫盡份，把各種「倫份」的人約束在一個嚴格而又和諧的秩序之中，形成倫理政治的實體，故孔子說：「禮之用，和爲貴。」就是說，要通過「非齊」達到「齊」的目的，這就叫「惟齊非齊」。不過，單有「禮」對「仁」、「義」的節文還不行，還必須通過「智」形成對「仁」、「義」的認同，構成內心信念，使建立在血緣基礎上的道德情感轉化爲日用理性，達到內在的升華。「智」的德性在於把建立在血緣情感基礎上的「仁」、「義」道德情感上升爲普遍的認知或理性，內化、升華爲自己的道德良知，在行爲中做到「愛而有別」，「智仁雙全」。仁、義、禮、智四者形成由人性出發，把愛人之情外化爲自己的行爲，最後凝結爲內心信念的首尾相接的鏈環。

五倫之實現與完成——仁政

孟子的五倫歸根到底是服務於現實政治的，因此，五倫的實現與完成必須通過最後一個環節——仁政。仁政，就是用血緣宗法的倫理原理進行政治統治，也就是說，按照五倫的原理進行政治統治，以實現他的倫理政治的理想。

孟子的仁政說有三個方面的原理。第一，「以不忍人之心行不忍人之政。」他認爲君主有不忍人之心，才能行不忍人之政。「人皆有不忍人之心。先王有不忍人之心，斯有不忍人之政矣。以不忍人之心，行不忍人之政，治天下可運之掌上。」（《公孫丑上》）在這裡，他進行了從道德到政治的推導，就是說，仁政來源於仁心。這種思想，把道德放在政治之上，認爲有仁心才有仁政，表現了儒家倫理思想的基本特點。第二，德治。「以力假仁者霸，以德行仁者王。」他的德治論，實際上是孔子的忠恕之道在政治學說中的運用。「以力服人者，非心服也，力不贍也；以德服人者，中心悅而誠服也，如七十子之服孔子也。」（《公孫丑上》）德治，就是德化，也就是以德化人。第三，正君心。所謂「君仁莫不仁，君正莫不正」，要統治者先「潔其身」，否則，枉己而治人是不可能的。只有革除「君心之非」，才能達到「一止君而國定」的目的，這也就是後儒發揮的所謂修己治人，修己以安百姓。

孟子的德治論，主張用血緣宗法的倫理進行政治統治，以德化民，從人性、人情的角度尋找到政治的原理。這種德治論，把政治奠基於以血緣、宗法爲內容的倫理的基礎上，具有空想性與欺騙性。它以「德」爲治人的手段，主張以德治人，以德化人，體現了中國家——國一體的社會結構特點，既具有濃烈的人情味，又具有很強的「人治」特點。德治論，一方面以人治代替法治、政治，另一方面強調政治的倫理價値，倫理的政治效用，具有泛道德主義與道德實用主義的特點。

人性認同

性善論是孟子學說的基礎，孟子曾學著孔子的口氣說：「世子疑吾言乎？夫道一而已矣。」（《滕文公上》）他的「一而已」的道就是性善論。性善是中國倫理的基礎，一個「善」字集中體現了中國倫理精神人性認同的特點。孟子的人性設計，是對中國德性本體的設計，它建立了中國倫理精神系統中的人性結構，從而也規定了中國道德主體的精神本體。

人性認同的方法

如前所述，孔子的人性論內在地包含了人性善的思想，孟子的人性論是直接由孔子的仁學發揮而來的。他把孔子的人性論發展爲系統的人性論，具體地回答了人性是什麼的問題，提出所謂人性就是「人之所以異於禽獸者」的「心之同」，其內容是仁、義、禮、智四端。

他把孔子的「性相近」的觀點發展爲「性相同」，孔子講性相近，表明人性還不是完全一樣的，孟子則不然，他用一個「善」字，把人性統一起來，認爲人性是相通的，「聖人與我同類者」，（《告子上》）「人人可以爲堯舜。」（《告子下》）在孔子那裡，聖人是高不可攀的，而在孟子那裡，通過性善論的溝通，卻在人格的基礎上實現了平等。所以說，由孔子的性相近到孟子的性善論是一個巨大的進步。

人性認同，有不同的方法論原則，根據不同方法，往往會得出不同甚至截然相反的結論。從理論上說，人性是指人的全部屬性的總和，主要包括人的自然屬性與社會屬性，因而在進行人性認同時，沿著哪一個方向延伸，就是首先要解決的問題。人性認同的方向主要包括兩個問題：是立足人的自然屬性還是立足人的社會屬性？如何看待與處理人的自然屬性與社會屬性的關係？於是，人性認同的方向就有三個方面的分歧：一是自然與人爲的分歧。自然屬性是人性的自然方面，社會屬性是人性的人爲方面，由此會得出不同的結論：或是把人的自然屬性當成自然的，或是把人的社會屬性當成自然的。既會得出性善的結論，也會得出性惡的結論。二是先天與後天的分歧。人性之中，是抓住人生而具有的先天性的方面，還是抓住「習而後有」的後天性方面？人性到底是先天固有的，還是後天習染的？從邏輯上說，人性中既有先天的成份，又有後天的成份；從政治目的上說，又往往必須把後天歸之於先天。三是自然主義與人格主義的分歧。抓住人性的自然方面，推崇人的自然屬性與「自然而然」的先天性屬性，由此強調感性欲望與個體存在的合理性與神聖性，就是自然主義人性論；相反，強調人性的社會屬性與道德屬性，強調個體道德與社會倫理的至上性，則是人格主義人性論。這三方面的分歧既有聯繫又有區別。自然與先天並不完全是一回事，前者主要指人的自然屬性，後者主要指人性「自然而然」，即「不事而自然」的屬性。由此，便產生人性認同方向的分歧與對立，形成兩個根本不同的人性認同方向：一是由人的自然屬性出發，沿著自然、先天的方向，形成自然主義的人性論；一是由人的社會屬性出發，沿著人為、後天的方向，形成人格主義的人性論。當然，這兩個方向有時是相互滲透的，如中國宋明理學的天理之性與氣質之性就是二者的結合，人性認同方向的選擇，除思想家的特點與當時特殊的思想背景外，最直接的是受文化方向的制約。總的說來，西方文化傾向於自然主義人性論，中國文化傾向於人格主義人性論。然而中國倫理是建立在家族血緣基礎上的，就血緣關係是生而自然這一點來說，它可以說是自然主義的，因而中國文化的人性認同，一般說既抓住人性的社會屬性方面，又從人的血緣情感出發；既帶有人格主義的崇高性，又帶有自然主義的神聖性。孟子的人性論就有這樣的特點。

孟子對人性概念作了詳細論述。總的看來，他的所謂人性，指的是人之所以為人的特性，是人之所異於禽獸的特殊本質，即所謂「人之性」。「人之所以異於禽獸者幾希，庶民去之，君子存之。」（《離婁下》）孟子講人性，注重的是它的特殊性，他是在人與動物相區別的意義上講人性，這一點在他與告子的辯論中更清楚地得到體現。「告子曰：『生之謂性』。孟子曰：『生之謂性也，猶白之謂白歟？』曰：『然。』『白羽之白也，猶白雪之白，白雪之白，猶白玉之白歟？』曰：『然。』『然則犬之性猶牛之性，牛之性猶人之性歟？』」（《告子上》）在不同事物相區別的基礎上，他又強調同類事物的共性。「故凡同類者，舉相似也，何獨至於人而疑之？聖人與我同類者。」（《告子上》）由此，他基於人格平等又得出了「人人可以為堯舜」的結論。

孟子對人性的論述，有一個基本的方法，他把人性稱之為人的「自性」，同人與生俱來的本能相區別，由此提出了「大體」與「小體」

之分。「體有貴賤，有小大。無以小害大，無以賤害貴。養其小者爲小人，養其大者爲大人。」要求人們「先立乎其大者，則其小者弗能奪也。」（《告子上》）他的「大體」就是人之所以爲人的本性，即人的社會屬性、道德屬性，「小體」即人生來具有的本能，即人的自然屬性。孟子把人之性與動物之性區別開來，實際也在人身上分出了生物性與社會性，表現了他對人性的自覺。同時他又把人作爲類來看待，肯定了凡人與聖人在人性上的相同，從而把人性作爲人的類本質來看待。在人性認同的方向上，應該說，他主要是人格主義的。

人性的內涵與結構

人性是人之所以異於禽獸者，那麼這種人性的具體內容是什麼呢？孟子作了進一步的闡述：「口之於味也，有同耆焉；耳之於聲也，有同聽焉；目之於色也，有同美焉。至於心，獨無所同然乎？心之所同然者何也？謂理也，義也。聖人先得我心之所同然耳。故理義之悅我心，猶芻豢之悅我口。」（《告子上》）人性就是「心之同」，即人的思想意識、情感方面的特徵，是理，是義。具體地說：「惻隱之心，人皆有之；羞惡之心，人皆有之；恭敬之心，人皆有之；是非之心，人皆有之。惻隱之心，仁也；羞惡之心，義也；恭敬之心，禮也；是非之心，智也。仁義禮智，非由外鑠我也。我固有之也，弗思耳矣。」（《告子上》）人性之中，天生具有這四心之德，因而人性是善的。

但是，孟子又認爲，人性所具有的這四心之德，只是具有善之「端」，而不是包含所有的善。「惻隱之心，仁之端也；羞惡之心，義之端也；辭讓之心，禮之端也；是非之心，智之端也。人之有是四端也，猶其有四體也。」（《公孫丑上》）人心中固有的仁、義、禮、智只是有其「端」，是可以爲善的一種萌芽，或叫做善的可能性，要使這種可能性轉化爲現實性，使萌芽發育成長，還有待於後天的努力，這就是所謂「擴而充之」的工夫。「凡有四端於我者，知皆擴而充之矣，若火之始燃，泉之始達。苟能充之，足以保四海；苟不充之，不足以事父母。」（《公孫丑上》）人性之善端是「求則得之，捨則失之」的，因而需要「擴而充之」，由此他爲個體的道德修養與道德教育留下了廣闊的地盤。同時，這裡他也留下了一個理論的縫隙：既然「四端」只是可以爲善的一種可能性，就不能排除可以爲惡的可能性。這種性善論就沒有能貫徹到底，爲宋明理學的天命之性、氣質之性的發展留下了伏筆。

孟子的人性論具有特殊的結構。他把人性解釋爲「心之同」，這種人性，亦即是人們所熟說的良心。四心之中，惻隱之心爲最根本的，是道德的本源，它是一種憐憫同類之情；而羞惡之心，恭敬之心，嚴格說來都可以說是情；是非之心可以說是理，但這種理，不是西方的理性之理，而是日常生活之理，是情理之理。這裡，我們發現中國倫理精神中人性或良心的特殊結構：情感＋理性。西方倫理，如康德的實踐理性把純粹理性與純粹意志作爲道德的基礎，並以理性爲統攝，孟子則把純粹情感與日用理性作爲道德的基礎，並以情感爲統攝。由此產生了中西方倫理的根本分歧，形成中國倫理以情感爲道德本源、判斷主體與機制的特點。

孟子的人性結構理論，既是對中國民族倫理的概括與體現，又爲中國倫理奠定了自覺的理論基礎，給傳統倫理以十分深刻的影響。在這裡，中國倫理的「理性＋情感」的良心結構或人性結構與西方倫理的「理性＋意志」的結構雖具有不同的內容，卻具有相似的功能。因爲有相似的功能，所以都作爲人性、良心的主體；因爲有不同的內容，所以具有不同的性質。從理性本身講，西方的理性可以叫做純粹的理性，它是一種反省理性、哲學理性；而中國的理性則建立在父慈子孝、兄友弟恭這樣的感性經驗基礎上的習俗理性、經驗理性，是人倫日用之理。前者以反思和批判爲前提，後者以認同與接受爲前提。因而對現實和現有社會秩序與規範的態度是不同的。從意志與情感的關係來看，二者都有行爲的的功能，意志是執行理性的命令，其功能是把理性轉化爲行爲，表現爲對理性的追求；情感則是人們由情緒反映而引起的反射，它同樣具有外化爲行爲的功能，比起意志來，它向行爲的轉化往往更爲直接，甚至是一種身不由己的反射。因此，比起情感來，意志具有更明確的目的性和合理性，而情感表現爲更大的執著性和直接性、自身等同性。這形成了東西方倫理截然不同的風格。當然，這兩種不同倫理的心理結構是由兩種民族不同的文化造成的，應該說，二者都有各自可取之處與固有局限。中國倫理的人情味、實用性之所以很強，與這種結構是分不開的，在當今文化融合的情勢下，應當著重考慮的是如何實現二者的整合。

在人性結構的基礎上，孟子提出了他的良知良能說：「人之所不學而能者，其良能也；所不慮而知者，其良知也。孩提之童，無不知愛其親者，及其長也，無不知敬其兄也。親親，仁也；敬長，義也。無他，達之天下也。」（《盡心上》）這是用良知、良能具體說明道德的起源。良知良能可以說是良心的結構，良知是它的理性結構，相當於西方的純粹理性，或是中國的日用理性；良能是它的行爲結構，相當於西方的意志或中國的情感，二者的結合形成良心的完整的功能結構。「良」在中國文化中有多重含義，可訓爲善、甚、清白、純潔等意，朱熹把它解釋爲「本然之善」，按此說法，良能即生來就有的本能，良知猶生來具有的善心。孟子把它們解釋爲「不學而能」，「不慮而知」。用現代的術語說，良能就是本能，良知大約相當於直覺。不過孟子僅限於道德領域，是道德的本能與直覺。按照孟子的說法，良能是超驗的，良知不僅超驗，而且超越個人的得失。仁與義、親親與敬長都是以此爲基礎的。

這裡，我們碰到了兩個重要的問題：一是究竟有沒有先驗的道德本能？一是良心是什麼，有沒有先天的本然之善？發展到今天，良知相當於所謂的道德責任心、義務心，但在古代與人性是一體的、同義的。在中國文化中，它可以得到當然的解釋，因而是合理的。因爲中國文化根源於血緣，中國倫理植根於家族倫理關係，而家族倫理關係既帶有生物的先天性，又帶有人的社會性。親親之情確實帶有某些先驗的性質，因此孟子稱之爲「良」，是本然之善，問題是把它擴充延伸到社會領域時，同樣的邏輯就不適用了。從理論上說，應當承認良心、良知、良能的存在，從具有「善」的屬性以及作爲德性的起點與基礎的意義上，它們都可稱之爲「良」。但是，在社會生活中，只有具體的、歷史的良心、良知與良能，它們固然具有普遍性、社會性或人的共性，但在具體內容上更重要的是民族性、階級性。孟子試圖從生活的情理中尋找普遍的、人所共有的道德本性，從而爲人類道德確立共通的基礎，但他忽視了，生活的情理本身也是具體的，具有時代性與階級性，然而它體現了「天下」文化背景下中國倫理精神的現實基礎與價值指向，在相當程度上也體現了我們民族的特色。

性善論在文化史上的地位

孟子的人性論具有特殊的內涵，它在孔子的人性論基礎上更加明確、清晰、具體、充分地奠定了中國人性論與中國倫理的基調。可以說，孔子對民族人性論與倫理精神的基調的奠定是隱含的、模糊的，只是指明了一個方向，而孟子則具體說明了它的內涵，機畫出了它的輪廓。這些特殊的內涵主要有：⑴人性固有，無待外求，但人性之中只有善端，經過修養擴充，才能使之實現；⑵人性自足，仁、義、禮、智皆俱，只需擴而充之；⑶人格獨立，均等，「人人皆可堯舜。」他的人性論給後來中國倫理精神的發展產生深遠的影響，是陸王心學的直接來源。不僅如此，他對人性的論述也具有某些普遍的人類性的內容。他與盧梭處於不同的時代，不同的社會，卻同樣發現了惻隱之心，盧梭認爲：「憐憫乃是一種自然的情感，由於它調節著每個人自覺的活動，所以對人類全體的相互保護起著協調作用。」⑦他提出的「你要人怎樣，你就怎樣待人」的格言，與孟子的「老吾老以及人之老，幼吾幼以及人之幼」的意思是一致的。

性善論產生於百家爭鳴的時代，孟子爲它奔波了一生，但事實上並沒有引起君王們的重視，其原因除了其自身的理論矛盾之外，一個很重要的方面就在於它有悖於那個諸侯交戰的時代。天下大亂，諸侯交戰的社會現實，遵循的是任力不任德的歷史邏輯，毋寧說「惡」更體現了這個時代的精神本質，也許正是這種性惡的現實才激發了孔孟的倫理思考，孕育了他們的人性理想。時代產生了這種理論，但又不需要這種理論。孟子的人格平等的思想，道德選擇的主動性的思想，以德化人的思想，雖然對鼓勵人們向上的精神有積極意義，強調道德選擇的主動性與能動性，也具有一定的理想性，但在那個時代，在現實的強烈反照面前，它顯得迂腐，只是一個空想的烏托邦，同時在許多方面也不合乎統治者眼前的利益，只能受到冷遇。

「萬物皆備於我」

從仁義說與人性論出發，孟子得出了「萬物皆備於我，反身而誠，樂莫大焉」的結論，從而展開了他的修養論。這種修養論，以人性自足爲前提，建立了一個自我滿足的德性提升的精神模式。

萬物皆備於我與精神自足

孟子修養論的理論前提是「萬物皆備於我」，就是說，人性之中具有了一切道德的要素，人性不但是善的，而且是自足的，只要擴而充之，就能達到精神的自足。在孔子那裡，修養的主要方法是「克己」，用道德性的自我戰勝生物性的自我，達到人性的復歸。他雖然建立起了一個首尾相接的人性模式，但人性自足的思想，只是隱涵其中，並沒有明確表現出來。孟子進一步發展了這種思想，不但認爲道德修養就是先驗的善之人性的復歸與擴充，而且認爲人性本身是自足的。倫理精神完全封閉，只要不斷地向內追索，發現自己的仁義之性，就能成賢成聖。至此，孟子建立了一個自給自足的道德提升的精神模式。

人性的封閉和自足，是中國傳統倫理的特徵，它一方面造就了一些清心寡欲、一身正氣的君子人格與聖人人格，另一方面也通過自我的道德修養剝奪了人的人格權利，它一旦與封建政治相結合，便導致了道德專制主義。

修養的方法——存心、養氣、寡欲

如何自我復歸，反身而誠？孟子提出了一系列方法，這些方法從積極方面說叫存心、養氣，從消極方面說叫寡欲。

存心　孟子認爲，善性人人具備，君子比一般人高明就在於他能存住這種道德之心。「君子所以異於人者，以其存心也。君子以仁存心，以禮存心。」（《離婁下》）「存心」與「放心」是對立的，「存心」是保住、擴充自己的善性良心，「放心」是放失自己的道德之心。孟子認爲，進行道德修養的首要方面就是求其放心。《告子上》中說：「仁，人心也；義，人路也。捨其路而弗由，放其心而不知求，哀哉！人有雞犬放，則知求之；有放心而不知求。學問之道無他，求其放心而已矣。」

如何存心、求其放心呢？就是要「反身而誠」，即自我反省。「耳目之官，不思而蔽於物。物交物，則引之而已矣。心之官則思，思則得之，不思則不得也。此天之所與我者，先立乎其大者。」心之官有思維能力，感官沒有思維能力，常受外物誘惑，只任耳目，便會失去良心，必須用思維進行反思，存住仁義之心。這種反身內求的方法又叫「反身而誠」。孟子非常推崇誠的境界，以「誠」爲天道，以「思誠」爲人道，它強調的是人的主觀努力，這是對孔子「我欲仁斯仁至矣」思想的發揮。這種方法，看到了道德修養在提高人的精神境界，而境界的提高，又要借助理性進行反省，強調道德要有自覺心。但他把反省的作用片面誇大，只講自我反省，不講後天學習，以「存心」、「求放心」爲道德修養的唯一學問，這種脫離實際與感性經驗的方法，勢必走上冥心修養的道路。

養氣　「浩然之氣」是孟子修養的重要特徵，這是養氣所達到的境界。他首先提出要「不動心」，即不被個人的利害得失動搖自己的信念，這就需要「勇」的品格。他把勇分爲三類：一是只憑氣力的血氣之勇；二是憑意志即勇敢精神的意氣之勇；三是大勇，此是理直氣壯之勇。與此相應，養勇的方法也有三種：匹夫之勇守的是氣力，志氣之勇守的是志氣，大勇守的是理義，即堅定的道德信念。這三種方法雖都能達到不動心，但只有大勇爲其最高境界，這才是眞正的不動心。據此，他提出「吾善養吾浩然之氣」說，他對浩然之氣的描述是：「難言也。其爲氣也，至大至剛，以直養而無害，則塞於天地之間。其爲氣也，配義與道；無是，餒也。是集義所生者，非義襲而取之也。」（《公孫丑上》）這種「養氣」實際上是要人們守住道德的自覺心，即自身的善性良心，不受個人得失和氣質的影響。這裡的氣，指的是骨氣、氣節，是倫理學上的道德情操與道德境界，以此說明道德力量的偉大，在這裡，他把儒家的主體性倫理精神發揮到了頂點。孟子的養氣說有積極的意義，他注重氣節，強調道德生活的主觀能動性，強調道德信念不爲生死利害所動搖。

寡欲　人固有善性，本身具有德性的能力，但情欲阻止人們響應德性的召喚，因而反身內求僅是存心養氣還不夠，還必須寡欲。他認爲「養心莫善於寡欲。其爲人也寡欲，雖有不存焉者寡矣；其爲人也多欲，雖有存焉者寡矣。」（《盡心下》）寡欲即減損欲望，孟子認爲，人的感官容易受物欲蒙蔽，使良心丟失，所以說存心養氣在於寡欲。在他看來，人的本然之心是善的，人所以有不善，是由於追求物質的享受，使欲望壓抑了本心，所以要保存仁義之心而不喪失，必須克制，減損欲望。值得注意的是，孟子這裡只提倡「寡欲」說並不主張「滅欲」，到宋明理學那裡才發展成「存天理，滅人欲」的禁欲主義說教。可以說，「寡欲」還是「滅欲」是孔孟經典儒家與宋明理學的「新儒家」的重要區別之一，後者是把前者與封建政治結合而使之異化的結果。把「欲」作爲惡的根源在某種程度上體現了中國文化的共性，但各家在旨趣與境界上是不同的，經典儒家講寡欲，道家也提倡「少私寡欲」，佛家則要禁欲，而宋明理學家則主張「滅欲」。先秦儒家的寡欲是入世的，道家、佛家的寡欲、禁欲是出世的，而理學家的「滅欲」則是要達到「入世中的出世」，意向不同，境界迴異，體現了中國倫理精神結構的特點。

修養的境界——盡心知天

孟子認爲，德性的修養，在內是要向人性復歸，在外是要知天知命，最高境界則是天人合一。

對此，孟子有一段著名的論述：「盡其心者，知其性也。知其性，則知天矣。」（《盡心上》）這裡，他把性、心、天貫通如一。「性」是人內在的德性本源，「心」是人們對這種內在德性的體認，故盡心便能知性。而性與天又是相通的。「天」是人的最高精神本體，是世間一切的根源與原動力，「莫之爲而爲者，天也。」人作爲天的化生物，自然也就體現了天的本性，因而只要「盡心」，便可「知天」，便可達到天人合一。這一過程，孟子又叫「反身而誠」。「誠」體現於天，是宇宙的本性，體現在人身上則是人的本性，人與宇宙的本性都是誠。因而只要反身內求，便可使人與宇宙融爲一體。「誠者，天之道；誠之者，人之道。」「誠」爲天道，「思誠」則是人道，即思念、返回人的本性。

值得注意的是，在孟子那裡，與「天」並舉的，還有「命」這個範疇。「莫之爲而爲者，天也；莫之致而至者，命也。」（《萬章上》）無爲但又無不爲的是「天」，無求而又無不求的是「命」。「命」這裡實際上是一種客觀必然性，人性分享了宇宙之性，因而具有善端，這就是「命」。孟子的「命」，一方面說明人的善性是天之所命；另一方面「命」還可用來解釋德性修養與人的命運間的矛盾，因而他把「性」與「命」聯起來使用。「口之於味也，目之於色也，耳之於聲也，鼻之於臭也，四肢之於安佚也，性也；有命焉，君子不謂性也。仁之於父子也，義之於君臣也，禮之於賓主也，知之於賢者也，聖人之於天道也，命也。有性焉，君子不謂命也。」（《盡心下》）「命」的這兩重含義形成孟子精神體系的矛盾。這種矛盾到兩漢隨著社會衝突的加劇而激化起來，形成人的德性、道德使命與外在的際遇、命運間的矛盾衝突，這種矛盾實際上是儒家倫理精神理想性與現實性的矛盾。

孟子的道德論證方式是先把倫理道德移入人心，變爲心中固有，然後凝結爲性，最後再上升爲天。他的「心」是倫理道德之心，「性」是倫理道德之性，「天」是倫理道德之天。於是，倫理道德既具有心理的人性的基礎，又具有神聖的性質，並且天與人在邏輯上與歷史中便得到了統一，實現了天人合一。爲克服自然屬性和社會屬性的矛盾，他又把自然欲求及其滿足歸之於「求在外者」的命，要大家「聽天由命」，這就是等於說要大家遵循現有的社會秩序，安份守己，安倫盡份。這一點，一直成爲以後儒家的道德思考與道理論證方式。在道德修養問題上，孟子強調人的自主性、主動性，認爲爲善爲惡取決於自己，這是孔子「爲仁由己」思想的發揮，這種思想後來又被荀子繼承下來，發展成爲「人有其治，是爲能參」的說法。但孟子誇大了人的道德修養的主觀能動性，認爲盡其心就是知「天」，存心養性的工夫就是事「天」，雖然其出發點是反求並實現人的本能屬性即先天的血緣情感及其道德，但在邏輯上抹殺了天人區別，因而得出「萬物皆備於我」的結論。這種主觀主義的倫理精神被《中庸》系統闡發，它要求人在困境與逆境中鍛煉自己的道德意志，對後來的仁人志士發生了深刻的影響。但孟子又把逆境作爲不可違的天命，主張「得志，澤加於民；不得志，修身見於世。窮則獨善其身，達則兼善天下。」（《盡心上》）實際上是引導人們只追求獨善其身的個體至善，而不是追求社會的合理與至善，他的「兼善天下」，只是道德的化育，而決不能眞正改善天下，這又使得中國倫理精神中個體至善與社會至善相分離，倫理的弘揚與政治的完善相脫節。這是一種片面的人格主義精神，它對個人的聖化是有助的，對社會的公正民主是不利的，按此原理，在封建政治中修養的最後結果只能是個體在日趨聖化的同時，也日趨被剝奪，社會也日趨專制，這是孟子倫理精神的悲劇。

三、荀子的「禮」與「教」：客觀倫理精神之確立

荀子是戰國末期的倫理學家，他繼承並發揮了孔子倫理中禮的精神，形成禮教合一的客觀倫理精神，成爲宋明時期中國倫理精神大綜合的一個十分重要的精神來源。荀子的思想，具有兼容百家的傾向。他的倫理精神，在根本思想內容上與孟子處於對立的地位：孟子講主觀性的仁義，荀子講客觀性的禮義；孟子主性善，荀子主性惡；孟子言反身而誠，荀子言教化修習。而實際上，他們是把孔子學說中固有的兩個重要方面加以抽象發展，都是對孔子思想的豐富與發展。荀子學說的使命表現爲先秦思想的批判性總結，這種以儒學爲主體的批判總結，實際上標誌著民族倫理精神生長的第一階段的完成。

禮之精神

「禮」在孔子那裡主要是一種社會秩序的概念，從倫理上說，對倫理政治的社會秩序的認同與維護就是禮。孟子把這種禮的秩序具體化爲五倫實體，把禮作爲人的道德行爲的範型。荀子發展了禮的精神的客觀方面，在他那裡，禮不僅是一種社會秩序，而且是一種倫理的原理、行爲的規範。他的禮不僅提供了一個倫理的總秩序，而且提供了一個「化性起僞」、提升人性的途徑。至此，荀子便綜合了孔孟仁、義、禮的思想，建構了一個以禮爲核心的仁、義、禮三者統一的倫理精神體系。「三者皆通，然後道也。」（《荀子·大略》以下引文只注篇名）如果說，孔子倫理精神的根本特徵是「仁」，孟子倫理精神的根本特徵是「義」，荀子倫理精神的根本特徵則是「禮」。從精神方向上說，荀子禮的精神與孟子仁與義的精神是相反的。仁與義強調的是主體的德性與能動性，禮強調的是客觀倫理與規範制約性。這意味著在荀子的倫理精神體系中，禮的價值提升了，也異化了。禮不僅是固有的、客觀的法則，是天理；是人性中生長出來的調節人的情感情欲的人情；而且還是作爲社會控制、作爲法律根據的國法。天理、人情、國法，或者說情、理、法的統一就構成了荀子「禮」的完整內涵。從此，禮在中國社會、中國倫理中的地位便進一步牢固奠定下來，成爲超越一切的總法則和倫理傳統的總綱。它不再僅僅是節文人的行爲規範，而且是強制性的不可逾越的法律。於是，孔子文質彬彬的禮已經異化爲一種制約人的行爲的名教或禮教。

當然，荀子並沒有點明禮是這三方面的統一，而只是內在地包含了這三方面統一的傾向。這三方面的明確概括是以後的經學家（主要是《禮記》）完成的，正如余敦康先生所說，通篇《禮記》主要講了四個字：天理、人情。總之，禮的精神的抽象發展是中國倫理精神生長的必然階段和必要步驟。可以說，荀子禮論的完善與展開是中國倫理精神走向成熟的重要標誌。

禮之屬性：天理

荀子認爲，人和禽獸的不同點，就是人能過群居的生活；群居之所以有可能，就在於人有各自的本份和職守；所以能遵守自己的本份與職守，在於懂得義；這樣人們便能消除爭鬥，和睦相處，戰勝自然物。人「力不若牛，走不若馬，而牛馬爲用，何也？曰：人能群，彼不能群也。人何以能群？曰：分。分何以能行？曰：義。」（《王制》）群——分——義構成他思維的邏輯，這是以「群」即人的合群性、社會性說明禮的起源，說明合群在於定份，定份要講禮義。他進一步論證說：「夫貴爲天子，富有天下，是人情之所同欲也。然則從人之欲，則勢不能容，物不能贍也。故先王案爲之制禮義以分之，使有貴賤之等，長幼之差，知愚能不能之分，皆使人載其事而各得其宜，然後使谷祿多少厚薄之稱，是夫群居和一之道也。」（《榮辱》）就是說，人的欲望無限，而物質財富有限，所以制定禮義，區分等級，規定享受的界限，防止爭奪，這樣才能過群君的生活。爲了保證這種合群的生活，必須以禮義區分貧富貴賤等級差別。這裡，他把職業之分與等級之分相聯繫，認爲職業之分就是等級之分。他進一步推論道：「離居不相待則窮，群而無分則爭。窮者患也，爭者禍也。救患除禍，則莫若明分使群矣。」（《富國》）個人離開了社會便不能生活，但生活在一起沒有職業分工和等級區別，社會就會產生爭奪。因此，必須明分使群，即確定職業之分和等級差別，過群居生活。就是說，群居是生活的需要，而職業之分與等級的差別則是「和一」即群居成爲可能的需要，歸根到底，爲了能夠群居生活，爲了群居的人能夠和諧合一，「禮」是必須的。

荀子用「群居和一」解釋禮的起源，體現了中國文化的原理與特點，在倫理史上具有重要的意義。他明確提出了人的社會性問題，並企圖以此解釋倫理實體的設計與道德規範的起源，並把倫理道德訴諸於人類社會生活的需要，這是倫理思想的重大突破。孟子「仁者人也」的命題只是從人的主觀性即道德性方面說明人類社會生活的特點，而荀子則從社會需要與人的社會性方面尋找道德的根據，這在認識上更深入了一層。但他所理解的社會，是等級的社會，其「群居和一」說是論證等級制度的合理性，爲「禮治秩序」服務的。他從「分」的角度說「和」，在思維方法上具有辯證性，這就是所謂「惟齊非齊」。但他從職業的「分」推到等級的「分」，把禮看成是這種「分」的原理、規範與需要，論證禮的外在客觀必然性，從而使「禮」既具有職業之分的合理性，又具有尊卑上下之分的等級性，並以前者比附、詮釋後者，在論證禮的必然性的同時也掩蓋了禮的階級實質。

由人莫不有分，他還引申出「人莫不有辨」的命題，即把禮訴諸人的良知理性，論證了禮的內在主觀必然性，由此使禮具備了主觀的與客觀的、個體的與社會的基礎。荀子以抽象思辨的形式論證了禮的合理性、神聖性與必然性。一方面使禮成爲一種客觀的倫常秩序與倫理實體，另一方面又使禮成爲人性的內在需求和準則，從而使禮既是倫理實體、人倫規範，又是人性需要。由此，禮便從孔孟的人倫秩序與人倫規範上升爲天理。

禮之人性基礎與德性價值：人情

荀子提出「禮以養情」的命題，以此解釋禮的人性基礎與德性價值，認爲禮植根於人的情感需要。

荀子從「群」與「分」的角度論證禮的起源，已經把禮作爲一種根源於日常生活情理的人情，但這種人情只是客觀的、社會的人之常情。於是，他又從個體的方面，從人的情感需要的角度論證禮的起源與價值。「禮起於何也？曰：人生而有欲，欲而不得，則不能無求；

求而無度量分界，則不能不爭，爭則亂，亂則窮。先王惡其亂也，故制禮義以分之，以養人之欲，給人之求，使欲必不窮物，物必不屈於欲。兩者相持而長，是禮之所起也，故禮者養也。」（《禮論》）情欲乃人之天性，但順情欲而行動，必起於爭奪，所以要制禮義以定其分，使人們對物欲的追求不過分，此即所謂養情，即一方面使情欲得到滿足，另一方面這種滿足又要有節制。

荀子的「禮以養情論」解決了倫理要求、道德規範與物質欲求的關係問題。他以倫理與人的生理欲求並不矛盾爲前提，認爲道德的價值不在於壓制欲望，而在於導欲，即使欲望得到正當的滿足，這與孟子義與利二者不可兼得的觀點是不同的。他們的分歧，後來發展爲理欲之辯，一派師宗孟子，把二者對立起來；一派師宗荀子，把二者統一起來，兩派展開了長期的爭論。需要指出的是：導欲、節欲都是以宗法等級爲前提的。禮的價值在養情，具體內容就是用等級秩序規定人的欲望的滿足。在此基礎上，荀子又明確提出「以心制欲」說，主張以自己的理性節制、指導欲望，決定行爲的選擇、取捨。這種理性主義與孟子的主觀理性是不同的，孟子把理性看成是自返其良心而不受物欲干擾，以理性排斥物欲；而荀子則把理性看成是物欲的指導者。這種觀點與感覺主義也是不同的，感覺主義把感官與肉體享受當作行爲的依據，荀子雖承認情欲是人的天性，但必須「以禮養情」。

禮之功能：國法

荀子講禮義的重要性，不但超過孟子，而且超過孔子。他認爲，禮是修身治國的根本。「故人無禮則不生，事無禮則不成，國家無禮則不寧。」禮者，所以正身也。（《修身》）「隆禮貴義者其國治，簡禮賤義者其國亂。」「禮者，治辨之極也，強國之本也，威行之道也，功名之總也。」（《議兵》）孟子主張以仁治天下，荀子主張以禮治天下，所以他把禮視爲道德的最高原則。「禮者法之大分，類之綱紀也，至乎禮而止矣。夫是之謂道德之極。（《勸學》）「不法禮不足禮，謂之無方之民；法禮足禮，謂之有方之士。」（《禮論》）在他那裡，禮實際上成了超越一切的國法。

因此，他認爲禮既是法又高於法。這裡的法是法家講的法，指法度或法律條文。他認爲禮法是相通的。禮有規範之義，法也有規範之義，禮和法都是規定不同等級的權力和義務，即定倫份。但他的觀點，不僅講禮法並舉，而且強調禮高於法，以禮爲基本。他把法稱爲「恭敬之威」，把禮稱爲「道德之威」，認爲前者只能爲霸，不能爲王，如果以禮本，法治就可以更好地發揮作用了，「故禮及身而行修，義及國而政明，能以禮挾而貴名白，天下願，令行禁止，王者之事畢矣。」（《致士》）唯然這是對孔子「道之以德，齊之以禮，有恥且格」的發展，但他的重點在於強調法律條文基於禮義，禮高於法，是立法的精神。在這方面，他吸收了法家「法以定分」的理論，使禮更具有社會規範的意義。如果說，孔子提出仁禮結合，荀子則發展爲禮法結合，到漢儒則進一步提出法刑結合，王霸雜用。但他強調禮高於法，強調法的倫理價値，這既體現了中國倫理政治的本質，也表現了他倫理思想的儒家特徵。

孔子尙禮，這個禮是由周禮損益而來的，荀子的禮具有周禮的部分內容，這就是等級關係，但又有所不同。他揚棄了等級的世襲制觀點，主張「尙賢使能」，並以此作爲調整等級關係的原則。「故尙賢使能，等貴賤，分親疏，序長幼，此先王之道也。」（《君子》）他認爲貴賤的差別不在於原來的社會地位，而在於是否有才能，這是他比前人進步的地方，使禮的精神在其生長的過程中獲得了時代精神的內涵。荀子把禮作爲道德的最高原則，把社會規範作爲人類生活的準則，在這一點上，他與孟子不同，他強調的是規範而不是意識，規範對人心來說是外在的、客觀的，因而強調外在的客觀制約，其人性論與修養方法就是由此出發的。這種突出社會倫理，以外在的「道」統帥內在的「德」的思想，在倫理史上可稱爲道派，其特點是：以道德爲上層建築，使之同政治法律一樣具有客觀的外在約束性。與此相反，以孟子爲代表的一派則把道德作爲一種意識形態，強調道德的主觀性，內在的自覺性，強調個體道德的能動性，這是德派。漢儒提倡三綱五常，三綱屬道，五常屬德。宋明理學中，理學一派強調規範性，屬道派；心學一派強調主觀性，屬德派，這些都根源於對禮與仁的不同側重與發揮。禮的精神集中體現了荀子的客觀倫理精神，止像仁的精神集中體現了孟子的主觀倫理精神一樣，它們成爲由孔子出發而產生的儒學倫理精神內部的兩個分支，到宋儒後期，這兩種精神才復歸於綜合。

性惡論

在人性認同方向上，荀子和孟子也不同。如果說孟子是抓住孔子的「性相近」加以發揮，荀子則是抓住孔子的「習相遠」加以發揮，二人的人性理論表面正相反對，最後卻又殊途同歸。孟子從人格主義人性論出發，以「人之所以爲人者」爲性，荀子從自然主義人性論出發，以「生而自然者」爲性；孟子言性善，荀子言性惡；孟子強調性之擴充，荀子強調性之改造。然而最後的結論卻是一致的：孟子認爲「人人皆可爲堯舜」，荀子認爲「塗之人可以爲禹。」可以說他們是從不同的角度對人性的理解，論證倫理的可能性與德性的必要性。正是這兩種思路的引申互補，才使中國倫理對人性有比較全面的認同。

性與惡——自然主義人性論

荀子主張性惡，但他的所謂性與孟子不同，他與孟子各抓住了人性內涵的一個極端，從不同的規定得出了相反的結論。他對性、情、慮、僞等一系列概念範疇作了明確的界定。「生之所以然者謂之性。

性之和所生，精合感應，不事而自然，謂之性。性之好惡喜怒哀樂謂之情。情然而心爲之擇，謂之慮，心慮而能爲之動，謂之僞。慮積焉能習焉而後成，謂之僞。」（《正名》）他認爲性是生之所以然，即人的生命本來就有的，包括生理和心理方面的屬性。性的發作是「情」，人對情加以選擇是「慮」，基於思維的行爲稱之爲「僞」。他講一步說明了性的內涵。「若夫目好色，耳好聲，口好味，心好利，骨體膚理好愉佚，是皆生於人之情性者也。」（《性惡》）在古文字中，「性」「生」通用，性從生，以生而具有者謂性。荀子認爲，凡生而具有的、都是不學而能的這些本能的東西就爲性。對性之內容，他不僅限於食色二欲，凡生理與心理方面的活動，都屬於性的內容，其中包括感官的感受和喜怒哀樂之情，還包括「飢而欲飽，寒而欲衣」等方面的生理欲望。但他認爲人性中起支配作用的是人的好惡之情。在他看來好利惡害之情，同「目可以見，耳可以聽」一樣，是自然給予，不學而能的，是生之所以然者。他以這種觀點解析人性，導出了性惡的理論，其邏輯是：順著人的這種本性而發展，必然會產生爭奪和犯分亂理的行爲，產生不道德的行爲，所以人性是惡的，此即《性惡》開宗所講的，「今人之性，生而有好利焉，順是，故爭奪生而辭讓亡焉；生而有疾惡焉，順是，故殘賊生而忠信亡焉；生而有耳目之欲，有好聲色焉，順是，故淫亂生而禮義文理亡焉。然則從人之性，順人之情，必出於爭奪，合於犯分亂理，而歸於暴。」由此出發，他抨擊了孟子的性善論。孟子認爲人性本善，之所以不善是因爲善心放失的緣故。荀子反駁說，既然善心能放失，正好說明性不是善的，而如把生而俱有的飢欲飽、寒欲衣之類的性情擴充，不僅不會導出孝悌的道德行爲，而且是悖於情的。他的論點是，把人的自然屬性看成是人性，並且把好利惡害之情歸之於人的自然屬性，從而以人性爲惡，其目的是說明道德行爲不是出於人的本性。

性與僞：禮義生於聖人之僞

人性本惡，善從何來？荀子提出了一個與性相對的範疇：僞。僞在中文中即「人爲」之意，是「可學而能，可事而成」的，包括學習和教化。他認爲，禮義道德如同矯正木材的工具一樣，是用來矯正人的本性的，或者說，人性經過教化、引導，才會有道德行爲。「聖人積思慮，習僞故，以生禮義而起法度，然則禮義法度者，是生於聖人之僞，非故生於人之性也。」他得出結論說：「故聖人化性而起僞，僞起而生禮義，禮義生而制法度。」（《性惡》）他認爲，就人性來說，聖人與凡人沒有區別，都好利惡害，聖人所以異於衆人，君子所以異於小人，在於善於積累思慮，努力於人爲的事情，所以能「生禮義而制法度」，教化一般的人。這是以「化性起僞」說論證道德非出於人的本性，並且由此論證了內聖外王的君子統治的必要性。對於聖人的品性，荀子認爲「堯禹者，非生而具者也，夫起於變故，成乎修，修之爲待盡而後備者也」（《榮辱》）。「變故」指變故本性，「修」指個人的努力。這表明，荀子不承認聖人具有天賦道德觀念，肯定聖人的本性也是惡的，聖人的特點在於能改變自己的本性，成爲道德高尚的人，這就把道德的主動權完全交給了自己。

「涂之人可以為禹」

由化性起僞的觀點，他得出了與孟子「人人可以爲堯舜」同樣的結論——「塗之人可以爲禹」。他認爲普通人的智力同聖人差不多，只要努力學習，仁義禮法是可以認識的，其智慧可以洞察天地，人便可成爲聖人。「故小人可以爲君子，而不肯爲君子，君子可以爲小人，而不肯爲小人。小人君子者，未嘗不可以相爲也，然而不相爲者，可以而不可使也。故涂之人可以爲禹則然。」（《性惡》）荀子此說與孟子有淵源聯繫，即都強調人的主動性，但立足點不同。荀子的立足點是人的材性智力相同，注錯習俗的機會相等，環境對人性的影響力和作用相同；孟子強調人的先天一致性，荀子則強調人的後天的一致性。比起孟子，荀子更徹底地貫徹了孔子的人格均等的思想，把道德的善惡本性歸之於後天的努力，實際上是把道德的主動權更徹底地交給了個人，在這方面，又可以說他更徹底地貫徹了儒家倫理的主體性精神。

荀子的人性精神，其根本的核心與孟子一樣，都是要維護宗法等級制，但其出發點是不同的，一個講性善，一個講性惡；一個立足先天，一個立足後天。在強調宗法等級的先天性、神聖性上，孟子比荀子更徹底；但在強調爲善去惡的自覺性，維護宗法等級的責任性上，荀子又比孟子更堅決。因此，荀子的人性論，就其形式與原理上說是一種客觀精神，而就其實質和社會作用來說，卻是一種更高於孟子的主觀倫理精神。他把人的道德性歸於環境的影響與後天的教育，也爲社會對個體的改造與教化提供了根據。他把人性的惡歸結爲滿足情欲過程中的爭鬥，可以說是以抽象的形式把握了階級社會中道德關係的實質，這一點他也比孟子的性善說更深刻。正如恩格斯所說：「自從階級對立產生以來，正是人的惡劣的情欲——貪欲和權勢卻成了歷史發展的杠杆。⑧

化性論

修養論與道德論、人性論是不可分的。孟子抓住內在的仁，認爲人性本善，萬物皆備於我，反身而誠，就是道德的完成，在修養論上，側重啓發內在的自覺，強調求放心；而荀子認爲外在的禮就是道德倫理的根本，人性本惡，之所以爲善，是司法教化、化性起僞的結果，因此，其修養論的側重點在教化，強調日常的修習。前者的特點是「盡性」，可以說是覺悟論；後者的特點是「化性」，可以說是教化論。二者對後世都發生了深刻的影響，日後中國倫理的修養論就是由此二者出發加以不同的發揮而形成的。

注錯習俗

荀子的修養論，特別強調環境與教育的作用，他叫做「注錯習俗」。他的論點是：「蓬生麻中，不扶而直；白沙在涅，與之俱黑。蘭槐之根是爲芷，其漸之滫，君子不近，庶人不服。其質非不美也，所漸者然也。故君子居必擇鄉，遊必就士，所以防邪僻而近中正也。」（《勸學》）「干越夷貉之子，生而同聲，長而異俗，教使之然也。」（《勸學》）「夫人雖有性質美而心辯知，必將求賢師而事之，擇良友而友之。得賢師而事之，則所聞者堯舜禹湯之道也；得良友而友之，則所見者忠信敬讓之行也。」（《性惡》）環境與教化，成爲他「化性起僞」的首要條件。這種觀點，使他與孟子強調內省修養，爲仁由己區分開來。

博學自省

按照荀子的理論，化性起僞，從道德主體方面來說就是要博學與自省，「君子博學而日參省乎已，則知明而行無過矣。」（《勸學》）他認爲通過學習知禮義，這是化性起僞的最根本的途徑和方法，「吾嘗終日而思矣，不如須臾之所學也」；「學不可以已」（《勸學》）而學的內容和對象就是「禮」，其最終目的就是爲聖人。「學惡乎始？惡乎終？曰：其數則始乎通經，終乎讀禮，其義則始乎爲士，終乎爲聖人。」（《勸學》）「禮者法之大分，類之綱紀也，故學至乎禮而止矣，夫是之謂道德之極。」（《勸學》）但僅是「博學」還不夠，還必須「參省乎已」，這實際上是曾子「吾日三省吾身」的思想的繼承與發揮。君子廣泛地學習，每天反省自己，就可以避免產生不道德的行爲，就可以成爲具有高尙道德情操的「成人」，這種「成人」就是經過不斷學習後，具備了理想道德風貌的人。「是故權利不能傾也，群衆不能移也，天下不能蕩也。生乎由是，死乎由是，夫是之謂德操。

德操然後能定，能定然後能應，能定能應，夫是之謂成人。」（《修身》）梁啓超在《荀子簡釋》中對這段話作了如下解釋。「此言學習者確有了心得後，就結成正確堅定的意志，不接受別人的利誘，不作群衆的尾巴，也不爲反動洪流所激蕩。樂生時固然遵循這條正確的路線前進。那阽危至死也遵循這條路線勇進，這才是修德者掌握正確的人生觀啊。」當然，荀子的所謂「學」，主要內容是以禮經爲主的典籍，其目的在於修養自身，自覺地維護封建等級秩序。

以心知「道」

荀子認爲，禮義是外在於人的客觀之理，並不爲人性固有，人若要依循禮義，除了習俗教化，博學自省外，最根本的就是「以心知道」。在這裡，他突出了心的作用，「人何以知道？日：心。心何以知？日：虛壹而靜。」（《解蔽》）按照荀子「人生而有知」、「心生而有知」（《解蔽》）的觀點，既然心生而有「知」的能力，爲何還要通過「虛壹而靜」的功夫才能知「道」呢？《解蔽》對「人心」作了一段描述：「故人心譬如槃水。正錯而勿動，則湛濁在下而清明在上，則足以見須眉而察理矣。微風過之，湛濁動乎下，清明亂於上，則不可以得大形之正也。」「心」之知理，就如同水之照物，物在水外，理亦在心外。心與水本身是空洞無內容的，水所映照，心所見察者都是外在的客觀存在。因而「心」必須首先作修養功夫，「以理導心」，才能如實地知禮義。這種以禮導心的功夫就是「虛壹而靜」。「心未嘗不臧也，然而有所謂虛；心未嘗不滿也，然而有所謂壹；心未嘗不動也，然而有所謂靜。」（《解蔽》）虛、壹、靜是與臧、滿，動相對的。何謂虛？「不以所已臧害所將受，謂之虛」。就是說不受感官現象的影響謂之虛，不存成見謂之虛。何謂「壹」？「不以夫一害此一謂之壹。」「壹」即心思專一，不爲物欲所動。何爲「靜」？「不以夢劇亂知謂之靜。」即是說不胡思亂想，不累於物欲。從倫理學的角度說，「虛」即是去除物欲之累；「壹」是專一於德性修煉；「靜」則是心性不受物欲的干擾，保持清靜之心。

荀子進一步指出，「未得道而求道者，謂之虛壹而靜。」「虛壹而靜謂之大清明。」（《解蔽》）這一思想顯然是受了道家尤其是老子「滌除玄覽」的修養論影響，它提倡的是一種排除外物干擾的苦思冥想的修行方法。荀子「主靜」與孟子「主敬」不同，孟子認爲善性固有，只要保持對善性仁心的執著，就能成聖，因而「主敬」；而荀子認爲人性本惡，情欲本動，因而「主靜」。總之，荀子的「虛壹而靜」與孟子反省內求的方法不同，其要旨在於認識和掌握社會道德規範，以指導情欲的活動，所以他不同意孟子那種清心寡欲的方法，認爲孟子要人們避開同外界接觸，以堅定自己的信念，壓制情欲的發作，這並不能達到精微的境界，合理的方法應當是保持清醒的理智，認識和掌握社會的道德準則，以理制情，這樣實行仁德才不是出於勉強，才可以達到「從心所欲不逾矩」的境界。

【附　註】

① 杜維明：《人性與自我修養》，中國和平出版社1989年版，第14頁。

② 盧梭：《社會契約論》，商務印書館1980年版，第9—10頁。

③ 台灣《倫理學研究》，1987年第2期，第6頁。

④ 龔寶善：《現代倫理學》，台灣中華書局1983年版，第225頁。

⑤ 杜維明：《人性與自我修養》，中國和平出版社1989年版，第9頁。

⑥ 林崗：《傳統與中國人》，三聯書店1988年版，第26頁。

⑦ 《論人類不平等的起源》，法律出版社1958年版，第102—103頁。

⑧ 《馬克思恩格斯選集》第4卷，第233頁。

第三章　道家的人生智慧

儒家倫理體現了中國文化的主導的或主體的精神，但是，儒家倫理精神僅是中國人精神結構的一個方面或主要方面，僅有儒家倫理精神還不足以使中國人找到或確定安身立命的基地。在中國血緣入世的文化中，儒家倫理政治精神具有必然性，但這種精神在現實社會中的運作還需要有另外一個結構的補充——道家的人生智慧。概括地說，在人生態度上，儒家倫理強調修身養性，「明知不可而爲之」的入世，但在現實政治生活或是儒家自己設計的倫理實體中，人們必然要碰到各種人生與人倫的矛盾，因而，在中國文化中不僅需要入世的精神，而且需要消除各種矛盾的解脫機制；在人倫關係與道德生活中，儒家強調以血緣關係爲基礎的人倫情感，以情感爲機制與原理處理各種關係，然而現實的倫理政治關係的本質決不只是溫情脈脈，必有其嚴峻的現實，在這種現實面前，不僅需要人倫的理想，而且要有人生的智慧；在個體道德中，儒家強調人的「心」，即道德良心，並把它無限誇大膨脹，要求人們擴而充之，以此提升人性，而作爲一個現實的人的另一個重要的方面——「身」在儒家那裡則處於被忽視被克服的地位，然而在現實生活中，「身」比「心」更具有現實性。於是，入世與隱世，人倫情感與人生智慧，心與身，則形成儒家與道家倫理精神的互補結構。道家倫理，主要講的是一些人生的哲理、人生的智慧或技巧。道德進取與人生智慧形成中國人安身立命的兩個不可缺少的方面，是中國文化方向上所必須的兩個基本結構，由此形成中國文化內在的活力，構成中國倫理精神理想性與世俗性、進取性與柔韌性的互補。道家倫理在中國文化、中國倫理精神的生長史上占有很重要的地位，幾千年來，它同儒家一起參與了中國文化，尤其是中國倫理精神的建構，成爲中華民族歷史文化的巨大傳統力量，在積極的和消極的方面都產生過深遠的影響。

道家的精神境界，從本質上講，是出世中的入世。一方面，它是因入世不得志而出世；另一方面，他們在外表上雖然講出世，然而在根本旨趣與精神指向上卻是入世。這種性格與精神上的矛盾造成了人格上的分裂，表面上放蕩形骸，內心深處憂國憂民的人格矛盾就是這種二重分裂的最典型的體現。

在中國倫理史上，道家倫理精神以老莊爲代表與主體。老莊倫理精神的主要傾向是：以保全個人的生命、超脫世俗生活爲最高理想，鄙視君臣、父子的人倫之道，接近出世主義。他們對當時的倫理道德持否定態度，猛烈抨擊儒墨的道德說教，尤其是儒家仁義道德的虛僞性，從厭惡社會倫理生活的角度，探討倫理道德的起源。在現實生活中，道家的人生態度、處世原理、修養方法，與儒家相補充。如果說儒家倫理精神是在社會生活中的「進」，道家倫理則是在社會生活中的「退」，它所要解決的是在曲折的、不得志的社會生活中如何安身立命的問題。

一、老子的「無爲而無不爲」

道家的創始人是老子，正如孔子構成儒家倫理精神的淵源一樣，老子構成道家倫理精神的淵源，對於老子的身世，雖然學術界仍有異議，然其學說卻是肯定的，其代表作是《道德經》。

老子倫理精神總的特點是「無爲而無不爲」。他教誨人們的是以退爲進的人生智慧。老子的學說，表面上是在談天說地論人，沒有倫理與政治的內容，實際上是以思辨的形式在最抽象的意義上論述倫理與政治，因而他在倫理政治精神方面表現得更深刻、更具哲理性。

「道」「德」智慧

儒家講道德，老子也講道德，道德智慧是老子倫理精神的核心。老子道德智慧的根本特點是把天道與人道合一，給倫理精神一個形而上的體系。他以天道說人道，把人道上升爲宇宙的本體，這種思維方式給中國天人合一的宇宙倫理精神以直接的影響，宋明理學從天理中派生出人理，把人理上升爲天理的思維方法，可以說淵源就在老子這種情神模式中。在個體德性上，老子把「得」與「德」合一，使「德」具有「得」的內容，「得」具有「德」的性質，深刻揭示了中國倫理精神的深層本質。

道與德

老子及道家講的道與德和儒家的道與德的內涵是不同的。《道德經》中關於道和德的理解有兩層含義：一是哲學的意義，即自然觀中所使用的概念。就此層含義說，「道」是指世界的本源，萬物的根本；「德」是指由此而產生的萬物的本性。「道生之，德畜之，物行之，勢成之，是以萬物莫不尊道而貴德。」（《道德經》五十一章，以下只注章數）另一層含義是倫理學中使用的概念，就此來說，「道」是指人類生活的最高準則，「德」是指人的本性或品德。「聖人之道，爲而不爭」（八十一章），「常德乃足，復歸於樸。」（二十八章）

既然宇宙的「道」「德」與社會生活的「道」「德」是相通的，那麼它們是如何轉化的？「道」與「德」的關係如何呢？老子認爲，在人類社會中，那種「先天地生，可以爲天地母」的「道」所顯示的基本特徵是人類生活的準則。這樣形而上的道便逐漸下落，落實到生活的層面，作爲人間行爲的指南，成爲人類生活的方式與處世方法。

形而上的「道」，作用於人生，凝結爲人性，便可稱之爲「德」。「道」與「德」的關係是體用關係。混一的「道」，在創生的活動中外化爲萬物，成爲各物的屬性，便是「德」。這樣，道是指人的本然狀態，而「德」則是指向自然復歸的狀態；「道」是高高在上的可供效法的原則，「德」則是「道」的凝結、內化、體驗與復歸。

「道」「德」之真諦

道——無爲　道家以無爲爲人類活動的最高準則，並以無爲爲人類的本性或最高品質。《老子》三十七章說「道常無爲而無不爲，侯王若能守之，萬物將自化，化而欲作，吾將鎮之以無名之樸，無名之樸，夫亦將無欲，不欲以靜，天下將自定。」「道」的本質是「無爲」，而最後達到的卻是「無不爲」，這就是所謂「無爲之道」。老子認爲，這種無爲之道既是人和萬物的本性，也是治國的原則。「故聖人云，我無爲而民自化，我好靜而民自正，我無事而民自富，我無欲而民自樸。」（五十七章）就是說，聖人和百姓都以無爲爲其德性，天下也就相安無事了。這種「無爲」的特性是什麼呢？老子描述說：「生而不有，爲而不恃，長而不宰，是謂元德。」（五十一章）化生萬物，但不據爲己有；使萬物生長卻不自居有功。這既是世界的本性，也是聖人的最高品德。這種無爲無欲的品德老子又稱爲自然，「人法地，地法天，天法道，道法自然。」（二十五章）這裡的自然即是道，亦即是無爲。它不是自然界的自然，而是指本然，本來的樣子，即「自然而然」。老子認爲，從人類到自然界都要以自然爲其法則，即都以無爲無欲爲其活動的準則。自然是道家道德觀的根本內容，道家各派都崇尚自然，雖然他們對自然的理解不盡相同，但有一點是共同的：「自然」是與「人爲」、「有爲」相對的。這種觀點始於老子，他第一次用自然無爲來說明道與德的特性，以此作爲人類活動的根本法則，這是老子道德觀的主要特徵。

作爲最高本體的道在化生萬物的過程中既是「無爲」的，也是「無不爲」的，而作爲效法道而得到的「德」，同樣是無爲的，這種「德」，老子稱爲「常德」。這裡所謂「無爲」，從倫理學上說，其基本的要求就是不執著一定的道德規範，無意於求得善的美名，反之，就是「有爲」。老子的整個倫理精神模式就是向這種「無爲之樸」復歸的模式，這種模式顯然與儒家奮發有爲、不斷進取的道德觀是相對的。於是，老子從他的自然論出發，批評了儒家的道德學說，抨擊了仁義忠孝等德目。十八章說「大道廢，有仁義，慧智出，有大僞，六親不和，有孝慈，國家混亂，有忠臣」。就是說，儒家提出的忠孝仁義，不是道德的產物，恰恰是道德缺乏、淪喪、敗壞造成的。這裡的「大道」即自然無爲，所以他開列的治愈的藥方是：「絕聖異智，民利百倍，絕仁棄義，民復孝慈。」（十九章）孝慈，應當不是教化的結果，而是人類無爲的本性，故廢除仁義，人民才能恢復孝慈的本性。在老子看來，儒家強恕力行的仁義道德違背了人類無爲的天性，不能算是道德。應該說，他的這種觀點與方法具有深刻性的一面，他看到了道德來源於人們的社會需要，這種需要源於社會德性的匱乏，社會之所以需要仁義忠孝，就是因爲沒有或缺乏仁義忠孝。老子的結論，表面是荒謬的，實際上是深刻的。他看到了道德生於非道德的現實，可以說，它觸及到了道德的本質，這是比儒家深刻的地方。

德——不德　由對儒家的批評，老子提出了自己的德性說：「上德下德，是以有德；下德不失德，是以無德。上德無爲而無以爲，下德爲之而有以爲，上仁爲之而無以爲，上義爲之而有以爲，上禮爲之而莫之應，則攘臂而扔之。故失道而後德，失德而後仁，失仁而後義，失義而後禮。夫禮者，忠信之薄，而亂之首。」（三十八章）他將德分爲上德和下德兩大類，「上德」之人不自以爲有德，「上德不德」是說上德之人不爲道德而道德，才能有其德；下德之人總是試圖以道德裝飾自己，結果反而沒有德。就是說，不有意追求道德，也不標榜自己有道德，這才是眞正的道德。道德高尙的人，不想有所作爲，不爲道德而道德；而下德之人，總想有所作爲，其行爲總想達到某種道德的目的。這種上德之人，就是老子自己，而下德之人，就是儒家之流。一般認爲，「不德」是不自以爲有德，不追求德，實際上，根據老子道自然無爲以及「德者得也」的觀點看，這裡的「不德」，應當是「不爲德而德」。他認爲，道德應出自人的自然本性，不能故意造作，如故意造作，就不是德。如果把「不德」理解爲「不自以爲有德」，「不追求德」，則與他「德者得也」的命題相悖了。在「德」的命題上老子的論證表面上玄奧莫測，實際上只是強調道德出於人的自然本性，是「自然而然」，目的是反對儒家「有爲」的道德。

性——樸素　道的本性是「無爲」，德的本性是「不德」，人的本性則是「樸素」。樸素無爲是老子人性論的中心觀點。在這裡，樸素就是自然，天然之木爲樸，沒有染過的絲爲素，樸素即未加文飾的自然狀態，這就是孔子講的「質」，不同的是，它反對文與質的結合，主張抱樸守質。老子認爲，宇宙間的一切都是自然的，人的本性也是如此。這種人性論，在理論上是爲其獨善其身的超功利主義制造根據；在社會生活中，它實際上是由於自身的沒落而產生對原始生活的嚮往和追求。這種無知無欲的人性論，壓抑人的本性，不僅壓抑人的七情六慾，而且壓抑人的聰明才智。正因爲如此，老子的倫理學說，漢代以後便被道教所吸收，成爲道教的一部分。

「無爲」而「爲」，「不德」而「德」，「無性」而「性」，這就是老子道德觀的眞諦。「無爲」而「爲」是說道作爲宇宙的本體，就是因爲它無爲，所以能化育萬物，成爲人倫的準則。從倫理學的角度說，其潛在的意義是人倫的準則應當是世界與人性固有的，而不應是人爲創造出來的。這種觀點後來被儒家接過，反過來加以使用，變成人倫準則就是天道。「不德」而「德」是說道德、德性應當發自人的本性，而不應是人爲造作的結果。「無性」而「性」是說人性應以沒有性即善之性爲性，即是說人性應是樸素的，超善超惡的。這裡，老子從道常無爲，論述到德之自然，最後落實到人性樸素，要人們少私寡欲。結論與儒家是相同的，但論證的方法不同。儒道兩家，目的是一致的，思維的方向卻是相反的。在對寡欲的論述上，應該說道家比儒家更徹底。

老子道德觀的意義

道家的道德觀涉及到許多方面問題，在中國倫理精神的生長過程中具有特殊的意義。

第一，老子從宇宙本體的高度比較明確地解決了道德概念問題。在老子之前，中國倫理對「道德」概念還沒有一個明確的界定，把它只是作爲一個當然的、習俗的概念加以使用，而老子對「道德」概念的界定爲倫理精神體系的規範化提供了概念基礎。在思想方法上，老子從天道的角度論述人道，使人道有了一個形而上的基礎：天道派生人道，人道應上升於天道。到漢儒那裡，人道應合於天道被改造成人道從屬於天道；而到宋明理學時，又變成人道就是天道。更重要的是，老子對「德者得也」的解釋，把「德」解釋爲「得道」（獲得德性）與「得於人」的統一，更是給中國倫理的德性主義、道德實用主義以一個概念上的詮釋。

第二，老子以「無爲」而「爲」、「不德」而「德」說明道德的特性與本質，強調道德應當自然而然。這種理論，一方面是與儒家奮發有爲相對立的道德自然主義，另一方面也揭露了儒家仁義道德的虛僞性。正因爲如此，這種觀點後來成爲一些受壓迫的思想家攻擊正統派的思想武器，如魏晉時被嵇康發展爲「六經未必是太陽」，「越名教而任自然」。

第三，老子不以善惡論性，而以樸素爲人的本性，進而認爲，德性的提升、人性的復歸就是要抱樸。這一思想對中國倫理精神也產生了深刻的影響。有人說中國倫理精神的特點是「質樸剛健」，在這裡，如果說，「剛健」是來源於孔子的「明知不可而爲之」的精神的話，「質樸」則很大程度上來源於老子的「無爲」之「道」，「不德」之「德」，「樸素」之「性」。如果說，儒家的性善論是中國人性中的「文」的話，道家的樸素之性則是中國人性中的「質」。正是這種「文」與「質」的互補，才構成中國倫理「文質彬彬」的君子人格，更不用說這種道德觀、人性論給中國知識分子「返樸歸眞」的人格理想的影響了。

人生態度與處世原理

從對道德的獨特理解出發，老子提出了特殊的人生態度和處世原理。在這裡，人生態度與處世原理是統一的，對於個人，它是一種人生態度；當與人相處時，它就是一種處世原理。前者形成特殊的道德人格，後者形成人際關係的組織、結構原理與形成，二者的結合，就是與「儒術」相對應的「道術」，或者說，是與儒家「德性」相補充的「道心」。

這種處世原理的根本特點就是從既有的人倫關係中超脫出來的，它注重人倫之術、人生之方，顯得老滑。在人生態度方面，表面上超塵脫俗，不群不黨，實際上是混世揚波，苟安玩世。老子的人生態度與處世原理，不僅是中國特殊的社會結構的產物，而且對民族精神與民族性格的形成和塑造具有廣泛而深遠的影響。即使在現在，老子提出的道心與道術，仍然是中國人，尤其是中國知識分子心理結構與精神結構的一部分，它在深層結構上影響著中國人的倫理生活與社會生活，在政治生活中，它演化爲中國政客的所謂「權術」。因此，對老子人生態度與處世原理的剖析，是把握中國文化尤其是中國人的倫理精神眞諦的不可缺少的內容。

老子提出的人生態度與處世原理，主要有以下幾方面的內容。

以柔克剛

「貴柔」是老子人生態度與價值觀的重要內容。《呂氏春秋·不二》說：「老聃貴柔。」然而「柔」只是他精神的特點，以柔克剛才是他的柔道的原理與眞諦。

老子的柔道有以下幾層含義：

弱　柔首先同弱相聯繫，貴柔以柔弱爲美德，這種美德是同剛強對立的。七十六章說：「人之生也柔弱，其死也堅強，萬物草木之生也柔脆，其死也枯槁，故堅強者死之徒，柔弱者生之徒。是以兵強則不勝，木強則兵，堅強處下，柔弱處上。」守弱，是生之特點與生之原理，萬物之所以生，不在其強而在其弱，萬物之所以死，不在其弱而在其強。

和　柔又是與和互相聯繫的，故他以柔和爲美德。十章說：「專氣致柔，能嬰兒乎？」就是說，能保持一團和氣，像嬰兒一樣嗎？老子認爲嬰兒最能體現柔和的美德，因而以嬰兒赤子爲理想人格。「含德之厚，比於赤子。」赤子之所以可貴，因爲「骨弱筋柔而握固，未知牝牡之合而全作，精之至也。終日號而不嗄，和之至也。」（五十五章）因而，在人際關係中老子主張以和爲貴，「報怨以德」（六十三章）。

靜　柔的重要特徵是靜，而靜又是雌性動物的特徵與德性，柔與靜相聯繫，靜又與雌相聯繫，因而老子以雌說柔。他認爲嬰兒的品德與雌性動物一樣，要人們「知其雄，守其雌，爲天下谿。爲天下谿，常德不離，復歸於嬰兒」（二十八章）。這是以守雌爲美德，因爲雌性的美德之一，就是柔而靜。六十一章說：「牝常以靜勝牡，以靜爲下。」這是說，靜而居下，雌而勝雄。這種原理後來發展爲「以靜制動」。

慈　柔又是同慈相聯繫的。六十七章說「慈故能勇」。又說：「慈以戰則勝，以守則固」。這裡的慈即慈悲之意，同勇是相對立的。老子認爲，能柔慈才能戰勝敵人，一味追求勇敢，反而會被敵人殺掉，即所謂「勇於敢則殺」（七十三章）。以慈取勝的原則與儒家德化、仁義的原則有相似之處，它們都是通過攻心以取勝，這體現了中國文化的共同原理。

老子將貴柔的價値觀與人生觀態度運用到人際關係中，提出了「柔弱勝剛強」的處世原理。他先在經驗世界中尋找根據，認爲剛的東西容易折毁，柔的東西反而剛強。表面上看，他是從天道中演繹出人道的原理，而實際上是從人道即從人際關係的原理中總結出「柔弱勝剛強」的原理，再用天道加以論證。對柔道論證得最清楚的是七十八章中的一段：「天下莫柔弱於水，而攻堅強者莫之能勝。以其無以易之。弱之勝強，柔之勝剛，天下莫不知，莫能行。」因此，他得出結論：「天下之至柔，馳騁天下之至堅。」（四十三章）老子的柔，並不是通常所說的軟弱無力，而是指柔性，含有堅韌不克的意思。它不僅是道家倫理精神，也是中國傳統倫理精神重要的品格特徵。

老子柔弱勝剛強的主張，主要是針對社會生活中的「逞強」而提出的。逞強者必然剛愎自用，自以爲是，這就是老子所說的「自矜」、「自伐」、「自是」，世間的紛爭多半是由這些心理狀態和性格特徵產生的。於是，老子提倡柔弱，主張人在現實生活中應當「處下」。他常以江海作比喩，認爲由於它的低窪處下，所以百川都歸於海。這種處下的精神原理與性格特徵很能說明中國人道德性格中「謙虛」的原理。實際上，在中國的道德生活中，「謙虛」與「無爲而無不爲」的原理是相通的，在中國文化中謙虛並不是無能，反而能得人，它培養了中國民族精神中的包含性，是寬厚、寬容精神的一個重要方面。這種「柔弱勝剛強」的處世原理在道家，乃至於佛家的人生態度、人格特徵中得到較爲明顯的體現。

知足不爭

如何貴柔處下？其心理特徵與機制就是知足。四十六章說：「禍莫大於不知足，咎莫大於欲得，故知足之足常足矣。」在四十四章，老子對這個原理作了闡釋：「名與身孰親？身與貨孰多？得與亡孰病？是故甚愛必大費，多藏必厚亡，知足不辱，知止不殆，可以長久。」事物總有兩個性，其一面發展到極點，就是向其反面轉化，所以他要人們「去甚，去奢，去泰」（二十九章）。「持而盈之，不如其已。揣而梲之，不可長保。金玉滿堂，莫之能守。富貴而驕，自遺其咎。功逐身退天之道。」（九章）

在老子所推崇的美德中，以不爭爲最重要。他以水爲例讚揚不爭的品德說：「上善若水，水善利萬物而不爭，處衆人之所惡，故幾於道。居善地，心善淵，與善仁，言善信，正善治，事善能，動善時。夫唯不爭，故無尤。」（八章）就是說，善良的品德如水下流一樣，有利於萬物而不爭地位，處理人與人的關係也是這樣，因爲居於下流，便同道接近。他進一步闡述這個原理說：「不自見，故明。不自是，故彰。不自伐，故有功。不自矜，故長。夫唯不爭，故天下莫能與之爭。」（二十二章）老子提倡不爭的品德與人生態度的目的，是爲了保全自己，企圖以此立於不敗之地。

從知足與不爭的人生態度出發，老子提出了保全自己、戰勝別人的處世方法。他認爲「曲則全，枉則直，窪則盈，敝則新，少則得，多則惑，是以聖人抱一爲天下式。」（二十二章）這裡，「一」即「道」，「式」爲法式，知足不爭是取勝的法寶，天道、人道都是如此。「善爲士者不武，善戰者不怒，善勝敵者不與，善用人者爲之下。是爲不爭之德，是謂用人之力，是謂配天，古之極。」（六十八章）他的結論是「天下之道，不爭而善勝」（七十三章）。

不為天下先

貴柔，知足不爭，在人際關係與道德行爲中最直接的要求就是不爲天下先。老子認爲，卑躬居下，不爭先爭勝，這是一種美德。「我有三寶，持而保之，一曰慈，二曰儉，三曰不敢爲天下先。慈故能勇，儉故能廣，不敢爲天下先，故能成器長。」（六十七章）不爲天下先，反能成爲萬物的主宰，這就是他的無爲而無不爲的邏輯。這裡，他實際上講的是一種統治術，一種制人之術。他認爲，居於首領地位，爲衆人之長，處事待人如突出自己，以首領自居，就要喪失衆人的支持擁護。他在六十六章中說：「江海所以能爲百谷王者，以其善下之，故能爲百谷王。是以欲上民，必以言下之，欲先民，必以身後之。是以聖人處上而民不重，處前而民不害，是以天下樂推而不厭。」由此他得出結論說：「故貴以賤爲本，高以下爲基，是以侯王自謂孤寡不穀，此非以賤爲本邪，非乎？」（三十九章）表示卑賤，才能保持其尊貴。老子提倡謙恭居下，其目的也是爲了保住自己的地位。這種精神，在人生態度中，具有不思進取、消極退縮的性質，而在人際關係中，它實際上是中國強調協調性的入世文化的消極性反映，體現了中國倫理相互牽制、扼殺個性與進取的消極方面。

這種不爲天下先的人生態度引申到人際關係中就是無爲而無不爲。無爲而無不爲是老子思想的概括，也是道術的精髓，它的核心是自然無爲，認爲任何事物都應順應它自身的情狀去發展，不必以外在意志去制約它，事物本身就具有潛在的可能性，因而老子提出自然的觀念來說明不加一絲勉強行爲而任其自由發展的狀態。《道德經》中有五十七處論及「無爲」。然而應當指出，在老子那裡，「無爲」只是手段，「無不爲」才是目的。

老子的道德觀從本質上來說，可以歸結爲保存自己的一種處世哲學。正如十三章所說：「吾所以有大患者，爲吾有身，及吾無身，吾有何患。故貴以身爲天下，若可寄天下。」「有身」即總是考慮自己，不能無欲無爲，把自己看得比天下貴重才能寄以天下重任；愛護身甚於天下，才能統治別人，「天長地久，天地所以能長且久者，以其不自生。是以聖人後其身而身先，外其身而身存，非以其無私邪，故能成其私。」天地無意識，不追求生存，反而能長生，聖人也是如此，居後才能領先，不關心自己反而成全了自己，這種無私，正是成全了自己的私願。林語堂先生曾經把老子的人生態度與處世原理概括爲六個字：玩世、愚鈍、潛隱，認爲：「老子最邪惡的『老滑』哲學卻產生了和平、寬容、簡樸和知足的最高理想，這似乎是矛盾現象，這種教訓包括愚者的智慧，隱者的利益，柔弱者的力量，和眞正熟識世故者的簡樸。」①也許，這就是對老子人生哲學實質的最深刻的揭示。老子講無私，是把它作爲一種手段來保存個人既有的利益和長遠利益，這種無私，本質上仍是個人主義，這種個人主義正是沒落階級以消極退縮的策略保護自己的意識在倫理中的反映。

修身養性

老子十分重視修身養性，但其根本旨趣與孔子不同。他的修身不是修道德之身，而是在貴身全生的宗旨下保全自己的身；他的養性，不是養仁義道德之性，而是純樸未分的自然之性。修身的目的是爲養性，即最終復歸於這種自然之性。因此，老子的修養論，不是要人們在人倫關係中如何變得高尚，以提升人性，而是如何有利於個體的人性與自然的道合一。

爲了實現自然無爲的道德原則與做人美德，老子提出了一整套相應的修身養性的方法，這些方法主要有三方面的內容。

少私寡欲

他給修身養性開的第一副藥方就是「見素抱樸，少私寡欲」（十九章）。他認爲，寡欲是消除人際爭端，恢復人的善良本性，實現自然無爲的途徑。他推論說：「不尙賢，使民不爭。不貴難得之貨，使民不爲盜。不見可欲，使民心不亂。是以聖人之治，虛其心，實其腹，弱其志，強其骨，常使民無知無欲，使夫智者不敢爲也，爲無爲，則無不治。」（三章）就是說，人的欲望知識是外部引起的，是外物誘惑的結果，外物通過感官引起人的欲望，從而傷害人樸素的本性。爲此，他獻出一個救治的藥方：「塞其兌，閉其門，終身不勤。開其兌，濟其事，終身不救。」（五十二章）他把耳目感官看成是壞東西，認爲防止欲望的作用就要停止感官的使用，使其不見不聞，這是主張閉目塞聽，以保護樸素的本性，不受外物的損害。這種不受感官物欲干擾的本性，老子稱爲清靜。

可見，老子的少私寡欲，實際上是鼓吹禁欲主義。這種禁欲主義同孟子的寡欲說不盡相同，和後來封建時代儒家的禁欲主義也有所區別。儒家講寡欲，是要人們去掉一切違反等級規範的欲求和念頭，而老子的少私寡欲接近宗教的修養經，其目的是保存個人的生命不受損傷，以生爲貴。他的這種寡欲說，被道教接受下來，成了修煉成仙的一種方法。老子的這種修養方法，表明其人性論不是把人看成是有生命、有感覺的實體，而是看作清靜理念的化身。老子之所以要人們少私寡欲，一方面是要人們擺脫人生的煩惱，以寡欲作爲養身之道；另一方面，寡欲便與人無爭，自不會受損，由此便可以全生保身。可見寡欲是爲了達到最大的欲——全生保身。

絕聖棄智

根據道無爲、德不德、性樸素的觀點，老子認爲，要復歸人性，除了少私寡欲外，還必須絕聖棄智。絕聖，並不是不要成聖，而是說不要爲做聖人而做聖人，不要執著於仁義道德的虛僞說教，「無爲」，「不德」，復歸於自己的清靜本性，自然就能成聖。由此，他要求人們棄智棄學。因爲在老子看來，知識、智慧同樣會干擾人們的清靜之心、復性之「道」，其結果是「爲道日損」。「爲學日益，爲道日損，損之又損，以至於無爲，無爲而無不爲。」（四十八章）只有知識「損之又損」，閉門修道，才能達到無知無欲的絕對境界，故他得出結論：「絕學無憂。」（二十章）

滌除玄覽

如何獲得對「道」的認識？或者說，怎樣才能使人的行爲符合無知無欲的道德原則呢？他提出了滌除玄覽的方法。老子把人心看作是一面玄奧的鏡子，認爲把這鏡子打掃乾淨，使其不染塵埃，人的心也就能與道合爲一了。他對此具體展開說：「致虛極，守靜篤，萬物並作，吾以觀復。夫物芸芸，各復歸其根，歸根曰靜，是謂復命，復命曰常，知常曰明。不知常，妄作凶。」（十六章）這是說，使心虛到極點，做到一塵不染，固守清靜之心，靜觀萬物的變化，歸靜之後，就恢復了它的本性。這是萬物的法則，懂得了這一法則，就聰明，反之，妄自造作，就要碰得頭破血流。這是提倡一種內心體驗的修養方法，認爲如果心能保持虛靜的狀態，一切欲念也就不發作，人的善良本性，便會得以體現。這種方法，不是孔子式的內省，也不是孟子式的「反身而誠」，而是一種神秘的靜觀、直觀。在這裡我們看到了隋唐佛學修煉的影子，日後中國佛學的「心性本淨」說，可能就直接是他這種「玄覽」說的引申，而慧能「菩提本無樹，靈淨亦非台，從來無一物，何處有塵埃」的宏論更與其有著明顯的一脈相承的聯繫。

二、莊子的逍遙與超脫

老子以後，道家分爲兩大流派，一是老莊學派，一是黃老學派。後一派成爲漢代法家政治代表人物劉邦治國的理論依據。老莊之間又有所差別，從哲學上說，老子建構的是一種客觀唯心主義倫理體系，莊子則把它引向了主觀唯心主義。他把老子的無爲學說引向了脫離社會的出世主義，這種出世主義，不是宗教式的出世，而是追求精神上的解脫，形成避世、隱世、玩世的倫理精神。莊子的倫理精神是把老子發展到極端的產物，其主要特點是在人際關係中的逍遙與超脫。莊子的道德觀對中國人的倫理精神發生了更直接、更現實的影響，即使在現代人的精神結構中，我們仍能發現這位「南華眞人」的影子。

「道」「德」境界

莊子繼承了老子「道常無爲」、「上德不德」的思想，在對儒家仁義道德的虛僞性展開猛烈批判的同時，突出了個體自由的精神。

「道」「德」理念

莊子在老子的基礎上對「道」「德」作了新的詮釋，從主觀主義的立場賦予「道」「德」以新的內容。

道——道未始有封　莊子在《齊物論》中提出了一種觀點，他認爲，古人最高的智慧的是未始有物，即對事物無所肯定；其次，對事物有所肯定，但尙不知道它們的界限和差別；再其次，肯定了事物的差別，但不知其是非，如果辨其是非，道也就虧損了。未始有物——未始有封——未始有是非，這就是道的生長過程，也是道由客觀向主觀、潛在向自在轉化的過程。這是以對事物的差別不加肯定的境界爲道。這種無差別的境界，莊子又稱爲「一」，「故爲是舉莛與楹，厲與西施，恢恑憰怪，道通爲一。」（《齊物論》）他認爲，這種無差別的境界，既是事物的本然狀態，又是人的最高境界。據此，他解釋了人類道德生活，認爲「道」原本是沒有差別和界限的，後來受到了虧損，才有了左右偏袒，講倫理事宜，區分差別，辯論是非，互相競爭，這些都是同道的品質相對立的。因此他認爲，社會生活中的尊卑貴賤、君臣父子夫婦等倫理關係，各種等級差別，維護等級差別的規範，都是道的虧損，不值得推崇，這是他整個倫理體系的出發點。由此他批判了儒墨兩家的道德說教，並進而否定了儒墨所推崇的道德生活。

德——德者成和之修　　他提出了德的最高價値——和。對事物差別不加肯定的境界他稱爲「道」，對事物差別不加辨別的狀態稱爲「德」。道是事物的本然狀態，德則是人所具有的無差別境界的品德。他提出「德者成和之修」的命題，意指內心保持不辨差別的狀態就是德，要人們「遊心於德之和」。這裡，「和」即不辨差別、視萬物皆一的思想境界，他認爲古人無知無欲，不被萬物差別所牽累，這種德性非常眞實，故而是人的最高品德或眞正品德。

莊子「道」「德」觀有著深刻的含義，從倫理的角度說，「道」實際上是他對倫理實體的認同與設計。他認爲，人倫關係本來應該是混一的、無差別的，其差別性是道虧損的結果，這一觀點與儒家以宗法等級爲特徵的五倫倫理實體是對立的。「德」是對人的德性的認同，他認爲人的最高德性在修「和」，即達到視人我、物我、人倫爲一體的境界。這裡，他的「和」有和諧的意思，但與儒家以宗法等級爲內容的和諧不同，它是一種無差別的或不辨差別的和諧，也就是《齊物論》中所謂「和之以天倪」，「是不是，然不然」。這是對儒家仁義與禮義的德性精神的否定。因此，聖人的境界，是既不承認，也不追求，更不辨別包括人倫在內的各種差別與對立。「六合之外，聖人存而不論；六合之內，聖人論而不議。」（《齊物論》）

「道」「德」原理

從對「道」、「德」的重新詮釋，莊子提出了他的「道」「德」

原理。他認爲，既然萬物本是沒有差別的，差別的形成只是人的主觀上的偏差，那麼，爲了復歸於混一的道，達到德「和」的境界，就必須依循這樣的原則：「齊」！齊彼是，齊是非，齊善惡！「齊」是他道德的基本原理，也是他倫理精神體系的哲學基礎。

爲了闡釋這一「齊」的原理，他從幾方面作了論證。首先，事物的存在及其標準是相對的。「物無非彼，物無非是。自彼則不見，自知則知之。故曰：彼出於是，是亦因彼。彼是方生之說也。」（《齊物論》）因此，他得出結論：「是亦彼也，彼亦是也。」（《齊物論》）他從是非的相對性出發，得出了齊是非的結論：「以差觀之，因其所大而大之，則萬物莫不大；因其所小而小之，則萬物莫不小。知天地之爲稊米也，知毫末之爲丘山也，則差數睹矣。」（《秋水》）人的情操志向也有兩重性，「以趣觀之，因其所然而然之，則萬物莫不然；因其所非而非之，則萬物莫不非。知堯、桀之自然而相非，則趣操睹矣。」（《秋水》）從其可是的一面說，皆是可以爲是者；從其可非的一面說，也皆是可非者。他從事物具有變異性的角度論證了事物的相對性，否認了是非善惡的差別性。

其次，人的價值判斷的標準是相對的。他論證說，人睡在濕處，則得腰病偏癱而死，泥鰍豈是這樣？人處於樹上，則恐懼不安，猿猴豈是這樣？三者誰懂得居處之正？毛嬙、麗姬可謂天下之美人，可是，魚見之而遠遊，鳥見之而爭飛，鹿見之而逃跑，這四者有誰懂得眞正的美色？這是利用人、動物感覺的相對性來否定眞、善、美的客觀性。由此，他進一步認爲，善惡因時而宜，因人而宜，沒有客觀標準。「由此觀之，爭讓之禮，堯桀之行，貴賤有時，未可以爲常也。」「帝王殊禪，三代殊繼。差其時，逆其俗者，謂之篡夫；當其時，順其俗者，謂之義之徒。」（《秋水》）他由此得出結論說：「自我觀之，仁義之端，是非之塗，樊然淆亂，吾惡能知其辯！」（《齊物論》）

莊子齊善惡的原理是把老子的思想極端化的結果。老子認爲，善和惡是相對的，可以相互轉化，不承認有絕對的善惡標準，從而批評了儒家道德的虛僞性。但老子畢竟肯定人有善良的本性，認爲符合樸素本性的行爲就是善的，否則便是惡的，可見他並沒有否定善惡差別。莊子把老子的善惡觀推向極端，從善惡的相對性，走向對善惡差別的否定。莊子相對主義善惡觀有著特殊的思維邏輯與原理，主要是：(1)相對主義。他看到了事物的兩重性、相對性、變異性，這是合理的。他承認善與惡、是與非的標準因時代不同而變化，沒有絕對不變的標準。但他進一步把這種相對性誇大，否定了相對中的絕對，導致了此亦是非、彼亦是非的相對主義，因而這是非道德主義的價值觀。(2)主觀主義。他從否認眞理的相對性出發，走向否認眞理的客觀性，最終陷入主觀主義。他把眞、善、美歸之於個人主觀的產物，認爲是非之爭皆出於人的成見，沒有客觀依據，因而善惡標準也是出於個人的成見，這便否認了道德規範的客觀性。(3)虛無主義。他的「不譴是非」，「兩行」，「得其環中」，是要人們對善惡採取超然的立場，以回避現實矛盾，在道德生活中鼓吹虛無主義。

對儒墨仁義道德的批判

從他的道德觀與道德原理出發，莊子對儒墨兩家提倡的仁義道德進行了猛烈的批判。他認爲仁義道德束縛人心，誘發人的愛利之心，最終成爲沽名釣譽的工具。「愛利出乎仁義，捐仁義者寡，利仁義者衆。夫仁義之行，唯且無誠，且假夫禽貪者器。」（《徐無鬼》）仁義道德使得人們「並與仁義而竊之」，成爲借仁義之名而行貪利之實的僞君子。莊子認爲，仁義的提出和推行，破壞了人樸素的天性，爲仁義而「殘生傷性」，實與爲貨財而殉身沒有區別。「天下盡殉也：彼其所殉仁義也，則俗謂之君子；其所殉貨財也，則俗謂之小人。其殉一也，則有君子焉，有小人焉。若其殘生損性，則盜跖亦伯夷已，又惡取君子小人於其間哉！」（《駢拇》）正是通過對仁義道德桎梏人性、沽名釣譽的批判，才使莊子得出了「上德不德」的結論。

對儒家仁義道德虛僞性的批判，是莊子倫理精神中最有價值的部分之一。既然中國倫理把「德」「得」相聯，因而就內在地存在著以「德」謀「得」，爲「得」而「德」，借「德」取「得」的可能性。莊子對儒墨的批判雖然過於激烈，甚至是全盤否定，但在批判中所表現出來的道德見解，卻是中國倫理精神建構中的必要部分，並且成爲以後進步的倫理學家對儒家道德說教進行批判的思想武器。

逍遙與超脫

莊子的人生態度與處世原理，主要解決個人實現與現實的人倫關係、人倫規範的關係問題。一方面，他強烈地追求個體價值與自由意境，要求從人倫關係的束縛下解脫出來，獲得個體的實現；另一方面，生活的現實又使他強烈地感到處於各種關係的束縛之中。正是這種心與身的內在衝突與自我超越構成了他倫理精神的特點。莊子的人生態度由憤世走向厭世，又由厭世走向避世，最後的結局則是順世，由此形成的人生態度的整體特徵則是玩世。憤世——厭世——避世——順世——玩世，是他人生態度發展的必然邏輯，也是他達到逍遙境界的必由之路。

人生價值——全生保身

莊子的人生價值觀包括兩個方面，一是全生，二是保身。全生主要是企圖使自己的人生價值得到實現，這包括對個性、個體價值、個體自由意志的追求。保身是如何在紛亂的時世中保護自身以免遭傷害。可以說，前者是心的自由，後者是身的保護。而對心的極端自由的追求則是出於身的極端不自由的現實。二者的結合，形成他人生價值觀的主要內容。

如何實現這種人生價值？莊子提出了兩個方法，一是心的自由，一是身的退隱。追求人的精神自由是他倫理精神的主要特點。他認爲自由是人的精神本性，但人們又常常陷於各種人爲的和自爲的束縛之中，一方面受和種人爲的、外在的規範的限制，另一方面人們自己也自覺不覺地投身到追逐功名利祿的圈套之中，從而形成主體與客體的對立，限制了精神的自由和個體的實現。如何突破這種對立，就是要通過身的退隱，使自身從各種人倫關係、外在規範、功名利祿中退隱出來。作爲一種全生保身之術，莊子的退隱對於個性的解放、自身的實現，具有很大的作用，它使人們在亂世之中藉以保全性命，所謂「遭治世不避其任，遇亂世不爲苟存。」它使人們從政治社會的羅網中撤退出來，以「無用之用」即不被御用而達到自己的大用，保持自己人格與精神的獨立性。

莊子對統治者採取的是不合作的態度，這種態度被視爲清高，它對中國知識分子產生了極大的影響。他的退隱，與其說是厭世的，不如說是憤世的，只是這種憤世的極端化便走向厭世。爲了更好地保全自己，他提倡在人倫關係、社會道德中的超脫，這種價值觀，形成了一種以追求人生的自我價值、否認個人對社會的義務和責任爲特徵的個人主義。這正是莊子人生觀的特徵。莊子曾多次用寓言的形式闡述這種人生價值觀，在《逍遙遊》中他講了一個故事：堯讓天下與許由，許由答曰：「歸休乎君，予無所用天下爲！庖人雖不治庖，尸祝不越樽俎而代之矣。」莊子借許由之口所作的表白聽起來很漂亮，很超然，大有四海之尊與我無用的眞人風度，但實質在於：天下與我無用的反面，便是我與天下無用，而我與天下無用，也就是我與自己有大用。莊子把自我價值與社會價值對立起來，並以前者排斥後者，認爲個體一旦具有社會價值，必然「以其能苦其生」，正如成材之木先伐，成熟之果先剝一樣。反之個體無所可用，不具有任何社會價值，才能「

爲予大用」，使自我價值得到最大限度的保存和實現。

莊子的個人主義的哲學基礎是自然主義，即把自然與社會相同一，把自然屬性與社會屬性相同一。其特點是：其一，提倡厭世、棄世，否認個體的社會責任。他把當時的世道看作是人生的累贅，認爲「棄世則無累，無累則正平，正平則與彼更生，更生則幾矣」（《達生》）。「幾」即近於道，這才是最大的樂趣。其二，反對縱欲。在當時的義利之爭中，他不但批評儒家的仁義原則，而且反對法家的功利原則，反對過分的物質享受。「人之所取畏者，衽席之上，飲食之間，而不知爲之戒者，過也！」（《達生》）其三，不悅生惡死。在莊子看來，「死，無君於上，無臣於下，亦無四時之事，從然以天地爲春秋，雖南面王樂，不能過也。」（《至樂》）所以老婆死了，他卻「鼓盆而歌」。這種個人主義與享樂型的個人主義有著很大區別，它是一種消極型的個人主義，是中國倫理文化背景下特殊類型的個人主義。

處世原理

無論莊子如何強烈地追求精神上的絕對自由，也無論如何主張在現實社會中的退隱，他都無法改變這樣一個事實：自己畢竟生活在一個客觀的、活生生的、不以人的意志爲轉移的社會關係中。爲了克服人格與人倫的矛盾，求得自身價值的自我實現，莊子提出了一系列處世原理，這些處世原理的精髓簡單地加以概括就是：在失去自我中實現自我。「失去自我」即使自己混跡於塵世中，「實現自我」即在混世揚波中保持精神的絕對自由與人格的絕對獨立。用莊子的話說，這種處世原理有兩個方面的內容，一是「乘物以遊心」，二是「不譴是非」。

乘物遊心與絕對自由　莊子一方面主張絕對自由，超脫一切，但另一方面又意識到物體、形體和命運的必然性，命運與自由構成他精神內部的固有矛盾。他企圖用調和的方式處理這個矛盾：在頭腦中，在觀念上尋求高尚的超脫；在現實中又要適應現實，不惜與世沉浮，玩世不恭。兩個方面同時並存，又各管一個領域，互不干涉，用他的話說的叫：「乘物以遊心，托不得已以養中。」（《人間世》）這就是力求精神上的絕對自由、絕對解脫。「乘物」、「托不得已」是說形體適應現實，隨遇而安，這也就是「有人之形，無人之情」。「有人之形，故群於人」。形跡上與人一致，才能在人群中生存。而「無人之情，故是非不得於身。」（《德充符》）精神上超脫，也就能夠免於是非了。對於「命」，莊子是肯定的，「死生命也」，但作爲一個主觀主義者，他頑固地忘掉物我，強烈地要求精神上的絕對自由和超脫。他認爲，大鵬高飛，要靠長翼和大風，列子乘風而行，看起來很自由，可也要依風而行，這些叫「有待」，即有依靠、有條件、有限制。他認爲眞正的自由是「無待」，「若夫乘天地之正，而御六氣之辯，以遊無窮者，彼且惡乎待哉！」（《逍遙遊》）據他說，「眞人」、「聖人」得到了道，就達到了這種境界，就能到「方外」，即客觀世界之外去作逍遙遊。

爲了擺脫命運的束縛，追求精神上的絕對自由與超脫，他採取了兩種辦法：一是「和」，強調死生存亡、窮達不肖都是相對的、虛假的，把一切矛盾和差別都消融掉，這就是「和」；二是「忘」要求人們忘掉一切。只要保持「和」氣，「遊心於德之和」，就能達到無是非、無善惡的神秘的精神境界。總之，他的這種自由觀否認客觀事物的界限，並進而否定物質世界本身與一切人倫原則，最後一切歸於無，在頭腦中乾脆取消一切，這樣精神便可以超脫，取得絕對自由。然而精神上的超脫不能解決現實世界中遇到的問題，莊子不能永遠在烏有之鄉作逍遙遊，於是他只好聽天由命，對現實的道德原則與倫理秩序表示順從。「知其不可奈何而安之若命，德之至也。」（《人間世》）於是，忠君孝親的倫理被容納了，禮義道德這些他極端藐視的東西，又不得不留下來，作爲應付世俗的手段，與世沉浮，隨波逐流，從而避世——玩世——順世成了莊子絕對自由的現實邏輯。

因此，莊子的自由，是一種脫離現實的自由。他講的自由，並不是以維護社會利益爲目的，恰恰是以對它的否定爲前提，個人及其自由的本身是目的，與此相衝突的一切行爲規範被當作個人自由的羈絆而在摒棄之列。他公然表示對社會道德與公衆輿論的蔑視，聲稱「舉世而譽之而不加勸，舉世而非之而不加毀」，頑固地堅持以自我爲中心的道德準則，這與尼采的「我就是道德本身，除此以外別無道德」的超人精神十分相似。莊子拒相，看上去十分高潔，然而，爲了保全自己拒絕國家和社會的一切義務，這不能不說是十足的自私，其實質是一種消極的個人主義。

不譴是非與隨遇而安　道家人生哲學的根本宗旨是「爲我」老子雖然講「無身」，但「無身」的目的正也是以「保身」、「全生」爲宗旨。莊子的人生哲學具有悲觀厭世、憤世嫉俗的特點，而其處世哲學又是以不譴是非、隨遇而安爲基礎的，這種處世哲學具有十分複雜的內容。

莊子用相對主義的「齊」否定了一切事物間的差別，他要「齊物我」，「齊是非」，「齊善惡」，「齊生死」，把對立雙方都看成是齊一的，無須加以區別的，即所謂「不譴是非，以與世俗處」。據成玄英《疏》云：「譴，責也，是非無主，不可窮責，故能混世物波，處於塵俗也。」對此，魯迅有一段擊中要害的評論：「我們如果到《莊子》裡面去找詞匯，大概又可以遇著兩句寶貝的教訓：『彼亦一是非，此亦一是非』，記住了來作危急之際的護身符，似乎也不失爲漂亮。……喜歡引用這種格言的人，那精神的相距之遠，更甚於叭兒之與老聃。這裡不必說他了，就是莊生自己，不也在《天下篇》裡，歷舉了別人的缺失，以他的『無是非』輕了一切『有所是非』的言行嗎？

要不然，一部《莊子》，只要『今天天氣哈哈哈……』七個字就寫完了。」②

老子的處世哲學具有攝生養神、柔弱清虛、以曲求全的特點，這種處世哲學，表面上是消極的，實際上是積極的。莊子發展了這一特點，他一方面幻想在「無何有之鄉」裡進行「逍遙遊」，另一方面也知道人是離不開現世間的，要保身、全生，就得想出一系列的辦法，於是提出了他的養生、處世的綱領和宗旨。「爲善無近名，爲惡無近刑，緣督以爲經，可以保身，可以全生，可以養親，可以盡年。」（《養生主》）「緣督以爲經」是養生的綱領；保身、全生、養親、盡年則是立生處世的宗旨。「督」爲中，有虛之意，「緣督以爲徑」是莊子的「中虛之道」，其要旨是要人們在盤根錯節、混濁難處的人世間，善於尋找空隙，求得生存。他用「庖丁解牛」的故事說明了這個道理。這種中虛之道，要求思想超脫高潔，行爲順時平庸，目的是保身全生，其方法則是「以無用求大用」。對此，郭沫若曾作過深刻的揭示，指出，莊子要「達到他的『無用之用』。『無用』者無用於世，『之用』者有用於己，全生、保身、養親、盡年就是大用了。你說他不黨無私吧，其實何嘗無私。」③對世無用，對己有用，這是一種極端的利己主義。

隨機應變、隨遇而安是莊子處世之道的一個重要方面，它是老子自然無爲思想的發揮。他在《養生主》中說：「適來，夫子時也；適去，夫子順也。安時而處順，哀樂不能入也，古者謂是帝之縣解。」他認爲，人受困於生死得失之念而不能擺脫，這是倒懸之苦，只要忘卻生死，不計得失，那此苦也就自然消解了，這就是他所說的「不辱以靜，以與世俗處」。這種思想，在莊子那裡，膨脹爲「精神勝利法」，成爲其思想的重要特徵。「其分也，成也；其成也，毀也。凡物無成與毀，復通爲一。」（《齊物論》）「察乎盈虛，故得而不喜，失而不憂：知分之無常也。」（《秋水》）因此，他非常讚賞老子「人皆取先，己獨取後」，「人皆取實，己獨取虛」，「人皆求福，己獨取全」的觀點，並自稱要「獨與精神往來而不傲倪於萬物」。這種不譴是非、隨遇而安的精神勝利法對中華民族的精神性格起了非常消極的影響。

眞人精神

如何達到「一」與「和」的道德境界？如何實現逍遙與超脫？莊子認爲，只要全身心地培養自己的眞人精神，並消除物我的一切差別與對立，便可達到逍遙的境界。

人格境界

儒道兩家都追求理想人格。儒家把他們的理想人格稱爲聖人或聖王，認爲聖人既是倫理道德的完滿體現，又是治理國家的典範。道家不贊成儒家推崇的聖人和聖王，但也講聖人品格。老子以淸靜無爲爲聖人的最高品格，認爲聖人是無爲理念的最高體現者。莊子發揮了老子的無爲說，以眞人爲理想人格。「眞」是從他的道德理念中派生出來的，其所以爲眞，一方面是說它合於道，合於自然，體現了無爲的特點；另一方面是說它要復歸於道，復歸於自然，得到了「眞」諦。在莊子看來，理想人格須達到以下幾種境界。

無情　　莊子認爲，聖人無情。所謂無情，是說不以喜怒哀樂的情感騷擾寧靜的心，即不動情，也就是「有人之形，無人之情」。他解釋說：「吾所謂無情者，言人之不以好惡內傷其身，常因自然而不益生也。」（《德充符》）這種「無情」的內容，首先是要人們不要有好惡之情，無好惡之情，也就是無是非之爭。「無人之情，故是非不得於身」，這樣便可保持一種不動心的境界，故生命也就可以終其天年了。無情不但是對是非不動情。而且對生死問題也要不動情。在他看來，生死是自然而然的現象，是人力不能企求的。當生則生，當死則死，只能順應。他把死看成是解脫，是至樂。這種懂得生死自然，從而不動感情，後來被稱爲「以理化情」。但這種以理化情，並非樂觀主義，它表面上視死爲至樂，實際上視人生爲苦海，是悲觀厭世主義的一種形式，因而無情的實質是有情。「無情」是悲觀厭世情感的極端體現。

無己　莊子認爲，理想人格應當是逍遙，也即是達到無爲的境界。他將理想人格概括爲三條：聖人無情，至人無己，眞人不以力助天。要人們無功、無名、無己。無功即不追求功績，無名是不追求名譽，無己即不考慮自己。三者之中，無己境界最高，只有無己才能無功無名，也才能作逍遙遊。他認爲，在逍遙遊境界中的人，其品格可以概括爲兩條：一是無待，什麼東西都不依靠，都不憑藉，如同大自然一樣，便可過著自由自在的生活。二是無用，就是說把自己當作無用之物，才能過著自由自在的生活。這種無用的實際意義是：不是追求自己的社會價值，不要努力進取。應當指出的是，無己的眞義是外己，即使自己超脫於人世，由此獲得自己，因而無己的背後是眞正的有己。這種無己境界所追求的是一種撇開一切客觀條件的、精神上的、虛幻的絕對自由，它把自由與必然對立，最終只能是頹廢者的自我安慰。這種把個人的精神解脫看成唯一目的的超功利主義，實際上是一種否認社會義務的個人主義，無己的背後，實際是眞正的有己。

不以力助天　莊子的眞人的最大特點是，不從事人爲的努力，「古之眞人，不知說生，不知惡死。」（《大宗師》）就是說，既不樂生，也不惡死，生不歡欣，死不抗拒，　一切順其自然，這就是眞人。「是謂之不以心捐道，不以人助天，是之謂眞人。」（《大宗師》）在他看來，宇宙間的一切事物都是天然如此，人力不能改變的，要想改變，只能自尋煩惱。因此，莊子的「不以力助天」，可以解釋爲任憑環境擺佈的境界。這種境界完全排除了個人的主觀努力，使人們在環境中要保持無爲的狀態，這樣便可以全身，便可以終其天年，也就可以到達無不爲的境界。

「聖人無情」，「至人無己」，眞人「不以力助天」，三者是相互聯繫，相互發揮的。能安於現狀，聽任環境擺佈，麻木不仁，就不會有喜怒哀樂之情，也就不會把個人的得失放在心上，這樣精神上便可得到解脫，進入自由自在的「逍遙遊」的境界。可以看出，莊子的人生觀，是悲觀厭世主義、個人主義和宿命論的混合物，這種人生觀雖不是宗教類型，但可以通向宗教。正因爲如此，莊子的人生哲學後來終於被道教所吸收，莊子本人也被封爲「南華眞人」。

修養方法：心齋、坐忘與不動心

爲了達到理想人格，莊子提出心齋坐忘的修養方法。

「心齋」指心遵守的齋戒，「坐忘」是靜坐而忘掉一切。莊子解釋說：「若一志，無聽之以耳而聽之以心；無聽之以心而聽之以氣。聽止於耳，心止於符。氣也者，虛而待物者也。唯道集虛。虛者，心齋也。」（《人間世》）這樣，無差別的道，便可以集在虛心之中。虛，就是心的齋戒，其內容是去除一切的有與有爲。如何達到「虛」的境界？這就是所謂坐忘。他解釋說：「隳肢體，黜聰明，離形去知，同於大道，此謂坐忘。」最徹底的坐忘，是連自己的身體也忘掉。這種坐忘的境界，莊子又稱爲「攖寧」，即不被外物所干擾而歸於寧靜，雖處於干擾之中，但寧靜之心卻不被動搖。坐忘的途徑是先從外天下國家開始，最後達到「外生」，即忘掉自己的生命，這樣，便同無差別的道合一了。

這種心齋、坐忘的修養方法，後來也被稱爲「不動心」。但這種「不動心」與孟子所說的「不動心」並不相同。因爲它對學、思、行等都持否定態度，不僅排斥感覺活動，而且排斥理性活動與人的思維，只孤守內心的虛靜狀態。這實際上只是精神進入高度麻木的境界，是逃避現實生活的幻想，它既沒有主觀依據，也沒有客觀基礎。

莊子的倫理精神，以虛己遊世、形志與心身分離爲特徵，形成「形隨俗而志清高，身處世而心逍遙」的雙重人格，在中國古代起了較大的作用，它特別爲消極頹廢者、窮途沒落之士、失敗主義者所欣賞，以此作爲自我安慰的痲醉劑。到了魏晉時代，經過世家大族之手，成爲縱欲主義、個人享樂主義的理論根據，也成爲地主階級頹廢派的理論根據。莊子的倫理精神，從整體上說，沒有社會與他人，只有個人精神的解脫，可以說是歷史上消極退縮的個人利己主義的典型。人們如果對國家、社會、以及個人的前途喪失信心，就很容易接受莊子人生哲學的影響。

三、道家倫理精神：道心

道家倫理精神補充了中國倫理精神另一個重要的側面與結構。如前所述，道家的根本範疇是道，對道的體悟，對人生、人倫矛盾的解決是靠他們自然無爲又極端膨脹了的「心」，故「道心」成了道家倫理精神的原理與特徵，它在中國文化與倫理精神結構中具有特殊的地位與作用。

道心的性質與實質

道家倫理精神與儒家倫理精神具有完全不同的內涵與性質。保身、全生是道心的根本宗旨，其主要內容是如何在社會動蕩與個人不得志的情況下安身立命，保全自己。利己主義、個人主義是道心的實質，其方法是否認一切社會關係、社會責任和社會義務，只追求自身的精神解脫與精神的絕對自由。但是，這種個人主義不是西方式的積極的個人主義，而是消極的個人主義。道心的精神邏輯以憤世、厭世、避世爲起點，最終歸宿卻是順世，在人生態度與生活方式上表現爲玩世與遊世。道家倫理精神在現實生活中的運作就是混世揚波，隨遇而安。道心的哲學基礎是相對主義、虛無主義、自然主義，它抹殺一切差別和質的規定性，尤其抹殺自然和社會的差別，抹殺生與死、善與惡的差別，提倡復歸自然，達到一種虛無境界，這實際上是一種自我麻醉，是在嚴峻的社會現實面前的麻木不仁，自我逃避。

道心在文化史上的地位

老莊倫理精神在中國文化結構與倫理精神結構中具有特殊的地位，它與中國特定的社會結構相聯繫，與儒家倫理一道形成中國文化整體中的特殊結構。

人倫義務與超脫解脫

中國社會結構的特徵是家——國一體，與這個結構相聯繫，中國文化精神的特點是整體至上、人倫至上。在這種文化系統中，個體尤其是個體的身沒有給予應有的地位，個體淹沒於紛繁複雜的人倫義務中，血緣、宗法、等級一體的各個層次倫理關係對個體無疑是深深的束縛。然而個體、個體的自由在現實生活中是一個不可抹殺的社會存在。作爲一個文化系統，作爲一個倫理精神的完整結構，必須有解決這個矛盾，或者對這個缺陷進行補償的機制。在一個綜合的有機的文化結構與倫理精神結構形成以前，它只能以片面的、抽象的形式出現，最終在彼此的互補互攝中融爲一體。儒家倫理是中國文化、中國倫理精神結構的核心與主體，它強調人倫義務，強調個體的社會責任。道家倫理強調個人在社會關係中的超脫與解脫，是一種消極的個人主義，它不是損人的個人主義，而是在不危害個人與社會的前提下，對個體解脫與絕對自由的追求。如果說儒家倫理重視的是人倫整體，道家倫理則注重生命個體；儒家倫理注重社會必然性，道家倫理則注重個體自由，只不過它把自由推到了極端，達到虛幻的境地。

積極進取與消極順命

在個體精神結構中，儒家倫理注重個體的「心」，主張通過自身善性良心的擴充，達到修己安人的目的，以維護人倫秩序，建立倫理政治的社會實體。道家倫理則注重身，以保身全生為宗旨，注重對身的照顧。如果說儒家倫理是人格主義的，道家倫理便是自然主義的。就倫理精神的內在機制而言，儒道都是通過「心」的擴充達到理想境界，但儒家是通過善心的擴充、反省，通過彼此間以血緣情感為共同基礎的心意感通達到人格的建立與人倫的實現；道家則要通過主觀性的心的擴充，達到抹殺一切規定與差別，達到無為無欲、無己無身的虛幻境界。因而就精神狀態與人生態度而言，儒家主張明知不可而為之，強恕而行，具有積極進取的性質；道家則認為，「明知不可而安之若命，德之至也」，「唯聖人能之」，具有消極順命的邏輯。

入世文化與安身立命

中國文化是一種入世文化，它對宗教採取拒拆兼攝的態度。在中國文化中沒有充分發展出一種發育完全的宗教精神，倫理在中國社會的生活中起著準宗教的作用。然而在現實的社會生活中，人們必然碰到各種人生與人倫的矛盾，在倫理文化中就碰到性與命的矛盾，就是說，人們的道德生活、道德操守與現實際遇、命運之間存在矛盾。在宗法等級的社會中，這種矛盾更尖銳突出，因而在這種入世文化系統中，除了積極進取的精神外，還必須有一種解脫的機制，這樣才能在現實社會中達到個體與民族精神結構的平衡，確定現實的安身立命的基地。儒家倫理主張積極入世，是在社會生活中的「進」；道家倫理提倡避世玩世，是在社會生活中的「退」。進與退的互補，使中國人在任何情況下都能尋找到安身立命的基地。道家精神給中國人的精神加進了必不可少的彈性與韌性，這在中國以倫理爲核心的入世文化中是一個不可或缺的結構。

道心與阿Q精神

在中國文化與中國倫理精神結構中，道家主要解決失意頹廢者如何安身立命的問題，這具有獨特的意義，它是一種在危機和動蕩中的保全自己之術。然而這種精神在中國社會的長期流變中，產生出魯迅所尖銳批評的阿Q精神，即所謂「精神勝利法」。精神勝利法與老莊精神有著淵源上的聯繫，正如林崗先生所說，它不僅是處理個體同社會關係的一種精神現象，而且也是一種宇宙觀與人生觀。它以主觀精神消除客觀世界的一切差別與對立。「中國人人生中的阿Q陰影」往往體現在兩個方面：內心想實現某個目標但又無能力去實現，或即使努力了仍無法達到時，就極力強調說那個目標沒有價值，用否認目標的價值來證明自己站在更高的境界，其實他內心深處仍然羨慕那個目標，仍然與目標存在著不可分離的認同。這種情神給中國人提供了許多人生的陷阱，釀成了不少社會與人生的悲劇。

道家倫理精神對社會的政治制度影響不及儒家甚至法家大，它的用力之處不在這裡，正如魯迅先生所說，道心是不能「用世」的，但它卻很能「用生」，在個體人生方面，道家的影響和作用很大。道家倫理精神在中國具有深刻的客觀必然性與主觀必然性，人格之沒落，意志之頹廢，人倫之超脫，形成道家精神得以滋生繁衍的一般性基礎；社會動蕩、人生沉浮的現實、沒落階級、階層的存在是其社會階級基礎；挫折、失意者的存在，頹廢心理的存在，是其主觀基礎；倫理文化的單一性結構，缺乏自我超脫、自我解脫的文化機制，是其文化基礎。因此，即使在今天，道家倫理精神仍然在自覺地滋生、存在，並發揮著現實的作用。

【附　註】

① 林語堂：《人生的盛宴》，湖南文藝出版社1988年版，第29頁。

② 魯迅：《且介亭雜文二集・文人相輕》，人民文學出版社1981年版。

③ 郭沫若：《十批判書・莊子批判》，重慶群益出版社1945年版。

第四章　墨家的社會倫理精神

如前所述，中國社會結構的原理是家——國一體、由家及國，儒家倫理就體現了這一基本的社會走向，因而日後能成爲中國倫理的主流與正宗。然而，既然是家——國一體，在倫理精神的價值取向與道德思維方式上就邏輯地存在著一種可能性：家與國之間必定存在著一種既非「家」也非「國」的人倫關係與人倫結構，因而也必然需要一種既不是以家族血緣爲絕對原則，也不是以國家政治爲唯一取向的倫理精神形態。這種介乎國與家之間的關係統而言之可以稱爲社會的關係（與血緣關係、政治關係相對意義上的），建立在這種基礎上的倫理精神可以稱爲社會倫理精神。由家及國的倫理精神是儒家的倫理政治精神，而以介於家——國之間的一般社會關係爲取向的倫理精神是墨家的社會倫理精神。

墨家是從儒家學派中分化出來的一個學派，在這個意義上可以說是儒家內部孕育出來的自身否定的因素，它代表著春秋戰國時期小生產者階層的要求。墨家的創始人是墨翟。雖然儒家與墨家都代表「士」這個階層，但其屬性卻有所不同。以孔子爲代表的儒家多半是從奴隸主貴族中分化出來的向新興地主階級轉化中的「士」；墨子代表的墨家，則多半是小手工業者和勞動者上升的「士」。從某種意義上說，儒家代表了統治階級的倫理，而墨家代表了勞動大衆的倫理，因而二者對問題的看法和立場觀點有很大的不同。

總體說來，墨家倫理精神與儒家倫理精神在思維方向上是相反的。儒家以親親爲本位，強調在此基礎上的擴充，墨家以社會爲本位，強調普遍的社會倫理，提出兼以易別；儒家強調奠基於家族精神基礎上的義，墨家強調社會效應的利；如果說儒家設計的是血緣、宗法、等級的人倫關係的話，墨家設計的則是一般的具有普遍性的社會倫理關係；儒家道德的思維方式是由家族倫理到社會倫理，墨家則是由社會倫理到家族倫理。因而如果說儒家是一種家族倫理精神的話，墨家則是一種社會倫理精神。在先秦倫理精神的孕育與展開的過程中，這種社會倫理精神同樣是家——國一體社會體制下中國倫理精神的必然結構與必要補充。

墨家倫理精神的主要內容是兼愛與功利，這種倫理精神是直接針對儒家的。儒家以血緣、宗法、等級爲內容的倫理政治精神體現了中國文化的正宗，但它具有階級的乃至民族的局限性，在現實生活中，它雖然是一種適合國情的社會結構形式，但其弊端是十分明顯的。墨家針對儒家的差愛提出了兼愛的主張，體現了人類倫理精神的共性。在墨家看來，倫理的精神，本質上是一種人類的人文精神，它以人們之間的愛爲特徵，這種愛不僅僅是親親之愛，還應當是一種社會之愛。墨家從普遍的兼愛出發，確立倫理的精神，抓住了倫理的社會性的一面，它立足功利，在功利的基礎上論述倫理的性質與功能。可以說，在兼愛方面，墨家比儒家更具有理想性的特徵；而在功利精神方面，墨家又比儒家更具有平實性的特徵。與西方倫理的發端相比就可以發現，墨家倫理精神具有與西方倫理精神某些相類似的因素，因而可以說它更具有一些普遍性、人類性的內涵。

一、兼愛精神

孔、墨都主張愛，然孔子之愛是仁愛，墨子之愛是兼愛。仁愛是宗法、等級之愛，而兼愛則在某種同程度上是一種泛愛。墨子接過孔子仁與義的範疇，以兼愛作爲它的內容。墨子的兼愛，有著特殊的內容和原理：兼愛的核心是愛無差等；兼愛的原理是愛人如己；兼愛的最高發展則是利他主義。正因如此，兼愛與孔子的仁愛有著原則的區別，甚至一度處於對立的地位。

兼愛之核心：愛無差等

墨子認爲，之所以會產生國與國、家與家、人與人之間的爭殺，主要就是因爲彼此不能相愛。他以兼愛解析仁德，並試圖以兼愛來消除社會爭殺，因而他把兼相愛看作是仁者追求的最高道德理想。「凡天下禍篡怨恨，其所以起者，以不相愛生也。是以行者非之。既以非之，何以易之？子墨子言曰：以兼相愛交相利之法易之。」（《兼愛中》）他以兼相愛、交相利作爲衡量是非善惡的價值標準。這種兼愛原則，被孟子概括爲「愛無差等」（《孟子・滕文公上》）。它否定了儒家「親親有術」的原則，因而某種程度上也否定了親親有術的宗法觀念，這是儒墨兩家對立的根本原因。也正因爲如此，孟子攻擊墨子的兼愛是「無父也」，「禽獸也」。

爲了明確說明他的兼愛，墨子提出了一個對立的範疇：別。別即差別、差等，亦即以彼此差別、對立的立場對待對方。他認爲「兼相愛，別相惡」。「別」是天下一切禍害的根源。「惡人而賊人者，兼與別與？即必曰，別也。然即之交別者，果生天下之大害者與！」（《兼愛下》）「別」不僅指親疏、厚薄上的差別，按其本義，還指彼此利益的對立，即只愛己，不愛人，其特點是「吾豈能爲吾友之身，若爲吾身；爲吾友之親，若爲吾親？是故退睹其友，饑即不食，寒即不衣，疾病不侍養，死喪不葬埋。」（《兼愛下》）「別」必然導致自私自利。因而他把「兼以易別」作爲救世良藥，要求人們「以兼相愛交相利之法易之」（《兼愛中》）。

墨子兼愛的原則，到後期墨家那裡發展爲「周愛」、「盡愛」。《大取》說，「愛人，待周愛人，而後爲愛人，不愛人，不待周愛人，不周愛，因爲不愛人矣。」周愛、盡愛就是說要普遍地愛一切人，愛世界上所有的人。如果不是愛所有的人，而只是愛某些人，那就是「不愛人」。很顯然，墨家這一思想已經具有了近乎博愛的意味。也正因爲如此，它也變得更抽象，更具有理想性與空想性，只能在邏輯上得到證明。

兼愛之原理：愛人如己

墨子把愛無差等作爲兼愛的核心內容。而這種兼愛的原理就是「愛人如己」，即「愛人若愛己身」（《兼愛上》），「然則兼相愛交相利之法，將奈何哉？子墨子言，視人之國，若視其國，視人之家，若視其家，視人之身，若視其身。」（《兼愛中》）兼愛就是把別人的國、家、身當成自己的一樣愛護。這裡，實際上他運用了孔子提出的忠恕的邏輯。他以對父母之愛爲例解說，必須先愛別人的父母，然後別人方能愛自己的父母，愛別人的父母是自己的父母得到愛的前提。所以要做孝子，愛別人的父母與愛自己的父母不應當有所分別。而儒家則認爲，愛有差等，愛由親始，孟子就認爲愛鄰人之子與愛自己之子是有區別的，講愛無差等就是親疏不分，親人之親若己之親這就是「二本」，即承認人有兩個父母。墨子並不否認孝道，但他從兼愛的角度來解釋孝，一方面體現了在道德思維方式及道德情感上與中國文化的一致性，另一方面又是對孔子所宣揚的宗法理論的一個突破。爲此，他又提出「愛不辟親」的原則，就是說，愛人不能以親親爲標準。「親親」是儒家的思維方式，其特徵是「老吾老以及人之老，幼吾幼以及人之幼」，「愛不辟親」是對這種思維方式的否定。在這裡，他把孝與親社會化了，在道德人格方面實現了眞正的平等。因爲儒家人性論儘管強調人人皆可爲堯舜，但這只是就個體修養方面說的，在社會倫理上，他們是主張人格差等的。墨子的愛無差等、愛不辟親的原則在中國文化中才眞正是具有人格平等的意義。可見，在愛人方面儒墨兩家是相同的，但在如何愛、愛人的方法上，二者又是截然不同的。儒家主張從愛親出發，然後把這種親情擴充外推，及於他人，由差愛達到泛愛。墨家主張先愛人，然後才能愛親愛己。如果說儒家是一種由親及疏、由己及人的愛人精神，墨家則是一種由人及親的愛人精神。儒家的仁愛具有較深的情感基礎，但陷於偏狹；墨家的兼愛，突破了家族之愛的局限，比仁愛更崇高。但它一方面與儒家乃至與中國血緣文化處於矛盾之中，另一方面也反映了一種理想性。

那麼，這種「愛人如己」的兼愛原理如何在現實道德生活中成爲可能呢？在回答別人提出的詰難時，墨子提出了「投我以桃，報之以李」（《兼愛下》）的互報原則。「夫愛人者，人必從而愛之；利人者，人必從而利之；惡人者，人必從而惡之；害人者，人必從而害之。」（《兼愛中》）主體的行爲必然會受到對方的回報，善有善報，惡有惡報。利己者最終必然會害己，因而「別」是行不通的，而視人若己的愛人正是實現自己利益的道德途徑，這就叫「爲彼猶爲己」。這種「投桃報李」的原則在世俗社會生活中的運用就其實質是社會的互動與人際的互惠，這是中國特有的道德活動與人際關係的結構方式。可以說，這一原理比較明顯地體現了中國倫理「德者得也」的理念。這種「愛人如己」的原理，到後期墨家那裡被進一步發展爲「體愛」。「仁，體愛也。」（《經上》）所謂「體愛」就是人與己爲一體，爲人如愛己。《經上》解釋說：「仁，愛己者，非爲用己也，不若愛馬。」（《經上》）愛人是爲了利人，愛馬是爲了用馬。前者是體愛，後者是利愛，即爲個人私利去愛人，二者的根本旨趣是不同的。他們認爲，「仁而無利愛。」（《大取》）儘管不能把個人利益看作爲愛人的動機和目的，但這並不排斥愛己。「愛人不外己，己在所愛之中，己在所愛，愛加於己。倫列之愛己愛人也。」（《大取》）在愛人的同時利人也愛己，這就是互報原則。但愛人與愛己也應有厚薄之分，要厚愛人薄愛己，而對人的愛是不應該有厚薄的。由此，他們進一步認爲，如果愛人是爲了譽己，那就不是一個有道德的人。「愛無厚薄，譽己非賢也。」（《大取》）由此，他們引發出一種利他精神，主張「爲身之所惡，以成人所急。」（《經說上》）最後發展爲「殺己以存天下」的殉道精神。

兼愛、仁愛與博愛

如前所述，儒墨兩家都主張愛人，但愛人的基本旨趣和原理則是不同的。從整個精神模式上說，兼愛是從愛無差等出發，提倡周愛、盡愛，以視人如己的體愛爲原理，最後發展爲一種殺己存天下的利他主義，體現了十分崇高的自我犧牲精神。儒家的仁愛則是從愛有差等出發，提倡以親親爲原則的差愛，其根本原理是推己及人，即由己及人，由親及疏，最後形成一種以個體完善、個體實現爲特徵的德性主義。周愛——視人如己——體愛—利他主義，差愛——推己及人——泛愛——德性主義，就是兼愛與差愛精神的不同原理與生長邏輯。從根本旨趣上說，兼愛的出發點是社會，是以反宗法等級的「別」爲精神特徵；而差愛則是以家族親親爲根基，以親疏遠近、尊卑貴賤的宗法等級爲原則去愛人。因而，如果說兼愛是一種公德，差愛便是一種私德。從內在原理上說，愛人如己以人我的平等爲基礎，主張非功利的愛人，同時在此過程中也使自己得到愛；而推己及人則是以人的「倫份」爲基本內容，就是說，不同關係的人，愛的內容是不同的，它強調的是親親情感的擴充。愛人如己與推己及人都提倡設身處地，都以回報、互報爲原則，但由於出發點不同，其內容也有很大差別。因爲，「己」之不同，「人」也就不同。推己及人的最後結果是君君臣臣、父父子子的倫理政治。這即是說，不同地位的人對愛施予回報的內容是不同的，君惠臣忠、父慈子孝、推己及人的最後結果是君要臣死，臣不得不死，父要子亡，子不得不亡。而愛人如己，是把他人看得和自己一樣，人我處於平等的地位，因而這種設身處地的回報內容是對等的。墨家的利他主義以愛人爲目的，反對利愛，具有強烈的犧牲精神；儒家的德性主義雖然也極力強調愛人的德性，但在這裡愛人既是目的，也是手段，待人、治人、內聖外王、倫理政治便是這種德性主義的精神內核。墨子雖然主張愛人之後自己也應得到別人的愛，但這種「己愛」只是客觀後果，而不是最初的動機。因此，儒墨兩家的愛人在出發點、原理、目的上都是不同的。

但是，墨家的兼愛也不能歸結爲博愛。博愛是近代西方資產階級倫理精神的內容，它是以基督上帝的存在爲前提的。博愛的眞正內核是「人人愛自己，上帝愛大家」，即以自身的功利作支撐，而兼愛則是明確反對這種「利愛」的。此外，博愛是理性的認知，而兼愛則需要通過切身的體驗。兼愛反對的只是等級歧視，而不是等級制度本身，因而墨家的兼愛不能等同於近代的資本主義倫理精神，而只能說是當時社會中下層人民的一種倫理理想。

二、義利精神

義、利是墨家倫理精神的重要概念。墨家貴義，但又強調利，由此形成中國早期的功利主義。義利之辨是中國倫理的重要內容，它從孔子開始便發端，一直延續到宋明理學，可以說是貫穿中國倫理精神生長的全過程。墨家的義利精神給中國倫理精神以十分重大的影響。爲了對墨家的義利精神有一個準確的把握，也爲了對中國倫理的義利價值取向有一個確切的了解，這裡把中國倫理精神展開過程中儒墨兩家的義利觀加以比照，由此透視墨家倫理以及中國倫理義利精神的性格特性。

儒家的道義論

義、利概念在孔子以前就產生了，可以說，它是中國倫理精神的生長首先碰到的問題。「義」可以解釋爲行爲的道德準則、道德命令，人們應當履行的道德義務；「利」則是指功利，也指人們的利益與欲望。孔子處理義利關係的基本原則是：「義以爲上」（《論語·陽貨》），「見利思義」（《論語·憲問》），「義然後取」（《論語·憲問》），「君子義以爲質」（《論語·衛靈公》），由此，他提出一個著名的命題：「君子喻於義，小人喻於利」。（《論語·里仁》）注重義是君子，而只知求私利則是小人。這裡，他並沒有否定利，而是強調義利之中應以義爲重，因而只能說他是重義的，他並不否認個人利益，只是認爲求「利」必須要以「義」爲度，不能違反「義」的規定。「不義而富且貴，於我如浮雲。」（《論語·述而》）這裡，他並沒有否認富貴，而只是否認沒有通過義而獲得的富貴。他認爲人之所以爲人，應當以「義」爲行爲準則，「君子之於天下也，無適也，無莫也，義之與比。」（《論語·里仁》）君子的立身之本應當是義，應當以義立於天下，爲了義可以犧牲一切，「志士仁人，無求生以害仁，有殺身以成人。」（《論語·衛靈公》）由此形成高尙的理想人格。

孟子發展了孔子的義利觀，提出了「去利懷義」的義利觀。他認爲，逐利是導致仁義廢棄、互相殘殺的根源，這裡他的「利」是個人的私利、私欲，但是他也認爲即使是國家的大利，也不宜公開提倡，否則會導致國家間的殘殺。孟子的實際意思是要人們在考慮問題、確定自己的道德行爲時要以「義」爲動機，而不能以逐利爲目的，因而以「為義」還是「為利」作為區分君子小人的價值標準，要人們去利存義。「魚，我所欲也，熊掌，亦我所欲也，二者不可得兼，捨魚而取熊掌者也。生，亦我所欲也，義，亦我所欲也，兩者不可得兼，捨生而取義者也。」（《孟子・告子上》）這種「捨生取義」的精神與孔子「殺生成仁」是一脈相承的。孟子與孔子生活的時代不同，面臨的生活課題不一樣，因而他不像孔子那樣，強調「以義取利」，而是著重要人們「去利懷義」，具有否認功利的傾向，走向了道義論。這種精神給後來的中國倫理精神產生了深刻的影響。

墨家的功利論

如前所述，「義」一般可解釋為正當的行為或正義的行為。儒墨都講「義」，但對「義」卻有各自的的理解。孔子的「義」是同「禮」聯繫在一起的，所謂「禮以行義」，「義」即按照禮的規範去行動。而在墨子那裡，「義」是一種社會道德，「萬事莫貴於義。」（《貴義》）「且夫義者政也。」（《天志上》）在理論上，他把義作為一種最高的價值標準，所謂「不義不富，不義不貴，不義不親，不義不近」（《尙賢上》）。他以不侵犯別人的利益或勞動成果為義，又以幫助別人為義，「為賢之道將奈何？曰：有力者疾以助人，有財者勉以分人，有道者勸以教人。」（《尙賢下》）這是以力、財、道三方面幫助別人為賢人，也為「義」之標準。墨家的「義」某種程度上體現了我國勞動人民的品德。

墨家不僅貴義，而且尙利，認為「義」以「利」為內容和標準。「義，利也。」（《經上》）「若事上利天，中利鬼，下利人。三利而無所不利，是謂天德。故凡從事此者，聖知也，仁義也，忠惠也，慈孝也。是故聚斂天下之善名而加之。」（《天志下》）這顯然是一種功利主義的價值觀，但這種功利主義與西方的功利主義是不同的。

西方功利主義把利己視爲行爲的目的，利人則是達到此目的的手段，墨家雖然承認人可以利己，但它沒有把個人利益的滿足歸結爲至善，因此，這種功利主義可以稱作爲道義性的功利主義，到宋明理學，朱熹提出「利在義中」的命題，實際上也有墨家這種理論的精神因素。

墨子的功利精神，不僅認爲道德行爲不能脫離主觀動機，而且認爲不能脫離實際效果。行爲的效果，墨子稱作「功」，即功效；行爲動機，稱作「志」。在動機與效果的關係上，孔孟都強調動機，以此作爲評價人物的標準。而墨子則提出「志功合一說」，認爲動機與效果不能偏廢，他提出「合其志功而觀焉」的主張，就是說應該把動機與效果結合起來觀察。如同樣是分財與人，可能是出於對人的幫助，也可能是爲沽名釣譽。在他看來，一個人是否有道德，不是概念問題而是行爲問題。他說「瞽不知白黑者，非以其名也，以其取也。今天下之君子之名仁也，雖禹湯無以易之，兼仁與不仁，而使天下之君子取焉，不能知也。故我曰：天下之君子不知仁者，非以其名也，亦以其取也。」（《貴義》）一個有道德的人不僅要在概念上了解什麼是義，而且要在行動中體現義。

後期墨家對墨子的功利主義學說作了闡發，提出了「愛利合一」的命題。他們認爲，愛人必須利人，愛不能只是一種道德責任與情操，而且要給人以實際利益，不能像儒家那樣只愛人不利人，並由此解釋了仁義道德等範疇，認爲「義，利也」，「忠，以爲利而強君也」，「孝，利親也。」（《經上》）「義」是使天下之人得到利益，「忠」是勉勵君主去做對國家有利的事，「孝」是以愛親爲己任，又兼利雙親。總之，後期墨家認爲，仁義作爲道德，是由主觀情操和客觀利益兩方面構成的，僅有主觀方面的意識，還不能構成道德行爲，道德行爲要使對方得到實際利益，這是後期墨家義利合一說的進一步發展。

義利觀與中國倫理的精神

義利關係是中國倫理史上長期爭論的問題。在孔墨以前，義利之爭就已經產生。一種觀點認爲：「義以生利。」（《國語・晉語一》）「夫義者，利之足也；……廢義則利不立。」（《國語・晉語二》）這是把義看作是利的基礎和本源，把利看成義的派生物；另一種觀點認爲：「利制能義。」（《國語・周語下》）「利物足以和義。」（《國語・周語上》）以孔子爲代表的儒家繼承了前一種傳統，強調行爲的道德價値高於物質利益，因而具有重義輕利的傾向。正如朱熹所說：「義利之說，乃儒者第一義。」（《朱子文集》卷二十四）以墨子爲代表的墨家則繼承了後一種傳統，得出了「義，利也」（《墨子・經上》）的結論，形成一種以功利主義爲特徵的倫理精神。表面看來，二者正相對立，實際上它們有共通之處。以孔子爲代表的儒家強調獲得利的手段與方法，要「見利思義」，要「以義爲上」，「以義爲質」，因而往往由對獲利的方法與手段的否定而導致對利本身的否定。到董仲舒發展爲「正其誼，不謀其利；明其道，不計其功」（《漢書・董仲舒傳》）。但儒家並沒有完全否定利，而是強調在義利之前，先取義，強調以「義」的方式取「利」。墨家雖然強調「利」，但它是在貴義的前提下，以「利」爲義的內容。因此，儒墨兩家在重義、主張義利相通這一點上是相同的，只是側重點不同。這種精神是中國倫理「德」「得」相通的價値取向的體現。

但是，由於儒家文化的正統地位，孔子的義利觀在中國倫理精神中占據主導地位，墨家的功利主義倫理精神則由於在理論上未獲得延續而中途夭折。這種夭折除了政治經濟的原因外，更有其內部的機制，具體說來主要有兩方面。一是墨家主張公利，排斥個人利益，以社稷、國家、人民利益爲公利、爲義，以個人利益爲不義。這種內涵，一方面使中國功利主義開始就具有較大的人民性，從而與利己主義劃清界限，另一方面由於它把個人的物質需求視爲邪惡，使公共利益變得抽象，事實上失去了賴以存在的載體，只能導向儒家的整體至上、義務至上的德性主義、道義主義。二是以道德性的聖人爲理想人格。中國功利主義一方面以「利」爲「義」的內容，另一方面在理想人格上又追求一種道德性與功利性二位一體的聖人，而既然利是公利，因而便與儒家的德性主義、道義論又殊途同歸。其義、利精神發展到最後必然與儒家合流。儒家強調「殺身成仁」，「捨身取義」，墨家則強調「殺己以利天下」，二者在精神取向上是一致的。因而到朱熹那裡，義利便以公私爲內容、爲標準，得出了「利在義中」的結論，實際上使先秦的道義論與功利說結合起來了。

三、墨家倫理精神

墨家精神概括起來就是兼愛的精神與功利的精神，它突破了儒家精神的某些局限性，提出了某些帶普遍性的問題。從客觀基礎上說，儒家與墨家代表了不同的階級與階層，是不同階級的知識分子代表所體現出來的倫理精神；從文化方向上說儒家與墨家都是中國文化方向中的固有因素，儒家倫理精神代表中國文化的主流與民族性內涵，而墨家倫理精神可以說代表了中國文化、中國倫理精神的普遍的世界性內涵。如果說儒家抓住了血緣文化中血緣宗法的方面並將其擴大，墨家則抓住文化中「愛人」的人本的方面，並將其普遍化。如果說，儒家要建立的是親親仁民的人際關係與倫理實體，墨家要建立的便是一個兼愛互利的人際關係與倫理實體；在價值標準上，儒家抓住倫理文化中「義」的一面，墨家則抓住入世文化中「義」「利」不可分的一面。儒墨兩家就是在辯論中相互補充，體現中國文化與中國倫理精神的多元性、豐富性。

與儒家倫理精神相比，墨家倫理精神具有許多特點。一是樸素性。它體現了中國手工業勞動者的精神特徵，其倫理思想雖不像儒家那樣玄奧高深，卻揭示了人際關係中的一些基本的道理與人性中的一些質樸的內涵。如果說儒家倫理精神具有「文」的特質的話，墨家倫理精神則具有「質」的性格。二是平實性。儒家倫理在很大程度上具有理想性的特點，它所闡發的倫理思想，高則高，潔則潔，然一旦落實到現實生活中則缺乏現實性。墨家倫理雖然體現了小生產者的理想甚至空想，但它卻比儒家倫理更加平實，某種程度上體現了社會的普遍要求。三是利他性。墨家倫理在文字上似乎沒有儒家那麼崇高，但在現實的道德生活中，墨家的義利合一、兼愛利他，以至於殺己以利天下的精神卻得到了自身的實現，具有很強的實踐性與崇高性。墨家的代表人物在自己的道德實踐中都表現了很強的利他精神。可以說，中國人的倫理精神在理想境界上是儒家，在結構特徵上需要道家，而在世俗生活，尤其是一般人的世俗生活中又是墨家。墨家倫理精神對中國人的精神尤其是勞動大衆的世俗道德生活產生的影響要比儒家大。在人倫關係與個體實踐方面，儒家抓住的是人的親情與血緣情感，把一切人倫關係扎根於血緣親情之中。墨家也承認人的血緣親情，但它強調要先從一般生活關係出發，然後才能實現血緣倫理關係。在這個意義上可以說，如果儒家代表的是一種家族成員的人格意識的話，墨家代表的則是一種社會公民的人格意識。

但是作爲一種理論體系，作爲一種自覺的精神形態，墨家倫理精神卻是短命的。兩漢以後，墨家倫理精神學說基本中絕，除了複雜的社會原因外，從主體性上說，與墨家精神本身的特點是分不開的。一是因爲墨家倫理代表的是小生產者的理想，而這個階級階層缺乏獨立性，最終必然分化依附；二是墨家倫理精神畢竟沒有體現代表中國文化的主流與正宗，雖然墨家代表人物極力宣揚，但它在中國血緣文化中，其理論、原理與倫理精神畢竟不像儒家的以親親爲本位的倫理精神那樣合乎中國人的「情理」，墨家的兼愛，就被孟子斥之爲「無君無父」。三是墨家倫理雖然具有平實性、世俗性，但它缺乏一種境界，即缺乏一種宗教式的意境以作爲精神的指向與寄托。道德需要實踐性，然完全是實用性的道德則缺乏崇高性，也很難爲人們所信奉。墨家的功利精神雖然揭示了人際關係、倫理生活的樸素原理，揭露了儒家道德的虛僞性，但它也沒有儒家的超功利主義那樣具有欺騙性。墨家倫理是中國倫理精神中的世俗倫理，但墨家倫理精神在現實的倫理與道德生活中只是以自發的形式被保留下來，成爲中國倫理精神結構的一部分。

第五章　法家的政治倫理精神

中國文化的特徵是以倫理，確切地說是以家族倫理爲根基原型進行社會關係、人際關係的組織與建構，在這裡，倫理成爲一切社會關係的原理。然而，既然是在現實的階級社會的政治體制中，家與國、倫理與政治、家族倫理與一般社會倫理的矛盾就不可避免。對於儒家倫理內部的矛盾與局限，墨家作了揭露與某種程度上的克服。但是，不管儒家如何在理論上致力於家——國的合一，不管儒家如何用倫理的設計代替政治的體制，國家的政治本質總是鐵一般地客觀存在。因此，在中國的血緣文化中，除了儒家的倫理政治精神（這種精神體現了氏族血緣統治的連續性），還必定要有一種政治倫理的精神。前者以倫理爲原理與核心，後者以政治爲目標與本位。這種政治倫理精神在諸侯兼並、天下大亂的春秋戰國時期尤其具有必然性，它是中國社會結構與政治關係發展的必然產物。

法家的政治倫理精神與儒家的倫理政治精神在基本原理與邏輯上正相反對，它不是由倫理的原理派生出政治的原理，恰恰相反，而是用政治取代倫理，使倫理逐步成爲政治的奴婢與工具，因而是另一種形式的道德虛無主義——用政治取代倫理或以法代禮的道德虛無主義。在民族倫理精神展開的過程中，中國政治倫理精神主要以管仲學派的四維精神與韓非的非道德主義爲代表。

一、管仲學派的禮法並舉

管仲是法家的早期代表人物。管仲以後，他的後學整理他的著作，闡發他的思想，形成《管子》一書，逐漸形成了具有齊文化特點的管仲學派。《管子》並不只是管仲一人的倫理思想，而是管仲學派的倫理思想。管仲學派倫理精神的特點，一方面主張以法治國，表現出法治的精神，另一方面又批判地吸收了儒家的觀點，提出禮法並舉，表現出禮法合一的精神，形成一套較爲完整的思想體系，對後來的荀子和韓非產生了較大的影響。

道德觀

禮法並舉是管仲學派道德觀的基本的特點。《管子·心術上》對禮、義、法的關係作了闡釋，「義者，謂各處其宜也。禮者，因人之情，緣義之理，而爲之節文者也。故禮者謂有理也。理也者，明分以諭義之意也。故禮出乎義，義出乎理，理因乎宜者也。法者所以同出不得不然者也。故殺僇禁誅以一之也。」（以下引文只注篇目）人在社會中各有其處的分位，各處其分位而不混亂就是理，其行爲適合於所處的分位就是「義」，用禮節儀式將「理」和「義」文飾起來就是禮，而法則是將等級制度的規定以法律條文的形式加以公布，強制性地要求社會成員共同遵守。由於禮義和法制都是用來維護封建等級制度，因而管仲學派認爲，法治和禮治是可以相互補充的，「故黃帝之治也，置法而不變，使民安其法者也。所謂仁義禮樂者皆出於法，此先聖之所以一民者也。」（《任法》）一方面，仁義禮樂的推行要靠法律來保障，「群臣不用禮儀教訓，則不祥，百官服事者離法而治，則不祥。」（《任法》）法治有助於道德教化的推行；但另一方面，僅僅依刑重罰，還不能防止人民做壞事：「故刑罰不足以畏其意，殺戮不足以服其心。故刑罰繁而意不恐，則令不行矣；殺戮衆而心不服，則上位危矣。」（《牧民》）這一思想實際上吸取了商鞅一派的法治思想以及儒家的德治思想，經過綜合揚棄，得出了道德教化和法律制裁不可偏廢的結論。從理論上說，法的功能是把人們的行為限制在「允許」的範圍內，而禮則把人們的行為調節在最佳程度上；法訴諸外在的強制，禮訴諸內在的自覺；前者的特點是「免而無恥」，後者的特點是「有恥且格」。禮與法、德治與法治是社會有機體不可缺少的兩個方面。

從禮法並行出發，管仲學派對道德概念作了新的解釋。何為「道？」《君臣上》說：「道者誠人之姓也，非在人也，而聖王明君善知而道之者也。是故治民有常道，而生財有常法。道也者，萬物之要也。為人君者，執者而待之，則下雖有奸偽之心，不敢殺也。夫道者虛設，其人在則通，其人亡則塞者也。非茲是無以理人，非茲是無以生財。」就是說，「道」不在人性中，而是成就人性，使人為善的。人君以「道」治理百姓，但「道」自身是無情的，要靠人來推行。這裡說的「道」，乃是規範、規則之意。因此，他們得出結論：「是故別交正分之謂理，順理而不失之謂道。道德定而民有軌矣。」（《君臣上》）區分等級差別就是「理」，順從等級身份的規定而無差別就是「道」，因而「道」作為人類生活的規範，既包括倫理規範，又包括法律條文，二者的功能都在於明分順理。

何為「德？」《君臣上》說：「上明下審，上下同德，代相序也。」在他們那裡，「德」是就個人品德說的，個人品德端正就可以不犯錯誤，這是存國定民的必由之路。「道德定於上，則百姓仕於下矣。戒（誡）心形於內，則容貌動於外矣。」「所求於己者多，故德行立；所求於人者少，故民輕給之。」德行的建立在於內心的端正，修之於己，使內心順從或合乎義理。所以《心術上》說：「德者道之捨，物得以生。」又說「故德者得也。得也者，謂得其所以然也。」總之，他們認為「道」和「德」是可以統一的。這種對道德的解釋，其特點在於強調道德規範的客觀性，並將倫理規範與法律融爲一體，從而將法和遵守法規納入道德範疇之中。

道德規範體系

管仲學派從自己的政治學說出發，提出了與儒家有某些共通之處，但實質性內容又完全不同的道德規範，這就是禮、義、廉、恥。

《牧民》篇中說：「國有四維，一維絕則傾，二維絕則危，三維絕則覆，四維絕則滅。傾可正也，危可安也，覆可起也，滅不可復錯也。何謂四維？一曰禮；二曰義；三曰廉；四曰恥。禮不逾節，義不自進，廉不蔽惡，恥不從枉。故不逾節，則上位安；不自進，則民無巧詐；不蔽惡，則行自全；不從枉，則邪事不生。」禮、義、廉、恥，是法家四德，可以與儒家仁、義、禮、智相比。「禮」要求人們嚴格遵循封建等級秩序，「禮不逾節」；「義」是指循禮而不自進，即不以不正當的方法謀取利祿；「廉恥」則是關於守身的道德情操，從屬於禮義。「廉不蔽惡」是說不隱蔽壞事；「恥不從枉」是說不姑息邪枉之事。四者之中，禮義是對行爲的約束，廉恥指內在的情操，最基本的是禮義。管子的這種規範體系實際上是一種政治道德規範，它突出廉與恥，這是其他任何倫理學派都不及的。廉恥與禮義並列，在於重視內心的境界。這種以禮義爲基礎的倫理思想與孔孟以仁義爲基礎的倫理思想是不同的。在孔孟那裡，是由仁及禮、從個人道德修養上升到社會規範的自覺遵循，也是由個人倫理上升到社會倫理。「禮義」論則是由社會倫理落實到個人倫理。二者對於維護封建制度的禮是一致的，途徑卻不一樣。禮義廉恥的道德規範體系是他們政治倫理精神的集中體現。

「禮」在管仲學派的道德體系中占有首要的地位。「禮」的內容爲何？他們認爲：「禮有八經」。「民知義矣，而未知禮，然後飾八經以導之禮。所謂八經者何？曰上下有義，貴賤有分，長幼有等，貧富有度。凡此八者，禮之經也。故上下無義則亂，貴賤無分則爭，長幼無等則倍，貧富無度則失。上下亂，貴賤爭，長幼倍，貧富失，而國不亂者，未之嘗聞也。是故聖王飾此八禮，以導其民。」（《五輔》）「八禮」即指上下、貴賤、長幼、貧富的尊卑等級秩序。他們認爲，這個秩序是亂不得的，爲此，他們對各種等級的人提出不同的道德要求。「八者各得其義，則爲人君者，中正而無私。爲人臣者，忠信而不黨。爲人父者，慈惠以教。爲人子者，孝悌以肅。爲人兄者，寬裕以誨。爲人弟者，比順以敬。爲人夫者，敦懞以固。爲人妻者，勸勉以貞。」（《五輔》）這與儒家的五倫要求大致相同。爲了保證八禮不被破壞，他們又提出了八項原則，即「八經」：「下不倍上，臣不殺君，賤不踰貴，少不陵長，遠不間新，新不間舊，小不加大，淫不破義。凡此八者，禮之經也。」（《五輔》）這八經後來被儒家接過去，成爲不可動搖的原則。知「禮」的目的，是維護等級制度：「夫人必知禮然後恭敬，恭敬然後尊讓，尊讓然後少長貴賤不相逾越，少長貴賤不相逾越，故亂不生而患不作，故曰禮義不可不謹也。」（《五輔》）管仲學派對禮的論述還是相當完備的，而且與儒家殊途同歸，這反映了中國文化精神的共同性。所不同的是：管仲學派強調外在的規範制約，儒家強調內在的認同內化，方法不一樣，根本目的是一致的。

何爲「義」？「義」是人們行爲的準則。「義」的具體內容是什麼？他們認爲：「義有七體」，即七個方面。這七體是：「孝悌慈惠，以養親戚。恭敬忠信，以事君上。中正比宜，以行禮節。整齊撙詘，以辟到僇。纖嗇省用，以備饑饉。敦懞純固，以備禍亂。和協輯睦，以備寇戎。凡此七者，義之體也。」（《五輔》）以此規定個人、社會、國家正當行爲的準則。這七方面中的前三方面，是完整意義上的道德要求，後四方面實際上是臣民對國家的義務。

何謂「廉」，廉即純潔清高之意，「廉者，清不濫濁也。」（《周禮・小宰注》）清白不污，純正不苟即爲「廉」；能辨別是非，捨利取義，是謂「廉明」；能自我檢束而不貪求，即爲「廉儉」，故《淮南子・原道訓》云：「廉猶儉也。」「廉」爲德目，最根本的是要在取予之間，重道義去邪心，嚴格自檢自束。這種人格，孟子稱爲「廉士」。

何爲「恥」？「恥」即發自內心的羞惡之德性。孟子曰「羞惡之心，義之端也。」人有自我反省而有羞惡之自覺，即謂知恥，故「恥」重在自恥。孟子說：「人不可以無恥，無恥之恥，無恥矣。」（《孟子・盡心上》）「恥之於人大矣，爲機變之巧者，無所用恥焉。不恥不若人，何若人有？（《孟子・盡心上》）孔子也說：「行己有恥。」「知恥者近於勇。」故恥之眞義，在自覺於羞惡，以此作爲行善去惡的內在動力。

管子的禮義廉恥與孟子的仁義禮智旨趣不同，二者在強調「義」方面是共同的，但仁義禮智以仁爲出發點，強調內在的情感動力，也強調禮之節文與智之明斷；而禮義廉恥則以禮爲出發點，強調禮的外在約束，並付諸主體行爲的自儉自束之心與自恥去惡之能力。前者是由內向外的，是仁之擴充；後者是由外向內的，是外在約束；前者是一種內省的主觀倫理精神，後者一種外在制約性的客觀倫理精神。而且，管子的禮與法相聯繫，因而最終導向的是制約性的法治主義。

二、韓非的非道德主義

韓非是荀子的學生，受學於儒家，卻成爲先秦法家思想的集大成者。他吸收了法家、道家與墨家的思想，發展了荀子學說中性惡與禮教的觀點，猛烈抨擊儒家，其倫理精神的特點表現爲非道德主義。

自為自利的人性精神

韓非繼承了先秦功利主義的傳統，建立了實用功利的價值觀，並在此基礎上提出了自爲自利的人性論。

韓非價值觀的根本取向是重客觀的社會效應，因而視道德爲一偶然之善，而功利爲一必然之道。韓非認爲，價值是否成立，主要看其能否在經驗世界中得到落實，因而以功利作爲價值的標準，而一切無法在經驗世界中得到證實的價值皆不能成立。人與人間的一切活動，都是一自爲心的功利計較而已，「且父母之於子也，產男則相賀，產女則殺之，此俱出父母之懷妊，然男子受賀，女子殺之者，慮其後便，計之長利也。故父母之於子也，猶用計算之心以相待也，而況無父子之澤乎。」（《六反》）「君臣異心，君以計畜臣，臣以計事君，君臣之交計也。」（《飾邪》）這種功利主義實際上是法家富國強兵政策的理論基礎，但韓非忽略並排除了道德理想的追求，使功利沒有得到道德的升華從而失去了目的與意義。

在此基礎上，韓非提出了自爲自利的人性論。以往的研究一般認爲韓非主張的是人性自私的性惡論，實際上，韓非是繼承並發揮了齊法家「凡人之情，得所欲則樂，逢所惡則憂。」（《管子·禁藏》）的觀點，把趨利避害作爲人的本性，認爲「安利者就之，危害者去之，此人之情也。」（《姦劫弒臣》）韓非把這種趨利避害之心解釋爲「自爲心」或「計算之心」。韓非又說：「故王良愛馬，越王勾踐愛人，爲戰與馳。醫善吮人之傷，含人之血，非骨肉之親也，利所加也。故輿人成輿，則欲人之富貴；匠人成棺，則欲人之夭死也，非輿人仁而匠人賊也。人不貴則輿不售，人不死則棺不買，情非憎人也，利在人之死也。」（《備內》）人在一般情況下都是以利害關係處理人際關係，趨利避害是人的本性。但是，他沒有從道義上一般地反對人們的自為自利之心，只是要求「去求利之心，出相愛之道」；他也沒有遵循荀子的邏輯得出「化性起僞」的結論，不是主張「化之以德」，而是要「因之以法」，從而為他「以法代德」、「任法不任德」的理論提供基礎。因此，不能把他的人性論歸結為個人利己主義，他的倫理觀不是主張唯利是圖，恰恰相反，而是以「去私心，行公義」（《飾邪》）為其道德的基本原則。

但是，應當指出，韓非提倡功利主義價值觀，認為人性自為自私，並不是認為任何自私都是合理的，也並不認為所有的「利」都是對等的。他抨擊儒家的仁義說教，不贊成以德治國，並非要廢棄道德規範，他的理論的最後歸宿是要人們「明於公私之分」（《飾邪》），以公私作為區分善惡的標準，以「背私為公」作為道德行為的準則。他繼承了前期法家的「廢私立公」的思想，認為公與私是對立的，二者不能並存，「古者蒼頡之作書也，自環者謂之私，背私謂之公，公私之相背也，乃蒼頡固以知之矣。」（《五蠹》）「私」即「厶」，「公」字從「八」從「厶」，「八」猶背，所以說「背私為公」。按照這種解釋，為自己打算就是私，反之，則為公。具體說來，何為私？何為公？他認為，個人之利是私，君主國家之利為公，「私」惡而「公」善，因而要「明於公私之分」。「禁主之道，必明於公私之分，明法制，去私恩，……私義行則亂，公義行則治，故公私有分。」（《飾邪》）在公私問題上，儒法兩家都主張去私為公，且公與私的具體內容都一樣，二者互相補充，形成中國重整體、輕個體的倫理精神特點。

務法不務德的非道德主義

在性惡論的基礎上，他繼承了商鞅「貴法不貴義」的觀點，提出「不務德而務法」的主張，抨擊了儒家的德治說，論證了他的非道德主義。

韓非認爲，古今異俗，歷史發展的趨勢是：「上古競於道德，中世逐於智謀，當今爭於氣力。」（《五蠹》）古今不同，治理國家的方法也不一樣。上古時代，人口少，財富有餘，無爭奪之事，人們相親相愛，所以崇尚道德，沒有法治，後來人口增長，財富相對減少，即使努力生產也不能滿足需要，於是雖有法律制裁，也難免發生禍亂，道德教化更不足了。這不是由於古人品德高尚而今人品質卑鄙，而是由於古今異俗。所以在「爭於氣力」的現在，只能靠法治而不能靠道德治理國家，否則只能像在當今之世使用古代的器具一樣可笑，所以他嘲弄儒家的德治說：「今欲以先王之政，治當世之民，皆守株之類也」。（《五蠹》）不僅如此，他還從人的本性與社會功用方面對道德作了否定，認爲既然人皆「自爲」，各用「計算之心以相符」，因而人們的思想行爲除了以「利之所在」作爲唯一的動機與目的外，就沒有什麼道德動機和道德良心，人的本性不存在道德的意義，人的行爲沒有道德價値。他發展了前期法家的功利主義，極力推崇事功，認爲如讚美仁義之言，推崇清高之士，就會引導人們不耕不戰，脫離事功，國家也就得不到治理，他的結論是：「故明主舉實事，去無用，不道仁義。」（《顯學》）以功利主義論證了道德的無用。

韓非「務法不務德」的思想，看到了道德作用的局限性，具有泛法制主義的傾向。這種泛法制主義，在中國倫理精神的生長過程中也沒有得到充分的發展，後來的思想家並沒有接受他這種觀點，而是採用了法刑並用、禮法並舉的主張。但是，後來的統治階級「內法外儒」，在把倫理宗教化的同時又法律化，禮教實際上既是一種倫理教條，同時又是一種具有極強的外在強制性的法律規範，這一點也許與韓非爲代表的法家倫理精神有一定的聯繫。

三、法家倫理精神

法家倫理是春秋戰國時期新興地主階級的倫理精神，其基本的特點是從政治的角度，對倫理進行論證和考察，在思維路線上遵循的是由政治到倫理的邏輯。這種政治倫理精神的基本特點是：⑴強調社會倫理，強調外在制約性。「禮」是儒法兩家的共同倫理範疇與道德規範，但儒家強調禮的內化，認爲禮是社會倫理實體的設計，它有人性的基礎，可以內化爲人們的情感意志，因而把禮與仁結合，並以仁爲基礎；而法家則認爲，禮是社會的統治秩序，是客觀的外在規範，因而把禮與法結合，並以法爲核心，忽視、抹殺人的道德的能動性。⑵機械決定論。認爲道德與法律是由人們生理欲望與生活條件決定的，否認人的主觀能動作用，否認道德對社會生活的調節作用，片面強調社會的與政治的功利性質，因而使法家倫理精神缺乏道德的境界。⑶狹隘的法制主義。法家強調禮與法、道德與法治的聯繫，但或是忽視二者的區別，企圖以法治代替德治；或是抹殺道德的作用，鼓吹泛法制主義。這種精神與西方的法的精神及社會結構的原理有相似之處。以上三方面的特點構成了法家的非道德主義。如果說儒家是泛道德主義的話，法家便是泛法制主義，它具有排斥、否認道德的傾向，因而法家往往流於赤裸裸的專制與暴政。

在中國倫理文化背景下，法家的政治倫理精神並沒有占主導地位，它只是成爲中國倫理精神的一個補充。然而，法家倫理往往比儒家倫理更深刻地揭示了當時社會關係的本質，並且在政治統治中具有更直接的功利性，因而歷來的政治統治階級在用道德標榜自己的同時，總是在事實上貫徹法家的政治倫理，「內法外儒」成了歷來統治階級進行政治統治的法寶。法家倫理精神總是涵蓋於中國倫理精神的潛在結構中，在政治生活中有時甚至發揮著比儒家更爲巨大的作用。

法治與德治是中國人倫關係與社會關係的兩種不同的形式，也是兩種不同的政治統治方式。「德治」強調以德化人，含有很強的情感特徵和人治的色彩，是中國血緣文化特有的要求；而「法治」則具有更大的普遍性，它以法治人，在一般的人倫關係中排除了情感的內涵。但在中國，德治、法治都以宗法等級爲內容和實質，「刑不上大夫，禮不下庶人」是二者的共同邏輯。而且，由於中國血緣文化的特殊品格，法家法治的精神總是難以貫徹，法治即使在現在也難以眞正實現，這不能不說與根深蒂固的文化傳統與民族習性有關。法治文化是西方文化的特徵，德治文化則是中國文化的風格，二者的相互補充，才能形成情、理、法三位一體的社會準則與人際關係。因此可以說，儒家的倫理政治精神體現了中國社會血緣本位的特質，法家的政治倫理精神則體現了階級社會國家的實質，二者的結合才是表與裡、內容與形式的統一。

中篇

漢唐——中國倫理精神的抽象性發展

在先秦，中國倫理精神得到孕育與展開，民族倫理精神內部結構要素都生長出來了。然而，這些精神的結構要素，都是以胚胎的形式出現的，在彼此的爭鬥中，它們雖然競相生長，但各獨立的精神要素並沒有得到充分的發展，也沒有形成一個較完整的倫理精神系統，在各自先後出現的倫理精神結構中，並沒有任何一種占據主導地位。發展不充分，結構不清晰，主體不明確，是這一時期倫理精神的特點，因而可以說在倫理精神的生長過程中，處於潛在的階段，它是一種原始的感性的具體，必須要上升到自在的知性抽象，只有經過這種抽象，民族倫理精神才能得到充分發展。如果說先秦時期是我國倫理精神孕育和展開階段的話，漢唐時期則是倫理精神抽象性發展階段。這一階段倫理精神發展的特點是民族倫理精神有機結構的各個方面即德性、道心、佛性都得以充分展開。

漢唐社會的特點　　漢唐社會在整個中國歷史上的地位，從政治上說是中國封建制度的全面確定和完善，從文化上說是民族文化封建化，並在此基礎上神聖化的歷史時期。

從秦漢開始，經過魏晉南北朝，到隋唐是我國封建社會發展史上的十分重要的時期，即封建社會的全面確定和發展的時期。眾所周知，先秦時期是奴隸制與封建制鬥爭、封建制奠基的時期，宋明時期則是封建制由發展頂峰走向衰敗的時期。漢唐時期雖然農民戰爭不斷，朝代更迭頻繁，但封建制的性質並沒有改變。在不斷的鬥爭中，地主階級不斷地總結經驗教訓，不斷地完善上層建築和意識形態，因而產生了封建社會的頂峰——盛唐的物質文明和精神文明。

與此相適應，中國的文化、意識形態、倫理精神由原初的民族性走向封建性。在血緣氏族改良的基礎上形成的民族文化與民族精神，在先秦雖然帶有強烈的階級性質，然而比起漢唐來，其民族性的內涵要相對多些。由孔子開始的文化突破是中國文化由自發走向自覺的轉化，在這個過程中，體現了很濃的民族性特色，可以說，它找到了一種自覺的民族文化形式。然而到漢唐時期，統治階級從封建統治的角度對民族文化與民族精神進行封建化的導向與改造，使它爲封建政治服務。民族性的原理服從於封建性的原理，或者說到利用民族性的特點與原理進行封建統治，因而封建性強於民族性，在這個意義上，可以說是原初的民族文化精神的異化。

漢唐文化的大勢　漢唐時期，儒、釋、道並行，先是董仲舒的「罷黜百家，獨尊儒術」；繼之魏晉玄學盛行；隋唐時期，佛學又占統治地位；韓愈、李翺提出道統說與復性論，恢復儒家學說的統治地位，與宋明理學銜接，從而形成相接鏈環。

⑴儒教之開始。儒家學說，本是哲學倫理之說，自漢武帝獨尊之後，紛紛立孔廟祭孔靈，如有與孔子學說相違背者，稱爲異端邪說，於是儒家有了宗教形式。漢儒又以災異之說，讖緯之文，揉入經義，於是儒家學說亦有宗教之性質，形成後世所稱的儒教。

⑵道教之開始。道家理論，本純爲哲學之說，然道家之全性保眞說加以引申，便成爲神仙方術。漢武帝罷黜百家，獨好神仙，道家之言不得不寄生於神仙家以自全，道家遂具宗教之形、宗教之名。

⑶佛教之流入。儒家之言，經漢之訓詁，魏晉之摻附，使人懷疑，而漢以後黨錮之憂，又使人生朝不保夕之心，並由而生厭世之念。適時佛教流入，其哲理適合老莊，其三世報應說，足應忍藉不聊生之民，

又無忤於服從儒教之社會。故能以種種形式，擴散於全社會，並成爲中國文化之形式。

(4)三教並存，而儒教終爲倫理之正宗。道釋二家，雖皆占宗教之地位，而其理論方面，局限於哲學；實踐方面，避世出家之方，僅爲少數人信從。在這時期，雖確定了三教的基礎，而普遍之社會倫理，則是儒家倫理。到韓愈，儒家學說正統地位得到恢復。

漢唐倫理精神的發展過程　漢唐時期倫理思想的內容是儒、道、釋並存。從民族倫理精神發展過程看，可分爲三個過程：一是兩漢儒學；二是魏晉玄學；三是隋唐佛學。前者是民族倫理精神的抽象性統一，後二者是前者的補充與否定。這三個過程有一個共同性：它們都處於民族倫理精神的抽象發展階段，它們從民族精神結構的各個側面對民族倫理精神加以發展，因而是民族倫理精神發展鏈環上的否定環節。

漢唐時期，既是中國倫理精神抽象發展的時期，也是中國民族對自己的倫理精神形態進行選擇，對自身的倫理精神結構進行補充與完善的時期。秦漢之際確立了儒家倫理精神的經典形態，這就是《四書》倫理。兩漢確立了儒家德性大一統的地位，但隨之也暴露了其內在的矛盾，於是在社會矛盾激化的魏晉便產生了儒家德性與道家道心結合的玄學倫理精神形態，這是中國文化作出的又一次選擇，它試圖通過德性、道心的互補達到倫理精神結構的自我平衡。然而玄學作爲一種精神形態，其消極性是顯而易見的，精神與人格的二重分裂更是其致命的缺陷，於是當佛學流入時，中國文化又試圖以中國化了的佛學作爲精神形態，從而形成儒、釋、道三教並立的局面。然而出世的佛家哲學終究不能解決入世的倫理問題，經過漫長的選擇，在唐代，以韓愈、李翺爲代表的儒家學者認爲：單一的兩漢德性，儒道的互補，儒佛的互補，都不能適合中國社會的需要，因而要求一種新的精神結構。

於是，他們重新肯定、恢復儒家德性的正統地位，但這時的儒家德性已不是原來意義上的古典儒家或董仲舒儒家的德性，而是經過道心、佛性沖擊補充過的德性。中國文化終於發現，以德性爲主幹，道心、佛性爲補充的結構，才是適合中國社會需要的倫理精神結構，因而經過韓愈道統說、李翺復性論的環節，中國倫理精神向著三者合一的宋明理學過渡。宋明理學家在復興古典儒家的形式下把儒、道、佛統一起來，形成德性、道心、佛性結合一體的民族倫理精神的三維結構。

第一章　兩漢德性—中國倫理精神的封建化與抽象性統一

兩漢在中國文化史上的地位，一是中國找到並確定了適合本民族發展的政治統治形式與文化精神形態；二是原有的民族倫理精神封建化，實際是中國文化從民族文化的機制中，確定了封建化的形式，即具有中國特色的封建文化與封建制度。從倫理精神的角度說，兩漢在中國倫理精神建構過程中的地位，就是確立了儒家德性在中國倫理精神中的獨尊與正統地位，確立了大一統的倫理精神格局，建立了大一統的倫理精神體系，中國倫理精神得到了抽象性的統一。但是，隨著大一統的形成與發展，儒家倫理精神的內在矛盾也進一步暴露出來，產生了中國倫理精神的內在分裂與內在危機，並由此導致兩漢德性向魏晉道心過渡。

兩漢倫理精神的抽象性統一，經歷了一個辯證的過程，具體地說有三個階段。首先是《禮記》的出現。《禮記》的形成，標誌著日後作爲中國倫理精神本體的《四書》的初步形成，雖然在當時《論語》、《孟子》、《大學》、《中庸》還沒有形成爲一體，但在漢以後的中國倫理精神的發展過程中，它確實是一個十分重要的環節，是儒家倫理精神的經典形態。其次是董仲舒天人相通的倫理體系的建立與三綱五常的提出，它是《四書》倫理的封建化，標誌著大一統的倫理精神的形成與民族倫理精神的抽象性統一。最後是王充的性命論對儒家德性內在矛盾的揭露，是儒家德性內部生長出來的否定自身的因素，也是兩漢德性向魏晉道心轉化的環節。可以說，秦漢之際，確立了儒家倫理精神的經典體系，兩漢中期，實現了中國倫理精神的抽象性統一，但這種統一只是經過玄學、佛學體系的補充，通過向經典儒家倫理精神的復歸，在宋明理學中才得到具體的完成。

一、「大學之道」、「中庸境界」與儒家德性之確立

《大學》、《中庸》是《禮記》中的兩篇。《禮記》是秦漢之際的一個文集，它主要收集了記述和論述禮制禮儀的文章，從各方面爲封建大一統的上層建築，特別是封建社會倫理綱常尋找倫理根據，其根本的方面是闡述孔孟的仁愛之道，也直接繼承和發展了荀子的一些思想。自東漢末年起，它超書入經，成爲封建經典。《大學》、《中庸》在中國倫理精神建構過程中具有特殊的意義。《大學》概括出一條倫理貫通、德性提升的脈絡，形成所謂《大學之道》；《中庸》則提出了中國倫理精神的最高境界，即「天人合一」的中庸境界。可以說，它們是先秦儒家倫理精神的提煉與升華。

「大學之道」

「大學之道」是《大學》的精髓，它在《論語》與《孟子》的基礎上把個體自我的實現簡約地概括爲「三綱領」與「八條目」。從倫理精神的層面說，它的特點，一是把身、家、國、天下融爲一體，貫通爲一，建立了一個遞次提升的德性倫理精神模式；二是系統地指明了一條人性提升、人倫實現的途徑，這就是修身、齊家、治國、平天下。因而「大學之道」，實際上是「大人之道」。可以說，到《大學》，儒家倫理精神的體系已經基本確立，「大學之道」成爲儒家倫理精神體系的範型，它既體現了中國倫理精神人倫建構的原理，也體現了人

格提升、自我實現的方式，而修身、齊家、治國、平天下的貫通更體現了中國倫理人倫建構與人性提升相統一的原理。

三綱領

《大學》開頭便說：「大學之道，在明明德，在親民，在止於至善。」這是講「大學之道」的目的與綱領。其中，「明明德」是體；「親民」是用；「止於至善」是最高境界。王陽明解釋說：「明明德者，立其天地萬物一體之體也；親民者，達其天地萬物一體之用也。」「至善者，明德親民之極則也。」（《王文成全書》）卷二十六・大學問）「三綱領」實際上講的是個體如何從自己的善良本性出發，通過德性的弘揚，最後達到至善的境界。

明明德　即復明、修明光明的德性。此條的關鍵爲二，一是「明德」，二是「明」。「明德」即光明的德性，此德性即孟子的善之人性。朱熹指出：「明，明之也。明德者，人之所得乎天，而虛靈不昧，以具衆理而應萬事者也。但爲氣稟所拘，人欲所蔽，則有時而昏，然其本體之明，則存未嘗息者。故學者當因其所發而遂明之，以復其初也。」（《四書集注・大學》）儒家認爲，人性本善，德性的修養，自我的實現就是復明此善之本性。之所以稱之爲「明德」，含有此人性雖曾爲人欲所蔽，但只要能克除物欲之累，便能煥然復明之意。而「明德」之「明」是指自明，即自我修養，自我修明。「明明德」表面上是要人們復明其光明的善良本性，實際上是把仁義禮智等倫理道德作爲人的善良本性，這是它的實質之所在。因爲儒家以萬物一體、天人合一爲境界，故人之性，物之性，人之德，物之德，本爲一體，立於此一體之性，便達於明德。此即是修己、內聖之功。

親民　此條目的韻味在一「親」字，對此「親」有兩種解釋。第一，「親」就是「新」，「親民」即「新民」，程子曰「親作新講」。朱子曰：「新者革其舊之謂也；言既自明其明德，又當推以及人，使之亦有以去其舊染之污也。」（朱熹《四書集注・大學》）「新民」即教化人民，去其舊習而自新。第二，「親」即「愛」。王陽明認爲，「親民」即孟子的「親親仁民」之意。「親之」即「仁之」，親，愛也。大人者，以吾心本體之仁，「視天下尤一家，中國尤一人」（《王文成全書》卷二十六・大學問），明其本體之仁，自能親親、仁民、愛物。實際上，二義是相通的。孔門教義，本以修己安人爲理想目的，能明己之本心德性，即負修己之功，然事猶未了，必推己及人，使人亦明其人性本體，以達安人之目的，而後明德之功用，始告完成。由此觀之，則「新民」、「親民」二者兼有。所不同的是，「新民」是從政治教化角度說的，「親民」是從血緣感化的角度說的，分別體現了中國血緣文化背景下政治與倫理的兩極。

止於至善　止於至善，即處於至善或臻於至善的境界。對此，朱熹作過解釋，「止者，必至於是而不遷之意。至善，則事理當然之極也。言明明德新民，皆當止於至善之地而不止者，必至於是而不遷之意。」（《四書集注・大學》）「至善」，是明明德、親民的最高境地，而「止」則有兩方面的意義，一是不斷的努力進取，進於目標而後止；一是固執不易，止於斯地而不遷。未達到至善的境地要不息求進，在達於至善的境地後要固守不易。「止於至善」的具體內容是：「爲人君，止於仁；爲人臣，止於敬；爲人子，止於孝；爲人父，止於慈；與國人交，止於信。」（《大學三章》）這是大學之道的最高目的，也是大人君子的最高境界。「至善」的境界也就是人格完成、人倫實現的境界。懂得止於至善，就有了奮鬥的方向，心不妄動，所處而安，便能正確地思想和處理事情。「知止而後有定，定而後能靜，靜而後能安，安而後能慮，慮後而能得。」「物有本末，事有終始，知所先後，則近道矣。」（《大學經一章》）

八條目

如何實現這三綱領？具體步驟是什麼？《大學》列舉了八條目：「物格而後知至，知至而後意誠，意誠而後心正，心正而後身修，身修而後家齊，家齊而後國治，國治而後天下平。」格物、致知、誠意、正心、修身、齊家、治國、平天下，稱爲八條目，它們是「大學」的具體步驟。

格物致知　　這裡的「格」，傳統的解釋有二：一是朱熹的解釋，認爲「格」即是「至」，「格物」便是即物窮理之意；二是王陽明的解釋，認爲「格」是「正」，「格物」即「正其不正，以歸其正」之意，故「格物」與「正名」有相近之意。對「物」之解釋則比較一致，認爲它是指無形之心、意、知與有形之身、家、國、天下。正如李材所注：「除卻家、國、天下、身、心、意、知、無別『物』也。」（《大學古今本通考》引《大學古義》）「格物」即從身、家、國、天下之人倫實體中體悟人倫之理。「致知」即朱熹所說的「窮理」，王陽明所說的「致良知」。這裡的「知」主要是一種德性之知，即獲得「見父自然知孝，見兄自然知悌，見孺子入井自然知惻隱」之類的德性良知，與「君惠臣忠，父慈子孝，兄友弟恭，夫義婦順，朋友有信」之道相類似。而所謂「致知在格物」，就是說獲得德性之知，必須以端正各種人倫關係爲前提，「知」在物中，「理」爲人倫之理。「知」即誠、正、修、齊、治、平之道也。「知」、「物」之間以「在」字連接，說明有「物」之存在，便有「理」之存在，而「理」爲知之對象，依「物」而存在。

誠意正心　　「誠意」即誠其意，意誠則眞心實意。《大學．七章》說，「所謂誠其意者，毋自欺也。如惡惡臭，如好好色，此之謂自謙。」這是說，不欺騙自己，如同討厭惡臭，喜好美色一樣出於內心的實感。因此，又以「愼獨」解釋「意誠」，誠於中，形於外，「故君子必愼其獨也。」（《大學．七章》）要誠實不欺，表裡一致。

誠意強調動機端正，反對「掩其不善而著其善」的僞善行爲。「心正」是說不受情、欲的影響而喪失理智，就修養方法來說，是說道德信念不受情欲支配，使行爲符合道德規範。「身有所忿懥，則不得其正；有所恐懼，則不得其正；有所好樂，則不得其正；有所憂患，則不得其正。」（《大學・七章》）

修身、齊家、治國、平天下　能近取譬，推己及人，即爲修身的核心。「人之其所親愛而辟焉，之其所賤惡而辟焉，之其所畏敬而辟焉，之其所哀矜而辟焉，之其所敖惰而辟焉。」（《大學・八章》）「齊家」是講家族的道德，「故君子不出家而成教於國。孝者，所以事君也；弟者，所以事長也；慈者，所以使衆也。」（《大學・九章》）它認爲家的原理與國是相通的，在家講孝與慈，治理國家便能事君，事長，使衆。這就是說：「一家仁，一國興仁；一家讓，一國興讓；一人貪戾，一國作亂；其機如此。此謂一言僨事，一人定國。」（《大學・九章》）因而治國在齊其家。這是家——國一體的社會制度與家族本位的血緣文化背景下的特殊的倫理政治原理。關於治國，《大學》認爲關鍵是行「絜矩之道」。「絜」爲「操」，即操矩以畫天下爲方，其思想來源於孔子的「忠恕之道」的爲仁之方。其內容是：「上老老而民興孝，上長長而民興弟，上恤孤而民不倍，是以君子有絜矩之道也。」「所惡於上，毋以使下；所惡於下，毋以事上；所惡於前，毋以先後；所惡於後，毋以從前；所惡於右，毋以交於左；所惡於左，毋以交於右；此之謂絜矩之道。」（《大學・十章》）《大學》認爲，忠恕出自人的本性，從德者若能行此道，便可獲得一切。此絜矩之道是由齊家治國平天下的道理引出來的，「孝者所以事君，悌者所以事長」，再推而廣之，這就是「老吾老以及人之老，幼吾幼以及人之幼」，這便是所謂「平天下」。總之，修身的根本是推己及人，齊家的根本是孝悌慈讓，治國的根本是行絜矩之道，由此便可「天下平」。

八條目之中，修身處於中心地位。修身以上是個人的道德修養，屬於「明明德」的範疇；齊家以下，是在政治生活的表現，屬「親民」的範疇；意誠，身修，家齊，國治，天下平，就是「止於至善」。整個大學之道「壹皆是以修身爲本」。八者之中，格物致知是學問，正心誠意是道德，齊家治國平天下是事功，而修身則是豐富之知識與崇高之道德的統一。從中我們可以發現幾個特點：一、修身是諸事之本；二、學問是道德的基礎，服務於道德；三、培養道德之人格是一切之核心；四、齊家、治國、平天下邏輯一以貫穿。

「大學」精神

「大學之道」既是儒家的政治哲學，又是其倫理學說，它體現了中國倫理精神的根本原理與根本精神，這些精神主要有：

內聖外王的精神　以「明明德」爲基礎的修身是大學之道的核心，它把「明明德」看成是親民的基礎，把個人的道德修養作爲齊家、治國、平天下的前提，強調道德修養是治國的必要條件。整個大學之道，以修身爲本，體現了儒家內聖外王的精神。八條目中，學問道德是內聖，齊家、治國、平天下是外王。前者是成己，後者是成物。內聖外王之道，也叫成己成物之道。也可以說內聖外王之中，內聖是道德，即自身的道德修養；外王是政治，即政治上的統治者。惟有內聖，才能外王；外王的資格是內聖。如果要作進一步解析，這種內聖外王之道則包括四個方面的原理：第一，「外王」必須「內聖」，這是以德性作爲自我實現的必要條件；第二，「內聖」必然「外王」，這是一種道德上的信念，這種信念與「德」、「得」相通、善惡報應的倫理傳統是一脈相承的，或者說是它們的進一步發揮；第三，「內聖」爲了「外王」，這是以「外王」即倫理政治的自我實現作爲道德的價值目標；第四，「外王」就是「內聖」，這是以道德作爲統治者的裝

飾，爲政治統治的神聖性辯護。這種內聖外王的精神強調個體的道德修養，強調政治以道德爲基礎，體現了我國倫理型文化的特徵。

家——國一體的原理　八條目的一個重要原理是它把齊家、治國貫通爲一，認爲家齊便可國治，齊家的原理可以直接上升到治國。所謂「欲治其國，必齊其家」，「一家仁，一國興仁」，把家看成是國的縮影，把齊家看成是國家治亂的基礎，這體現了家——國一體的社會結構特徵與家族本位的道德思考方式。這種家、國相混的原理與精神成爲中國封建社會家長制的理論基礎，在以後的發展中，不僅在客觀上起著扼殺中國人民主自由要求的作用，而且爲政治生活中以人治代替法制給予了觀念上的支持。可以說，這是中國現代社會法制難以推行，「民主」與「爲民作主」糾纏不清的深層的傳統原因。

倫理政治的本質　內聖外王、家——國一體在本質上體現爲倫理政治。這種倫理政治，既不同於西方赤裸裸的專制政治，更不同於現代的民主政治，它是在家族情感、倫理原理基礎上生長出的一種倫理與政治直接同一的人際關係形式與政治統治形式。這種倫理，本位是家族倫理，在此基礎上又擴充爲一般的社會倫理，它把治國的邏輯縮影式地孕育於齊家的邏輯之中，其最典型的形式是中國的家長制。這種倫理政治與民主政治的區別，在理論前提上是人格平等與政治平等的對立；在義務權力上是匹夫有責與政治參與的對立；在文化理念上是天下一家與現代國家的對立。道德意識，人格平等，天下一家，匹夫有責，治權民主，是家族倫理的機制；政治意識，政治平等，政治參與，政權民主，現代國家，則是政治文化的要求。因此，二者雖然相互補充，但從根本上說，其原理是根本對立的。中國要實現政治民主化與現代化必須從根本上改變倫理政治的原理與實質。當然其中注重從政者的道德修養，注重政治的倫理價值有其合理因素，應該加以弘揚。

「天下一家」的境界　　大學之道，在「治國」以外，還有「平天下」的境界。「天下」是中國文化的特殊概念，它不是西方文化中的國家概念，而是家國相混而形成的特殊的文化實體，具有與民族相近的意義。「天下」是文化的理念，「國家」是政治的理念。「天下」的原理是倫理，「國家」的原理是政治。在「天下一家」的理想中，人們只需要由親及疏，推己及人。在這種理念中，傳統中國不是一個國家，而是一個「天下」。因此「大學」的境界，由家出發，最後既超越了國家，又復歸於家，其特點是「天下一家」。這種理想，雖然崇高，但具有很濃的烏托邦的虛幻性質，並始終囿於狹隘的「家」的樊籬之中。

人倫貫通、人性提升的德性精神體系　　《大學》的重要特點是把個人倫理、家族倫理、社會倫理、國家倫理、宇宙倫理貫通一體，並遞次上升，形成一種明確的德性倫理精神體系。而且，它通過修、齊、治、平，把人倫建構與人性提升結合起來，達到二者的統一。「大學之道」是對孔孟倫理精神的繼承，「明明德」的思想，身、家、國一體的體系都是孔孟思想的發揮。而八條目的構架也是孔孟思想的展開。八條目中，「修身」以前是孔子的所謂「下求」或修己；而「修身」以後，則是孔子的所謂「上達」或安人。下求與上達、修己與安人的統一便達到所謂至善的境界。正是在這樣的意義上，「大學之道」的基本構架成爲日後中國德性倫理精神的範型，也成爲以孔孟爲代表的儒家學說的集中概括。

「中庸境界」

如果說《大學》在孔孟的基礎上概括了一條人倫建構與人性提升的脈絡的話，《中庸》則提供了一個德性倫理精神生長的最高境界。中庸境界是中國傳統倫理精神的最高境界，這種境界從根本上說是天人合一、萬物一體的境界，它是倫理精神的極致，是個體德性與社會倫理，己性、人性、萬物之性的圓通。雖然《中庸》本身有許多考據學上的爭論，但我以為有一點是可以肯定的：它形成了一個較為完整的倫理精神體系，因而在民族倫理精神歷史建構的過程中具有極為重要的地位。

總的說來，《中庸》的倫理精神的內容主要有三個方面，即率性、貴誠、中庸。率性是明善，貴誠是誠身，中庸則是最高境界。

率性

《中庸》開宗明義就說：「天命之謂性，率性之謂道，修道之謂教。」這就是儒家的所謂三字精義：性、道、教。

這裡的「天命」，即天所命或天所賜者之意。「天命之謂性」，本於孟子，其義是，人的本性是上天給予、先天具有的，它是以人之所命來解釋性之由來。這裡它把性與天、命相聯繫，反映了中國文化的特點。「率性」即順從、發揚人的本性，是盡性之意。「率性之謂道」是說道基於人之本性，把人的本性發揚光大，就是「道」。「道」是什麼？就是孟子的所謂「五達道」與孔子所謂的「三達德」。《中庸》說：「天下之達道五，所以行之者三。曰『君臣也；父子也；夫婦也；昆弟也；朋友之交也』。五者天下之達道也。『知、仁、勇』三者，天下之達德也。所以行之者，一也。」（二十章）五達道即孟子的五倫關係，而實現五倫的品質是智、仁、勇的道德情操。「修道」是指遵循人倫道德規範，「教」即教化，是說遵循人倫規範要靠教化。

「天命之謂性」是孟荀之共同觀點；「率性之謂道」是孟子的觀點；而「修道之謂教」則來源於荀子。孟子強調盡性，荀子強調教化。三句之中，率性是核心，最為根本。人道源於天道，天道源於人的本性，所以一舉一動都不能離開道。「道也者，不可須臾離也。」（《一章》）性、道、教三位一體，成為《中庸》倫理的出發點。

這裡，《中庸》的立論方法是先由天命中引申出性，把天命與性等同，再把性與道相連。這種思維方式是由天道說人道，給人道以天道本體的論證，其基本原理是：率性而爲道，即修道的目的是使人不離其性。性即爲天命，爲人所固有，故修道之教，在使人循本有之善性，以達到成聖成賢。教由道立，道由性生，性由命定，人人得天命之性。大本既同，率性之道，修道之教亦無二致，所以己立可以立人，己達可以達人。

貴誠

爲了論述天人合一的最高境界，《中庸》提出了一個特殊的範疇——「誠」。在這裡，「誠」是宇宙的本體，道德的來源，同時又是人性提升、自我實現的動力。在《中庸》看來，只有通過誠的運作，人才能達於天人合一的境界。

誠與天道　　《中庸》以誠爲天道。何爲誠？朱熹解釋說：「誠者，眞實無妄之謂，天理之本然也。」（朱熹《中庸章句》）誠的本義是眞實無欺，「誠，信也。」（《說文・言部》）但《中庸》不僅把宇宙生生不息的過程抽象爲「誠」，而且以「誠」來標誌天地之所以實現其生生的最終原因。「誠者，自成也；而道，自道也。誠者，物之終始，不誠無物。是故，君子誠之爲貴。」（《中庸・二十五章》）這裡，「誠」是一個獨立自主、自我運動的獨立存在，世間的一切都是誠的展開，「不誠無物。」

從文化比較的角度看，英語中的 sincerity（誠實）一詞不能充分表達出「誠」的內涵，因爲從字意上說，「誠」不僅指誠實，更重要的是它含有自我運動、自我實現、自我完善的意義。《中庸》提出「誠」的目的，與其說是給宇宙以一個本體，毋寧說其直接的目的是要確立作爲道德主體的人在宇宙中的位置，尋找其本質的眞實來源。「誠」既爲宇宙的本質，也必然是人的本質，故曰「天命之謂性」。

於是人性便不是人類自身所形成的東西，而是對超越於人類本身的天道本質的分享，因而宇宙的本質與人類的本質便是同一的。「自誠明，謂之性；自明誠，謂之教；誠則明矣，明則誠矣。」（《中庸·二十一章》）這樣，《中庸》便在形而上的意義上把人性與宇宙之性完全同一起來。外在的天道與內在的人道之間的界限實際上已不復存在，天道的本質便轉化爲人道的本質。

誠與人道　《中庸》在強調「誠者，天之道」的同時，又強調「誠之者，人之道」。「誠」爲天道本體、宇宙實體，當然也是人性的本位與根源；「誠之」則是復明天道與人性「誠」的本性，向天道本體復歸，於是「誠」便具有了道德的意義，變成了自我實現、自我引導的力量。這裡的「誠之」，是指誠於自己的本性，通過誠不僅能認識自己的眞實本性，而且能認識他人與宇宙的本性，因而周敦頤說：「聖，誠而已矣。」（周敦頤《通書·誠上》）聖人就是誠於己之性、人之性、宇宙之性的人，因而可以贊天地化育，與天地參。「誠」的自我實現就是人的固有本性的最可靠、最眞實、最誠實、最完全的表現，所以只有通過具體的自我實現，才能成爲眞正意義上的人。

「誠」與「誠之」的區別，一爲先天，一爲後天；一爲自然，一爲教化。天命之性、率性之道是「誠」；而修道之教則爲「誠之」。「自誠明，謂之性」；「自明誠，謂之教」。「誠」包含著「明」，而「教」的基本任務則是使人看到「明」，最終把人引導到「誠」。絕對誠實的人就是通過內在自我轉化而完全實現自身的人。人性從最終意義上說是「誠」的最充分、最完全的表現，而誠本身也內在地具有自我實現、化育萬物的能力。「其次致曲，曲能有誠，誠則形，形則著，著則明，明則動，動則變，變則化，唯天下之至誠爲能化。」（《中庸·二十三章》）。復歸於人性就是「誠」，也即是人道，這就是「誠之」的功夫。

「誠」之道德價值　　誠作爲道德範疇指眞實無欺地履行道德信念。孟荀都講誠，孟子說「反身而誠，樂莫大焉」。荀子說「不誠則不能化萬民」。《中庸》吸收了二者的看法，把誠看做是宇宙的功能、源泉、齊家、治國、平天下的根本。認爲性、道、教三者都要依靠誠的信念，才能發揚光大。「誠」出自人的天性，但實現這種境界，又要發揚人的主觀能動性。「誠」的境界是「誠者，不勉而中，不思而得，從容中道，聖人也。誠之者，擇善而固執之者也。」（《中庸·二十章》）有了「誠」的境界，不必勉強，不必思慮，行爲自然合於道。他把誠視爲最高的境界和道德實踐活動的動力，所以「君子誠之爲貴」（《中庸·二十五章》）。

誠的道德價值，《中庸》歸結爲五條：第一，誠能盡性。「唯天下至誠，爲能盡其性。」（《中庸·二十二章》）心至誠則能發揚自己的本性，由是則可以盡到人的本性和事　勺本性，這樣便可以贊天地之化育，達到天人合一。第二，誠則能化。他認爲，「唯天下至誠爲能化。」（《中庸·二十三章》）就是說以「誠」處理人倫關係，「誠」於中則形於外，言行著明，則能感化一般的人。「化人」是中國倫理的特點，而誠則能化人。第三，誠可以前知。「至誠之道，可以前知。……故至誠如神。」（《中庸·二十四章》）這是說，誠能事先判斷事情的吉凶，行爲的善惡。第四，成己成物。「誠者，物之終始，不誠無物。」「成己，仁也；成物，知也。性之德也，合外內之道也，故時措之宜也。」（《中庸·二十五章》）誠能提高自身的精神境界，養成成就他人與外物的品德，誠是本性所應有的德性，所以能包括內外的一切規則。第五，至誠無息。「故至至誠無息，不息則久，久則徵，徵則悠遠，悠遠則博厚，博厚則高明。」（《中庸·二十六章》）就是說有了誠的信念就可以不斷地致力於道德修養，日有所進，就可以掌握治理天下的準則，懂得天地之造化，從而成爲聖人。

《中庸》把「誠」推到無以復加的地位，這是其倫理思想的一大特徵。「誠」作爲一種道德範疇，相當於道德義務感，沒有這種情操，一切道德行爲都不會持久。這種精神強調了道德行爲的自覺性，它抽象地發展了人們的道德能動性，進一步把道德生活中的「誠「的觀念無限誇大，以「誠」爲天地萬物生存生長的根據和動力，由此推出人心至誠便可以贊天地化育的結論。因此「誠」在儒家倫理中有著與基督教的「上帝」同等的含義，可以說，「誠」是「上帝」的抽象表達，「上帝」是「誠」的人格化，因而在翻譯中「誠」就寫爲「GOD」。

中庸之道

通過「率性」、「誠之」的功夫，人便可以達於最高境界：中庸。中庸作爲一種狀態是一種極高遠的境界；作爲一個過程是中庸之道。中庸之道，就德性狀態來說是執中，就價值取向來說是求和，就最高境界說是天人合一。

中庸之道，關鍵在於「中」。何謂「中」，從字面上說，「中」是兩段之中，但這只是它的表面意義。朱熹《中庸章句》說：「中者，不偏不倚，無過無不及之名。」這雖然是根據原文作出的解釋，但它是用否定的方法作出的定義，並沒有揭示出其眞正的內涵。《中庸》中對「中」作了許多說明，透過它也許可以把握「中」的含義。一個說明是「喜怒哀樂之未發，謂之中。」就是說，當喜怒哀樂未發時，人心中本有的純粹的性質就是「中」。另一種說明是：「中者，天下之大本也。」這是說，「中」是天下萬物的本源，天下萬物由此出。前者由「性」來說「中」，後者以「天下之大本」說「中」。「中」就人來說，是喜怒哀樂之未發的天命之性；就世界來說，是天下之本的天。而所謂的「庸」就是「用」或「常」，即恒常不易，它指「中」的空間上的普遍性、時間上的永恒性以及超時空的絕對性，或者說，對「中」的固守就是「庸」。因此，「中庸」作爲一種德性狀態就是執中，即固守人性之「中」。但這種「中」，不是偶然之中，而是要「時中」，即無時不中，「君子而時中」。在這個意義上，「中」與「義」之意義又相近。「中」作爲一種道德標準，表面上很玄奧抽象，實際上從儒家把仁義禮智作爲人性的內涵看，就是以仁義禮智作爲道德之標準，因而在具體內容上，恒常不易地固守仁義禮智便是中庸。

中庸從價值取向上說是求和。這裡的「和」包括個體德性的「和」與社會倫理的「和」。作爲個體德性的和，是指喜怒哀樂發而皆中節，即人性見之於情，無過無不及，它是指人性與人的道德行爲的體與用的合一、內與外的合一，也即是通過德性修養後達到的性與情的合一，這實際上是孔子「從心所欲不逾矩」的境界。就社會倫理來說，它是個人倫理、家族倫理、社會倫理、國家倫理、宇宙倫理各倫理關係之間的和諧，以達於天下一家的境界，由身而家，由家而國，由國而天下，修身、齊家、治國，平天下。這種「和」的境界，也就是君惠臣忠、父慈子孝、兄友弟恭、夫義婦順、朋友有信的五倫境界，亦即是孔子「禮」的境界。「禮」的核心就是「和」，「禮之用，和爲貴」，「禮」的境界就是「和」的境界。

「極高明而道中庸」，後來成爲傳統中國做人的準則與境界。就是說要高明配天，與天合一，就必須遵循中庸之道。到宋代，道學家把「極高明」解釋爲通曉理義、盡心養性、知天知命的境界；把「道中庸」引申爲從事人世間的活動，遵循五倫規範，符合中道。這是地主階級正統派所設想的理想人格。近代以後，這句話就被當作中國哲學的精髓，被解釋爲自然與人生、理想與現實的統一，並成爲中國人倫理性格的重要特徵。

中庸與民族性格

「中庸」不僅是《中庸》的核心思想，也是民族倫理精神與倫理性格的重要特徵。

中庸是中國文化的結晶。從詞義上說，「中」作名詞時，其意爲中心點；作動詞時，其意爲射中鵠的；作形容詞時是恰到好處的意思。詞性雖不同，但三義卻可一貫，即爲「不偏不倚，無過無不及」之意。「中」之啓示，首先在兩端之中，不能僅執一端；其次不能走極端，因爲「過猶不及」。而兩端常在運動之中，故須「時中」。「中」之精髓爲無過無不及；但它又平凡無奇，故又爲「庸」。既是極高遠的境界，又無玄奧怪異。

從思想上看，中庸有一個形成過程。它始於殷周，成於春秋之際。中國文化早在殷商時期就萌生此思想，以商朝的盤庚和西周的周公爲代表。盤庚提出「中學」，周公提出「中德」，孔子在此基礎上把「中德」上升爲儒家範疇，明確地提出了「中庸」的概念，到《中庸》得到了發展和完善。何爲「中庸」？鄭玄在《中庸》題解裡說：「名日中庸者，以其紀中和之爲用也，庸，用也。「朱熹在《中庸章句》中釋日：「中者不偏不倚，無過不及之名，庸，平常也。不偏不倚之謂中，不易之謂用。中者，天下之達道，庸者，天下之定理。」在孔子那裡，中庸是貫徹於一切的原則，它既是一種道德標準，也是一種方法論原則。孔子崇尙和諧，提出「以禮節和」，但他認爲，眞正的和諧必須具有嚴格的原則性，必須符合禮的規範，那種缺乏原則性的爲和而和，不過是德之賤的「鄉愿」之舉。孟子的中庸強調對原則的靈活應用，主張通過個體的能動性的發揮，從各種可能中選擇最佳途徑達到理想境界，因而提出「義」和「權」的範疇。荀子也力圖通過「明分使群」去實現這種境界，求和諧於差異之中。

中庸精神在中國的孕育具有深刻的民族根源。如前所述，中國原始社會向文明社會的過渡是通過「維新」的辦法，使家直接上升爲國，家——國一體，家——國相混，這是日後國家發展的基本形式。中國社會的發展走的是一條漸進式的損益途徑，而不是突變式的革命途徑，這就造成了中國民族過猶不及、不偏不倚、中立中行、時中中和的中庸民族精神與民族性格。而中庸思想之所以形成於春秋之際，也有深刻的時代背景、階級基礎與思想基礎。春秋後期和戰國前期的歷史形勢雖然發生很大變化，但卻處於量變的過程中，從總體上說，奴隸主階級和地主階級還處於相持階段，其他矛盾莫不如此，這種形勢往往引起人們的幻想，企求通過相互容忍，讓步協調，來維持均衡相處的局面。孔孟之「士」，雖出生於名門望族，但那時已降爲布衣，處於社會的中層，他們對上層既擁護又不滿，對下層既同情又害怕，既要求上層作些改良，又要求下層作些犧牲。孔孟之流，一般都樂而好古，但又不得不爲新思想的沖擊所震撼。他們迷戀過去，但又不能不正視現實；他們不想徹底地拋棄過去舊的傳統，也不想完全皈依新的文化。就是說，既要保持一些舊的傳統，又要接受一些新文化。這便造成了思想上的兩面性，從而主張新舊調和，各有氣度，協調發展。

至此，我們可以對傳統的中庸精神與中庸性格的實質有一個比較準確的把握。中庸有折中之意，但不能歸結爲折衷主義，它強調執兩用中，強調達到對立面統一的靈活性。而折衷主義是無原則地任意地把對立方面結合起來。中庸並不是簡單地調和對立的雙方，而是依照某種原則或濟或泄。中庸的「和」也不是調和主義，在一定意義上「和」就是對立的統一，承認對立面本是同一個東西的兩極，而調和主義的特徵則是無視矛盾雙方差異和對立的絕對性，追求無差別的同一。中庸可以說是合二而一，「二」是對立，「一」是統一，它強調對立的平衡與和諧。這種原理和方法是中國人倫理精神和倫理性格的特徵。

中庸是人類思維與人類倫理精神發展達到一定歷史階段的產物。在古希臘倫理中，也有類似於中庸概念及以中庸爲特徵的政治倫理範疇，但它是在不同文化背景下孕育出來的。古代中國的中庸精神與古希臘的中庸精神，既有相似之處，也有根本的區別。從相同的方面說，首先它們都是傳統倫理與政治的範疇。在中國古代，中庸是君主的治民之道與修身之法，具有倫理政治的特點。到春秋時代，孔子繼承並發揚了這種先王之道，把它提到「至德」的高度，而名之爲中庸。在西方，當古希臘由氏族社會向階級社會過渡時，人們已經把它作爲至善的標準來衡量當時的道德、政治與文化，這在亞里士多德的倫理中得到了充分的體現。其次，中庸都是以反映統治階級的意志與行爲規範的形式出現的。在我國古代是以禮制爲內容，而古希臘則是從政的中間階級的意志體現。再次，中西方的中庸精神除堅持排斥兩端的原則外，都具有相對靈活的特點，這在我國有「權」、「義」的概念相補充，在古希臘有所謂的「相對中庸」。從相異的方面說，第一，由於社會結構不同，中庸的內容也不同。在我國維護君臣父子的等級秩序的「禮」是中庸的標準與內容；而在古希臘則是中間階級的政治原則。在中國，它成爲一種不易之道，既是約束人們行爲的規範，又是一種思維方法；而在古希臘隨著工商奴隸主階級的消逝它就失去了地位，在中世紀，就再也沒有什麼影響了。第二，從發展的過程看，在中國，中庸一開始具有辯證的性質，但隨著它變成不易的常道與倫理綱常，便走向反面；希臘的中庸思想最初具有宗教色彩，但在哲學的推動下便具有辯證的精神。第三，從社會基礎看，我國的中庸被宣布爲君子之德，而古希臘的中庸被認爲是適合大多數人的生活方式的規範。

總之，中國傳統的中庸倫理精神與倫理性格，是一種不偏不倚、不走極端的精神與性格。它崇尙和諧，富有包容性；它具有調和的性質，提倡謙讓寬容；而作爲「天下之定理」，它也具有安於現狀、弱於進取的性質。中庸是中國血緣文化下特殊的倫理精神品質。

儒家德性之確立

至此，形成中國倫理精神本體的「四書」——《論語》、《孟子》、《大學》、《中庸》都有了，它們在當時雖然沒有結合在一起，形成體系，然而在日後中國倫理精神的生長過程中，卻成爲元點與本體。從中國倫理精神生長的整個過程看，到《大學》、《中庸》的出現，作爲民族倫理核心的精神結構——儒家德性至此奠定了。也可以說，儒家倫理精神的古典或經典形態至此完成了。一般人研究《四書》，僅是把它作爲互不相干的四本經典，然而我認爲，《四書》內部有著內在的聯繫。其中，《論語》、《孟子》奠定了儒家倫理精神的基礎，建立了儒家倫理的各種精神要素與精神原理，尤其是禮的精神、仁的精神、修身復性的精神得到了展開。而《大學》、《中庸》則是在此基礎上的提煉和概括。《大學》提出了身、家、國、天下諸倫理貫通，修、齊、治、平相統一的提升人性的中國倫理精神的總格局，《中庸》則指明了德性生長的最高境界——天人合一，四本經典的結合形成了儒家倫理精神的古典體系。

《四書》在民族道德發展史上，有著極其重要的地位，它是民族倫理精神的第一次系統的理論概括，使民族倫理從自發的習俗形態上升爲自覺的理論形態，體現了民族倫理的原始精神，奠定了民族倫理精神的基本格調。

《四書》倫理精神的結構

從整體上觀察，構成《四書》倫理精神結構的有四個方面：倫理人、仁愛、德化、中庸。

倫理人　這是《四書》的爲人之道。從何種角度確立道德主體，賦予道德主體以什麼樣的內涵，就是說如何爲人，最直接地體現了一種民族的倫理精神。《四書》從人倫本位的角度出發，在「二人」關係，確切地說在五倫關係中確立自我，把道德自我置於禮的倫理實體中，進而又從人與動物相區別的角度定義人性，把君臣父子的禮歸結爲人的本性，並賦予人性以強烈的情感內容。於是，合乎邏輯地得出結論，倫理無待外求，克己修身，反躬內求，就是人的倫理生活，亦即是道德自我的確立。因而形成一個由本體的禮出發，通過修養實現禮，從而首尾相接的辯證鏈環。《四書》所確立的人，就是這樣的倫理人。倫理人的特點是人性本善；倫理人的生活是修身養性，發揚人之善性；倫理人就是人際關係中的善人。倫理人具有三個子結構：一、「人」的確定：「二人」。在倫理關係即五倫關係中確立道德主體。二、性善。它是二人關係建立的基礎，規定了倫理人的本體，實際上是把五倫對應關係由外在的倫理實體移入人性，成爲人的道德本體。三、修身復性。這是向人性的復歸。倫理人形成一個由主體出發再回到自身的自我探求、自我滿足的倫理精神模式。倫理人的精神，實際上就是傳統道德的君子精神。這種君子精神的特點是：人倫本位，守己盡份；率性而行，循情向善；克己內求，修身養性。

仁愛　這是《四書》的待人之道。蔡元培先生認爲「孔子理想中之完人，謂之聖人。聖人之道德，自其德之方面言之曰仁，自其行之方面言之曰孝，自其方法之方面言之曰忠恕。」①仁是儒家德性的核心，其內容是愛人，但這種愛人不是一般地愛人，而是「愛人有術」。儒家的這種仁愛精神有三個層次：一、親親。這是愛人之起點，是家族之親愛，其特徵是「愛有差等」，它是整個倫理關係的原型與本體。二、忠恕。這是由家族之愛向社會擴充，以形成社會的倫理關係的方法與中間環節，其特徵是推己及人，是在差愛基礎上的泛愛。三、仁道。這是差愛與泛愛的結合，其特徵是親親而仁民，仁民而愛物。儒家的這種仁愛精神與西方的博愛精神是有根本區別的。從愛的基礎看，它是一種人性之愛，人情之愛，其根基與原理是親親之愛。由親疏之別的愛有差等出發，經過忠恕的心理體驗，才能達到泛愛衆。這種以情感，準確地說以親情爲基礎的愛，與西方以理性爲基礎的博愛是不同的。從愛的內容上看，仁愛以宗法等級爲內容，愛有先後，愛有厚薄，而博愛則是以平等爲內容。從性質上看，它是一種強制性的愛。五倫實體中的愛，遵循的是「回報」的原則，具有強制的性質，而博愛則是以自由爲原則。

德化　這是《四書》的治人之道。德化精神即內聖外王的大學精神，它是修己與安人的貫通。修己爲治人的根本，而安人則爲治人的核心和人格發展的主要活動，修己與安人的統一便是所謂至善。這種德化精神的要義有二：一是德，即個體的德性，它是德化的基礎；二是化，即化育。德與化的結合便體現了《四書》倫理治人之道的根本原理。德化結構有三：一、修己；二、安人；三、至善。德化即以德化人的精神，實際上是一種倫理政治精神，它融倫理與政治於一體，富有一種強烈的入世意識與社會使命感，是民族倫理精神的根本原理與典型特徵。

中庸　中庸是《四書》倫理的核心，它不僅體現在《四書》的倫理論述中，而且也構成《四書》倫理的方法論原則，是《四書》倫理精神的價值標準與整體形態。《四書》的中庸精神，表現爲三個方面的結構：一、率性盡性，擇善固執，即中道；二、求適執中，無過無不及，即中行。三、尙和崇序，天人一體，即中和。這三方面是緊密聯繫不可分離的。中道是中庸的潛在狀態，即人性本體狀態，是內與外的合一；中行是中庸的自在狀態，即道德行爲狀態，即體與用的合一；「中和」則是中庸的自爲狀態，是人與我的合一。三者的結合便是天與人的合一。中道是率性，中行是執中，中和是求和。性、中、和構成中庸精神的否定之否定鏈環，其實質是尙和諧，求協調，貴統一。

綜上所述，倫理人、仁愛、德化、中庸，形成《四書》倫理精神的完整結構。倫理人是爲人之道，仁愛是待人之道，德化是治人之道，中庸則統攝這三方面，是《四書》倫理精神的核心和整體形態。爲人、待人、治人、中庸構成儒家德性的特有結構。

《四書》倫理精神的形態

我認爲，《四書》倫理精神的形態就是人情主義，這是在中國社會與中國文化土壤上生長出來的具有民族特色的倫理精神形態。爲了對這種精神形態有一個準確的把握，必須對以下幾方面作進一步的說明。

第一，中國倫理與西方倫理代表著兩種完全不同的文化價値系統，因而如果用西方文化的概念概括中國倫理精神的形態，必然會造成許多概念上的混淆，並不能準確把握傳統倫理精神的特質，甚至是對傳統倫理精神的歪曲。對傳統倫理精神的形態，最流行、也是最有代表性的觀點是認爲是人文主義或人道主義的。這些提法雖然經過許多論證，然而由於它不是從自身的文化價値系統中生長出來的概念，因而有許多難以澄清之處。一般人總是在以人爲中心、重視人、尊重人的意義上闡釋這種人文主義或人本主義。其實，任何一種倫理，其核心都是人與人的關係，因而都可以說是人文的或人本的，人文主義思潮的出現本身就是對宗教「神本」的反動。中西方倫理精神的差別不在於是否以人爲本，而在於對人的不同理解。西方倫理的人是生物性的個體的人，其人道主義的核心是對個體欲望、利益、權力的尊重與維護；中國倫理的人是社會性的德性個體，是各種人倫關係釐定下的人，其人道主義的核心是對個體德性的尊重與對社會利益的維護。西方人道主義導致的是個人主義；中國人道主義導致的是家族式的整體主義，是德性主義。西方人道主義的核心是強調個人本位，強調個體尊嚴、權力與利益；中國人道主義的核心是如何通過德性的提升達到盡善盡美的境地，其所謂人道是爲人之道、待人之道、治人之道。因而這兩種人道主義的內涵是完全不同甚至是正相反對的。也許有的學者會認爲，只要對人道主義的內涵作詳細說明，使用這個概念也未嘗不可。但是，既然這個概念不能準確體現中國倫理的特質，既然它的使用會引起許多混淆與誤解，就說明這種概括是不恰當的。

第二，中國社會具有特殊的邏輯，與此相連，中國文化具有特殊的機制，要概括《四書》倫理精神的形態，就必須尋找體現這種特殊邏輯與機制的特殊概念。如前所述，與中國社會家——國一體結構相對應的文化機制是倫理政治，即在血緣家族倫理的基礎上引申出政治的原理與原則，而與這種文化機制相適應的倫理精神形態就是人情主義。人情主義是體現中國社會、中國文化、中國倫理精神特點的概念，是中國文化土壤上生長出來的特定概念，是中國倫理精神的民族形態。

第三，在一般意義上，所謂人情主義，就是以人倫秩序爲絕對價值，主張通過主體的德性修養和心意感通的生活情理來維護社會關係和人倫和諧。人情的本質是人倫，而人倫是結構化、情感化的人際關係。作爲一種人際關係形式，人情的核心是心意感通，即彼此間以情感爲媒介的互動。作爲一種道德活動方式，人情以德性修養爲前提，它是人倫實現、人性圓滿的形式。人情以和諧爲最高價值目標，這種和諧，包括人倫的和諧、人格內在的和諧。人倫本位、人情法則（這種法則有二：一是德性修養，一是心意感通）和倫理政治的本質構成人情主義倫理精神形態三要素。它是人倫建構的原理，也是人性提升、人格完成的形式，同時又是人倫與人格和諧的過程。這種人情主義具有了「倫理精神」所要求的一切內涵。作爲人倫建構的原理，它是社會運動的一種形式，它以心意感通爲手段，通過「回報」的機制感人、化人，達到爲人、待人、治人的統一。在中國社會中，由於人倫的結構性，不同「倫份」的人具有不同的「心意」內涵，「君惠臣忠，父慈子孝」，人性內涵不同，「回報」的內容也不一樣，因而這種感通與回報機制的運作便具有了倫理政治的實質。作爲人性提升、人格完成的形式，人情強調主體的德性修養，主張以德性化育萬物，建構人倫，因而這種人情以德性爲前提，無德性便不能感人、化人。在這裡，德性既是目的，也是手段。在人情運作的全過程中，人倫既得到了實現，人格也得到了完成，人倫與人格互爲前提，達到了二者的和諧統一。在這些意義上，可以說，人情是中國道德實用主義的典型體現。

第四，使用人情主義這個概念，最容易引起混淆與誤解的是「情」這個字。情既有情欲之意，也有情感之意。有人認爲，中國倫理是排斥情的，其實這是一種誤解。中國倫理排斥的只是情欲，最典型的莫過於宋明理學提出的「存天理，滅人欲」的口號；但情感的「情」，恰恰正是中國倫理的基礎。中國文化是一種血緣文化，血緣文化的首要特點就是重視情感之「情」。「情」在中國倫理中的作用，既是個體德性的本位，又是人倫關係的機制，它是人際之間產生心意感通的前提。因此，說中國倫理不重視情是站不住腳的，問題在於它重視哪一種意義上的情。更應當值得注意的是，這裡的「人情」，與一般意義上禮尚往來的「人情」或人情關係是不同的，後者只是人情主義倫理精神的世俗表現與異化形態。總之，理解人情主義概念的內涵，必須注意兩點：一是要從「倫理精神」的意義與完整內涵上加以把握；二是不能用熟知的概念去理解它，這裡還要重複一句老話：熟知的不一定眞知！

第五，只有用人情主義的概念才能把握儒家倫理精神的眞諦。儒家倫理精神作爲一種倫理政治精神，同時也是一種爲人、待人、治人之術，「儒術」才是儒家倫理精神的精髓與眞諦，也才是儒家倫理得以生長、發揚的根本原因。這種「儒術」，實際上是儒家倫理精神的根本原理，這種根本原理就是人情主義。而且也只有這種「儒術」才足以與道家的「道術」相區分，形成德性、道心的區別與互補。

《四書》的爲人之道、待人之道、治人之道，核心都在一個「情」字。爲人之道是要在人情化的「二人」關係中確立自己，形成以情爲本體的良心良知，亦即情感化的個體、道德本體與道德機制。待人之道，要在推擴自己涵育的道德之情，並以親——子模式與心理體驗爲出發點推己及人，行忠恕之道，形成愛有差等與泛愛衆相統一的人倫關係，其間散發出中國倫理特有的「人情味」；而治人之道則是以人情爲機制與手段，通過先正己心、將心比心、以心換心的原理與「回報」法則的整合運作以德化人，達到人際互動、倫理政治的目的，此即所謂「內聖外王」之道。因此，只有人情主義才能體現《四書》倫理精神的實質。儒家倫理，流派衆多，但其精神實質卻是同一的。這就是所謂「儒術」。禮之規範、仁之體系、德之實質，都是由這種「術」統一的，只有抓住了這個「術」，才抓住其根本。這種人情主義的形態，使儒家倫理精神具有兩個極端對立的內涵。一方面，它強調親子之情，愛人之德，忠恕之方，德化之功，使社會生活具有情趣和人情味，具有人道主義的性質；但另一方面，這種人情關係實質上是建立在親——子模式基礎上的，以宗法等級、人身依附爲內容的政治關係、專制主義是它的必然歸宿。而且由於這種關係具有以親——子爲原型的血緣根基，於是，它一方面具有天經地義的神聖性質，另一方面它的片面發展又具有極端專制的色彩，因而使這種專制主義具有特殊的形式——親民式的專制主義。這是中國家長制體系下特有的倫理精神形態。

《四書》倫理精神的內在矛盾

《四書》人情主義倫理精神形態的形成，根源於其特殊的結構和運行原理，這些結構、原理就是《四書》特殊的內在矛盾和自身的否定性。對這種結構、原理、內在矛盾的剖析，可以更清晰地把握人情主義倫理精神的內在邏輯和整體模式。

自然情感、道德情感與政治意識的矛盾，是《四書》人情主義倫理精神最基本的矛盾。

倫理與政治合一，爲人之道、待人之道、治人之道貫通一體，是《四書》倫理精神的根本特點。把五倫關係歸結爲父子關係，把政治意識歸結爲自然本能，從而使整個倫理生活、倫理精神富有人情的特點和機制，是《四書》倫理精神的基本原理和基本矛盾。《四書》倫理重德化，講仁愛，主正己，根本旨趣不在修己之內聖，而在治人之外王。人情主義就是儒家修己治人之「術」，其基本方法是首先把政治關係倫理化，把政治上的等級變爲倫理上的宗法，然後把這種關係人性化，變爲人們的日用倫常之情，於是，五倫便人情化，君臣關係變爲父子關係的引申。在此基礎上又把封建倫理實體——禮從外部移入人心，變爲人們固有的仁，並將外在規範直接訴諸人們的自然情感——尤其是親子血緣情感，然後在宗法等級的前提下，通過「將心比心」、「以心換心」的道德情感，轉化爲人們的政治意識，最後達到自然情感、道德情感與政治意識的同一。

要弄清這一矛盾，必須從《四書》的倫理、道德概念出發。《四書》倫理道德的規定，有一條重要的方法論原則，即人倫本於天倫而成立，社會道德本於自然道德而衍生。所謂人倫，即社會關係；所謂天倫，即血緣關係。自然道德是人本乎祖而產生的先天親親之道德；社會道德是此基礎上擴充而成的後天仁民之道德。《四書》倫理認爲，倫常即五倫關係由人的感情關係所構成，所謂倫理道德即由人的感情關係而產生的感情道德。孟子曰：「使契爲司徒，教以人倫，父子有親，君臣有義，夫婦有別，長幼有序，朋友有信。」（《孟子·滕文公上》）在五倫中，夫婦、父子、兄弟屬家族親子關係，其感情是本於自然的；而君臣、朋友屬於社會關係，其感情是後天衍生的。倫理生活由家族擴充而爲社會，其原型是親——子關係。在此基礎上形成道德，其基本模式爲孝悌。從家族道德之孝悌擴展爲社會道德之忠信便形成社會的道德關係。就是說，社會道德由家族倫常擴充而來，而宗法等級的內涵與人情運行的法則又使這種社會道德富有社會結構的性質。由此，社會道德又進入政治的領域，形成一種倫理政治。於是，《四書》倫理便形成了一個自然情感、道德情感、政治意識混爲一體的倫理意識。三者之中，自然情感是人們對生存於其間的最初的生活條件的態度體驗，對人際關係來說，它起於血緣，親——子是其基本內容。道德情感則是一種社會情感，它是在社會關係、倫理規範、人格理想基礎上形成的一種高級情感。而政治意識則是在國家生活中的權力意識，法權構成政治的基本概念。《四書》倫理把親——子關係及其情感通過道德的過渡直接轉化爲政治關係和政治意識，使政治關係變爲人情關係，法治變爲人治，形成一種溫情脈脈的宗法統治。在這裡，自然本能被演繹爲施恩——回報的人心邏輯，這種人心邏輯通過宗法等級的機制又被上升爲君惠臣忠、父慈子孝的社會倫常。於是生活的情理變爲道德的權利，道德的權利變爲政治的法權。從而溫情脈脈的親子之情通過彼此間的人情法則最終演變爲君要臣死，臣不得不死；父要子亡，子不得不亡的專制統治，人情也就從社會倫理成爲駕馭、統治他人的政治手段。

自然情感、道德情感與政治意識的矛盾，根源於人情主義倫理精神的另一個矛盾——家庭成員與社會公民的矛盾。

傳統倫理精神具有兩個循環論證的邏輯：第一，人情主義倫理精神的基本前提是主體必須是家庭成員，而不是社會公民。第二，人情主義倫理精神必然使社會公民成爲家庭成員。就是說，家庭成員是人情主義的必然前提，人情主義倫理精神具有使社會公民變爲家庭成員的機制。「家」是《四書》倫理的根本概念，就倫理實體而言，其基本前提是血緣家族，整個國家只是它的放大，謂之「國家」。倫理的最高價值目標是「天下一家」，歸根到底，整個社會結構就是放大了的家。就道德主體而言，其基本角色是家庭成員，即血緣情感的主體，而道德情感、政治意識只是它的延伸，說到底是或大或小的「家」的成員。就運行原理而言，人情法則的原型是親——子，因而當然的前提就是每個人都是「家」的成員——雖然這個家大小不同，但其實不變。因此，《四書》人情主義的另一原理就是先把「國」變成「家」，然後再把「家」變爲「國」；先把社會公民變爲家庭成員，再把家庭成員還原爲社會公民，由此構成《四書》倫理的家族精神。從總體上說，《四書》倫理精神乃至整個民族倫理精神，就是這種家族精神的外推和擴充，家族精神是人情主義倫理精神的根基。「天下之本在國，國之本在家」，家族倫理關係擴展到社會就形成爲政治結構，家族倫理成爲整個社會的倫理政治模式，社會倫理政治就是家族倫理準則的延伸。

在人情主義的倫理精神結構中，「倫理人」強調在以親——子爲模式的對應的「二人」關係中確立自身；「仁愛」強調推己及人、由親及疏的忠恕，是以「家」爲基礎的「愛有差等」；「德化」強調修身齊家治國平天下的內聖外王之道，「外王」就是齊家的擴充；「中庸」強調各安其倫、各盡其份的「中」。「中」自父子起，最後要達到的就是「天下一家」的和諧境界，「家」構成了人情的本位和法則。作爲道德，《四書》強調「孝」爲諸德之本，「萬善孝爲先」；作爲倫理，《四書》強調「以孝治天下」。所謂五倫，屬家者三，君臣視父子，朋友視兄弟，推之則四海同胞，天下一家。於是，必然產生家庭成員與社會公民的矛盾。

第一，家庭成員與社會公民是兩個既同時存在、又不可同一的角色，雖然家——國一體的社會結構與家長式的政治體制，爲人情主義倫理精神實現由家庭成員到社會公民的互相轉化提供了條件，但從根本上說，其實質是不變的，只不過是用倫理的形式行使政治的職能。家與國的對立，用黑格爾的話說，是神的規律與人的規律的對立。家以血緣的形式組織，具有先天性的邏輯；國以政治的形式組織，具有法權的特徵。家用長幼之序、親子之情把人們間的關係固定下來；國則用上下之等、人倫之法把人們間的關係固定下來。在社會中，人們不是以家庭成員的身份與他人交往，而是以社會公民的身份處於一定的政治倫理關係中。

第二，它必然產生人情與法制的矛盾。從根本上說，人情是家庭的原則，法制是社會秩序。家族主義精神必然用人情代替法制，而事實上，根本利益的對立又不可能形成天下一家的局面，於是只能導致在家長制體系下，君主以「長」、「上」的雙重身份用人情的形式統治社會，以「情」治國，使人情成爲社會的重要組織結構方式。

理性與情感、人格與人倫的矛盾是人情主義倫理精神包含的第三個矛盾。自然情感、道德情感與政治意識的矛盾，家庭成員與社會公民的矛盾，歸根到底是理性與情感的矛盾。自然情感、道德情感與政治意識的區別，家庭成員與社會公民的區別，根本的是理性和情感的區別。《四書》倫理立足情感，強調人情，忽視理性，具有把理性情感化的傾向。它首先把人設計爲情感主體。如前所述，儒家人性的「四心」結構中，四分之三的是情感，而所謂「是非之心」，實際上是君臣父子的禮之心，即對五倫關係的認同，是情感化的道德判斷。其次，它把倫理關係即五倫關係情感化，用親——子模式建構整個倫理實體，使倫理生活人情化。於是，情感便成了爲人之道、待人之道、治人之道的根本。倫理人、仁愛、德化的人格建立與人格發展的過程便成了情感孕育、情感擴充、情感征服的過程。「感情用事」的人情成爲處理人際關係的法則，以至形成倫理政治，於是，情感取代理性而成爲道德主體與本體。這種理性與情感的矛盾，必然產生另一個矛盾，即人格與人倫的矛盾。因爲主體情感化的傾向必然導致人格與人倫的同一，使人格依附並統攝於人倫之中。《四書》倫理比心、交心的人情原理之所以衍生並發揮作用，其根源深藏於道德主體的確定方式之中。《四書》倫理將道德主體確立於對應的「二人」關係中，認爲單個的個體是不道德的主體，個體人格的確立和完成必須發生於「二人」關係之中，因而整個倫理精神確立的基礎是人倫。就是說，當自己情感化的道德之心發射到對方身上時，便產生了自身的人格；當對方從自己上「比心」，並自覺地「交心」時，人格便得到了發展和完成。同樣，一個人當感到對方之「心」時，只有「將心比心」，交出自己的「心」，才會有自己的道德人格。因此，離開了「將心比心」、「以心換心」的人情關係，個體就沒有人格。在《四書》倫理中，有的是這樣的人倫觀念，即缺乏獨立人格的觀念。因此，沒有強大的自我基地，缺乏明確堅定的自我意識，突出表現爲自我權利觀念的匱乏，因而可以說主體總處於人情的顛覆之中，這就是所謂「德化」的實質。這兩對矛盾，實際上是同一矛盾的不同表現，人格與人倫的矛盾是理性與情感的矛盾的具體體現和必然結果，而情感原則、人情原理的現實性又存在於人格與人倫的矛盾之中。它們在現實社會生活中的運作，表現爲個體道德中協調與進取的矛盾，社會倫理中整體與個體的矛盾，並導致倫理精神中重協調、重整體，輕進取、輕個體的傾向。

通過以上對《四書》倫理精神特殊的形態、結構原理與內在矛盾的分析，我們可以建構起《四書》倫理的特殊精神模式。概括地說，《四書》倫理精神是以情感爲本體，人倫爲本位，血緣爲根基，親——子爲原型，爲人、待人、治人爲結構，以修己正心、將心比心、以心換心爲原理，以五倫宗法等級關係爲實體的家族精神統攝下的中庸模式。情感本體、關係本位、血緣根基、親——子原型、宗法等級、五倫實體構成人情主義倫理精神模式的要素；爲人之道、待人之道、治人之道是這些要素的內在結構；以德性修養爲前提的正心、比心、交心是這種結構的原理；而家族精神統攝下的人格發展與人倫實現的中庸則是這種模式的整體形態。

二、中國封建倫理精神之確立——董仲舒的「三綱五常」

《論語》、《孟子》、《大學》、《中庸》的出現，標誌著在中國倫理精神生長過程中作爲其本體與主體的儒家德性的奠定。然而，《四書》奠定的德性並不就是中國封建倫理精神，中國封建倫理精神的正式形成及眞實形態是董仲舒的「三綱五常」精神。與中國封建社會走向大一統相適應，董仲舒提出了「罷黜百家，獨尊儒術」的主張。「儒術」的獨尊標誌著中國倫理精神的抽象性統一。

董仲舒的「三綱五常」既是中國倫理精神的封建化，又是中國倫理精神的抽象性統一。它使經典儒家的德性精神封建化、神聖化。經典儒家的德性精神的基本原理是使血緣宗法的原理直接上升爲倫理的原理，而董仲舒則使父慈子孝、君惠臣忠的雙向的倫理關係變成父爲子綱、君爲臣綱的片面的等級服從；經典儒家是從倫理的原理中引出政治的原則，使政治建立於家族的基礎上，同時強調政治的倫理價值，而董仲舒則使倫理服從政治的需要，從政治出發論證倫理的合理性；經典儒家從血緣中尋找倫理的根據，以論證倫理的神聖性，董仲舒則從宗教中論證「三綱五常」的絕對性與至上性。倫理的政治化、等級化、宗教化標誌著民族倫理的封建化，中國封建統治者最終找到並確立起了中國封建倫理精神的形態——「三綱五常」。從此，在中國倫理史上，除少數時期外，儒家倫理精神都占據絕對的統治地位。但這種儒家倫理已不是原始的經典意義上的儒家德性，而是經過封建化、政治化了的儒家德性。董仲舒的倫理精神的結構是天人感應的宗教倫理精神，「三綱五常」的名教綱常精神，性三品的等級人性精神。這種倫理精神乃是中國封建社會走向大一統的倫理精神形態。雖然這種宗教倫理精神與等級人性論被後來的思想家所捨棄，但其「三綱五常」一直成爲中國封建社會的金科玉律，成爲封建倫理精神的最大特徵與封建社會的意識形態。

董仲舒的倫理體系在中國倫理精神生長過程中具有特殊的地位。以《四書》爲代表的經典儒家倫理雖然也是階級社會的產物，具有很強的階級性，但它畢竟是從中國社會的土壤上剛剛生長出來的，在某種程度上帶有孩童的童貞，具有較大的民族性與理想性。而且，它們是百家爭鳴的產物，其精神具有一定意義上的民主性，這是經典儒家的合理性與生命力之所在。但是，隨著階級對立的激化，隨著大一統政治格局的出現，必然會產生倫理的異化與倫理精神的內在分裂，這種異化與分裂本質上是原有的倫理精神與社會現實矛盾的產物。董仲舒的倫理體系，一方面要繼承經典儒家的傳統，另一方面要適合並服務於大一統的需要，其特點是把《四書》模式宗教化。具體來說就是把倫理化的宇宙之天變爲宗教化的人格之天，把倫理的天與宗教的天混而爲一，倫理之命與宗教之命混而爲一，以解決倫理精神的異化問題。從這個意義上說，董仲舒的倫理是中國「天人合一」的倫理精神生長過程中的必然環節。從根本上說，董仲舒的倫理精神仍然是與傳統的天人合一一脈相承的體系，他以宗教的形式突出「天」的概念，把倫理規範上升爲天，使之人格化，因而具有神聖性。但他把精神本體的天與宗教的天相混淆，把宗教的宿命與倫理的使命相混淆，所以，他的「天」又是非本體化的天。同時他以宗教的機制使天人相通，而不是像經典儒家那樣通過德性修養而齊天、接天、達於天人合一，故而可以說他的天人合一是經典儒家天人合一精神的異化與否定的形式。在此基礎上，他把雙向的、互動的人倫關係變爲片面的、等級服從的人倫關係，個體德性的能動性變成宗教的制約性。可以說，董仲舒的倫理使經典儒家道德目的性的德性倫理變成神學目的性的宗教倫理。

天人相通的宗教倫理精神

孔孟倫理以「仁」爲出發點，荀子倫理以「禮」爲出發點，董仲舒的倫理則以「天」爲出發點。他認爲，由於天人相通，所以天的本質決定人的本質；由於天人合一，所以人間的道德原則取自於天；由於天人感應，所以天握有賞善罰惡的權力。由此，構成了他的天人相通的宗教倫理精神。

「天」是董仲舒倫理體系中的必然結構。一方面，倫理的異化、社會矛盾的激化，使倫理規範與人性產生分裂與對立，必然要抬出客觀性、宗教性的「天」，以此作爲戒愼恐懼的力量；另一方面，「天」是中國倫理的傳統範疇，「天」的含義與使用本身不僅多也很含混，有倫理化的人性之天，有自然之天，宇宙之天，也有宗教性的神學之天。董仲舒把人性的天與人格的天合一，形成宗教目的性的「天」。董仲舒天人相通的倫理精神的核心和根本特點就是使人的倫理上升爲天的法則，使內在的道德準則變爲外在的宗教立法。這是隨著民族倫理封建化而導致的民族倫理精神的內在分裂所提出的必然要求。這裡，需要說明的是，董仲舒宗教倫理精神的本質是使封建倫理神聖化。他的宗教是封建倫理的宗教，而不是西方意義上的宗教，他的最終目的並不是創造一種神的宗教，而是要論證封建倫理的神聖性與至上性。在這裡，宗教只是手段，而不是目的。

天人合一與倫理政治之神聖化

「天」是董仲舒倫理系統的最高範疇。這種「天」，從形式上說，是有意志、有目的的人格化的宗教的天，而從實質性的內容上說則是倫理道德的天，是客觀的倫理道德觀念。他賦予天以至高無上的神性後，認爲人的形體、本質是由天決定的，人間的道德準則是天規定的。「天地之精，所以生物者，莫貴於人。人受命乎天也，故超然有以倚，物疢疾莫能爲仁義，唯人獨能爲仁義。」（《春秋繁露·人副天數》）「人受命於天，固超然異於群生，入有父子兄弟之親，出有君臣上下之誼，會聚相遇，則有耆老長幼之施；粲然有文以相接，驩然有恩以相愛，此人之所以貴也。」（《漢書·董仲舒傳》）就是說，人之所以爲人，是因爲有道德的屬性；人之所以區別於其他動物，乃是人得「天地之精」，受命於「天」之故，因爲仁義乃取自天地之精，唯人獨能爲仁義，於是人便與其他動物區別開來了。

那麼，人爲什麼能異於群生，而獨得仁義呢？他作出了「人類於天」的解析。認爲人之形體、人之德行都是類於天的，「爲生不能爲人，爲人者天也。人之人本於天，天亦人之曾祖父也。此人之所以乃上類也。人之形體，化天數而成。人之血氣，化天志而仁。人之德行，化天理而義。人之好惡，化天之暖清。人之喜怒，化天之寒暑。人之受命，化天之四時。人生有喜怒哀樂之答，春秋冬夏之類也。」（《爲人者天》）由此，人從形體到情緒，從道德準則到正常的喜怒哀樂都被說成是「象天」、「類天」的，所以，董仲舒的結論是「以類合之，天人一也」（《春秋繁露·陰陽義》）。

這種神秘主義的天人合一論，表面上是以天道論人道，實際上是要把人道，即封建倫理綱常抬高到「天道」的高度，借以論證封建道德的神聖性與永恒性。他先把封建倫理綱常上升爲天，然後再通過天人合一的環節下降，深入人性。這樣，人道便變爲天道的外化，客觀的封建倫理準則就變成人的內在的、固有的人性，於是「天不變，道亦不變」。通過天人合一的環節，封建道德不僅獲得天的神聖性的光環，而且具有了永恒的性質。這種把道德準則歸結爲天的做法與先秦儒家將其歸結爲人的本性與人的內在自覺性的精神是根本對立的，但從倫理精神的生長過程來說，它又是只能如此，具有必然性的步驟。

天人感應與道德原則的至上性

「天」如何履行道德的職能？董仲舒又提出「天人感應」論，作爲「天人相通」的實現環節。這種「天人感應」論的倫理實質，就是把「天」作爲人類道德的仲裁者與監督者，把對「天」的敬畏，即害怕天的懲罰或祈求天的賜福，作爲人們道德信念與其所以能遵循道德規範的原因，以此取代人的內心自覺與社會輿論的作用。

「天」如何與人「感應」？他用「災異」作爲「天人感應」的橋樑。「『災』者，天之譴也；『異』者，天之威也，譴之而不知，乃畏之以威。詩云『畏天之威』，殆此謂也。凡災異之本，盡生於國家之失。國家之失，乃始萌芽，而天出災害以譴告之；譴告之而不知變，乃見怪異以驚駭之；驚駭之尚不知畏恐，其殃咎乃至。以此見天意之仁而不欲陷人也。」（《春秋繁露·必仁且知》）就是說，人的行爲如不體現「天意之仁」，即不遵循封建道德規範，那麼，天便通過災異來譴責，不聽譴責便遭殃咎；反之，天則賜福。這就叫做「天人感應」。董仲舒的這種天人感應論，其目的是要論證封建道德原則的至上性與絕對性。中國文化是以倫理關係爲本位的恥感文化，在這種文化中，道德通過社會輿論而起作用，但社會輿論並不是無所不在的，先秦儒家看到這一點，從人的親親之情中引出「仁」的自覺理念，同時提出「慎獨」的要求。但在現實中，尤其是在相互衝突的道德生活中，它對人的制約作用畢竟是有限的。董仲舒搬出天，使經典儒家的世俗倫理、家族倫理變成宗教倫理，讓無所不在、無所不能的「天」來監督、制約人們的行爲，這與西方的宗教倫理有共同之處，是在文化上的共通。這種理論，後來被佛家的因果報應說取代。另一方面，從封建化的過程來說，民族倫理的封建化，必然帶來民族道德的內在對抗與民族精神結構的內在分裂，而對這種對抗與分裂，原有的內心信念與社會輿論的道德機制就很難發揮作用，於是，董仲舒抬出天，作爲對人的行爲的震懾力量。這種道德觀，使人完全屈從於天威之下，實際上取消了借以維繫道德力量的人們的內心信念與社會輿論的作用，而這就等於取消了道德的特有社會功能，使之成爲神學的附庸。後世的地主階級思想家看到了這一點，因而很快拋棄了這種說教，把立足點放到恢復封建道德的特有功能上，在這方面，宋明理學體現出了特色。

倫理與政治的一體化：聖王與王聖

如前所述，中國的倫理精神，本質上是一種倫理政治精神，這種倫理政治的特色是從倫理的原理中直接派生出政治的原則。它在社會倫理上強調家、國、天下的貫通性、一體性，在個體道德上強調內聖外王。到董仲舒，隨著民族倫理的封建化，倫理完全服從於政治，由先秦的政治遵循倫理的原理，發展到倫理爲政治原則作辯護與論證，此二者在爲政治服務方面雖然有共同處，但在性質上已發生了部分的質變。所以說，董仲舒倫理精神的本質不是孔孟的倫理政治精神，而是荀子的政治倫理精神。

董仲舒的這種政治倫理精神集中體現在他的「王者法天意」的命題上。這一命題有兩個方面的含意，一是王者應當法天意；二是王者就是法天意，就是天意的體現。前者爲「聖王」，後者爲「王聖」。前者說「王者應爲聖人」，後者說「王者必爲聖人」。他宣稱道德出自天意，其目的並不在天本身，他抬出天，首先是爲君權的神聖性作論證，說明「王者之三綱可法於天」；另一方面也是爲了限制包括君在內的一切人。他推崇君權，說君王受命於天，是「民之父母」，但他懂得，如果讓君爲所欲爲，不利於封建統治的長治久安，因而「天」

又意在限制君。「天者，百神之君也，王者之所最尊也。」（《春秋繁露·郊義》）「天」是最尊的萬神之君，而天子受命於天，故而王者就必須「上謹於法天意」，此即所謂「聖人法天」。而天意之原於人意，天意與人間的道德準則是相通的，因而君主必須以德配天。天子雖然受命於天，但並不是都能承天意行事，於是董仲舒又給「天」以賞善罰惡的最高權力。「國家將有失道之敗，而天乃先出災害之譴之；不知自省，又出怪異以警懼之；尚不知變，而傷敗乃至。以此見天心之仁愛人君而欲止亂也。」（《舉賢良對策》）《漢書·董仲舒傳》這裡，含有以「天」的名義，把封建道德置於君主之上以約束其行爲的意義。

倫理的宗教化

如前所述，隨著民族倫理精神的封建化，中國倫理產生了內在的分裂。封建倫理精神不像儒家倫理精神那樣具有民族性，其內在的階級性質及其對立十分明顯地體現出來。在這種情況下，董仲舒抬出宗教的天，一方面論證封建綱常的神聖性、永恒性、至上性；另一方面又用「天」維繫對立的封建道德，使之具有更大的欺騙性與震懾力量，使倫理精神宗教化。董仲舒的倫理宗教化，有兩個基本的特色。第一，使倫理變成超倫理，使人道變成天道。中國倫理立足血緣，家族親親乃是天倫，人倫扎根於天倫，這種天倫的生物性使之具有先驗的神聖意義。但它與董仲舒的宗教的天是不同的。人倫立足天倫是民族性的體現，是中國倫理內在的原理與神聖化；而董仲舒的以天道說人道實際上是把客觀的倫理原則用外在的天的形式強加於社會，用超倫理的形式說明倫理，解決倫理問題，這必然帶來民族倫理的內在危機。可以說，用超倫理的形式解釋倫理現象就是由民族倫理封建化而產生的危機的必然結果。第二，信念變成信仰。先秦經典儒家的德性是立於「人者，仁也」的信念，強調由差愛到泛愛，由天倫到人倫的「仁道」，而董仲舒則使內在的倫理信念變成宗教的道德信仰。這是因爲，君爲臣綱、父爲子綱、夫爲妻綱的綱常名教與君惠臣忠、父慈子孝、夫義婦順的生活情理不同，它具有許多片面的、極不合理的、專制性的內涵。這些是人們的信念所不能解決的，必然要借助宗教乃至迷信的信仰機制，從而最終走向信仰主義、蒙昧主義。在民族倫理精神的發展過程中，董仲舒的宗教倫理精神，一方面開啓了後來佛學因果報應宗教倫理精神的先河，另一方面也注定了它必然被否定的歷史命運。這種倫理精神，不但與中國的入世文化相抵觸，而且它的粗陋使統治階級也覺得不登大雅，故而未予以繼承發揮。

名教綱常精神

董仲舒倫理精神的核心是「三綱五常」的名教綱常精神，他的宗教倫理精神與等級人性論都是爲這種名教綱常精神作論證的。「三綱五常」在中國倫理精神生長過程中的地位是使具有較大民族性、以雙向義務關係爲內涵的相對倫理變爲與封建人身依附、宗法等級相適應的、以片面的服從爲內涵的絕對倫理，由此構成中國封建道德的核心。「三綱五常」的各個具體內容雖然在先秦已經被分別提出來了，但並不完備，更沒有形成一個體系。董仲舒確立了它們的地位，重新排列了它們的順序，從而構成了一個完備的封建倫理體系。「三綱五常」的形成，標誌著中國封建倫理精神的形成，標誌著民族倫理精神的封建化，並由此實現了中國倫理精神的抽象性統一，它對中國封建社會的發展與社會生活的各個方面，產生了極其深遠的影響。

陰陽五行與「三綱五常」

在董仲舒宗教倫理觀中，他把一切倫理關係與道德規範都歸結爲天，認爲天是百神之君的人格神。那麼，這些道德原則和規範是如何體現天意的呢？對此，他用陰陽五行說加以附會。陰陽五行是中國文化的傳統範疇，是中國人特有的宇宙觀。董仲舒用陰陽比附三綱，用五行比附五常，使「三綱五常」具有天經地義的神秘色彩。

董仲舒認為，陰陽之間的關係是「陽尊陰卑」、「陽貴陰賤」，由此推出人世間的等級關係是合於天意的。「天下之尊卑，隨陽而序位。幼者居陽之所少，老者居陽之所老，貴者居陽之所盛，賤者當陽之所衰，藏者言其不得當陽。而當陽者，臣子也；陽者，君父是也。故人主南面，以陽為位也。陽貴而陰賤，天之刑也。」（《春秋繁露・天辨在人》）等級尊卑對封建統治的必要性，從先秦到漢的思想家都意識到這一點。傳統的論證方法是孔孟血緣——宗法——等級三位一體的方法，隨著大一統封建專制倫理精神的形成，這種傳統的原理與機制已經不能適應極端的等級統治的需要，但人們又無法論證其合理性，作出令人信服的論證。董仲舒索性把它簡單化，歸之於陽尊陰卑的天意，從表面上看，似乎解決了這一問題，但「天」在中國文化中是一個極其模糊、很不牢固的概念，當人們破除了對天的迷信後，建立在這種蒙昧主義與神秘主義基礎上的道德精神與道德信念也必然瓦解。因而，當王充等人對董仲舒這種神學體系進行批判的時候，封建道德就陷入危機之中。

在以陽尊陰卑來說明三綱的同時，董仲舒又把五常配入五行，他以仁配木，以智配土，以信配金，以義配火，以禮配水，於是天道的五行便與人道的五常配合起來了，而其中最根本的便是仁。這樣，他便把三綱五常說成是「盡取之於天」的神聖東西，企圖使人們自覺自然地接受束縛。

「三綱」的內容與實質

在倫理準則方面，先秦儒家已經推出了處理人際關係的五倫。法家的韓非從政治統治的角度把「臣事君，妻事夫」作為天下之常道，董仲舒則根據他的陽尊陰卑理論，更明確地推出「君為臣綱，父為子綱，夫爲妻綱」。「君臣、父子、夫婦之義，皆取諸陰陽之道，君爲陽，臣爲陰；父爲陽，子爲陰；夫爲陽，妻爲陰。陰道無所獨行，其始也，不得專起；其終也，不得分功。」（《春秋繁露・基義》）並強調「在上者，皆爲其下陽；在下者，各爲其上陰」。他強調陽尊陰卑的目的，在於使大家「知貴賤逆順之所在」（《春秋繁露・陽尊陰卑》）。

「三綱」體現的是一種宗法等級的封建倫理精神，這種精神是傳統倫理精神封建化的結果。從表面上看，三綱是五倫演化而來的，但實際上二者有著根本的區別。第一，五倫設置的特點是從家族、血緣關係中引申出倫理政治的關係，並說明這種倫理政治關係的神聖性、內在性、永恒性。在這裡還有許多人性與人情的意味，而三綱則完全捨棄了這些內容。用三綱的關係比附赤裸裸的政治關係，於是溫情脈脈的面紗便被揭去了。五倫是天倫、人倫及天人之間的夫妻之倫的統一，三綱雖然抓住了這一點，但它強調的不是人倫出於天倫，而是人倫出於「天」；倫理關係及其準則不是內在的人性，而是外在的「天道」。第二，五倫以愛人爲核心，雖然它認爲愛有先後厚薄之分，但愛人總是它的根本，而三綱則沒有了這方面的內容，溫情脈脈的「愛」變成了赤裸裸的「綱」。第三，三綱與作爲五倫根本精神的「禮」也不同，禮雖然講的也是一種宗法、等級秩序，但它強調的是君惠臣忠、父慈子孝、夫義婦順，在這裡，無論權力還是義務，都是雙向的，彼此之間的關係實際上是以情感爲本體，以人情爲原理，以回報爲機制推出倫理政治關係，可以說，在這裡君、父、夫的義務是首要的，他們對臣、子、妻都負有一定的道德責任。而在三綱之中，雙向的以回報爲原則的義務關係，變成了一種片面的單方面的服從關係。在五倫之中，雖然也有人身的依附，但這種依附關係是由血緣關係與家族情感推導而來的，可以說它是一種內在的依附與依賴；而在三綱之中，這種依附便演化爲政治性的外在的強制。

但是，正如賀麟先生所指出的，在中國社會中，五倫說具有演化爲三綱說的邏輯必然性。第一，由五倫的相對關係，演化爲三綱的絕對關係；由五倫的相對之愛、差等之愛，演化爲三綱的絕對之愛。五倫的關係是自然的、社會的、相對的，但在社會生活中它常常隨對方的行爲而轉移，往往造成君不君、臣不臣、父不父、子不子的不穩定的變亂狀態。三綱說要求補救相對關係的不穩定，要求相對關係者的一方恪守本份，實行單方面的愛，履行單方面的義務，以免陷入相對的循環之中。第二，由五倫演化爲三綱包含有由五常之倫演化爲五常之德的過程。五倫說要維持人們之間關係的長久，但由於人們德行的差別，它只是一種理想，而五常之德就是維持理想上長久關係的規範，它要求任何地位的人要絕對恪守自己的本份，履行自己的責任，克盡自己單方面的義務，不隨對方爲轉移，以維持人倫關係，穩定社會的綱常，這就是三綱說所提出的絕對要求。五倫轉化爲三綱，把人對人的關係轉變爲人對理、人對分位、人對常德的單方面的絕對關係，應該說，它在維持封建社會的穩定方面，比五倫說更有力量。因此可以說，它是由自然的家族血緣的道德演化爲神聖不可侵犯的具有宗教意味的禮教。它在禮教方面的權威，曾桎梏人心、妨礙進步、束縛個性達數千年之久。

可見，五倫演化爲三綱，是封建化的結果。在這種演化的過程中，一些民族性的、合理的內涵消失了，雖然在維護宗法等級秩序這一本質上是相同的，但二者在方法內容、所包含的合理性、民族性的內涵方面都有許多區別。如果說五倫之禮是血緣與宗法，三綱則是政治與等級，從此，雙向的五倫關係便變成了以片面的忠、孝、順爲內容的君權、父權與夫權。

五常之內在聯繫

仁、義、禮、智、信這五個道德範疇，先秦各家尤其是儒家作了不少論述，但把它概括爲恒定不變的「五常」則是董仲舒。他從治理國家的角度提出問題，把五常作爲實現禮樂教化的必由之路。這樣，仁、義、禮、智、信這些個人修身處世的道德規範，對三綱來說便處於從屬的地位。就五常的具體內容及它們間的關係而論，董仲舒與孔孟一樣以仁爲核心，由此建立他的道德規範體系。

仁與義　董仲舒強調「人我之分」、「義與仁殊」，認爲仁與義兩個道德範疇所應用的對象和所起的作用是不同的。仁是用來對人的；義是用來對己的。對人可「以仁治人」、「以仁安人」，「仁者愛人，不在愛我」。義是用來對己的，即「義以治我」，「以義正我」，「義在正我，不在正人」。這種原則，與儒家在修養上「求諸己而不求諸人」、「躬自厚而薄責於人」的精神是相吻合的。他對仁義作出這樣的區別，意在把爲人處世與自我修養區分開來，這是倫理思想發展的一個深化。但他在說明二者分別的具體內容時，又強調「仁在愛人，不在愛我」，「義在正己，不在正人」，把人與己形而上學地對立起來，而與孔子所說的「己欲立而立人，己欲達而達人」的觀點相悖。他反對「愛」，實質是爲其專制倫理作說明，並把義僅僅解釋爲對三綱的遵循，把正人的權力交給了天子。正因爲這樣，他才把「不明仁義之殊」作爲不知道逆順的大問題，這種具有奴性服從性質的仁義觀爲後來的宋明理學所不取。

仁與智　他強調「必仁且知」，「仁知雙全」。「仁而不知，則愛而不別也；知而不仁，則知而不爲。故仁者，所以愛人類也；智者，所以除其害也。」（《春秋繁露·必仁且知》）就是說，仁與智是相輔相成，不可分割的，如果「仁而不智」，就會「愛而不別」；如果智而不仁，就會「知而不爲」。他提出警惕愛而不別，說明其愛人有嚴格的尊卑等級區別，如果不仁不智，則既有「邪枉之心」，又有「僻違之行」。對於智的注重，是他的倫理高明的地方。

對禮與信的關係，他同樣未超出「五常從屬於三綱」這個主題。然而五常畢竟是作爲人人必須遵循的規範而存在的，因此每一規範對一切人來說都有一個共同的要求，然而在三綱之中，人是處於根本對立地位的，不可能遵循同一規範，於是三綱與五常便陷入了無法解決的自我矛盾之中，對此我們下一步再論。

「三綱五常」與中國社會的發展

如前所述，三綱五常是封建道德的核心，在封建社會裡，所謂名教、禮教、世教、王教，其實都是三綱五常。它的形成，反映了封建社會的成熟；它的凝固和僵化則反映了中國封建社會的衰敗和沒落。弄清了「三綱五常」，就弄清了封建道德的核心。

三綱五常正式發端於荀子。在孔孟那裡，雖有五倫正名之說，但它們與「三綱五常」沒有多少相通之處。荀子把君臣、父子、夫婦之道作爲人倫的綱紀，「若夫君臣之義，父子之親，夫婦之別，則日切瑳而不舍也。」（《荀子．天論》）是與天地同始終的道理。「君臣父子兄弟夫婦，始則終，終則始，與天地同理，與萬世同久，夫是之謂大本。」（《荀子．王制》）已經具備三綱說的端緒，雖無三綱之名，卻有三綱之實。所以，譚嗣同在批判封建主義綱紀時，首先把矛頭對準荀子，而非孔孟。荀子的學生韓非明確提出三綱，「臣事君，子事父，妻事夫，三者順則天下治，三者逆則天下亂，此天下之常道也。」（《韓非子．忠孝》）到董仲舒，建立封建大一統的綱常條件已經完全成熟，三綱之說明確提出並定型。而五常之說則來自孟子。孔子雖提出了這些道德範疇，但並沒有把五者連用，甚至仁義也未連用，至孟子才把仁義禮智的四善端在人性的基礎上統一起來，但也只是與孝悌忠孝觀念相聯繫。至董仲舒則明確把五者並稱，提出「五常」。三綱與五常並稱，便構成了三綱五常的封建道德體系。

三綱與五常固然有區別，但董仲舒的三綱與宋儒的三綱還是有區別的。在董仲舒那裡，三綱還只是尊卑關係，至宋儒才發展爲主從關係，乃至發展成爲「君要臣死，臣不得不死，父要子亡，子不得不亡」的絕對支配和服從關係。尊卑和主從關係雖有聯繫，但又有所不同，尊卑是社會地位的高下，主從是人身依附關係。三綱說由強調尊卑到強調主從是與中國封建主義的不斷強化分不開的。

在封建社會，所謂君臣關係，完全是個人與國家的關係，是一種政治關係。「君爲臣綱」強調的是君權；父子夫妻是宗法血緣關係，「父爲子綱」，「夫爲妻綱」，強調的是父權、夫權。但夫權是從屬於父權的，因此，封建社會的關係就是父權與君權的關係。在儒家那裡，父權與君權關係並不是並列的，儒家加強父權，爲的是加強君權，按宗法血緣進行統治，能起鞏固皇叔的作用，因而穩定了家族結構，也就穩定了社會秩序。但是，父權一方面加強君權，另一方面也削弱君權。在家能孝，在朝廷不一定能忠。對於封建政治統治者來說，如果違反了祖宗家法，也會被視爲最大的不孝，這對君權的絕對性來說，是不利的，所以，封建王朝要進行適當的改革總是很難。儒家總是企圖調和這種矛盾，《孝經》認爲：人倫關係，以父子關係爲大，孝是天地間的普遍規律，在家能孝，在朝廷就能忠，這叫「移孝作忠」。在中國封建社會，有「求忠臣必出於孝子之門」說，也有「孝治天下」的理論，這顯然是使君權從屬於父權，以調和矛盾。東漢馬融的《忠經》則突出了君臣之義，認爲君臣之義是自然社會的根本大義，故孝要以忠爲前提，這叫「以忠保孝」。在中國封建社會，有「忠孝難全」說，其實質卻是叫人「以忠爲孝」。

對五常間的關係，歷來有「仁」爲核心與「禮」爲核心的學說之爭。這種分歧源於孟子的仁義中心說與荀子的禮義中心說。孟子強調主觀的道德情懷，要喚起人們的道德自覺性，能動地調節人倫關係，故以仁爲最高原則；荀子強調嚴守尊卑等級規範的重要性，因而以禮爲最高規範；宋明理學中的「仁包五常」與「禮含諸德」的分歧就源於此。

三綱與五常既有統一的方面，也有矛盾的方面。三綱是社會倫理，五常是封建主義道德準則，是處理三綱關係的個體道德；三綱是封建主義人倫的尊卑、主從關係，五常是處理這種人倫關係的道德原則。因而封建正統的思想家都是毫無例外地擁護「三綱五常」的，而封建異端思想家往往是肯定三綱之要，而否定五常之道。如果不肯定三綱，他的思想就超出了封建主義範疇，就不是封建主義思想家了；不對五常有異議，就不是異端思想家了。他們否定五常之道，並不是否定封建主義的倫理關係，而是主張用道家的自然無爲或法家的嚴刑峻罰去處理人倫關係。近代具有反封建性質的思想家，其批判的矛頭無不首先指向三綱，因爲三綱是封建倫理關係的核心，不否定它就說不上否定封建主義，而五常作爲道德原則在解釋方面則具有一定的主觀性和靈活性，可以經過改造賦予新的含義。但三綱與五常在本質上是一致的，三綱強調片面服從，五常雖強調統一的道德原則，然作爲其核心的仁，對不同身份的人，具有不同的要求，這也就是先秦儒家所謂「仁術」。

「三綱五常」把封建主義的君權、神權、父權、夫權四條繩索絞在一起，給中國帶來的奴役和災難是深重的，但如果把它放在封建主義發展的歷史環境中去分析，就可以發現其歷史必然性。這種綱常倫理是爲中央集權服務的，只要承認漢武帝鞏固和強化中央集權制度是積極的、進步的，就不能完全否認三綱五常在當時的歷史進步作用。事實上，在中國封建社會裡，綱常倫理起到了鞏固封建大一統的作用，歷史上的所謂治世與亂世始終與封建道德的興衰有著直接的聯繫。當然，當封建社會走下坡路時，以綱常倫理爲核心的封建道德就起到束縛和奴役人的精神、阻礙社會進步的作用。這種作用是極大的，但對這種作用要進行具體的歷史的分析。

等級人性論

如前所述，中國「天人合一」的傳統倫理精神的特點是把道德規範上歸之於天，下歸之於性，而其中最主要的就是在人性中尋找道德的本源與根據。董仲舒繼承了這一傳統的道德思考與道德論證方式。然而與先秦人性論相比，他的人性論簡單地、直接地服務於「三綱五常」的道德要求，粗糙地把「三綱五常」的內涵塞進人性之中。這種人性論是十分粗陋的，可以說在理論上沒有多少可取之處，其突出的地位在於與大一統的政治要求和「三綱五常」的道德體系相適應，破除了先秦儒家「人格均等」的人性論，建立起以「性三品」爲內涵的等級人性論體系。在傳統倫理精神的生長過程中，董仲舒的人性論是先秦人性論的異化，也可以說是中國文化傳統的人性精神的異化，這種異化的實質就是人性的封建化、政治化。

何爲人性？董仲舒認爲，人性就是天然生成的「自然之資」，「天生之樸」。「性之名，非生與，如其生之自然之資謂之性。性者，質也。」（《春秋繁露・深察名號》）這種界定與老子有些類似。這種人性的內涵與特徵是什麼呢？就是「性二重」與「性三品」。所謂「性二重」，就是說，「貪仁之氣，兩在於身。」他認爲，人身上固有貪仁二性，「人之誠有貪有仁，仁貪之氣，兩在於身。身之名，取諸天，天兩有陰陽之施，身亦兩有貪仁之性。天有陰陽禁，身有情欲衽，與天道一也。」（《春秋繁露・深察名號》）在此基礎上，他把人性分爲三品：聖人之性，中民之性，斗筲之性。他認爲：「聖人之性，不可以名性；斗筲之性，又不可以名性；名性者，中民之性。」（《春秋繁露・實性》）「聖人之性」是上品，有仁而無貪，故不可名性；「斗筲之性」是下品，有貪而無仁，也不可名性；「中民之性」是中品，惟它有貪有仁，可善可惡，因而才可以唯一說性。「名性不以上，不以下，以其中民之性。」（《春秋繁露·深察名號》）這裡，他明確否定了共同人性的存在，從而否定了先秦各派借以探索人性的出發點和前提，於是，經典儒家人性論中「聖人與凡人同」的思想就被拋棄了。那麼，「聖人之性」爲何是善的呢？「天生民，性有善質而未能善，於是爲之立王以善之，此天意也。民受未能善之性於天，而退受成性之教於王，王承天意，以成民之性爲任者也。」（《春秋繁露·深察名號》）聖人之性天生就是善的，他們是受天之命、承天之意來教化萬民的，這就爲「王聖」統治找到了人性的根據。「斗筲之性」爲何是惡的呢？斗筲之性是下民之性，在他看來，「民者，瞑也。」（《春秋繁露·深察名號》）民之蒙昧是天所決定，不可改變的，因而只能成爲統治的對象，不能成爲聖人教化的對象。這裡，他實質上把「下民」推到了犯上作亂的絕路，也給封建道德樹立了一個絕對的對立面，顯然這對維護封建秩序是不利的。經典儒家的人性雖然也有強烈的階級性，但它強調人格均等，認爲人人都有成聖成賢的可能性，從而把道德的主動權同時也把道德的責任交給了個體，因而反對「自暴自棄」，提倡「自強不息」，爲人們的道德修養指明了一條康莊大道。董仲舒的人性論，表面上直接維護了等級秩序，但同時它也爲這種封建秩序的破壞留下了一個極大的隱患，後來的倫理學家看到了這一點，因而對這種人性論加以摒棄。

董仲舒性三品的等級人性論雖然是粗陋的，卻體現了那個時代的精神，它是政治大一統、倫理封建化的必然要求。在兩漢時期，揚雄、荀悅、王充都有類似的性三品的思想，可見它是那個時代的要求。董仲舒的人性論在體系上爲後人所不齒，但其根本的精神卻被繼承下來，成爲日後封建倫理精神的重要內涵。他的人性論，既標誌著經典儒家倫理精神的內在分裂，又標誌著封建倫理精神大一統的完成，這種異化與分裂是中國倫理精神生長的必經階段，是先秦人性論向宋明人性論過渡的必要環節。

三、王充的性命論與大一統倫理精神的內在否定性

自董仲舒建立「三綱五常」的大一統的倫理精神，中國的倫理精神便陷入激烈的內在的矛盾之中。這些矛盾主要有：第一，漢儒拋棄了經典儒家血緣——宗法——等級三位一體的道德思考方式，直接到宗教迷信中尋找綱常倫理的神聖性與永恒性。在中國倫理文化中，這實際上抽掉了中國倫理的基礎，把倫理推向了一個死胡同。第二，在人性論上，漢儒用等級人性論代替了經典儒家的均等人性論，這種等級人性論對封建統治來說，具有必然性。但它的內在與外在的根據，除了牽強的比附之外，則無法找到，而且從根本上說，如果引申下去，對封建統治的長治久安是不利的。如何使人性中包含宗法等級內容而又不乏普遍性的品格，並能確定外在與內在的根據，便成了儒家人性精神的內在矛盾（這一矛盾即人性的等級性與普遍性的矛盾）。第三，在當時的社會背景下，儒家德性的最深刻的矛盾是性與命的矛盾，道德與命運、善惡與禍福的分裂使儒家倫理陷入困境之中。與此相同，個人與社會、個人利益與社會秩序的矛盾，也成爲儒家德性的內在矛盾。這些矛盾的存在，使得封建道德德江河日下，出現了內在的危機，形成被否定的趨勢，故而許多倫理學家，如揚雄等對董仲舒所確定的綱常倫理中的一些方面進行了批判，而最有代表性的則是東漢末年的王充。

王充在中國倫理精神生長過程中的突出地位在於對儒家倫理精神

中性命矛盾的揭露。性命矛盾，是儒家尤其是董仲舒以後的儒家倫理精神中最主要的矛盾。這種矛盾，既是理論內部的矛盾，也是理論與實踐之間的矛盾。性命矛盾的揭露，標誌著儒家倫理精神的內在危機，使得原有的中國倫理精神發生傾斜，人們安身立命的基地發生動搖，因而中國倫理精神面臨著一個隨著社會與文化的發展而進一步重建和完善的課題。正是在這個意義上，王充對性命矛盾的揭露，從幾個方面大破儒家倫理精神體系，成爲兩漢德性向魏晉道心過渡的否定環節。

人性論

性命論在邏輯上首先必須解決「性」即人性的問題，以此作爲性命說的基礎。在人性論上，王充突破了傳統儒家的心性體系，以氣說性，認爲性由氣生，性由氣成。他的人性論，一方面以氣爲性之本體，實際上是抓住了人性中自然方面，然而其核心的內涵又是人的道德屬性，這樣性的問題便與命的問題相關。另一方面，他的氣一元論，主張在氣中尋找性的根源，這種方法日後爲宋明理學加以主觀的改造，提出所謂天命之性與氣質之性的劃分，對以後的中國倫理精神產生了一定的影響。

稟氣成性

在自然觀上，他主張氣一元論，認爲自然萬物是由物質性的氣所構成的，他把這種氣貫徹到人性論中，提出了「稟氣成性」的觀點。

他認爲人性是稟氣而成的。猶如「草木之異質」不可變革一樣，人之性也有「清濁貪廉」的不同，並且同樣不可變易。「凡人稟性也，清濁貪廉，各有操行，猶草木異質，不可復變易也。」（《非韓篇》）同是稟氣而成的人性，爲何有清濁貪廉不同呢？他認爲這是由於稟氣多少造成的。人生下來時，眼睛有渾濁與明亮區別，是由於稟了不同的氣；人性有善惡之分，也是由於「稟氣厚泊」不同的緣故。因此，妄行之人，並不是他有意爲惡，而是因爲他先天承受的仁義禮智信這「五常之氣」「泊少」的緣故。循此理論，必然推出這樣的結論：自然之中存在著五常之氣。「稟氣有厚泊，故性有善惡也。殘則受不仁之氣泊，而怒則稟勇渥也。仁泊則戾而少愈，勇渥則猛而無義，而又和氣不足，喜怒失時，計慮輕愚，妄行之人，罪故爲惡，人受五常，含五臟，皆具於身。稟之泊少，故其操行不及善人，猶或厚或泊也。非厚與泊殊其釀也，曲糵多少使之然也。」（《率性篇》）他把自然現象與道德現象混爲一談，用自然現象簡單地類比、解釋社會現象，這樣，掃除了「自然」的神性，卻又把道德屬性硬加給了自然，不可避免地陷入另一種荒謬之中。

正是從這種「氣有厚泊，性有善惡」的觀點出發，他評論了董仲舒的人性論。一方面他肯定了董仲舒的人性有貪有仁的觀點，認爲它「可也」；另一方面，又不同意他「陰氣泊，陽氣仁」，「性生於陽，性生於陰」，把性與情截然對立的觀點，因爲這實際上肯定了人性是純善的，所以他批評董仲舒是「未能得實」。

王充用自然主義的論證代替了董仲舒的神學的論證，但它同樣是粗陋的。他從自然之氣中尋找社會道德與個體道德的起源，一方面爲封建倫理的先天性、神聖性及封建統治的合理性作了論證，但另一方面也實際上爲各種不同道德行爲作了開脫，因爲它們都是「稟氣自然」。

性有善惡

王允贊同董仲舒的人性「有貪有仁」的觀點，並在此基礎上提出「性有善惡」的命題，並由此出發，對董仲舒的性三品論作出了肯定的結論。

在《本性篇》中，王充認爲：「實者，人性有善有惡，猶人才有高有下也。高不可下，下不可高。謂性無善惡，是謂人才無高下也。」「余固以孟軻言人性善者，中人以上者也；孫卿言人性惡者，中人以下者也；揚雄言人性善惡混者，中人也。」在主張人性有三個層次方面，他與董仲舒是相近的，所不同的是，董仲舒是以「天意」論人性，王充則是從人們對「自然」的五常之氣所稟的厚薄來分人性的等次，這對反對董仲舒的神學色彩當然有一定的意義，但究其實質則是沒有根本區別的。他從人性善惡相混論出發，認爲孟子的性善論、荀子的性惡論、揚雄的性善惡相混論都是反映了某一類的人性，只要把這幾個方面綜合起來，就表明人性有「上、中、下」之差，中人以上者性善，中人以下者性惡，性善惡相混者則爲中人。從而構成了完整的等級人性論。

王充企圖從孔子的言論中尋找「性三品」論的根據。他把孔子視爲「道德之祖」，「諸子之中最卓越者」（《本性篇》），把孔子的「性相近，習相遠」，「中人以上，可以語上也；中人以下，不可以語上也」的命題加以發揮，爲性三品論作論證。王充的人性論是以世碩的性有善惡論爲前提的。根據世碩的理論，人性的各方面都是可變的，而在王充的論述中，只有中人之性才是可變的，這就與其前提相矛盾了，因而他的人性論無論如何也不能自圓其說。

董仲舒以後的中國人性論的一個顯著特色是把等級的原則貫徹強加到人性論中，這種做法破壞了經典儒家人格均等的前提，在理論上與實踐上都很難自圓其說，但這卻是大一統的封建倫理精神所必須的。如何既保持經典儒家人格均等的前提，又體現人性有善有惡的現實與原則，是中國人性論面臨的新課題，這一任務到宋儒才得以解決。性三品說的建立，標誌著儒家倫理精神內在的危機。

善惡可變

爲了克服人性中的自身矛盾，王充提出了善惡可變的理論。他認爲人性可以改變，不僅善性愈養愈善，惡性愈養愈惡，而且性善可以變爲性惡，性惡也可以變爲性善。「人之性，善可變爲惡，惡可變爲善，猶此類也。」「夫性惡者，心比木石，木石猶爲人用，況非木石？」（《率性篇》）就是說心比木石的惡性也可以改變。

對人性的改變，他強調的是環境的影響以及教育與主觀的努力。對環境的影響，他強調「習」與「染」。「蓬生麻間，不扶自直；白紗入緇，不染自黑。此言所習善惡，變易質性也。」（《程材篇》）這是強調後天環境對人性所起的作用。要使惡變爲善，需要對性惡之人勤學磨練，學問日多，才能使爲惡之性得到徹底的改造。因而他認爲必須把德教與「法禁」很好地結合起來。「夫儒生之所以過文吏者，學問日多，簡練其性，雕琢其材也。」（《量知篇》）他還認爲，只要努力，加強自我修養，好的道德品德是可以形成的，人性的改變，要靠自己的主觀修養。

漢儒等級人性論中的內在矛盾與危機，實際上是理論與現實的矛盾。一方面，在理論上人性相同；另一方面，在現實生活中，又必須爲等級秩序尋找到人性的根據，王充的人性論正是這種矛盾的產物。

性命論

儒家精神乃至於整個中國傳統倫理有一個十分重要的信念，即所謂「善惡報應」。經典儒家的倫理精神把「德」「得」相連，要修德見世，以德化人，成己成物，最後與天地參，因此強調涵育家族血緣基礎上形成的仁之情懷，強調個體德性，強調個體對社會倫理的履行與服從。這種倫理精神與境界，有很大的理想性，但它一旦落實到具體的社會生活中立刻就變爲空想。因爲在現實生活中，德性只是立身處世的必要條件而非充要條件，有德性不一定就眞的能獲得成功，這是孔孟倫理說教不被王者見用的重要原因。因而在儒家倫理精神中，一開始實際上就包含了性與命的矛盾，可以說，孔孟本人的遭遇就體現了這一矛盾。不過，在先秦倫理精神的孕育展開中，這種矛盾還未激化。隨著大一統倫理精神的形成，隨著經典儒家倫理精神自身的異化，隨著社會矛盾的激化，性與命、德性與命運、個體與社會的矛盾尖銳起來。這是因爲隨著儒術的獨尊，儒家倫理精神就不僅是一種理論而且是一個社會實踐的問題，其內在的矛盾就不可避免地要顯露出來。而由董仲舒開始的儒家倫理精神本身的異化實際上具有這樣的內涵：一方面說命運是先定的，君、父、夫永遠是綱，與德性無關，這與經典儒家那種互爲前提的君惠臣忠、父慈子孝、夫義婦順的德性論截然不同。在後者，人倫關係是互動的，命運取決於自身的或雙方的德性。另一方面，又要人們通過履行綱常規範提升德性，因而性與命的矛盾在理論上十分明顯。而社會矛盾的尖銳，社會生活的無常，更是使性與命矛盾進一步激化。性善得禍，性惡得福；有德性者命凶，無德性者命吉，性與命的矛盾成爲一個客觀的存在。性命矛盾的激化與揭露是儒家倫理精神的自我否定，也是兩漢德性向魏晉道心轉化的內在契機。

王充十分重視道德與命運的關係問題。《論衡》一書，幾乎有五分之二的篇幅講性命。這是因爲到了東漢，隨著階級矛盾的激化與民族道德的封建化，個體德性與社會倫理的矛盾明顯激化。這種理論與現實的尖銳矛盾，使儒家倫理出現了內在的危機，王充對性與命矛盾的揭露，實際上是對儒家道德的否定。

禍福有命

在王充看來，人的性與命都是自然形成的，但與孟子一樣，他認爲性與命有著區別。性是人的操行善惡，是人們的主觀努力可以追求的；命是人的禍福吉凶，是人們的主觀努力無法操縱的。「凡人受命，在父母施氣之時，已得凶吉矣。夫性與命異，或性善而命凶，或性惡而命吉。操行善惡者，性也；禍福吉凶者，命也。或行善而得禍，是性善而命凶；或行惡得福，是性惡而命吉也。性自有善惡，命自有吉凶。」（《命義篇》）性與命的矛盾，使善惡與禍福分了家，但他所講的命與性一樣，都是內在的氣所構成，與神學之命不一樣。他所說的「命」，就其內容來看，有兩個方面的含義，即所謂：「死生壽夭之命」與「貴賤貧富之命」。它或是由外來的遭遇造成的，所以也叫「遭命」，這實際上講的是「死生夭壽」的社會原因；或是「強弱壽夭之命」，這是由稟氣厚薄造成的，生而稟氣厚，就體強壽高，生而稟氣薄，就體弱命短，這實際上講的是決定壽命的生理上的原因。與倫理思想直接有關的是「貴賤貧富之命」。在這方面，他批判了天有意志的神學目的論，卻陷入了人的尊卑上下秩序是由上天決定安排的宿命論，「有死生壽夭之命，亦有貴賤貧富之命。自王公逮庶人，聖賢及下遇，凡有首目之類，含血之屬，莫不有命。命當貧賤，雖富貴之，猶涉禍患矣；命當富貴，雖貧賤之，猶逢福善矣。」（《命祿篇》）因此王充的結論是：「人之於世，禍福有命。」（《辯祟篇》）

禍福與善惡

王充區分命與性的核心，就是否認人的道德行爲與禍福吉凶的聯繫，他提出的命題是：「禍福不在善惡，善惡之證不在禍福。」「禍變不足以明惡，福瑞不足以表善。」（《治期篇》）「人之死生，在於命之夭壽，不在行之善惡。」（《異虛篇》）按照董仲舒的觀點，「天」是保佑有德性的人的，這在邏輯上自然推出性善而命吉的理論，並反推出位高者、尊者必然是道德高尙的人，否則天怎能讓他們富貴呢？然而，東漢的現實卻恰恰相反，性善者命凶，越富貴者越卑鄙無恥。有感於此，王充發出感慨，「俱行道德，禍福不均；並爲仁義，利害不同。」（《幸偶篇》）他爲此進行了論證，其論據之一是歷史上的大量事例；論據之二，是當時社會上普遍存在著的道德操行與禍福遭遇截然相反的現象。他揭露道：「忠言招患，高行招恥。」（《累害篇》）「無德受恩，無過遇禍。」（《幸偶篇》）因此，他的結論是：「修身正行，不能來福；戰栗戒慎，不能避禍。禍福之至，幸不幸也，故曰：『得非己力，故謂之福；來不由我，故謂之禍。』」（《累害篇》）

性命兩異

王充否定了善惡與禍福之間的必然聯繫，批判了《白虎通》「天道福善禍淫」的因果報應論，得出了性命兩異的結論。對此，王充主要從兩方面加以論證。首先，他認爲，人生在世，性、命同時俱稟，因而不存在命隨性生或者是禍福之命「隨操行而至」的可能。「命謂初所稟得而生者也。人生受性則受命矣。性命俱稟，同時並得，非先稟性，後乃受命也。」（《初稟篇》）其次，他認爲，性與命有著各種不同的特點：性可變易，而命不可改。道德操行可求而成，而「命則不可勉」。「命貴從賤地自達，命賤從富位自危，故夫貴若有神助。」（《命祿篇》）富貴貧賤之命決不會隨著善惡操行而變易；也不會由於後天作爲而改變。性與命，是兩個互不相關、各自獨立的原則。善惡與禍福之間的聯繫只是「偶合」，即是偶然的巧合，並無必然性。至此，王充在理論上完成了性命矛盾的論證與揭露。

性與命的問題是倫理史上長期爭論的問題，這個問題實際上是中國倫理內部「德」與「得」的內在矛盾的引申與展開；也是「德」與「道」的矛盾的顯現。可以說，儒家、道家、佛家都試圖解決「德」與「得」的矛盾，使之得到統一。王充明確揭示了這一矛盾，爲向玄學、佛學過渡提供了理論的可能。他對自己和衆多賢者屢遭傷害的不平，既是內心憤慨的渲洩，也是無可奈何的感嘆，在這方面，具有魏晉玄學的影子。

但是，應當指出，在中國的文化背景下，善惡報應、性命相連，不僅是一種倫理的信念，而且是一種社會與文化的機制。作爲一種信念，它與宗教情感有著同樣的性質；但作爲一種社會與文化的機制，卻對倫理生活與社會生活起著很大的作用。中國倫理文化以入世為人生意向，在這種文化中，倫理與政治貫通一體，它主張通過社會輿論和政治干預調節社會生活，提高道德品性，因而人們的行為善惡屬性以及社會對這種行為的善惡評價就不僅是一個抽象的說教，而且切實影響行為主體的生活與命運。就是說，社會主觀的善惡評價的背後是對行為主體命運發生巨大影響的客觀的物質力量。在一定意義上，這種影響甚至決定人的命運，這是倫理文化對人們的行為進行調節的核心機制。善惡報應、性命相連作為一種信念與理論，到漢代已充分暴露出其內在的矛盾；而作為一種文化機制，它又必須進一步維護和加強，因為這種文化機制本身已轉化為人們的內在信念，沒有這種信念，人們的倫理精神就會發生傾斜，社會的倫理生活就會面臨解體的危險。也正因為如此，在王充揭露了性命矛盾後，中國倫理精神又通過佛學「生死輪回」、「因果報應」的邏輯完善，再一次強化了這種倫理精神結構。

德力論

如果說人性論是王充性命論的前提與基礎，德力論便是其必然結果。既然性與命在理論與現實中都無必然的因果性，那麼，應如何「得命」呢？他提出了養德與養力相結合的主張。在此之前，儒家倫理精神占主導地位的取向是崇德不崇力，王充突破了這一傳統，他從儒家的基本立場出發，強調養德與養力並舉。德與力構成他性命論的重要內容，並在此基礎上，解決了義與利的關係問題。

養德與養力

王充的《非韓篇》著重闡明了德治與法治結合的基本主張，批判了以韓非為代表的法家「棄仁義」、「不養德」的偏見。他認為，「治國之道，所養有二：一曰養德，二曰養力。養德者，養名高之人，以示能敬賢；養力者，養有力之士，以明能用兵。此所謂文武張設，德力且足者也。事或可以德懷，或可以力摧。外以德自立，內以力自備。慕德者不戰而服，犯德者畏兵而卻。」（《非韓篇》）「養德」與「養力」是他的基本主張，但他強調的是養德，他對「世衰難以治德」、「亂世靠法治，治世靠德治」的觀點提出了批評，主張在任何時候都應當把任德與任刑結合，認定「天地不爲亂世去春」，「人君不以衰世屏德」。他把禮義之治提高到國之存亡的高度，強調「民無禮義，傾國危主」。這是傳統儒家思想的繼承。

義與利

與「德」「力」相聯繫，他對義與利的關係作了精闢的論述。他發揮了管仲「倉稟實而知禮，衣食足而知榮辱」的思想，「夫世之所以爲亂者，不以賊盜衆多，兵革並起，民棄禮義，負畔其上乎？若此者，由穀食乏絕，不能忍飢寒。夫飢寒並至，而能無爲非者寡，然則溫飽並至，而能不爲善者希！傳曰：『倉稟實民知禮節，衣食足民知榮辱。』讓生於有餘，爭起於不足。穀足食多，禮義之心生；禮豐義重，平安之基立矣。故飢歲之春，不食親戚；穰歲之秋，召及四鄰。不食親戚，惡行也；召及四鄰，善義也。爲善惡之行，不在人質性，在於歲之飢穰。由此言之，禮義之行，在穀足也。」（《治期篇》）這裡，他一方面分析了社會動亂的原因，另一方面，分析了物質生活狀況與道德風尚之間的關係。並由此批判了孔子「去食存信」的論點，得出了「口飢不食，不暇顧恩義」，「去食存信，……信不生矣」的結論，這在倫理史上是一個很重要的貢獻。

王充的倫理體系並不系統，往往缺乏內在聯繫，他的貢獻是批判了神學倫理，揭示了儒家德性內在的矛盾，是漢代大一統倫理精神內在的否定因素。由此，兩漢德性便向魏晉道心轉化。

【附註】

① 蔡元培：《中國倫理史》，商務印書館1987年版，第19頁。

第二章　魏晉道心

從漢末到南北朝，我國封建社會經歷了一個戰亂、分裂和改組的過程。在這一時期，國家陷於分裂，各種社會矛盾，尤其是門閥士族與寒門素族的矛盾十分激化，然而社會思想卻十分活躍，形成了中國思想史上一個新的體系——魏晉玄學。

魏晉時期是我國倫理史上繼百家爭鳴以後最活躍的時期。人們重新探索、尋找更適合於維護封建等級秩序與民族發展的倫理精神形態。魏晉風度、玄學精神是中國文化的必然產物，同時又給中國民族精神以深刻的影響，它縮影式地體現了傳統倫理精神結構的特點。

一、魏晉風度與玄學倫理

經過漢代的發展，在中國倫理精神體系中，有兩個態勢明顯地表現出來，一是當時儒家德性已在中國倫理精神中占據不可動搖的正統地位，成爲中國倫理精神內在本性的主體部分，同時傳統的要求也不允許從根本上動搖儒家德性的地位。二是先秦孕育展開的中國倫理精神的結構中已經內在地包含了克服這種矛盾的機制，這就是道家的道心，道心也是中國人精神本性的重要部分。玄學倫理的重要任務是在新的情境下實現倫理精神的自我平衡，在這種情況下，玄學家從儒家德性出發，試圖用道家的精神機制解救這種危機。因此，玄學可以說是儒家與道家的結合，玄學家在思想深層與根本宗旨上是儒家，而在風格表現與精神機制上則是道家。

自兩漢以後，儒家倫理成爲中國倫理的正統，儒家所提出的綱常名教，雖不能人人實踐，但亦無人敢冒言反對。這種局面的形成，一方面是由於隨著中國大一統封建社會形態的鞏固和確立，需要一種統一的倫理作爲其意識形態，而儒家倫理正好適應這種大一統的要求，因而得到統治階級的提倡；另一方面，儒家倫理在相當程度上體現了我們民族的特性，尤其是建立在血緣家族基礎上的宗法政治，它深入到民族心理、民族精神的深層，由習慣而成爲文化的遺傳性，又由文化的遺傳性而爲習慣。正因爲如此，儒家倫理在秦漢時期最爲充分地得到了發展，並形成比較完備的理論形態。但儒家倫理一開始就包含了深刻的內在矛盾，由於其整個倫理關係的結構原理是植根於血緣基礎上，經過宗法而與等級政治相同一，因而，血緣與倫理，倫理與政治，與之直接聯繫的還有入世與避世、出世，一直是其不可克服的內在矛盾。這種矛盾，在理論形態上是理想與現實的矛盾，在個體精神結構上就是性與命即主觀德性與客觀命運之間的矛盾。當董仲舒把早期儒學的五倫改變爲封建的三綱時，這種矛盾便尖銳激化起來，於是必然出現其反動，孕育出內在的否定因素——玄學。

魏晉以後，之所以產生玄學倫理精神，其直接的現實的原因頗多，主要有：第一，經學之反動。它是對漢儒囿於訓詁章句，牽於五行災異，天人感應，並附會人事之學風的不滿與反對。第二，道德信用之喪失。新莽魏文對儒家所崇拜的堯舜周公的假托，門閥士族的侈靡之風，使人們對歷史事實產生了懷疑，以往的的信念發生了動搖。第三，人生之危險。外戚宦官的誅殺，黨錮之禍中方正之士的慘禍，戰爭的頻繁，使賢愚貴賤均有朝不保夕之勢，於此，儒家血緣倫理之說不免迂腐。第四，道家思想之潛在。道家的避世隱世、消極無爲精神，使民族倫理精神在社會現實與主體自身的激蕩之中獲得了平衡與補償，直接誘發了魏晉之風。第五，佛教的滲入。當傳統信念動搖，老莊精神抬頭之時，印度佛教傳入，其厭世出世觀念，似乎持之有故，言之有理。在此諸多因素的綜合作用下，玄學倫理出現了。

魏晉風度的特點是魏晉道心，它對中國倫理精神危機的解救主要在兩個方面。在人倫建構上是所謂的「名教」與「自然」之辯，用道家的「自然」對儒家的「名教」作出疏解與詮釋，使名教具有老莊的色彩。在人生態度上把儒家的入世、濟世與道家的出世、憤世、玩世相結合，建構具有彈性的進退相濟的安身立命的基地，這是魏晉風度的主要特點。可以說，魏晉道心在儒家德性的前提下充分擴大發揮了老莊人生智慧的精神品格，或者說是儒家德性與道家道心的調和。儒家講名教，玄學也講名教，但這種名教是自然化的名教，其精神面貌、思想實質、風格榜樣都以老莊爲楷模，以「自然」爲價值標準與價值取向，並以老莊思想解釋儒家，試圖把二者結合起來。

魏晉時期，作爲儒家德性的兩漢經學與神學目的論已經到達窮途末路，而門閥士族的放蕩荒淫的生活態勢又難以逆轉，因而就必須給名教尋找新的理論根據與表現形式，這就是所謂玄學，而其倫理精神的風格體現就是所謂道心。它一方面爲「名教」尋找新的理論根據，另一方面又以談玄說理的形式替腐朽的生活方式作辯護。同時，這種談玄說理也是當時名士逃避現實、保身全生的一種方式。所以說，玄學因名教危機而產生，但它並不是對名教的摒棄而是以否定的形式對名教的新的肯定。這使魏晉道心與兩漢德性有著不同的特點。以董仲舒爲代表的大一統的兩漢德性，目的是建構一套完整的名教綱常體系；而魏晉道心的任務不在重建名教綱常，而是在「祖述老莊」、崇尚自然的形式下爲名教的存在提供一種新的形而上的根據，因而論述「名教」與「自然」的統一成爲玄學倫理的主題，這實際上是「天人合一」的玄學形式，是玄學家援道入儒，調和儒道的集中體現。而孔孟與老莊、「名教」與「自然」相溝通的方法與形式則是「將『無』同」，即把老莊自然無爲的思想貫穿到孔孟的名教之中，而當時政治的腐敗、人生的無常，又使作爲老莊倫理精神核心內容的人生智慧成爲其核心。門閥士族在縱情享樂的同時，對自己的地位、性命憂心忡忡，不可終日，因而安身、自保成爲人生的主題。那些「名高之士」，一方面有殺身的危險，另一方面不滿腐敗的政治而又無力改變，因而「托好老莊」，產生憤世嫉俗之心，但他們與老莊又不完全相同，他們同樣提倡「養生」，但精神意向則是「不與物逐」、不「降心順世」，絕無老莊那種混世揚波的生活態度，這尤其以嵇康爲突出。當然，玄學人生論中也不乏傳統儒家的內涵，但儒家「知天樂命」與道家「順世安命」的結合，則使名教具有更大的欺騙性，也使玄學倫理精神具有更大的韌性。

玄學倫理的風格特點關鍵在一個「玄」字。魏晉風度，在倫理學意義上就是談玄說理，任性無爲。它從道家的世界觀和人生態度出發，採用道家的思辨方法與哲學範疇闡釋道德倫理，在人生態度上表現出十分強烈的老莊傾向。從精神要素上說，玄學倫理也並非截然捨儒而合於道，它實際雜糅了儒道佛三家，尤其是儒道兩家。它以道家無爲主義爲本，取佛家的厭世思想，對儒家則取其宗法等級與命定論。無爲厭世、宗法等級與命定論構成玄學倫理的三要素。由於宗法等級觀念，對道、佛兩家之平等觀念，儒、佛兩家之利他主義皆以不相容而去之；由於厭世思想，則儒家之克己、道家之清靜以至佛家之苦行，皆以爲徒自拘而去之；由於命定論及利己主義，則儒家之積善、佛家之濟渡皆以不相容而去之。於是所有之觀念爲自私、厭世、有命而無爲，形成苟生唯我之倫理精神。因此，玄學在思想深層上是儒家，在表現風格上是道家，而在人生態度上，則表現爲厭世、無爲與放任，他們對名教的批判並沒有得出積極的結論，他們批判了舊倫理，卻未能建立新倫理，最終自身喪失了安身立命的基地。

玄學倫理發端於劉劭，在其關於人物品題的論述中就具有由儒入道的傾向，開了玄學的先河。玄學倫理的代表人物很多，主要有何晏、王弼、阮籍、嵇康、向秀、郭象，六者之中何晏、王弼在思想上有繼承關係；阮籍、嵇康同爲竹林名士，個別觀點上雖有不同，但更多的是一致；向秀、郭象兩人都作《莊子注》，郭注是對向注的發揮與擴充，因而六家又可合爲三家。玄學倫理的主要內容有三個方面：一是名教與自然的關係，即封建禮教與人性的關係問題，這個問題歸根到底就是禮教是否具有神聖性和必然性的問題。二是性與情、性與命的關係問題，即個體道德與社會倫理的關係問題。三是在此基礎上的人生態度問題。而二、三兩個問題又可歸爲一個問題，即人生觀與人生態度的問題。其邏輯線索是從對封建倫理（名教）的批判性反思到對封建道德體系內在矛盾的揭示，再到個體道德、人生態度的確立。

在玄學倫理的發展過程中，何晏、王弼是正始玄學；阮籍、嵇康是竹林玄學；向秀、郭象是元康玄學，正始——竹林——元康構成玄學發展的三個階段。如果說，正始玄學的倫理精神的特徵是避世，竹林玄學是玩世，那麼，元康玄學便是由玩世而順世。避世——玩世——順世是道家精神的必然邏輯與歸宿，也是玄學倫理的生長軌跡，只是元康玄學的順世是一種極端腐朽的縱欲主義的混世，即以混世而達順世。元康玄學的出現標誌著玄學倫理的沒落，也是其被佛學否定的開始。

二、「名教」與「自然」

「名教」與「自然」的關係問題是玄學倫理的中心問題。「名教」即是禮教，它是孔子的正名說與禮制的結合，其特點是「名位不同，禮樂異數」（《漢書・藝文志》）。以此爲教，用來維持封建秩序，其核心是以三綱五常爲核心的道德規範。「自然」是道家的概念，是萬物與道德的主體，「道法自然」。這種「自然」落實到人身上就是人的自然而然的本性。因而玄學關於「名教」「自然」的命題本質上是道德本體論的命題，其目的是要爲名教尋找本體論的根據。是名教服從於自然，還是自然評判名教？這是玄學倫理「名教」「自然」之辯的主要內容，其實質是名教綱常是否具有先天的合理性與神聖性。玄學的名教自然之辯，從何晏、王弼的「名教出於自然」，經過阮籍、嵇康的「越名教而任自然」，再到向秀、郭象的「名教即是自然」，經過了一個辯證發展的過程。

「名教出於自然」

這是正始玄學提出的命題，其意是說倫理綱常是從人的自然本性中引申出來的，應合乎人的自然本性。它表面上以名教出於自然論證名教的神聖性，實際上是說名教應服從自然，應當用「自然」衡量「名教」的價值，反對以名教爲本，具有對名教進行否定的性質。

道德自然與名教

何、王是從「道」與「德」的關係來論述名教自然關係的。王弼認爲「德者，得也。」（王弼《老子三十八章注》）然而「得」有眞得與得而復失之分。何爲眞得？王弼說：「何以得德？由乎道也。何以盡德？以無爲用。以無爲用，則莫不載也。」（王弼《老子三十八章注》）道是萬物的根據與本源，只有把握了道，才算眞正具備了德，而道的本質就是無，只有以無爲用，才算把握了道，而道就是樸。道是如何化生萬物的呢？「樸，眞也，眞散則百行出，殊類生，若器也。」（王弼《老子二十八章注》）道散而爲萬物，變成各種有形的東西，於是「殊類生」，產生各種不同的事物，「百行出」，出現了衆多的道德品行。在這種情況下，聖人「立官長」、「定名分」，處理各種是非得失，其目的在於「移風易俗，復使歸於一也。」（王弼《老子二十八章注》）由立官長、定名分而確立的政治倫理準則，就是所謂「名教」，因此名教就是由「樸散」而產生的。這裡，王弼提出了「名教出於自然」的觀點，實際上是說名教是本源於自然的，也應服從於自然。他認爲，如果執著於名教，必然會走向它的反面，設名教，制官長，定尊卑，是由於「樸散」而「百行出」形成的，如果超過了一定的限度，一味追求名教，就會成爲追求微小利益的「下德」。何、王認爲「德」是從「道」中引申出來的，這是「以無爲本」的思想在倫理領域中的運用，是一種無爲的倫理學說。他們並不一般地否定名教，而是認爲「名教出於自然」，並應復歸於自然。因此，他們所反對的是以名教爲本，即反對以倫理道德作爲約束人們行爲的規範，他們要求的是一種沒有規範、不受約束的道德。

真、善、美的道德理想境界

從名教與自然、上德與下德的區分出發，何、王批判了儒家的仁義道德，認爲它們都是「有爲」的「下德」，必然導致虛僞而破產。他們遵循《老子》三十八章中「失道而後德，失德而後仁，失仁而後義，失義而後禮。夫禮者，忠信之薄而亂之首也」的邏輯順序，揭露了儒家仁義道德的虛僞性與內在矛盾，對儒家倫理作了否定。在此基礎上，他們從自然無爲的前提出發，提出了自己的道德理想境界。這種理想境界的特點是以無知爲眞、以無爲爲善、以無名爲美的眞、善、美的境界，其基礎是「任其自然」。

從倫理的意義上說，所謂自然，就是指人類存在與發展的自然狀態。這種自然狀態如何呢？何、王認爲，人類是以五倫作爲永恒基礎的，「五倫」即是「五教」，五教之母就是「道」，所以五教是合乎自然本性的。由於五教是人的自然本性，因而是不需要教化的。就是說，五教即是自然，它存在於人的本性之中，是不需要教化的。可見，他們與儒家一樣，把五倫作爲道德的基礎；區別在於儒家認爲需要教化，而他們則認爲人性自然如此，可以「不言而化」。所以，他們所謂「自然」，可以視爲綱常名教的代名詞。

在他們眞、善、美的境界中，核心是「眞」。所謂「眞」，就是保住人類本初的自然狀態。如何守住這種「眞」？就是靠「無知」。「無知守眞，順自然也。」（《老子六十五章注》）開發民智，就會破壞無知無欲的「眞」的狀態，守住並復歸於這種無知，便是眞的境界。所謂「善」，就是「無爲」。「有爲」破壞了「自然」，使「自然」失其眞，因而就是不善，眞正的善就是「無爲」而任物「自然」，以無爲使百姓按自然本性存在發展，就是善。如果說眞是保持或復歸到人的自然本性，那麼，善則是愛護或保證這種自然本性不受破壞。這種以「無爲」爲善的觀點在形式上和當時的名教是對立的，但按其內容說，與仁義則是相通的。他們所反對的「有爲」是針對當時束縛人的思想和行爲的封建教育，但由於他們把君權與尊卑等級作爲人的自然本性，因而「無爲」與「名教」在維護封建制度上並沒有根本分歧，所不同的是，他們不同意一舉一動都受封建道德的約束，而是認爲其言行只要不超出尊卑等級的界限，就可以放任自流，不受約束。對於「美」，他們認爲，眞正的美即「大美」，是完美地表現自然，由於自然本身是不可名狀的，任何名稱都不能完美地表現它，因此只有「無名」才能眞正表達自然的絕對的美。從倫理角度說，這是他們爲自己蔑視毀譽、放任享樂提供的理論根據。

何、王對名教所作的批判，在相當程度上否定了封建道德的神聖性與永恒性，他們的道德理想反映了既要維護封建秩序，又不滿足於封建禮教的虛僞對人的束縛，這是一種矛盾的心情。正是這一矛盾，引起了玄學的分化，阮籍、嵇康與向秀、郭象正是由此出發，發展成兩種對立的倫理學說。

「越名教而任自然」

「竹林名士」與「正始名士」的一個十分重要的區別，是他們進一步看清了名教的本質，由「名教出於自然」進而提出「越名教而任自然」。

「名教」的產生

對名教的產生，阮籍、嵇康同樣是遵循老莊「失道而後德，失德而後仁，失仁而後義，失義而後禮」的邏輯，把仁義產生的過程看成是人性墮落的過程，所不同的是，他們認爲仁義禮法與君主制一起產生，而君主制又將它強化了。「君立而虐興，臣設而賊生。坐制禮法，束縛下民。欺愚誑拙，藏智自神。」（阮籍《大人先生傳》）這種觀點已接近對名教的科學說明，這是他們高出何、王的地方。阮籍雖與何、王一樣有今不如古的思想，但他們並沒有停留在這裡，而進一步指出禮法、仁義都是君主爲束縛下民而制定的，因此，人性墮落的原因不是在於其他，而在於下民被君主制定的仁義所束縛，這一觀點在當時是相當深刻的。

「越名教而任自然」

「越名教而任自然」是嵇康明確提出的命題，這代表了阮、嵇倫理學說的特徵，「越名教」是對名教的批判與否定，「任自然」則是他們的倫理總綱。

阮、嵇對名教是持否定和抨擊態度的。在早期，阮籍對維護尊卑等級的禮制曾持肯定態度，認爲「尊卑有分，上下有等，謂之禮；人安其生，情意無哀，謂之樂。」（阮籍《樂論》）這是站在傳統儒家的觀點上說的，接觸道家思想後，又把它說成是合乎自然而加以肯定。正始十年（公元248年）以後，他對名教的態度起了根本的變化，由肯定轉到否定，認爲只有從君臣尊卑的「分」轉到「不分」才合乎自然的「至道」。把名教說成是違背自然的東西，是殘賤亂危之術。在阮籍的基礎上，嵇康進一步提出：名教違背自然，要使人們循自然而發展，必須打破名教的束縛。他認爲名教是違背自然的，人性要求的是根據自己的意願自然地發展，只有這樣才能保持人性的「全眞」。而向人們灌輸名教，必然會對人性有所抑揚，這就違背了人性自然發展的趨勢，破壞了人性的完整與純眞，導致人性的虛僞。嵇康的「越名教」就是要人們擺脫名教的束縛，解放人性。這種觀點雖然抽象，但卻是極爲可貴的對人性的自覺。

「名教即是自然」

從何晏、王弼出發，向秀、郭象走向了另一極端，提出「名教即是自然」的命題。認爲宗法等級的名教本身就是「天道自然」，因而聖人實行名教禮法統治的「人事」也是「自然」，從而把儒家的人道原則與道家的自然原則合而爲一。他們認爲，人的精神最高境界應當是雖處人事而心游方外，在精神上逍遙自得。至此，玄學倫理，在理論上變成了非儒非道，即儒即道的不倫不類之物，在實踐上喪失了其積極意義，走上了消極頹廢的道路。

名教本於自然

向、郭認爲人性及人性的差異都是自然的。物各有性，人也各有性，各守住自己的性便合乎自然。「天性所受，各有本分，不可逃，亦不可加。」（郭象《養生主注》）在他們看來，人性不僅是各不相同，而且也是不可變異的。他們借用大鵬與小鳥的故事，認爲「質大」「質小」都要「各足稱事」，如果質小者忘乎所以，想去做「至當」之外的大事，必然「事不任力，動不任情」，陷於困境。引申下去，人們之所以處於不同的社會地位是他們的本性決定的，如果地位低下的人要改變這種狀況，就違背了自己的本性，只有「率性而動，動不過分」，才能「性命全而得福」，反之則「性命不全而得禍」（郭象《人間世注》）。由此，必然導出尊卑貴賤是自然的，那麼尊貴者與卑賤者之間任何壓迫與親愛關係便不存在。他們用人體的各部分分工的原理反證社會上的尊卑貴賤之間既無親愛關係，也無壓迫關係，只是「各足稱事」。與阮、嵇把等級制說成是違背自然的觀點相對立，向、郭把尊卑等級說成是自然的，由此抹殺了階級對立的事實。

仁義即人性

何、王從「名教出於自然」的命題出發，得出了仁義違背自然，也違背了人性的結論；阮、嵇更是把名教與君主制都作爲違背自然的東西，加以否定；而向、郭則相反，他們從人事與自然的關係出發，得出了「名教即自然」的結論。認爲既然人事即是天理，那麼「仁義」即是人性，「夫仁義者，人之性也。」（郭象《天運注》）「夫仁義自是人之情也，但當任之耳。恐仁義非人情而憂之者，眞可謂多憂也。」（郭象《駢拇注》）於是包括禮法制度在內的名教都是自然的，因爲它們與個體的作爲都無關係，是在那裡自然而然地發揮作用的。

雖然向、郭認爲仁義即人性，名教即自然，但又不完全贊同遵循傳統的仁義規範和禮儀制度，在他們看來，仁義禮儀都處於變化之中，而變化又是沒有規律、不可捉摸的，所以不應當遵循任何傳統的規範和法度。「人性有變，古今不同，故遊寄而過去，則宜若無滯，而捨於一宿，則見。見則僞生，僞生而責多矣。」（郭象《天運注》）人性是在變化的，如自然地順過去，則與仁義相冥合；反之，如果執著於仁義的追求，就會產生虛僞，因此他們的結論是：「撓世不出於惡，而恒由仁義，則仁義者，撓天下之具也。」（郭象《駢拇注》）就是說，仁義是擾亂天下的工具。

向秀、郭象「名教即是自然」的命題可以推出兩個相反邏輯：一是「名教＝自然」，把名教當作自然，就是說，把名教當作永恒的自然狀態加以肯定，以論證其神聖性與天經地義的性質；二是「自然＝名教」，這是把「自然」抬高到「名教」的高度加以肯定，而又反對用名教約束人們的行爲。於是，向、郭的倫理精神便具有二重性，一方面，竭力維護封建名教；另一方面，又爲門閥士族擺脫名教的約束、恣意妄爲提供理論根據，並由此導向了縱欲主義。

綜上所述，玄學名教與自然之辯的三個命題都從道家出發，以「自然」爲最高價值，對儒家「名教」作出否定，而論證的核心又是儒家的「名教」，所以說，玄學家在心理深處是儒家。

三、人生態度

人生態度是玄學倫理的重要內容，也是魏晉風度的主要特徵。玄學的人生觀有一個發展過程，由何、王的性情論開始，經阮、嵇的養生與逍遙，到向、郭的「安分自得」，形成避世——玩世——順世的內在生長邏輯。

何晏、王弼的性情論

性情論是中國倫理精神的一個重要內容，也是包含在儒家德性內部的深刻矛盾。到兩漢時，隨著民族倫理的封建化，這一矛盾更加激化，玄學倫理的一個重要內容就是揭示了這一矛盾在民族文化中的必然性。性情關係實際上是確立人生態度的理論基礎，它奠定了玄學人生觀的基本格調。

聖人有情與無情

何晏認爲情性是對立的。「人之性稟於道」，「性者，人之所受以生者也。」（《論語集解義疏．公冶長注》）這裡的「受」即受於道，而情是感物而動。性稟乎道，故順乎自然，無爲而自然；情感於物，故隨喜怒而遷，有爲而亂眞。聖人與道合一，所以他們的行爲完全順於道的自然流行，不受物的干擾而生喜怒哀樂，所以聖人純理任性而無情。但人格層次不同，性情的擁有也不同。聖人純乎道，故無情；賢人是有性情的，但能以性控制情，使情當其理；至於普通的人，則是背性、任情而違理的。因此，何晏對於「情」是作爲違理的罪惡而加以否定的。然而包括何晏在內的玄學家都是主張順乎自然，而人的感情多半是一種自然的流露，如果一概把它斥爲罪惡，不能不陷於自相矛盾之中。

爲了克服這種矛盾，王弼提出了聖人與凡人一樣是有「五情」的思想，把情看作是人不可革的自然屬性。他以孔子對顏淵的態度作論證，認爲，孔子是完全了解顏淵的思想品格的，但他遇到顏淵時不能抑制自己的快樂，當他死時不能免除痛苦，這說明像孔子這樣的聖人也不能去掉情這種自然屬性，可見作爲自然的情，人是不能去除的。由此指出「聖人同於人者五情也」，聖人不同於常人之情只在於聖人之情「應物而無累於物者也」，「應物」乃情之所生；「無累於物」使情歸之於正。這便與玄學世界觀一致起來了。

性與情

對於性、情相互的關係的論述，主要是王弼，他提出了三方面的觀點。

首先，他認爲人性與道是相通的，所以是無善無惡的。他在解釋孔子「性相近也」這個命題時說：「孔子曰：性相近也。若全同也，『相近』之辭不生；若全異也，『相近』之辭亦不得立。今云近者，有同有異，取其共是無善無惡，則同也；有濃有薄，則異也。雖異而未相遠，故曰近也。」（《論語集解義疏・陽貨注》）他認爲人性的相同之處是無善無惡，相異之處是濃、薄之別，這全然與傳統的儒家觀點對立，但爲後來的宋明理學天地之性與氣質之性說奠定了基礎。

其次，他用體用關係來解釋性情，主張以性制情，並把能否以性制情作爲區分「情」的正邪的界限。他認爲，如果情能體現性則「正」，反之則「邪」。「性其情」，就是體現了性，這是性之正，而不性其情，便是「性之邪」，便會「流蕩失眞」。但他又認爲，情只是與一定的欲相聯繫的，所以不能等同於性，只能說「情近性」。而要做到「情近性」，必須「欲而不遷」，不能隨欲望遷性，這就是應物而無累於物；反之「任欲縱情」，迷失了本性，必日益流於放僻邪侈。

最後，他認爲，性與情的關係是靜與動的關係，性靜情動，從以靜克動的基本觀點出發，他認爲應以性制情。這方面他的論述不詳，但以靜動關係說性情，卻開闢了性情關係的新途徑，給後來的宋明理學以很大的影響。

阮籍、嵇康的任性、養生與逍遙

從「越名教而任自然」的觀點出發，阮、嵇提出了任性、養生與逍遙的人生態度。

任 性

阮、嵇認爲，名教是對人性的壓迫與損害，應當讓人性自然而然地發展，這是他們反對名教的理論前提。但是對於人性的理解，二者則有所不同。嵇康給人性規定了「好安而惡危，好逸而惡勞」這樣的特點，這本是他爲批判名教不讓人民安逸，使人民處於危勞的境地而提出的，但它被《列子》推向了極端之後便導致了縱欲主義。

如何才能「任性？」阮籍認爲要「無執」，嵇康認爲要「無措」，其實說的都是「無爲」，其核心是「無措於是非」。他們與何、王不同，不是企圖泯滅名教與自然的差別，而是揭示二者的差別對立，以自然之是反對名教之非。「越名教而任自然」的理論就是通過明辨這一是非建立起來，於是「無是非」便陷入矛盾之中。這種理論上的矛盾也表現在他們的道德實踐中。一方面，他們猛烈抨擊當時的統治者及他們的禮法之士借名教而殺人，是非觀念非常強烈；另一方面，又企圖回避關係自身利害的是非。阮籍縱酒佯狂，口不言是非，嵇康雖然自己很激烈，但教育子孫時，也要他們回避是非，在他們的行動中，明顯地表現出雙重人格。這雙重人格固然可以說是司馬氏高壓政治的產物，但卻與他們在這個問題上存在的理論上的混亂有密切的關係。他們在否定名教的同時，沒有能找到一條正確道路，只好把目光轉向古代，把「大樸未分」作爲理想境界，而當他們把這樣「無是非」的觀點付諸實踐的時候，美好的理想卻變成了一種有利於名教的庸俗應世的行爲，這是人格上的悲劇。

養　生

養生是他們人生論的一個重要原則。他們認爲「殘生」與「害生」一樣都是違背自然法則的，因而，一方面他們反對統治者爲滿足自己的無窮之欲而殘害百姓的罪惡行徑；另一方面，十分注意個人的養生。他們反對「貴志而殘生」，認爲性與身是統一的，把「養性延壽，與自然齊光」當作自己的最高理想。

如何養生？嵇康有專論。他認爲人的生命有形體和精神兩方面，彼此相互依存，相互影響，人可以通過「形神相繫」、「表裡相濟」達到養生的目的，這是養生的根本。由此，他認爲「疾智」與「嗜欲」都是「養生」的障礙。以智逐物，就會使人的欲望無限地膨脹起來，「嗜欲」雖出於人，但這不是厚生而是害生，因而主張「非欲」，這就與向秀的縱欲主義劃清了界限。他認爲養生有「五難」，即「名利」、「聲色」、「滋味」、「無常」與「喜怒」，此五者是與養生相對立的嗜欲。免除這五難的根本在於「知足」，「世之難得者，非財也，非榮也，患意之不足耳。」（嵇康《答向子期難養生論》）總之，他們的養生論是以對名利、嗜欲的批判爲條件的，因而與縱欲主義相區分。而其知足之說，則帶有空想與復古的成分。在實踐上，當把養生誇大到唯一重要的地步時就與其「任性」中的「無是非」觀聯繫在一起，成爲一種苟安保身的人生觀。

逍遙

阮籍與嵇康雖然洞察當時人世間的黑暗，卻無法在現實裡找到出路，於是只好在理想裡尋找安慰，寄托希望，這就是所謂的逍遙境界。

阮籍設想了一個「與天地並生，逍遙浮世」的「大人」，這種「大人」「超世而絕群，遺世而獨往」，「不與堯舜齊德，不與湯武並功。」世間的富貴、名利都不能使之動心，就是說擺脫了各種社會關係的束縛。這樣的人似乎看來極爲高超，但在現實生活中，只能是混世的庸人。

與阮籍相同，嵇康幻想了一個「至人」，這個「至人」與「大人」不一樣，二者是有區別的。他對「至人」的設想是：「文明在中，見素表璞。內不愧心，外不負俗。交不爲利，仕不謀祿。鑑乎古今，滌情蕩欲。」（《卜疑》）在幼想中擺脫滿是「委曲」的人世，要求擺脫名利福祿的羈絆，這與阮籍無二異，但「至人」卻並無大人那麼多的神祕色彩。這實際上反映了二者在生活態度上的差別，嵇康的生活態度是嚴肅的，他「內不愧心，外不負俗」，有著高尚的情操。

向秀、郭象的安份自得

從名教即是自然出發，向秀、郭象引出了「安份自得」的人生態度，其特徵是安份順命，縱情享樂。

命與遇

向、郭把自然觀上「玄冥」、「獨化」的理論運用到人生領域，導致了命定論。在他們看來，任何事物都是沒有原因的，個人的處境和前途、人世間存在著的貴賤貧富的差別歸根到底是由命與遇決定的。

他們對「命」的定義是「不知其所以然而然謂之命。」（郭象《寓言注》）在此基礎上，提出「遇」的概念，認爲「天地雖大，萬物雖多，然吾之所遇，適在於是，則雖天地神明，國家聖賢絕力至知，而弗能違也。」「故凡所不遇，弗能遇也，其所遇弗能不遇也；凡所弗爲，弗能違也，其所爲，弗能不爲也，付之而自當矣。」（郭象《德充符注》）這種「命遇說」是人們對自然、社會現象無可奈何的產物。在他們以前，王充便有類似的說法，並由此揭示了儒家道德的內在矛盾，但王充雖然認爲命遇不能改變，卻由內在的不滿導致對現實的批判。向、郭則相反，他們主張「付之而自當」，認爲「夫命行事變，不捨晝夜，推之不去，留之不停，故才全者隨所遇而任之。」（郭象《德充符注》）命是不可抗拒的，想「沉思以負難，或明戒以避禍」，是辦不到的，只有「隨所遇而任之」，才能保住自己的身全，這就是他們所得的結論。

安份與順命

「命」「遇」的觀點必然引出安份與順命的理論。他們認爲「世之所以患者不夷也。」「不夷」即不平，不平引起在上者自誇，在下者不知足，造成「大小相傾」。這種情況都是由認識上的「惑」引起的，所以先要在理論上「求其正」。其所謂「正」就是說上與下、大與小都是「至足」的，因此是沒有區別的，懂得這一點，才能「安其份。」他們把人間的不平看成是人間的「至實」，「庖人尸祝，各安其所司；鳥獸萬物，各足於所受；帝堯許由，各靜其所遇；此乃天下之至實也。」（郭象《逍遙遊注》）他們把各種現象、物種、地位的不同，彼此混在一起，借以說明社會等級的區分是「天下之至實」，從而要求人們「安份」、「順命」，這就是人之「眞性」。反之，如果不安份，則是「喪眞」、「忘本」、「失措」。道家的無爲在這裡變成了儒家式的道德說教。

逍遙與坐忘

命定論是他們人生論的理論基礎，安份順命是他們給人生規定的行爲準則，但嚴峻的客觀現實不可抹殺，於是他們又拾起莊子的逍遙坐忘說，按自己的意思加以發揮，作爲其人生的理想。

那麼，如何達到這種逍遙的境地呢？他們的推論是：「以小慕大」是一種必然現象，但「大小之殊各有定份」，一切都是命定的，這是羨欲所無法改變的，由此便可絕了「羨欲」的念頭，此意一去，便無所謂不平，便可以達於逍遙的境地。可見，逍遙不過是做命的馴服奴隸而已。而達到這一境界就必須克服是非與生死的障礙，這是逍遙之累，於是他們要求人們把它們坐忘掉。「夫忘年，故玄同死生；忘義，故彌貫是非。是非死生蕩而爲一，斯至理也。」（《齊物論注》）不僅要忘年、忘義，而且要「忘跡」即忘記自己活著這一事，而達到「內不覺其一身」，「外不察乎宇宙。」（同上）向秀、郭象要人們忘掉一切生死、是非、善惡，抓住瞬間，「任其性」地享樂，這種理論爲門閥士族所欣賞，成爲一種時尚，經過列子的發揮，形成一種極端腐朽的縱欲主義。

四、玄學倫理與民族精神結構

玄學倫理的形成，在中國倫理史上具有必然性，它是中國倫理精神結構及其生長的必要部分。玄學倫理在民族倫理精神結構中的地位，主要表現在以下幾方面。

血緣文化與等級精神

在玄學倫理中，對官方化的儒家倫理精神的懷疑與否定是以「名教」與「自然」之辯的形式出現的。「名教」與「自然」的關係實際是封建倫理綱常與人的本性的關係。中國文化是血緣文化，儒家倫理是以血緣爲根基、家族爲本位的，在這個意義上，名教與自然是統一的，因爲血緣倫理扎根於人性之中，而社會倫理植根於血緣倫理之中。但董仲舒以三綱取代五倫，破壞了這種統一。名教自然之辯，實際上是封建道德的本有與始有、神聖性與政治性的辯論，其實質是對名教的懷疑與否定。雖然不同時期玄學家觀點不同，但都以自然爲出發點與衡量名教的價值尺度，具有自然主義的傾向，他們對名教的批判，其中隱含著對先秦儒家倫理認同與復歸的傾向。

這裡關鍵是對「自然」的理解。「自然」是玄學的最高境界。玄學家繼承了老莊「道」的觀念，認爲這是萬物的本體，社會倫理的秩序，而道的本性是「順自然」即「無爲」。所謂「自然」就是自然而然，不加人爲，故道、自然、無爲三者是一體的。由於玄學內部道與儒的二重性，便存在兩種自然，一種是作爲道家、玄學家最高本體的自然；一是作爲倫理道德的人的血緣本性的自然。前者是身的自然，由此可以導向縱欲主義；後者是「心」的自然，具有倫理的內涵。但二者在倫理中又有統一的方面，血緣本性的自然是作爲本體的自然的具體內容，這裡道家的自然與儒家血緣本性實際上是同一內涵的兩種概念表述。在這個意義上，「自然」即「見父自然知孝，見兄自然知悌，見孺子入井自然知惻隱」之類的道德本性。這種倫理意義上的自然，也可以說是人類存在和發展的自然狀態。從邏輯上說，玄學家的名教與自然關係有二：在理論上，名教應當順從自然；但在現實生活中，名教與自然又陷入激烈的矛盾之中。自然與名教的對立就是人的本性與封建綱常的對立。

入世精神與解脫機制

中國文化是一種入世的文化。在中國文化系統中，居中心地位的是倫理道德觀念，而中國的倫理道德觀念所概括的主要是世俗的人際關係規範，這種倫理規範左右著中國文化，使中國文化的宗教色彩比較淡薄，人們的生活意向牢牢地指向現世人生。然而入世必然遇到許多不可克服的外在的與內在的矛盾，現實的人生不可能只在現實的社會中得到解釋，因而入世文化必須具有相應的超脫機制和超越機制的補充。與這種文化系統相適應，儒家的德性，道家的道心，佛家的佛性，是中國傳統倫理精神的三維結構，德性、道心、佛性，入世、避世、出世構成中國傳統倫理精神的有機結構。玄學的人生態度與人生風格正是這種文化特質與倫理精神結構的必然產物。從總體上說，玄學具有儒家入世的內涵，又具有道家佛家的避世、出世的風格，表面上縱酒狂論、自然無爲，實際上是「家事國事天下事，事事關心」。三者之中，道家的避世無爲是其基本的方面。玄學家繼承了道家的二元分裂的特點，在人生態度與人格特徵方面表現出較濃的老莊風格，而其內在的儒家特性往往又使他們陷入內在與外在、精神與形體的衝突與痛苦之中。其特徵，一是形體上放蕩不羈，怪僻多桀，以此掩蓋內在的痛苦；二是避世、抨世而不忤世，清淡玄論，抨擊時事，但在行爲上幷不危及現實社會，企圖由此獲得精神的解脫。

總之，玄學倫理是傳統倫理精神結構的必要部分，體現了入世文化與解脫機制的統一。玄學這種解脫與超脫有其特殊的性質：一是消極宿命，主張通過避世、隱世、坐忘的方式獲得解脫與超脫，具有較濃的宿命論的色彩；二是自私爲我，它提倡全性保身，苟安混世，實際上是一種消極的利己主義；三是社會義務感與責任感的缺乏，只顧個人的超脫與解脫而置社會義務於不顧，因而與儒家己立立人的精神處於尖銳對立之中，並最終導致了虛無放蕩的生活方式。

社會倫理與個體德性

社會倫理與個體德性的矛盾是中國傳統倫理精神結構中的固有矛盾。先秦以前，在儒家的五倫體系中，這一矛盾還未激化和充分展開。兩漢時期，儒家倫理封建化，三綱取代五倫，社會倫理與個體道德便處於分離甚至對立的地步。社會倫理與個體德性的矛盾，在現實的倫理生活中就體現爲人倫精神與人格精神的矛盾。人倫精神是處理各種人際關係的精神，包括對倫理實體的設計，人際關係的取向，人倫理想等等；人格精神是個體的修養精神或道德精神，主要是個體如何涵養自身的德性，如何處理自身與他人的社會關係，自身人格如何確立、生長、完成，個體如何在現實的人際關係中安身立命。儒家倫理一開始就包含的理想性與現實性的矛盾，實際上就是這種人倫精神與人格精神的矛盾。在現實生活中，二者的分裂表現爲理想爲理想與現實的衝突。魏晉時期，隨著社會矛盾的激化，這種矛盾客觀化、尖銳化，玄學家的一大貢獻就是以思辨的、消極的形式揭示了這種分裂與對立，並進行了廣泛深入的討論。

兩漢時期，董仲舒以封建政治的三綱取代血緣宗法的五倫，然而他自己也無法解決由此而激化起來的的矛盾——社會倫理與個體德性的矛盾。因而不得不借助神秘化的天，借助天人感應來調和這一矛盾。這一矛盾到魏晉時期就演化爲性情之辯。玄學性情之辯的實質是道德與欲望的關係問題，也是社會倫理與個性德性的關係問題。因爲在中國倫理中，「性」總是道德的本體與本源，是社會倫理的結晶，是人之共通的方面；而「情」則是個體的「情欲」，其內容與屬性體現了個體的德性狀態，所以到宋明理學中，性情論便演化爲「天理人欲」論。

對於情及其與性的關係，玄學家一般都持肯定的態度，這是玄學倫理的基本趨向。玄學家認爲，情是性「應於物」的外在流露，是出於自然而「不可革」的，即使聖人也不可能無情，如果主張無情，便是違反自然，但對於由此而產生的如何對待情的問題，玄學內部卻發生了分歧。王弼主張情要「應於物而無累於物」，即不要遂欲而牽。阮籍、嵇康認爲情欲必產生是非、爭殺，是罪惡之源，因而主張無欲。與此相反，向秀、郭象則認爲，既然性與情都是出於自然的，就應該「順欲」，這才合乎「天地之大德」，因此對情欲應「肆之而已，勿壅勿閼」，主張放縱情欲，把縱欲作爲人生之唯一目的，這種思想經過《楊朱篇》的發揮，走向了極端的縱欲主義。

魏晉玄學以社會倫理與個體德性爲實質的性情之辯，不管結論是積極的還是消極的，本身體現了對人性的覺醒，其理論意義在於發現並揭示了社會倫理與個體德性的矛盾，豐富了傳統倫理的內涵，爲民族倫理精神結構的完善，爲宋明理學對傳統倫理精神的總結提供了基礎。

綜上所述，玄學倫理是在封建大一統的倫理綱常形成以後，民族倫理精神內在矛盾的必然產物，也是民族精神結構內在矛盾的必然要求。玄學倫理精神的形成與發展，反映了民族精神結構中血緣文化與等級精神的對立、入世精神與解脫機制的互補以及社會倫理與個體德性的衝突。玄學倫理的意義在於揭示了中國傳統倫理精神的內在矛盾與豐富多樣的結構內涵。但是，玄學精神的特質決定了它不可能在中國傳統倫理精神中占主導地位，不管是「越名教而任自然」的阮籍、嵇康，還是由「名教即是自然」走向縱欲主義的向秀、郭象，都不可能受到統治階級的歡迎，因爲他們都以積極或消極的形式危及統治階級的根本利益。從主觀方面說，玄學精神是消極的，它雖然尖銳深刻地揭示了封建倫理綱常的虛僞性和不合理性，但它沒有建立起新的道德體系；它指出了名教對人性的束縛，但卻未找到一條人性解放的積極道路；他們主張消極無爲，苟安保身，本質上是消極的。另一方面，就人生態度上說，玄學精神的主流是避世隱世，因而就決定了它不可能在中國文化中居主流地位，而只能作爲中國文化結構的必要補充，是入世文化的解脫機制。不僅如此，玄學精神以保身全生爲宗旨，本質上是自私的，它缺乏社會責任感，缺乏嚴肅的人生態度。凡此種種，注定了它被否定的歷史命運。

第三章　隋唐佛性

隨著元康玄學的出現，玄學開始沒落，中國倫理精神又爲另一種形態所代替——隋唐佛性。

佛教流入中國，兩漢時期就已開始。魏晉南北朝時期，隨著戰爭的頻繁，政治的腐敗，人人陷於朝不保夕之中，人生的失望漫及整個社會，求靈魂安慰、精神奇托的渴望也隨之產生。而經學、玄學都不能滿足這一需要，佛教正是在這一時期獲得了迅速的發展。當時出現了許多佛教宗派，著名的有天台宗、華嚴宗、法相宗和禪宗。法相宗受印度佛教的影響較多，但也具有中國特色；天台宗和華嚴宗，雖有所宗，但已發展爲不同於印度佛教的中國式的佛教宗派；禪宗則完全是中國文化的產物。

馬克思在《論猶太人問題》中指出：「我們不是到猶太人的宗教裡去尋找猶太人的秘密，而是到現實的猶太人裡去尋找猶太教的秘密。」①「我們不把世俗問題化爲神學問題。我們要把神學問題化爲世俗問題。」②中國佛教的形成有深刻的社會、經濟、政治、文化原因。兩漢以後持續的戰爭，使人們陷於絕望之中，涅槃佛性論的解脫思想就成爲陷於絕望時的一線希望。既然人們對現世已毫無信心，自然會產生對死後幸福生活的憧憬，於是人們對彼岸世界傾注了全部的熱情。社會的苦難爲涅槃佛性說的繁榮提供了充分的社會歷史依據；由兩漢清議發展而成的魏晉的清淡，則成爲這種學說的理論先驅；經濟的凋敝，人民生活的極度困難，「在各階級中必然有一些人，他們既然對物質上的解放感到絕望，就去追尋精神上的解放來代替，就去追尋思想上的安慰，以擺脫完全的絕望處境。」③而統治階級的充分利用，又提供了現實的政治條件。在文化上，中國人固有的靈魂觀念、鬼神觀念，以及中國文化傳統在空與有、思辨與實踐之間對後者的傾斜，構成了涅槃佛性論取代性空般若學的深刻的文化原因。

佛教中國化的過程，實際上是儒、道、佛三者相互吸收、相互排斥，最後相互融合的過程。具體地說，對於儒，佛教力求靠攏迎合；對於道，彼此間的排斥則多些。佛教倫理與我國傳統的儒家倫理在性質上不同，二者的關係十分複雜。第一，在對待現實世界的看法上，二者存在著根本的分歧。儒家採取的是追求現實世界的入世態度，它雖然承認現實世界有罪惡，但認爲只需徹底貫徹儒家的倫理原則，這些都是可以消除的，盡善盡美的「大同之世」是可以建立起來的。佛家則相反，他們從現實世界「一切皆無」的觀點出發，認爲世間的一切都毫無意義，只有從人世間解脫出來，才是最大的幸福。由於這種根本的出世立場及其與中國入世的文化精神的對立，佛教倫理一直未能占統治地位。第二，佛教宣稱一切皆苦，承認現實的苦難，這對被壓迫者來說，遠比粉飾太平的理論更有吸引力，但它把人的苦難歸之於個人求生的意志或人性的墮落，因而消除這種痛苦的途徑只能通過自我克制、自我反省，於是社會現實的苦難便轉化爲個人的主觀幻覺，這種社會作用無疑對統治者是有利的。第三，佛教倫理從佛性論、解脫的角度建立起精緻的體系，從世界觀的角度對人性問題、修養問題進行闡發，提出富有思辨性的理論，這正是傳統儒家倫理不足的地方。佛教理論雖然有它的宗教目的，但佛教中國化的過程，是世俗化的過程，也是它的倫理學說越來越適應中國封建社會需要的過程。因而在儒佛關係上，儒家則多從倫理道德、王道設教等方面進行反擊，而佛家則多表現爲自衛性的辯白與辯白性的自衛。與儒佛相比，佛道之間的鬥爭更爲激烈。隋唐以後，儒、釋、道出現合流趨勢，李翺的《復性論》就是最典型的體現，到宋明理學，才確立了三教合流，而儒家德性成為中國倫理精神正宗的格局。

一、人生哲學與超人生哲學

佛教倫理是一種宗教倫理，也可以說是一種超越倫理，而其內容則具有強烈的世俗性。這種超越倫理之所以產生就是世俗的需要，它是在超越的意義上論述世俗問題，解決世俗矛盾的。因此，佛家的佛性，既是一種人生哲學，又是一種超人生哲學。佛性的特點，是把人生延長到現實人生之外，從超人生的角度上論述人生問題，解決人生矛盾，確立人生態度，因而，佛性是人生哲學的超人生形式。

佛性：人生與超人生的統一

儒家德性強調人性的超越與復歸，即強調在社會生活中個體通過修養超越自己的生物性本能，達到個體與社會的統一，但這種超越是一種入世的超越，是在現實人生中對自我的超越。道家道心以隱世為特點，不強調超越，只強調超脫，即以「無為不爭」擺脫現實中的各種矛盾，它缺乏超越性，但是其精神的內容卻是十分現實的，用老子的話說，就是「無為而無不為」。佛性把道家的虛無主義人生觀向前推進了一步，又吸收了儒家超越性的特點，其人生觀的特點就是徹底地擺脫現實人生，把現實作為虛幻，主張超越現實人生的生活。儒家的德性是在現實人生中對自我的超越，道心是在現實人生中對人生現實的超脫，而佛性則是對人生本身的超越。佛性的內容是完全現實的，是現實人生矛盾的產物，而其形式則是超現實的，所以說它是人生的超人生表現形式。

佛教或佛家也認為，眞切之人生哲學，能示人以正道，達康莊而無禍亂之災患。然而人生自身有內在之矛盾，非人生哲學所能救濟，故除卻示人生正道的人生哲學外，更有超人生而為救濟此人生矛盾與苦惱的佛學。這種人生之苦惱的問題即生死問題。在佛教以前，超人生、超生死的哲學唯有中國的神仙與西方的宗教。依神仙家言，解決生死之道，在全欲全神而得長生；依宗教家言，在信仰上帝而得永生；自佛法言之，二者均無當。依佛法言之，生死二者，乃相待而不相離。佛法在求其不生，不在求其不死。生死輪回，因果報應，進入涅槃，便得永生。佛家認為，此超人生哲學是盡儒家人生哲學之未盡之業，而益堅人生哲學基礎。因為，如果因果報應之理不明，則為善去惡無據；而為善去惡無據，則安身立命無因，則一切人生問題都為空中樓閣，因而佛家窮因果相繼之理並超越人生，因而可以為善不滯，達於至善。這裡，佛性實際上是解決傳統倫理精神中性與命的矛盾。儒家倫理強調自強不息，己立立人，知其不可而為之，但現實生活中，性之善惡與命之禍福發生激烈的衝突，性善而命禍，性惡而得福。道家用隱世和避世的方法來對待它，但是卻沒有眞正從理論上解決這個矛盾，而且，這種態度不合乎中國正宗文化的傳統。佛性把因果報應與生死輪回相結合，延長了人生的歷程，從而在生與死之間架起了因果的橋樑，實際上把性與命的矛盾延長到人生之外。這樣，既解決了這個矛盾，又有利於現世人生的倫理生活，因而這種超人生的精神是對傳統人生精神的完善和補充。正是在這個意義上，在儒佛相爭中，佛家往往起而反擊。他們認為儒家學說本在濟世治俗，未能探性靈之玄奧，只是世間之善，不能革凡成聖，故儒佛相比，如同螢燭之於日月，燕鳥之於鳳凰。三度捨身入寺的梁武帝曾說，「道有九十六種，唯佛一道為正道，……老子、周公、孔子，……只是世間之善，不能革凡成聖。」（梁武帝《敕舍道事佛》）就是說，儒教乃方內濟世之說，唯佛教才是直探性靈玄奧的眞實之說。總之，佛性在整體上能使人超越人生，在個體上能使人革凡成聖，因而在現實生活中，佛家極力調和與儒家的矛盾，並努力把佛性建立在儒家德性的基礎上，把孝悌等作爲超人生的基礎，這是日後儒、釋、道之所以可以合一的基礎。

總之，佛性的超人生，一方面延長了人生的歷程，把前生、現生、來生連結起來，達到了人生的永恒，使現世人生處於善惡報應的因果鏈環中，通過宗教的機制徹底消解了「德」與「得」、「性」與「命」的矛盾；另一方面，站在超人生的角度論述人生，在高遠的天國鳥瞰人生，因而能看破人生，抓住人生的一些基本問題，此種人生觀有點類似於中國傳統繪畫中的所謂「大寫意」。這是佛家特有的瀟洒。與儒、道相比，儒家是在現實的人倫關係中談人生，因而不能回避現世人生的一切問題；道家是在現世人生中談超脫，因而越超脫越感到束縛；而佛家是在天國中看人生，因而顯得達觀，洒脫。

佛性的超人生之真義

對人生的基本看法

佛性對人生的基本看法，表現在它的「四諦說」和「十二因緣說」之中。據說這是釋迦牟尼由於人生的痛苦和煩惱得不到解決而悟出來的道理，後來就成爲佛教的基本教義。

「四諦」的「諦」，即「實在」或「眞理」的意思，它包括苦諦、集諦、滅諦、道諦，這是佛學根本的神聖眞理。「苦諦」指現實生活中的種種痛苦現象，所謂「一切皆苦」；「集諦」表示造成各種痛苦的理由或根據；「滅諦」表示作爲佛教最高理想的涅槃；「道諦」則是說爲實現佛教理想所應遵循的手段和方法。苦諦中提出了人生之八苦：生苦、死苦、痛苦、老苦、怨恨苦、愛別離苦、求不得苦、五盛蘊苦，這是佛教對人生所作出的價値判斷，是佛教人生觀的基礎。由此提出了對形成這些苦的原因分析——十二緣起。佛教認爲世界各種現象的存在，都依據於某種條件，即「緣」。離開了條件，也就無所謂存在，人生的起源和過程，也依據於條件，它可分爲十二個彼此成爲條件和因果關係的環節：無明、行、識、名色、六處、觸、受、愛、取、有、生、老死。由此進入到第三眞理——滅諦，佛家認爲人生理想的歸宿是進入涅槃（解脫眞如的狀態），即拼棄世俗生活。所以說，佛教人生的最高理想就是對現實人生的否定。至於道諦，則是進入涅槃的途徑和方法，從倫理學的意義上來說，就是修養論。

人生論

佛教雖然宗派衆多，但其倫理的精神，對人生的基本看法大致相同，這就是一切皆苦，現實虛幻，輪回報應，涅槃成佛的出世觀。

第一，人生皆苦。如前所述，這是佛教對人生的基本看法，也是佛教人生觀的起點。佛教認爲，人生皆苦是帶有普遍性的，不論什麼階級，只要活著就都有痛苦。它的所謂人生之苦，總體看來，一是說人生從生到死的過程，處處皆苦；二是說人生生活過程中充滿情感方面的痛苦；三是五蘊盛苦，包括色、受、想、行、識五類，一切皆苦。但是，如果把苦說成人生毫無意思，會引起消極悲觀，缺乏人生努力向上的力量。於是，佛家要求人們改變人生，達到「常樂我淨」的境界。「常」是永久，「樂」是安樂，「我」即自由，「淨」即清靜，四個字合起來就是永久的安樂、永久的自由、永久的純潔、永久的清靜。佛教的目標不在說破人生之苦，而在於將這種苦的人生改變過來，達於「常樂我淨」的境地。

第二，現實虛幻與出世思想。解脫現實之苦，首先就是要否認現實的眞實存在。在佛家看來，不僅人們感覺到的東西，而且人們的感覺思想本身也是虛幻。般若學的最高境界就是「本無」，它不僅否定了「有」，也否定了一般「無」，這種「無」就是眞性即佛性。達到這種佛性的「無」，就必定出世，但這種「出世」並不是跑到另一個地方去，也不是「出家」。「出」就是超過、勝過的意思，能修行佛法，有智慧，通達人生眞諦，心地清靜，便是出世。現實虛幻在佛家那裡，又叫一切皆空，但這種空不是什麼都沒有，而是什麼都由因緣和合而成。

第三，輪回報應。因果報應的思想在我國古來有之，但它主要是與懲惡揚善的倫理文化相吻合。它一方面說人的命運是由外在力量決定的，但更重要的是說人的行爲的善惡屬性對人的命運的影響。佛教以輪回報應代替傳統的善惡報應，在強調善惡的因果報應的同時，又輔以生死輪回的機制，從而加強了報應的力量。由此，原有的倫理信念、倫理情感便變爲宗教信念、宗教情感。在生死輪回的前提下，他們把報應分爲三；現報，即今生報應今生的業；生報，即今生報應上生的業；來報，即若干年以後的來世報應今生的業。人生有三世，世世代代精神靈魂不滅，因而生死輪回不息。在這種輪回報應中，性與命的矛盾，即善惡因果報應的不相符只是一種暫時的現象，它們終究會獲得一致。由此，性與命的矛盾在理論上便得到了徹底的解決。

第四，涅槃成佛，這是佛家的人生境界。佛家承認人人都有成佛之因素與可能。在它看來，現實生活是痛苦的，最根本的解脫就是成佛。在佛教史上，雖然在成佛的方法與途徑上有所不一致，但歸根到底其最高境界則是涅槃，即佛的境界。這種涅槃境界，也就是「常樂我淨」的境界。

佛教的人倫觀念

一般人往往有這樣的理解，認爲佛教只致力於人生問題，而人倫則在摒棄之列，因而不能稱之爲倫理精神。這就有必要對佛家的人倫觀念作簡要的介紹。

佛家雖然提倡出世乃至出家，但卻重視人倫關係。對人倫關係，儒家提出「五倫說」，而佛家則提出「六方說」，認為東南西北上下各代表一種人倫關係。東方父子，南方師生，西方夫婦，北方親友，下方主僕，上方聖凡。其中父子、夫婦二倫與儒家同，主僕相當於君臣一輪，親友包含儒家長幼、朋友二倫，而師生一倫則突出了教化與人格境界。這「六方」說，包括世間倫理及出世精神的領域。人生在世，當必盡倫理之事，然後才能體現出世的精神領域。

二、佛之倫理本性

佛性既然是中國倫理精神結構的一部分，就面臨著一個佛的倫理本性與成佛可能性的問題。這個問題用儒家的話來說，也就是理想人格與現實人格的問題，這是佛性的核心內容。「佛」在中國文化中，既是一種宗教的彼岸偶像，又是一種十分現實的此岸人格，它凝聚了中國人的倫理精神，寄托了中國人的人格理想。

佛之倫理本性與人格特徵

「佛」是中國倫理人格之一，它與儒家的「聖」、道家的「眞」一起形成中華民族的三大理想人格。一方面，佛教中對它的最高境界——佛的規定具有倫理的屬性，尤其在中國文化中，它實際上是倫理的結晶，另一方面，佛在中國文化中具有人格的特徵。

覺：大徹大悟

佛，在印度本為智慧，即「覺」之義。但佛教的所謂「覺」為大徹大悟。這種大徹大悟在倫理上具有兩個方面的含義：一是徹底看破現實人生；二是尋找到擺脫現實人生苦惱的途徑，即超人生。因此，這種大徹大悟，其實質是擺脫塵世的牽累，它在佛學中叫「慧」或「能」。從倫理學的角度談，它可稱為人生觀或道德意識。在這個意義上，佛的特徵爲「智」或「覺」，佛是人生智慧的象徵，佛的人格實際上是一個智者或覺者。

慈：大慈大悲

佛教既然認爲人生皆苦，因而尤其強調慈悲，「出家人慈悲爲懷」，而佛的人格形象也就是大慈大悲。這實際上是佛性中的道德情感。慈者善以待人，悲者悲天憐憫，但這種慈悲又不是一般的慈悲，而是大慈大悲，它要徹底拯救、喚醒人類，超度衆生，它大及整個人類，小及蚊蟲小鳥，故「不殺生」爲佛家的第一戒律。由此可見，慈懷天下，悲憫衆生，就是佛的情感特徵。當然，這種大慈大悲在中國倫理文化中除具有寬容的特徵外，還具有「順」的特徵，這種「順」集中體現在作爲「教首」的「忍」的修行方式中。在這個意義上，佛的特徵爲「慈」，佛的人格爲慈者的化身。

善：大德大義

這是佛的道德行爲的特徵。中國佛性與印度佛性的重要區別之一就是淡薄出世與現世的界限。佛家雖講出世，但它的出世實際上是建立在現世的基礎上的，一方面，出世是基於對現世認識和反思的結果；另一方面，出世亦不能逃避現世人倫，相反是現世人倫的結果。因而中國佛既不像印度佛那樣高不可攀，又不像道家的眞人那樣玩世不恭，而是具有濃烈的現世特徵和懲惡揚善的倫理色彩。因果報應，尤其是今報、生報使佛成爲懲惡揚善的主宰。如果說，印度的佛處於來世的彼岸的話，中國的佛則處於現世的此岸，它無時不在，無所不在，蕩平著人間的不平。這種特徵明顯地體現在佛教的戒律中。佛教戒律就是它的善惡觀，除不殺生外，它還規定不偷盜、不邪淫、不妄語、不飲酒。當然，當它把惡的根源歸結爲人們的貪欲時，就具有了禁欲主義的特徵。在這個意義上，佛的特徵爲「善」，佛的人格爲善者。

仁：自度度人，永恒不朽

這是佛的道德情懷和道德理想。中國佛性不僅強調自身的大徹大悟，獲得人生的拯救，而且強調自度度人，以度人爲己任，這實際上是儒家倫理傳統的己立立人、己達達人的體現，也是佛大慈大悲、大仁大德之「大」所在。普渡衆生成爲中國佛教的理想，而佛的境界也就是所謂涅槃，其特徵是超越、永恒與不朽。這種超越，一方面是超越現實人生，擺脫人生的苦惱；一方面超越三界輪回，而一旦超越了輪回，也就獲得永恒與不朽，達到靈魂與精神的永存，也就轉凡成佛。佛性的這種境界與理想在出世之中，實際上體現了一種社會義務感與責任感，這是中國佛性人格的重要特徵。在這個意義上，佛的特徵爲「仁」，佛的人格爲仁者。

於是，覺、慈、善、仁構成佛性的四大特徵或要素，佛的人格爲覺者、慈者、善者、仁者的統一體，佛是覺、慈、善、仁的化身。

佛性與人性

佛性與人性的關係問題，實際上是成佛的主觀可能性問題，亦即人是否具有先天成佛之因的問題。在這個方面，中國佛性的主流是「一切衆生悉有佛性」，體現這一主流的有隋唐的天台宗、華嚴宗、禪宗三大宗派，而開其端的則是晉宋之際的竺道生。在佛性問題上，中國佛教的三大宗派各有特色，天台講生佛互具，華嚴主如來性起，禪宗則主張心即佛，這與佛家人人皆可爲堯舜的思想是一脈相承的。當然，中國佛學也有不主張衆生皆具佛性者，唯識宗就是如此，它倡「五種種性說」，但唯識宗是最不具有中國特色的宗教，也是最短命的宗教。總體說來，關於佛性的主觀現實性問題，佛教史上經歷了三個階段，由竺道生的「衆生皆具佛性說」開始，經天台、華嚴二宗本有與始有、性具有與性起的爭論，最後到達禪宗的即性即佛與無情有性的「六祖革命」。而即性即佛是其總結，同時也是向宋明理學過渡的環節。

首先提出這個命題的是晉宋之際的竺道生。在他以前，我國譯出的《大般泥洹經》中明確指出：「一闡提」沒有佛性。「一闡提」意爲不信佛、完全斷了善根的人。道生反對這種說法，認爲一闡提也有佛性，「佛身是常」，「佛即是我」，「一切衆生皆當作佛」，提出衆生都具佛性，都有成佛的可能性。這裡，他首先把性解說爲「理」，佛性也就是善性。他認爲善性是一種最高的智慧，也就是理，這樣就把理與佛性等同起來。其次，他把佛性看成衆生的本性，衆生陷於因果輪回之中，只要除惑去迷，便能返本而成佛。可見，他的佛性，既是「理」又是人的「本性」。換言之，一切衆生都先天具有這種理，只是爲情欲所障，沒有顯示出來，一旦返迷歸眞，恢復了本性，也就成佛了。這種理論，一開始被視爲異端，而當後來爲翻譯過來的經文證實時，道生又成爲佛事的天才。可以說，他實際上是從中國文化的本性，確切地說，是從「人人皆可爲堯舜」的文化精神出發，對佛性進行論述與說明。道生以後，這種觀點成爲中國佛學的主流，有關佛性的爭論主要表現在衆生有佛性的內部，其焦點是天台宗的「本有」與華嚴宗的「始有」；天台宗的「性具」與華嚴宗的「性起」；以及禪宗內部的「心性本淨」與「心性本覺」的爭論。

本有與始有之爭，焦點是佛性是先天具有還是後天具有之爭；性具與性起之爭，是佛性中有善有惡與衆生皆具有佛的智慧，只要順性而起便可作佛之爭。在此基礎上，禪宗由「心性本淨」到「心性本覺」的發展，實際上得出了心即是佛、性即是佛的結論。「心性本淨」的含義是：人的本性清淨，但爲客塵所染，因而是凡人。這裡，「心性」與「客塵」的關係是：心性處於被動的地位，客塵可以改變心性的性質，使之由「淨」變爲「不淨」，因而「心性本淨，客塵所染」。「心性本覺」的含義是，人的本性是覺悟的，不過爲「妄念」即常人的認識所蒙蔽，淪爲凡人，因而「心性本覺」、妄念所蔽。「本淨」與「本覺」的區別在於：「本覺」之中人性僅爲妄念所蔽，人性本身沒有起變化，猶如烏雲遮住日月，但日月的本來面目不爲烏雲所改變一樣。而「本淨」說則在於人性受到玷污而不淨。與「淨」不同，「覺」具有主動、能動的意思，「人性本覺」可以依靠自身的覺悟，把妄念去掉，一旦去掉，本來覺悟的心性便呈現出來，從而達到佛的境界。於是成佛也就是自我覺悟，就是復心復性，解脫論也就變成修養論。這裡，可以看到李翺復性論的影子。

在此基礎上，惠能的「六祖革命」，對佛教進行了一系列重大改革，提出了即心即佛的佛性說、頓悟見性的修養方法和不離世間、自生自度的解脫論，從而使禪宗更富有中國特色。這裡，不只是改變了一下心的性質，而是導致了佛教性質的變革。從思維方式上說，它以一個具體的現實的人心去代替抽象玄奧的、經過百般打扮的「如來藏自性清靜心」，這一替換實際上把一個外在的宗教變成一個內在的宗教，把對佛的崇拜變成對心的崇拜，從而使佛教與中國文化傳統一致，提供了在理學中實現儒、道、佛三者合一的可能性。

佛家的佛性論，一方面是吸收了傳統儒家的人性論思想，它實際上是用傳統的人性論方法對佛性進行思考與論證。「衆生皆具佛性」是儒家「人人皆可爲堯舜」思維方法的直接繼承；「本覺論」強調人身上具有「自覺」之能，實際上就是對孟子的「良知」說的發揮；「心性本淨」說與莊子的「滌除玄覽」、荀子的「虛壹而靜」一脈相承；而禪宗的「即心即佛」則與儒家的「反身而誠」相通。另一方面，這種佛性論又給宋明理學的人性論以巨大的影響。

中國佛性的特點

中國佛教與印度佛性相比，有著一系列特點，從倫理學意義上說，以下幾方面值得注意。

第一，中國佛性說注重心性。它不像印度佛教那樣把心性作爲抽象的本體，而是繼承了儒家人性論的心、性觀。從孟子的「盡其心者知其性，知其性則知天」，到《中庸》的「天命之謂性，率性之謂道」，到《大學》的「正心」、「誠意」，無不由盡心見性以上達天道，由修身養性而轉凡入聖。後來的中國佛學，主張「明心見性」，追求自我之主體性，不論思想內容或表達方式，無不打上儒家注重心性、強調道德主體的印記。

第二，中國佛性論的主流是「衆生皆有佛性」的均等佛性論，這與印度以種姓制度爲基礎的「五種種姓說」形成對照。中國佛性說，一方面是等級森嚴的政治制度的歪曲反映，人們在現實生活中飽嘗宗法等級之苦，必然產生渴望平等的強烈欲望，以得到精神上的滿足。另一方面，這種理論有傳統精神的根據，傳統德性論主張均等人性論，強調「人人皆可爲堯舜」，「塗之人可以爲禹」，使布衣、賢人都有不失成賢作聖的信心和希望，表現在宗教上，則是凡夫俗子都想成菩薩作佛。這種理論容易接受，容易獲得信徒。

第三，在修行方法上，中國佛性論注重頓悟這種特點與中國古代注重直觀的思維方式有關，也與中國德性重心理體驗的忠恕傳統有關。中國人的道德思維，不重理性，而重直觀體會，到禪宗，頓悟成佛就成爲一種最根本的修行方法。

第四，中國佛性論注重現世，淡薄世間與出世間的界限，以致最後把佛教變成世俗化的宗教。從中國的文化傳統看，儒家一開始就有一種重生輕死，重人間、遠鬼神的傾向，孔子說過，「未知生，焉知死」，道家也有「六合之外，聖人存而不論，六合之內，聖人論而不議」之說，這種傾向使中國人的出世觀念不強。爲適應這種心理傳統，中國佛性論不斷地從出世間求解脫向不離世間求解脫方向發展，與中國的傳統與政治現實結合。正因爲這樣，中國佛教才得以發展，佛性也才成爲民族性格的一部分。

三、修行論

中國佛性論以成佛解脫爲最終目的，但它又不滿足於空談的理論說明，而是關心在什麼條件下成佛、如何成佛等問題。因此，中國佛教在一定義義上說是富有實踐意義的。如果說，印度佛教相比之下，較多地注意於衆生有沒有佛性，能不能成佛等理論問題上的煩瑣論證，那麼中國佛教則一直關心如何成佛、在什麼條件下成佛等實踐問題。這就是中國佛教修養論所要討論的問題。在修養方法上，隋唐佛學主要有天台宗的「定慧雙修」，華嚴宗的「理事無礙」，禪宗的「頓悟成佛」。

天台宗的「定慧雙修」

佛教的學問本有兩種，一是禪，這是一種修心見性的宗教思維修習，亦稱「止」、「定」；另一種是般若，亦稱「觀」、「慧」，指智慧、義理。南北朝時期，南方重義理，北方重禪定，隋代南北朝統一，天台宗的智顗，從解脫論的角度，提出止觀並重、定慧雙修的主張，認爲只有定慧雙修，才能達到解脫，進入涅槃。

智顗的「慧」即他的「圓融三諦」說。他認爲一切事物都是因緣和合而生，既然因緣所生，就沒有自性，所以就是「空」。但人們給各種事物以假名，所以一切法也都是「假名」。了解到諸法既是空，又是假名，這就達到了「中道」，即達到了最高認識。空、假、中是佛教三諦，用「三諦圓融」即三者並無次第，一念便可同時俱足的觀點看待空、假、中，就能得到佛的智慧，得到解脫。這實際上告訴人們，外界的一切是不必回避的，佛的智慧就是對現實世界的正確認識，認識到現實世界是假、空，就會懂得對現實世界不必執取的「中道」正觀。這種觀點，實際上把佛家所說的解脫，從超現實的彼岸，移到了現實的此岸，把解脫化爲不必執取現實的覺悟，它既向入世邁了一步，又仍然保留了要人們不要認眞對待和計較現實的苦難與不平。

「定」是回答如何解脫、如何覺悟的問題。智顗認爲，只要作爲主觀精神的心定了，就能消除妄念而獲解脫。他提出了「一念三千」的命題，認爲，整個宇宙都是「一念」的產物，只要一念不起，整個世界也就「空」了。所謂「定」就是通過修行，達到「心」不起「念」而得解脫。

這種「定慧雙修」說把佛家的世界觀、認識論與修行說結合起來，使其解脫論帶有濃厚的理性色彩。

華嚴宗的「理事無礙」

「理事無礙」是華嚴宗的一個基本命題。從解脫論的角度說，它是企圖統一現實世界與涅槃世界的理論，其側重點是說明現實世界是完美無缺，不應被變動的。它把現實世界分爲「四法界」即四種相互聯繫：事法界、理法界、理事無礙法界、事事無礙法界。「事法界」是現實世界；「理法界」是本體世界即現象世界的本體與本質；「理事無礙法界」即差別性的現象與同一性的本質的統一；「事事無礙法界」即現象同時相互包容。它認爲，「理」是事物的本體，「事」是理的顯現，兩者相互依存，統一無礙。四法界有一個統攝者——「一眞法界」。「一眞」就是「一心」，它既是精神性的本體，又是人的主觀精神，是人先天具有的理，並在人的精神中完成了「事」、「理」的結合。這種理論，實際上是要人們安於現狀，它對宋明理學有明顯的影響。

禪宗的「頓悟成佛」

唐朝以後，禪宗逐漸成爲中國佛教的主流。禪宗在解脫成佛的方法和內容上又另闢新徑，其主要特點有二：一是無念，二是頓悟。

禪宗以「無念」爲宗，把無念作爲他們修行的基本內容。何爲無念？惠能說：「無念法者，見一切法，不著一切法」（《壇經》）「法」即外境，當人們接觸外境時，心境不受任何影響，就是「無念」。它像明鏡能照萬象，而明鏡本身不動一樣，這就是所謂「照而不有」。從倫理上說，就是外界任何現象都不對心性發揮作用，甚至身入火海不覺熱，體入冰窟不覺冷。「無念」是主觀精神的擴張，其作用在於它可以消除一切外界對主體的影響。

禪宗認爲，由於人「心」被久始以來的「無明」所迷，所以才使身心執著於實在，有了這種執取便產生妄念。又由於心是本覺的，所以一經啓發，即「頓悟空寂之知」。這樣，禪宗便把佛家的修行統統歸之爲修心，而修心的目的又在於「無念」，也就體現了自己的本性。這種本性就是一切衆生都先天具有的佛性，也就是說達到了「無念」，即達到了佛的境界，這就叫「見性成佛」。這種理論，對日後的陸王心學發生了極大的影響，它實際上是要人們對現實生活中的是非善惡都抱無所謂的態度。然而外境永遠不會停止對人的作用，於是禪宗又提出了「忍」，並把「教人以忍」列爲「教首」。只有做到忍，才能達到無念，要求人們無條件地忍受現實生活中的一切苦難，甚至風刀解身也不反抗，也不動心。這種觀點，在階級矛自日趨激烈的晚唐，更能適應統治階級的需要。

從「無念」說，在邏輯上必然導出解脫論上的「頓悟」說。因爲佛性既然是善，又是智慧，那麼，佛性就只能是一次性把握的，而不是逐漸達到的。同時，既然消除「妄念」是靠良知，那麼，只要「一念相應，便成正覺」。由此可見，凡人只要在一剎那頓悟了，便可由凡入聖，立地成佛。

「頓悟」是惠能禪宗佛性論的特徵。這種頓悟，當然不是指歷盡諸多階段，經過苦修之後的恍然大悟，而是人們當下每一念心，都可能從自心中頓悟眞如本性，都可悟得天地之佛性。這種頓悟說的關鍵，不在於是否有善知作開導，而在於悟與不悟。所謂「一悟則知佛也」，一悟則知自心原是佛，其間無須任何階段次第。這種頓悟見性，不假修習的方法，惠能再加以闡發，「迷來經萬劫，悟則剎那間。」（《壇經》）「前念迷即凡，後念悟即佛。」（同上）至於後世所謂「放下屠刀，立地成佛」、「苦海無邊，回頭是岸」，就是在這種頓悟的基礎上發展起來的。

惠能的這種「見性成佛」、「頓悟成佛」的修行論把成佛完全歸之於內心的自覺。其意義表現在兩個方面：第一，破除了對佛經的迷信。歷來的佛教宗派，都把佛經作爲眞理的標準，禪宗雖然吸取了某些佛經的理論，但他們認爲，佛的智慧在每個人心中，因而不必以佛經爲依據。他們所信奉的《壇經》不過是惠能的語錄，發展到後來，禪宗更是公開號召不稱佛，不念經，實際上對佛經作了根本的否定。第二，破除了歷來被奉爲絕對權威的佛祖的神聖性。它認爲佛與衆生的區別，不過是迷悟之間而已。惠能以後的禪宗領袖更是大肆攻擊外在的人格佛，這實際上否定了內心之外的佛的存在，幾乎等於破除了佛的偶像。因此，當禪宗在徹底否定外在的人格精神時，也否定了一切外在的權威，破除了佛教的神聖性，從而走向了它的反面。

儒佛修己待人方法比較

中國文化精神，即在擴充人物間感通之性，而盡心知性，則可以修身立命，成就圓滿崇高的人文精神。所以儒佛兩家皆以心爲主宰，強調自覺向善，養心寡欲，由個人修持做起，進而推己及人，慈悲爲懷，得到自我實現。兩家倫理的中心思想，皆在化育萬物，修德救世，儒家講仁愛，佛家講慈悲，均由人心興起，以至善爲止歸。在修己待人的方法上，既有一些相通之處，也有一些相互區別的地方。

儒佛兩家的修養論有一個共通的本源——明心見性，認爲只要反身而誠，明心見性，便可成聖成佛。但具體內容則有所不同：儒家以性善爲中心，佛家則以自覺爲中心。儒家德性建立在善之人性的基礎上，這種善之人性即孟子的所謂「不忍人之心」，德性以善性爲根，德行以向善爲宗。佛家則肯定衆生本性清靜，具有自覺之因，因而人人皆可以自覺修行，但人受三毒——即貪、瞋、痴所污染，不能成正果，要想得救，必須自覺地識見本心，以求向善。可以說，性善是儒家德性之根，自覺是佛家德性之源。

在修己待人的方法上，儒家以孝悌爲本，本立道生，推孝進德，最後達於「民胞物與」的境界，在此基礎上修己安人，己立立人，己達達人，正人心，立人極，止於至善。佛家在消極的方面強調持戒的止惡，以戒律爲善惡判斷之標準；在積極的方面提倡博愛，自度度人，普渡衆生，這種修己待人的方法概括起來就是所謂「順益」。但是在修己待人的方法上，儒佛兩家也有許多相似之處。儒佛都講求心性，《大學》強調「欲修其身，先正其心」，而佛家經典則認爲「諸佛如來，因於衆生而生起大悲。因於大悲心，而成就菩提心，因菩提心而成正等覺。」（《壇經》）可見，兩家皆以明心見性爲修身之門。儒佛兩家皆重視孝道。儒家講孝道自不待言，佛家強調「父母恩重如山，應當孝敬恒在心，知恩報恩是聖道。」（《壇經》）儒佛皆要求修身。「大學之道」以修身爲本，儒家要克己修身，佛家要持戒修身，並以五戒比五常。儒佛皆廣博慈愛。儒家仁民愛物，博施濟衆，達於大同；佛家布施行善，慈悲爲懷，亦能廣博慈愛。這些相通相同之處是儒家德性與佛家佛性可以互攝互補，最終達於融合的重要的內在原因。

四、佛性與民族精神

綜上可見，隋唐佛性發展的過程，也是它進一步與中國文化融合而世俗化的過程，在這一過程中，佛性逐漸充實了世俗的即倫理道德的內容。至於禪宗，一方面是佛教中國化的完成，另一方面它把佛歸結爲人的內心，心即佛，性即佛。這種人內心的佛，實際上就是人內心的道德良心、道德觀念、道德情感，就是內化的倫理道德觀念。這種理論，與孟子求放心的修養論在根本上是一致的。因此，禪宗的形成與完成，一方面實際上終結了作爲宗教的中國佛教，至少大大減少了它的宗教氣息，是佛教自身孕育出的否定自身的因素。另一方面，它的心即佛，性即佛的理論，又開了宋明理學的先河，因而是中國倫理史上承先啓後的環節。於是中國倫理傳統學說，倫理精神，由韓愈的道統說與李翺的復性論，恢復了儒家德性的主導地位，而向宋明理學過渡。

佛教的傳入與形成，是中國文化、中國民族精神的發展的必然產物。同時，佛性對中國民族的倫理精神與倫理性格產生了深遠的影響，佛性最終成爲中國民族倫理精神結構的一部分。佛性所體現的倫理精神，是懲惡明善、善惡報應的民族精神內涵的直接發揮；佛性論集中體現了中國人性善的信念；修行論表現了中國人爲善的本能，而自度度人、善渡衆生的精神則集中體現爲中華民族的義務感與責任感。佛在中國，主要不是一種神的偶像，更像一個道德老人，它形象地體現了中國人尤其是中國農民的品格與人格特徵。當然，從根本上說佛性的「忍」是通過對現實的抹殺與虛幻的超越而達到自我解脫，是通過所謂的看破紅塵與容忍大度對人生矛盾的回避，是對現實社會秩序的順從與維護，它充分體現重整體、重秩序、忽視個體與個性的文化特徵。實際上，印度的佛教及其他國家的佛教都體現了這一特徵。在倫理精神上，它表現爲通過個體主觀道德的進取，達到社會整體僵化而有秩序的協調。這種精神性格，對中國社會的停滯僵化與長期穩定都起了十分複雜的作用。

【附註】

① 《馬克思恩格斯全集》，人民出版社1956年版，第1卷，第446頁。

② 同上書，第425頁。

③ 《馬克思恩格斯全集》，第19卷，第334頁。

第四章　道統説、復性論與向向宋明理學的過渡

漢唐時期，在中國倫理精神生長過程中，具有特殊地位的是韓愈和李翺。韓、李二人爲師友關係，同生在社會矛盾十分尖鋭、唐王朝開始走下坡路的中唐時期。二人在倫理史上的突出貢獻，主要表現爲兩個方面：一是排斥佛學，二是恢復了儒家的道統地位。韓愈的道統説摒棄了佛學，恢復了儒家倫理的正統地位，可以説結束了漢唐倫理精神的抽象性發展。李翺的復性論，亦以恢復道統爲己任，用佛家的方法提出去情復性，從而作爲佛學與理學的聯繫環節，開啓了理學端緒。在倫理精神的發展過程中，他們是承上啓下的人物。他們的倫理思想體系雖然十分粗糾，地位卻十分重要。

一、韓愈的道統説

中國倫理精神發展到韓愈，已經經過了古典儒學奠定、儒家德性正統地位確立（漢儒）、儒道並列互補（或外道內儒）、以佛代儒四個選擇與重構的過程。儘管儒家德性在大一統地位確立以後不斷被沖擊動搖，但是，儒家倫理畢竟是最能體現中國社會結構的原理和中國社會特色的主體精神的形態。韓愈的突出貢獻就是在經過漢唐漫長的抽象發展與文化選擇以後，恢復了儒家的道統，重新確立了儒家倫理精神的正統地位。爲了達到這一目的，在方法上，韓愈的倫理體系主要有三方面組成：一是重新闡釋儒家的「先王之道」；二是「排佛攘

老」；三是確立儒家的「道統」。

「先王之道」

韓愈把自己的道德學說看作是對「先王之道」的解釋。在他那裡，「先王之道」也就是「先王之教」，他對從道德、人倫到衣食住行的一切物質與精神方面都作了規定並納入先王之道，其中最重要的是仁義道德。「夫所謂先王之教者，何也？博愛之謂仁；行而宜之之謂義；由是而之焉之謂道；足乎己無待於外之謂德。」（《原道》）這樣，封建社會就被描繪成「爲己則順而祥」，「爲人則復而衆」，「無所處而不當」的盡善盡美的理想社會。這是韓愈探討道德的出發點和歸宿。

在道德規範方面，他把仁義道德並提，並突出了仁義。他對仁義的解釋與孔孟相似，但又有些發展。他認爲仁義是道德的定義，「博愛之謂仁，行而宜之之謂義」。這個定義表面上與孟子差不多，但具體內容卻不同。孔孟講的「仁者，愛人」，雖說在「愛」的次序和內容方面是有差異的，但作爲道德修養來說，每個人所要達到的仁義目的與境界都是一致的；韓愈則不然，他認爲仁義對聖人是一種要求，對普通人則又是一種要求。聖人博愛，就是創化萬物即創世，而普遍人的博愛則是一愛親上，二愛尊者，三相生養，即所謂「親親而尊尊」，「生者養而死者藏」（《送浮屠文暢師序》）。簡言之，遵循以君臣父子爲中心的三綱，就達到了仁，也就實現了博愛。值得注意的是，他的博愛體現了漢唐宗法等級的時代精神的內容。因此，韓愈的倫理不是簡單地向孔孟儒學的復歸，而是吸取了董仲舒的綱常精神，是古典儒學與綱常名教的結合。它在「仁」中灌進了封建等級的內容，這就破壞了「仁」的自身統一的內涵，即使因人的社會地位而宜的所謂「義」，也不具備經典儒家關於社會統一的道德內涵。

排佛攘老

佛、老既是中國倫理精神結構的組成部分，更是漢唐時期與儒家競相生長的精神形態，韓愈要恢復儒家德性的正統地位，就自然要展開對佛、老的批判。因此，「排佛攘老」成爲他倫理精神體系的必然結構。

韓愈把批判的矛頭首先對準在先秦就與儒家德性一同孕育的以老子爲代表的道家的倫理精神。

韓愈從兩方面對它展開了批判。其一，他認爲關於道德仁義的含義，儒、道是不同的。老子講的是小仁小義，只從個人品德上著眼，沒有突出封建倫理綱常這個根本，因而「其見者小也」；其二，關於仁義與道德的關係，他認爲，「凡吾所謂道德云者，合仁與義言之也，天下之公言也。老子所謂道德云者，去仁與義言之也，一人之私言也。」（《原道》）這裡，他把「道」說成是推行仁義之道，即所謂「由是而爲之謂道」；把「德」說成是依據仁義所進行的道德修養，即所謂「足乎己而無待於外之謂德」。因此，他認爲，「仁與義爲定名，道與德爲虛位。」（同上）道德以仁義爲內容，從而把道德歸到仁義的名下。

對佛、老的批判，韓愈對前者更激烈些。韓愈公開表明，他講的仁義道德和佛家的倫理學說是對立的。他認爲，自儒道「滅於秦」後，仁義道德被佛學歪曲，人們很難了解仁義道德的眞諦，所以他挺身而出，擔當起排斥佛學、爲仁義道德正名的重任。對佛教的批判，他主要抨擊其割裂「治心」與「治國平天下」的關係，把「治心」引向了錯誤的道路。他引用《大學》的話，說明「正心」、「誠意」的目的，應爲「齊家、治國、平天下」，而佛家則相反，他們「治其心」的目的，是求其所謂「清靜寂滅」，「而非天下國家」，這就決定了他的

「治其心」的手段，必然是「棄而君臣，去而父子，禁而相生養之道」，（《原道》），其結果，必然是綱常禮樂的崩壞。

韓愈對佛學的批判，是他確立儒家正統地位最爲重要的方面，這表明，佛學與中國文化精神的抵觸已暴露出來，它的內在的消極性在隋唐佛學發展到極端後也充分顯示出來，倫理思想家最後捨棄了佛學，選定儒家思想爲中國倫理精神的正統。當然，這種捨棄，並不是全盤否定，而是揚棄，使其合理的內核包含於正統儒家仁義道德之中並爲之補充，成爲儒家仁義道德不可缺少的補充部分。

「道統說」

韓愈既然自命他的仁義道德之說是「先王之道」，那就得爲它尋找歷史的根據。於是，他製造出了一個由「先王」相互傳授的「道統」。「堯以是傳之舜；舜以是傳之禹；禹以是傳之湯；湯以是傳之文、武、周公；文、武、周公傳之孔子；孔子傳之孟軻；軻之死不得其傳矣。」（《原道》）他對孟子甚爲推崇，以爲其功不在禹之下，正是他排斥楊、墨，才使儒家得以眞傳。而韓愈自己，則是孟子的嫡派眞傳，正是他「不量其力」，「不顧其身之危」，排斥「過於楊、墨」的「釋教之害」，才挽救了先王的道統。於是，韓愈所創設的一脈相承的儒家道統是：堯——舜——禹——湯——文、武、周公——孔子——孟子——韓愈。韓愈的這種「道統論」爲宋明理學所繼承，宋明理學家在傳道系統上，幾乎完全抄襲了韓愈，只是爲了突出自己，才把韓愈從寶座上拉下來，代之以自己學派的首領。在道統的內容方面理學有所不同，強調所謂「盡性命之道」，而非「盡仁義之道」，在這方面，它得益於推崇《中庸》的李翺，因爲《中庸》講的，就是盡性命之道。

「道統說」與「道統」的思維方式是中國文化的產物，這是中國「法先王」傳統思想的表現，同時它也是重傳統的血緣文化的產物。

這種創立於韓愈、完備於宋明理學的道統說的確立，使儒家之外的各種倫理統統納入異端邪說，而儒家的獨尊地位也得到了重新確定，中國倫理精神眞正得到了統一。這對維護封建制度，推行文化專制主義，產生過巨大的影響，但其消極作用也是顯而易見的。道統說要求捍衛、繼承和發揚儒學傳統，雖然它只注重儒學，排斥佛道，表現了文化心態的狹隘性，但儒家在中國文化中確實占有主導的地位，因而可以說韓愈的道統說代表了中國文化的自身認同，是中國文化對自己的精神方向的選擇。

二、李翺的復性論

李翺倫理思想的核心是復性論，它取之於《中庸》，參考《老子》，而歸於佛家，在他那裡已有三教合一的端倪。他的復性論繼承了韓愈又有所突破，建立了以性命爲中心的「天人合一」的倫理精神體系。如果說道統說是向儒家聖人復歸的話，復性論則是向德性的復歸。它既融攝道、佛之性又恢復了儒家德性的主體地位，並以此上接佛學，下啓理學，成爲宋明理學的先驅。

性善情惡論

韓愈認爲性有三品，與此相應，情也有三品，三品之中，上品與下品都是不移的。在性情論上，李翺不同於韓愈，他主張性善情惡，認爲「人之所以爲聖人者，性也；人之所以惑其性者，情也。喜怒哀懼愛惡欲七者，皆情之所爲也。情既昏，性斯匿矣，非性之過也。七者循環而交來，故性不能充也。」（《復性書上》）這是說，性是純粹至善的，情卻是害性的，人之性爲情所惑，才生出種種不善的行爲，如能不爲情所惑，便爲聖人。這種觀點，明顯地打著佛家「人性本覺，妄念所蔽」的印記。

從這個前提出發，他認爲「性無不善」，人人都有善的本性。「凡人之性猶聖人之性，故曰：桀、紂之性，猶堯、舜之性也，其所以不睹其性者，嗜欲好惡之所昏也，非性之罪也。」（《復性書中》）他跳出了韓愈性三品說的框框，重新回到了孟子的性善論，從理論上肯定了人人都有成聖的可能，從而給道德說教留下了地盤。中國封建統治者經過長期的選擇後，終於認定這是一種合乎其統治需要的人性論。因此在李翺重新提出並發展了性善論後，中國封建社會關於人性的爭論，從總體上已經結束，後來經過宋明理學對它的發展與完善，性善論的地位終於確立。對於「情」，他原則上認爲「有善有不善」，因爲他看到如果肯定情是絕對的惡，必然導致聖人無情說，這會與佛教的出世相混同，所以爲他不取。但他並沒有將此貫徹到底，他認定情之動必然要「惑其性」，百姓之所以不能自明其性都是因情的緣故，「情之所昏，性即滅矣。」（同上）可見，情之動便是惡，而他的七情，本質上是都是動的，因此他實際持情惡說。

李翺的性善情惡論，具有禁欲主義的色彩，它實際上開宋明理學性、欲對立之端，只是在宋儒那裡，「情」被具體化、精確化爲「欲」。

「誠」之境界

「誠」是《中庸》的最高境界，李翺把它拿過來作了重大發揮，並借以使自己的人性說與佛教區分開來。在他那裡，「誠」是用來解決性與情的矛盾的，他反對把性與情絕對對立，認爲：「性與情不相無也，雖然，無性則情無所生矣。是情由性而生，情不自情，因性而情。性不自性，由情以明。性者，天之命也，聖人得之而不惑者也；情者，性之動也，百姓得之而不能知其本者也。」（《復性書上》）情是性所產生的，性由情得以明，但情又惑性。於是，李翺又提出了

「覺」，「覺」則明，而「覺者」寂然不動也，是超於一般動靜之上的一種神秘境界，達到了這種境界，便是「雖有情也，未嘗有情也」。「有情」因爲「性不自性」，它仍需通過情來明；「未嘗有情」，因爲此時的「情」已不再是經常處於動之中的那種情。這樣李翱便擺脫了情性統一說與性善情惡說之間的矛盾，這就是所謂「寂然不動」的「誠」的境界。「誠」便能「盡其性」，從而使自己的行爲處處合於道德原則，因而達到了誠，也就是人性的復明。

在李翱看來，「誠」的境界，就是「天人合一」的境界。他引用《中庸》「能盡己之性則盡人之性」，最終「贊天地化育，與天地參」的性來說明由己及人、由人及物、由物而至天地之化育的過程，於是，便完成了個人修身養性，達到了天人合一。這一發揮，竟支配了以後的宋明理學。在此基礎上，他進一步指出，既然聖人能贊天地之化育，當然也就能化人世。至於如何化，他認爲就是制禮作樂，使人們循禮而動，這樣便把自己的理論歸到維護封建等級秩序的正宗，與佛教從根本上區別開來了。由此可見，他雖然從佛教那裡吸收了不少東西，但在對待封建倫常的態度上，與佛教卻是根本對立的，因而從本質上說，他是儒家。

復　性

復性是李翱探討人性論的目的。他認爲，性、情有矛盾，但只是「情惑其性」，而不是「滅其性」，因而道德的任務就是「復性」，而不是改造人性。這就爲啓發人的自覺、注重自身修養的修養論提供了理論基礎。

李翱認爲，復性是一個過程，這一過程分爲兩個階段。第一階段，通過「弗思弗慮」使情不生，達到「正思」的境界。到達這一境界時，心只是靜，這種靜是相對於動的靜，是處於動中的靜，所以仍然動靜不息，沒有擺脫「情」，當然不合乎「復性」的要求，因而必須轉到第二階段，即達到「本無有思」的境地。這時，「動靜皆離」，「寂然不動」。這種寂然不動，不再是相對的靜，而是「動靜皆離」的絕對的靜，到此境界是爲「至誠」，也就是復性。但是，他認爲，要達到這種「誠」的境界，必須格物致知，因爲：一、「寂然不動」的人性本體自身先天地生，具有明辨是非的能力，這是由於它的廣大清明，感而遂故天下通。二、格物致知以便治國平天下，是人類能參天地的表現，因而是完全必要的。三、格物致知要「不起於見聞」，「不應於物」，就是說在與外界接觸的過程中，心性不能受到外物的影響，而要以先天固有之「明」去辨別、支配它，否則，就會出現情，使性昏，達不到復性的目的。這種觀點，顯然是以孔孟思想融合「佛性」提出來的，因而後人評價他「雜揉二氏」（道、佛）「由莊入禪」。

李翶以復性爲特徵的修養論帶有先驗神秘的性質。在封建綱常的神聖性與階級性、個體德性與社會命運的矛盾日趨尖銳的背景下，李翶的這種修養論，一方面是試圖尋找造成這一矛盾的原因，結果，他抓住了「情」。爲了克服「情」對「性」的影響，他提出「復性說」，要求復明仁義道德的善之本性，並以這種至誠的性來明辨現實中的一切。另一方面，試圖調和、解決這一矛盾，因而把名教綱常既說成是與「天地合其性」的宇宙永恒秩序，又是人人固有的普通人性。但深刻的社會危機所產生的倫理精神內部的這些矛盾是不可克服的，他最終未能達到這個目的，後來的宋明理學接過了這一任務，但最終也只能在這問題上繞圈子，只是體系變得更精緻罷了。

下篇

宋明理學—中國倫理精神的辯證綜合

中華民族的倫理精神，經過先秦的孕育展開，漢唐的抽象發展，到宋明已經進入辯證綜合的階段。理學是宋明倫理精神的理論形態，它是儒家德性、道家道心、佛家佛性的辯證統一。

理學倫理精神的產生，在中國社會發展中具有深刻的歷史必然性。先秦時期，百家爭鳴，中國並沒有統一的理論形態與精神形態。兩漢時期，儒學獨尊，然而一方面，兩漢儒學或埋頭於章句注疏，或與神仙方士結合，在思想理論方面並無建樹；另一方面，兩漢的社會歷史也表明，僅是單一的儒家理論不能解決中國的問題，也不能成爲完整的中國人的精神形態。魏晉以降，玄學成風，在精神結構上，玄學既是儒學與道學的結合，同時又是二者矛盾衝突的產物。隋唐之後，佛學大行，儒學日趨式微，值此之際，韓愈鮮明地打出復興儒學的旗幟，力圖恢復儒學的正統地位。於是，到宋明時期以儒學爲核心的理學便形成，但這時的儒學，已不是原始意義上的儒學，而是融合了道學與佛學的封建化了的「新儒學」。可以說，理學是儒、道、釋在長期的歷史發展中相互鬥爭與融合的必然產物。

理學對於倫理精神的辯證綜合，是通過特殊的風格體現出來的。它以儒家倫理綱常爲核心，批判地吸收了道家的宇宙觀、本體論與佛家的認識論，從本體論的角度對綱常名教進行論證，並用佛家對世界的認識方法進行闡釋，不但說其然，而且求其所以然，具有很強的思辨色彩。在精神結構上，它以儒家入世爲基礎，吸收了道家的避世與佛家的出世，從而形成倫理精神的三維結構。在理論體系上，理學的一個重要特點是：它已不是一個單一的倫理體系，對世界本原的探討和其哲學的邏輯已不像以前的學說那樣從屬於倫理，相反，倫理卻是其理學結構的貫徹與展開。於是就出現了這樣複雜的情況：理學既不是倫理學說的概括與升華，又具有濃烈的倫理色彩；它在倫理學說的刺激下完成，而又使其倫理學說哲學化。因此，它構成了一個融自然、社會、人生爲一體的哲學體系。

在中國倫理精神的生長過程中，宋明理學面臨許多特殊的課題和要完成的任務：一是如何論證三綱五常的絕對性與至上性。由於董仲舒的大一統而帶來的民族倫理精神的異化使中國倫理精神陷入自我分裂與自我矛盾之中，原有倫理精神的體系已經不能適應新的時代要求，因而必須建構新的精神模式；二是如何建立道德自我，如何確立新的道德主體，或者說，如何進行新的人性認同。這種新的人性論，既要爲三綱五常找到人性的根據，又要爲德性的提升留下地盤；三是如何絕對地認同三綱五常，就是說，如何實現人倫之理與德性提升的和諧；四是如何克服由於倫理的異化導致的性與命的矛盾，達到必然與自然的統一。這些課題與任務歸納起來就是如何在新的綱常倫理的基礎上提升德性，實現人倫與人格的和諧，這就使得理學倫理精神有著不同於以往的結構要素。從結構要素上說，它是儒、道、佛倫理精神的辯證綜合，以儒家倫理爲核心，吸收了道家與佛家的方法與境界，建立了一個儒、道、佛融於一體的倫理精神體系。在具體內容上，理學倫理精神從本體論、人性論、修養論三個方面對傳統倫理進行了辯證綜合。在道德本體論上，它提出「天理」的概念，把「人理」與宇宙本體融爲一體，爲人倫之理找到本然的根據與最終的根源，從而不僅解決了「所當然」的問題，而且解決了「所以然」的問題。在這方面，它吸取了道家本體論的精神模式，把天道與人道合一，將人道上升爲天道，人理上升爲天理，既使天道、天理具有人道、人理的內涵，又使人道、人理具有絕對的天經地義的神聖性質，在宗教與倫理同一的基礎上建立了一個完整的天人合一的道德本體論體系。在人性論上，理學提出天命之性與氣質之性的概念，把聖性與凡性結合，既肯定先驗神聖的天命之性，又肯定世俗性的氣質之性；既有爲善爲聖的根據與可能，又爲道德教化留下了地盤，更在人性中播下了宗法等級的種子。另一方面，他們用道家與佛家的方法處理心、性、情、欲、理、命等各種範疇的關係，解決了「寂然不動」的本體如何轉化爲內在的心性，內在的心性如何外化爲客觀的道德行爲的問題。在修養論上，它提出「存天理，滅人欲」，並把天理人欲問題歸結爲義利問題、公私問題，形成整體至上主義的倫理精神，在現實生活中淪爲徹頭徹尾的道德專制主義。同時，它吸收道家的修身與佛家的修行觀念，以處理理欲關係，解決「存天理，滅人欲」的途徑與方法。從根本方法上說，由於理學倫理解決了以往應然與必然、性與命的矛盾，從而建立了一個自給自足的封閉的倫理精神結構，因而可以說，理學倫理精神是中國傳統倫理精神的完成，又是傳統倫理精神的終結。

理學倫理精神的形成與發展，經歷了開創奠基、發展集大成與批判總結三個階段。總的說來，周敦頤、張載是理學的開創奠基者；而程朱道學、陸王心學則是理學的展開階段；王夫之則是批判總結階段。至於戴震對理學的批判，則是由古代倫理精神向近代倫理精神的過渡環節，是傳統倫理精神的自我突破。

第一章　理學之開端——周敦頤的聖人精神

周敦頤是上接韓愈、李翺，下啓宋明理學的承上啓下的人物。他構造了一個融自然、社會、人生爲一體的圖式——太極圖，把人類社會的倫理道德準則與宇宙生成、萬物化生的原理融爲一體，爲倫、道、佛的融合開闢了道路。在倫理精神方面，作爲理學開山，他的突出地位主要表現在三個方面：一是確立了「立人極」的理學宗旨，開創了理學的聖人風範。正如杜維明先生所說，如何培養「立人極」的聖人是宋明理學的核心。①周敦頤倫理體系的核心就在於確立「人極」，即聖人的最高境界與最高價值目標，並指明成聖的現實道路。在他那裡，聖人既與天地宇宙一體，又是倫理道德的表率，是「天人合一」典範。他引用《周易》的話，認爲聖人是「與天地合其德，與日月合其明，與四時合其序，與鬼神合其吉凶」（《太極圖說》）的「人極」。這種「人極」與「太極」合一，因而聖人實際上就是他「天人合一」精神體系的化身。「人極」宗旨的確立，爲理學倫理精神找到了根本。二是通過「誠」建立了道德本體論的形而上學體系。周敦頤企圖以「太極」引出「人極」，從本體論、宇宙論引出人性論，開創了由天及人的理學思維路線。他把人性作爲聯結、溝通「天」、「人」的樞紐，爲建立理學的思想體系找到了關鍵。三是提出了「主靜滅欲」的理學修養方法。正如黃宗羲所說，「周子之學，以誠爲本，從寂然不動處掌握誠之本，故以主靜立極。」（《宋元學案》）周敦頤的貢獻，不在其理論本身所達到的深度及完備的程度，而在其開創的精神方向，這一方向實際上確立了理學的風格。

一、爲聖之本——誠

「誠」是周敦頤倫理體系的基礎。在《太極圖說》中，他通過「誠」找到了「天人合一」的基礎，從而提出了一個「天人合一」的宇宙倫理模式。在周敦頤看來，「誠」既是宇宙的精神本體，又是道德的本原。這種「誠」的理論特點，是把倫理準則上升爲宇宙本體，既使人道倫理具有天道的本體性，又使天道的本體賦予人道以倫理性。於是天道與人道便相互溝通，合而爲一。他對此作了詳細的論述：「『大哉乾元，萬物資始』，誠之源也。『乾道變化，各正性命』，誠斯立焉，純粹至善者也。」（《通書・誠上》）這就是說，乾元是「誠」的本源，乾道是「誠」的確定，「誠」貫穿於事物運動變化過程各階段（元、亨，利、貞），人和萬物都從乾元獲得自己的本性。

在中國文化中，「誠」原指人們對一種觀點或事物眞實無妄的信念或追求，在人際關係上，就是指誠實不欺的品質，所謂「誠者信也」，「誠者誠其意也」。孟荀以來的儒家都十分重視這一範疇，《中庸》把它誇大爲抽象的宇宙和人事上的絕對秩序。周敦頤繼承並發揮了《中庸》的這種觀點，認爲：「誠，五常之本，百行之源也，靜無而動有，至正而明達也。」（《通書・誠下》）「誠無爲，幾善惡。」（《通書・誠幾德》）就是說，「誠」這個不變的至善的道德實體，既是一切道德觀念與道德規範的淵源，又是道德行爲的極致和最高的道德境界，它中正不偏，無知無欲，無所不爲，照明一切。

由此，他認爲「誠」是聖人的根本，「聖，誠而已矣。」（《通書・誠下》）在周敦頤的理論中，「誠」之所以作爲聖人的標準，這是因爲：第一，「誠」爲聖人之本。如果立了「誠」，便可以「乾道變化，各正性命」。「誠」變化流行，使萬物各具不同的性，「誠」通於物，賦予萬物以善性，因而「誠」體現了聖人的最高倫理境界。這裡，他把「誠」首先上升爲萬物的本體，然後再呈現爲聖人的屬性。第二，「誠」爲「五常之本，百行之源」，「五常」即仁、義、禮、智、信五常之性；「百行」既指孝、悌、忠、信等道德規範，也指各種各樣的事物。他認爲，「誠」是倫理道德的最高原則和規範，又是衆多事物的淵源。「不誠無物」，不誠則五常之行皆無其實。因此，「存誠」是聖人的重要標準。聖人惟誠，便不勉而中，不思而誠，從容中道。第三，「誠」爲純粹至善者。之所以爲純粹至善，是因爲「誠」無爲，無善惡，誠之本體不動，無所作爲，而實貫乎動靜。

周敦頤的「誠」的範疇，賦予作爲「人道」的「誠」以天道的內容，從而使作爲道德範疇的「誠」具備了宇宙本體的意義，從而建立了一個具有思辨色彩與道德內容的宇宙天天道觀。具體地講：在天人關係上，這種「誠」的結構是通過「天道」與「人道」的比附與融合，使二者等同相通起來，這種方法改變了古典儒家尤其是《孟子》、《中庸》以來傳統的「由人及人」的道德思維路線，建立了一種「由天及人」的精神體系，建立了一個倫理化的宇宙，比董仲舒的「天人感應論」更精緻。他以作爲宇宙屬性、純粹至善的「誠」作爲性命的根源，這種「誠」在變化過程中表現爲善，構成物時則成爲性，這樣，天賦的「命」與物受的「性」在「誠」中便得到了統一。古典儒家只說到人道是天道的根據，天之道借人之道而立，並沒有系統地論證天之道怎樣成爲人之道的根據，周敦頤著力論證了這一方面。根據這種「由天及人」的天人合一的新思路，背離了「誠」則不僅違背了人性，而且違背了天道，於是名教綱常便獲得了至上性與絕對性。後來的理學家，抓住其根本的精神，把這兩種思維路線加以綜合，先「由人及天」，把綱常規範上升爲本體；然後再「由天及人」，以倫理化的天道論證綱常規範的至上性與神聖性，從而建構了完整的理學體系。可以說，確立了「誠」的範疇，成熟意義上的「天人合一」倫理精神模式才最終確立。

二、爲聖之道——仁、義、中、正

在確定了爲聖的本原與境界後，他進一步確立了爲聖的標準與道路。他說：「聖人之道，仁、義、中、正而已矣。」（《通書·道》）聖人之道，便是仁、義、中、正。

仁　在周敦頤那裡，「仁」是聖人的第一要求。他對「仁」的內容與特徵作了詳細的探討，歸納起來有：第一，「仁」是「人之道」，它位居「義、中、正」等聖人之道的首位，亦居「義、禮、智、信」五常之道的首位。第二，「仁」是人心之愛。「愛曰仁」（《通書·誠幾德》）善無不學，而使衆善，惡無不勸，不棄一人於惡，這便是仁愛。第三，「仁」是天地萬物之心，是孕育萬物的本體。「天之陽生萬物，以陰成萬物。生，仁也；成，義也。故聖人在上，以仁育萬物，以義正萬民。」（《通書·順化》）天的生物之道就是仁。以往儒家言仁，主要是道德倫理範疇，而他在其邏輯結構中，融宇宙生成論和道德倫理爲一體，訓仁爲生，把仁的道德倫理升華爲宇宙自然的本原，成爲能化生萬物的精神實體。於是，「仁」既是五常之首，是人心之愛，又是天地萬物之本。

義　周敦頤對「義」的論述較少，主要涉及三層含義。第一，「義」是「立人之道」。「立人之道，曰仁與義。」（《太極圖說》）他認爲，仁義禮智之中，仁義是關鍵，禮是仁之著，智是義之藏，人無義則仁不立，具備仁與義的規範，其他規範也就包括了。第二，「義」是「宜」，是剛善。他說：「宜曰義」（《通書·誠幾德》），

「義」有適宜的意思，即無過無不及之意。同時，「義」又是「剛善」，是一種嚴峻和善的性。第三，「義」是成萬物之道。如果說，「仁」是生萬物之本，那麼「義」便是成萬物之道。聖人以得天地之正而爲義，以義正萬民，使之無不及其正。這樣，便把其政治論、道德論與宇宙生成論融合爲一體了。

中　　周敦頤繼承發展了性三品說，把人性分爲剛善、剛惡、柔善、柔惡、中五個等級。五者之中，只有「中」才是應取的道德標準。他認爲：「惟中也者，和也，中節也，天下之達道也，聖人之事也。」（《通書·師》）「中」爲最高的德性，既「和」又「中節」，爲「天下之達道」，是「聖人之事」，因此，他又把「中」稱爲「止」。「剛善剛惡，柔亦如之，中焉止矣。」（《通書·理性命》）「故聖人立教，俾人自易其惡，自至其中而止矣。」（《通書·師》）剛善剛惡、柔善柔惡是氣質之性；而自易其性，則是變化氣質，屬立教之功。他認爲，如果達到了中性，也就達到了聖人之性，「中」既是聖人之性的特點，也是爲聖的必要條件。

正　　何爲「正」？周敦頤述曰：「靜無而動有，至正而明達也。」（《通書·誠下》）「動而正曰道。」（《通書·愼動》）「靜無」便能至正，靜而不正，便是邪，正便是中正而無邪的意思。當然，「正」也可以當端正講，「以義正萬民」，便是此意。那麼，聖人「立人極」，爲何不說「仁義禮智」，獨說「仁義中正」？因爲在他看來，「中即禮，正即智，圖解備矣。」（《通書·愼動》）中正就是禮智。正如朱熹所說「中正即禮智，中正尤親切，中是禮之得宜處，正是智之正當處；中者，禮之極；正者，智之體。」（《朱子語類》卷九十四）仁義禮智與仁義中正是一致的。

周敦頤的仁義中正的爲聖之道，使仁義獲得了與道德同義的地位，合稱「道德仁義」或「仁義道德」；同時他用仁義中正取代仁義禮智，突出倫理精神的中正境界，以禮作爲中正的標準，進一步明確揭示了仁義的本質及仁義與禮的關係。應該說，仁義中正的規範體系比仁義禮智更富有主體性與思辨性。

三、爲聖之功——虛靜無欲

「誠」的境界，「仁、義、中、正」的爲聖之道，需要經過不懈的修煉功夫才能達到。爲了達到聖人人格，進入「誠」的境界，周敦頤提出了許多修養方法，這些方法就是爲聖之功。這種爲聖之功，從本體上說是「思誠」，從發用上說是「虛靜無欲」。這些方法中，既有儒家聖人的人格內涵，更有道、佛的修煉境界，儒、道、佛在這裡是一體的。

思誠　周敦頤認爲，雖然「誠」是不動的、無爲的，聖人是無思無欲的，然而「無思」必然通過「思」才能達到。「無思，本也；思通，用也。幾動於彼，誠動於此，無思而無不通爲聖人。不思則不能通微，不睿則不能無不通，是則無不通生於通微，通微生於思。故思者，聖功之本，而吉凶之幾也。」（《通書·思》）在他看來，「思」是一種智慧，這種智慧可以通微，即避惡趨善，使「誠」的本性轉化到行動中去。因此，他們所說的「思」，是對「誠」的本性的反思。作爲本體的「誠」，無所謂「思」。故「無思，本也。」（《通書·思》）但這種誠要在行動中表現出來，必須通過「思」，「思通，用也。」（《通書·思》）因此，「思」是「誠」的表現，爲行動的根本條件，這便突出了「思」在他的修養中的地位。他對「思」的論述，明顯受《中庸》「誠者天之道，誠之者人之道」的影響，而以「不思」爲求「思」的方法，則顯然是道家的無爲而無不爲與佛家冥思境界的體現。

虛靜無欲　周敦頤吸取了道家「無欲主靜」、「靜虛恬淡」的思想，發展了孟子的寡欲說，形成了以「窒欲」與「無欲」爲內容與過程的修養論，開啓了理學「滅人欲」的先河。他認爲，無欲是成爲聖的關鍵，「聖可學乎？曰：可。曰：有要乎？曰：有。請聞焉？曰：一爲要。一者，無欲也，無欲則靜虛動直。靜虛則明；明則通；動直則公，公則溥。明，通，公，溥，庶矣乎。」（《通書・聖學》）只要無欲，便可虛靜，虛靜則明，便公正無私。這種修養方法，落實到行爲中就是要人們在處理義利關係上，做到尊重道義，輕視利欲。「天地間，至尊者道，至貴者德而已矣。至難得者人，人而至難得者，道德有於身而已矣。」（《通書・師友上》）就是說，應該把仁義道德看作是人最難得、最貴重的東西。他認爲這方面的典範是顏回，「顏子一簞食，一瓢飲，在陋巷，人不堪其憂，而（回）不改其樂。夫富貴，人所愛也，顏子不愛不求而樂乎貧者，獨何心哉？」這是因爲「心泰則無不足，無不足則富貴貧賤，處之一也。處之一，則能化而齊，故顏子亞聖。」（《通書・顏子》）顏子的「樂處」，便是周敦頤樹立的無欲的榜樣。這種虛靜無欲說，就是要人們通過虛靜而達到無欲。在「虛靜」上，我們見到了莊子「心齋坐忘」的影子；在「無欲」上，更具有佛家禁欲的內涵。應當指出，周敦頤的無欲說與孟子的無欲說是不同的，它把寡欲推到了極端。「孟子曰：『養心莫善於寡欲……』予謂：養心不止於寡欲而存耳。蓋寡欲焉以至於無，無則誠立。」（《通書・養心亭說》）古儒的寡欲非無欲，只是少欲而已，而周敦頤是通過存養的功夫，達到無欲。這種把佛、老的禁欲主義與儒家的道德說教結合起來的做法，形成了宋明倫理的重要特點。

【附註】

① 參見杜維明：《人性與自我修養》，中國和平出版社1988年版，第102頁。

第二章　程朱道學

道家的奠基者是張載與二程，張載初創體系，二程進一步發揮與發展，形成完整的道學體系；朱熹則集大成。由於張載的學說爲二程直接接受並擴展，爲了論述方便，在本章中我們對張載略而不論。程朱道學成爲後期封建社會的統治思想與官方哲學，其宗旨是繼不傳之絕學，「使聖道煥然復明」，因而後世將他們推到孔孟再世的地位。

程朱道學倫理精神模式可以說是一種客觀性的天人合一的模式。它把綱常倫理上升爲涵攝人道與天道的最高宇宙本體，使人倫之理與個體德性在最高本體的統攝下統一起來，使「人」與「理」的關係成爲人對綱常倫理的宗教式的崇敬與認同，使「存天理，滅人欲」成爲達於「天人合一」的必然要求。爲了建構這個體系，他們吸收了道家與佛家的許多概念與方法，實現了儒、道、佛精神結構的綜合。

一、二程的天理人欲

周敦頤確定了理學倫理精神的基本方向，這一方向經過張載的發展得到進一步的明確與展開。然而，他們的理論都未能最後建立理學倫理精神體系，二程「天理人欲」體系的提出才是理學倫理精神體系正式建構的標誌。

天理論

「天理」是二程對理學的最大貢獻。程顥曾說：「吾學雖有所受，

『天理』二字卻是自家體貼出來。」（《外書》卷一二）天理論的提出不僅確立了理學的最高範疇，而且在理論體系上進一步明確地把作爲宇宙本體的「天」與作爲倫理準則的「道」融爲一體，最終使天道與人道合一，使天道具有人道的內涵，人道具有天道的性質，使人理上升爲天理，具有天理的神聖性與永恒性。

要了解「天理」在中國倫理精神建構中的地位，就必須對「天理」的屬性及其眞諦有一個眞切的把握。在二程的體系中，「天理」具有三個方面的規定性。

天理是絕對的精神本體

在二程學說中，「理」是包括人類的倫理道德觀念在內的世界萬物存在的根據，因而他們又稱之爲「道」或「天」。「天理云者，這一個道理，更有甚窮已？不爲堯存，不爲桀亡，人得之者。故大行不加，窮居不損。」（《遺書》卷二）從這個意義上說，它是唯一的，「萬物皆只是一個天理。」（《遺書》卷二）他們把萬物歸之於一個天理，這樣，「理」便具有獨一無二的性質。物之萬殊，事之萬變，並不妨礙「天理」本身是獨一無二的、絕對的。不僅如此，二程又把「天理」稱作實理，給天理以實在性，以與道、釋的「無」、「空」相區分，使「天理」具有人人無可逃的倫理道德的實在性。於是「天理」既是世界萬物之必然，又是萬物之所以然，是世界的總秩序。「理者，實也，本也。」（《粹言》卷一）「理則天下只是一個理，故推之四海而皆準。」（《遺書》卷二）

天理是倫理道德的本體

在二程看來，「天理」是道德的本體，倫理道德是「天理」的最主要的內容。「視聽言動，非理不爲，即是禮，禮即是理也。」（《遺書》卷十五）「禮者，理也，文也。」（《遺書》卷十一）「人倫者，天理也。」（《外書》卷七）這種「理」就是封建等級秩序及其所遵循的人倫規範，「父子君臣，天下之定理，無所逃於天地之間。」「爲君盡君道，爲臣盡臣道，過此則無理」。（《遺書》卷五）所以，簡言之，「理只是人理，甚分明。」（《遺書》卷十八）至此，一個以仁爲核心、由人及天的理學倫理精神體系基本形成。二程創立理學的宗旨，本來就不是爲了解釋天道自然，而是作爲一種修身養性、治國平天下的學問推荐給統治者的。拯救人心，匡時救世，以天說人，以天道說人道，才是「天理」的根本旨趣。

天理即天道與人道的統一

在二程的體系中，「理」就是「道」，「理便是天道也。」「天有是理，聖人循而行之，所謂道也。」（《遺書》卷二十二）聖人循理而行，就稱爲「道」。「理」與「道」有共同性，但「道」比「理」更具體，「道」是循「理」而行，是道德倫理的行爲規範。二程使本體的「道」倫理道德化，把天道與人道結合起來。「天地人只一道也。才通其一，則餘皆通。」（《遺書》卷十八）在這裡，人道具有天道、地道的權威。因此，在二程那裡，「道」又具有兩方面的屬性。首先，「誠」爲「道」，「誠即天道也，」「誠」是宇宙之本、道德之源，因而與「道」相通。其次，「道」爲「中」，「中即道也，汝以道出於中，是道之於中也，又爲一物矣。在天曰命，在人曰性，循性曰道，各有當也。」（《粹言》卷一）「道」與「中」實爲一物，命、性、道是在不同場所的稱謂，實同而名異。「中即道」，含有中庸之意。「不偏之謂中。一物之不該，一事之不爲，一息之不存，非中也，以中無偏故也。此道也，常而不可易，故既曰中，又曰庸也。」（《粹言》卷一）得中道就是得其正，「正」即中，「理之所出而不可易者，是謂中。」（《經說》卷八）因此，「不中不常，妄行而已。」（《經說》卷八）

由此出發，二程建立了一個以「天理」爲核心的倫理道德體系。

在他們那裡，道德規範的實質，就是「天理」的體現。不同的道德規範就是「天理」的分殊，這就是「理一分殊」。但各種道德規範並不是並列的，諸德之中「仁」是最基本的道德原則，其他道德規範都是建立在此基礎上的。

「天理」概念的提出在中國倫理精神建構的歷史過程中具有極爲重要的意義。

從倫理精神體系上說，「天理」概念的提出是「天人合一」的宇宙本體論的倫理精神模式建立的標誌。「天」是中國文化最基本而又涵義最廣泛、最複雜的概念。在中國文化中，「天」可以理解爲自然的天，宇宙的天；又可以理解爲超自然的天；還可以理解爲道德的天。在最一般的意義上，「天」以倫理道德爲核心，以宇宙自然爲托載，又以宗教信仰爲支撐。而「理」在中國文化中一般總是世俗的、現世的，是人理。因而如果說「天」是天道，「理」是人道的話，「天理」便是天道與人道的結合或天與人的合一。

「天」與「理」結合而形成的「天理」概念決不只是簡單的文字上的疊加，而是在道德本體的意義上使本體世界與現象世界、彼岸世界與此岸世界、宇宙法則與人倫規範溝通同一，從而最終建立起完備的「天人合一」的倫理精神體系。在這個意義上可以說，發現了「天」與「理」的同一性，就找到了天、人溝通的橋樑，也就在道德本體上找到了天與人的同一性，從而眞正實現了「天人合一」。

「天理」觀念的形成在倫理精神的特性上就是使道德信念與宗教信仰合一，使倫理情感與宗教情感合一。在中國文化中，倫理精神既是一種以血緣爲根基的人倫之情，是血緣人倫情感，又是一種以義務、信念爲內涵的道德之情；宗教情感是一種以人神關係爲內容的超越之情，也是以自我得救爲核心的憂患之情。倫理情感以恥感爲特徵，它依賴於外在的監督與內在的自覺；宗教情感以罪感爲特徵，依賴於對自我的原罪意識與對神的虔敬恐懼。倫理情感與宗教情感的復合，溝通了人生與超人生兩種境界，使倫理規範既具有崇高性，又具有神聖性；既具有內在的情感依托與現實的根源，又具有無所不在的震攝力量。於是，人對道德規範的遵循，既是超越的需要，又是得救的需要；既是內在的自覺，又是外在的命運。

在這種「天理」的統攝下，「信念」與「信仰」便融為一體，民族倫理本能中「懲惡揚善」的信念就蛻變為「因果報應」的信仰，於是，道德原則本身就變得更加不可究詰，只可信奉。人們都說倫理道德在中國文化中起著準宗教的作用，殊不知在「天理」本身中就含有宗教的內涵。「天理」無宗教之名，卻有宗教之實。這是它比董仲舒倫理體系高明的地方。

正是在這些意義上，我們可以把「天理」概念的形成看作是理學與理學倫理精神成熟的標誌，由此，也可以發現二程在中國倫理精神建構中的特殊地位。

人性認同

二程的人性論直接來源於張載。張載的哲學出發點是天人合一，即天性與人性合一，而「氣」是張載哲學的邏輯出發點和歸結點。「氣一元論」是他的基本哲學思想。他認為世界萬物統一於「氣」，氣自身運動，無所不在，當其未凝聚時為太虛，太虛即天，氣的凝聚則為有形之萬物，由此他提出「氣質之性」的概念。他認為，「氣質」就是氣的實體本身所帶來的屬性，所以是「形而後有」的，是人的自然本能，故又稱「習俗之性」或「攻取之性」；但他又認為，人性來自「天性」，「天性」與人性合一，人之性就其本原而言是氣之性，而非人而後有的，人的這種本性他稱為「天地之性」。他認為，人之性雖同，氣則有異。氣質之性的不同，會影響天地之性，產生善惡，由此他便解決了人性的善惡來源問題。這種人性論爲二程所接受，只是他們把「天地之性」改爲「天命之性」。

天命之性

關於「性」，二程的基本觀點是這樣的：「『生之謂性』與『天命之謂性』同乎？性字不可一概論，『生之謂性』，止訓所稟受也；『天命之謂性』，此言性之理也。」（《遺書》卷二十四）這就是說，人性有兩方面的含義，即自然稟受的「氣質之性」和體現天理的「天命之性」，二者之中，「天命之性」是其根本。二程認爲，「性」即「理」之體現，「性即是理，理則自堯、舜至於塗人，一也。」（《遺書》卷十八）「斯理也，成之在人則爲性，人心存乎此理之所存，乃『道義之門』也。」（《經說》卷一）「性」是抽象的理與具體的人的結合。這種觀點既爲理找到安頓之處，又給人性以本體論的說明。他們認爲「性」與天道是一致的，「性與天道，一也。天道降而在人，故謂之性。性者，生生之所固有也。」（《經說》卷八）「在天爲命，在義爲理，在人爲性，主於身爲心，其實一也。」（《遺書》卷十八）天道下降在人爲性，性即理，性與天道合一。

性與天道、天理既然爲一，便決定它與理、道一樣，具有善性。「性即理也。所謂理，性是也。天下之理，原其所自，未有不善。喜怒哀樂未發，何嘗不善？發而中節，則無往而不善。」（《遺書》卷二十二上）性之善有兩方面，一是性之未發階段，即喜怒哀樂未發時爲善，二是性之已發，則發而皆中節。未發與已發的善，其標準都爲「中」。「理善莫過於中。中則無不正者，而正未必得中也。」（《粹言》卷一）「中」即不偏不倚，從未發的主觀情感到已發的客觀行爲都是理之使然。這種善的內容，就有仁、義、禮、智、信五者，這五者只是因爲它們「施之不同」而有了不同的名稱。這樣，作爲封道德規範的仁、義、禮、智、信便具有了絕對的、永恒的天理的意義。

於是，在這種純粹至善的「天命之性」中，性與命便達到了統一，「理也，性也，命也，三者未嘗有異，窮理則盡性，盡性則知天命矣。」（《遺書》卷二十一下）理即性，理即命，理既有性的神聖性，又有命的絕對性與必然性，從而使仁、義、禮、智、信的「常性」不僅具有先驗的道德屬性，而且具有宇宙精神本體的性質。

二程的「天命之性」來源於孟子的性善論，但與性善論又有所差異。二程的人性論打破了孟子只講人之性不講物之性之失，賦予性之普遍性，認爲人與物皆具五常之性，爲五常的普遍性、合理性作了論證。它打破了孟子「善端」的局限性，賦予人性以完整性，「道即性也，若道外尋性，性外尋道，便不是。聖賢論天德，蓋謂自家元是天然完全自足之物。」（《遺書》卷一）這種性，無須擴充，自身便是至善自足的，因而又叫做「天理之性」。

氣質之性

二程把體現天理的人生稱爲「天理之性」，把人生而具有的性稱爲氣稟之性即「氣質之性」，又稱爲「才」，從而解決了性之善惡問題。

二程的人性論，既繼承了孟子的性善論，又改造了告子的「生之謂性」論，並將二者結合起來，從而構成性二元論。他們認爲：「『生之謂性』。性即氣，氣即性，生之謂也。人生氣稟，理有善惡，然不是性中元有此兩物相對而生也。有自幼而善，有自幼而惡，是氣稟有然也。善固性也，然惡亦不可不謂之性也。」（《遺書》卷一）「氣質之性」即氣質中之性，或氣稟之性。既然生之謂性，性由氣而來，便有善惡，善惡便具有道德的性質。善惡從何而來？他們認爲：善惡是由氣質之性中氣稟的偏正與清濁造成的。「性無不善，而有不善者才也。性即是理，理則自堯舜至於塗人，一也。才稟於氣，氣有清濁，稟其清者爲賢，稟其濁者爲愚。」（《遺書》卷十八）但氣稟之中所固有的善惡，歸根到底，也是由理決定，理中的惡不是眞正的惡，而是善的不夠或過頭。這樣，二程便比較徹底地解決了性之善惡問題。由於他們把氣質之性說成是人生之氣稟，是生來具有的，因此聖人、賢人、愚人生來便是確定的。這就爲封建等級制度作了論證。

在此基礎上，二程論述了「天命之性」與「氣質之性」的關係，二者既區別又統一。從區別的方面看，「天命之性」是極本窮源之性，是性之本，是理在人身上的體現，因此，「性即是理」。「氣質之性」是「受生之後謂之性」即「生之謂性」，它有善有惡，是氣在生成過程中與生俱來的，因此又稱「性即氣」。從統一方面看，二者不可分離，「論性，不論氣，不備；論氣，不論性，不明。」（《遺書》卷六）講天命之性，不講氣質之性，則各執一偏，不完備；講氣不講性，則失去了性的指導作用，便不明白，二者缺一不可。他們用氣質之性說明善惡的根源，得出的結論是：「人皆可以爲聖人，而君子之學必至聖人而後已。」（《粹言》卷一）既然人皆可以爲聖人，則具有惡性之人，便可規惡遷善，達到聖人的境界。由此他們否定了孔子的「上智下愚不移」的觀點，認爲上智與下愚不是不可移，而是肯不肯學，如自暴自棄，拒絕改惡從善，則爲下愚。「性即理」，把人性上升到精神本體的理，並把仁義禮智信等道德倫理作爲人的本性；「性即氣」又說明了惡的來源及克服惡的途徑，給人們改過遷善、達到聖人境界的門票。這既適應了論證封建道德永恒性的需要，又適應了加強道德修養以鞏固封建秩序的需要。

性與心、情、欲

爲了說明天命之性與氣質之性的關係，二程在理論上還必須解決性與心、情、欲的關係問題。

對於「性」與「心」的關係，二程沒有採取張載心統性情的說法，而是認爲性、心是同一的。「孟子曰：『盡其心，知其性。』心即性也。在天爲命，在人爲性，論其所主爲心，其實只是一個道。」（《遺書》卷十八）心即性而不是心統性，心性同實而異名。他們以「心」規定「性」，使「心」具備了「性」的性質，認爲性善則心善，「心本善，發於思慮，則有善有不善。」（《遺書》卷十八）性本善與心本善是一致的，性是未發的、寂然不動的心。心之體，寂然不動是未發；心之用，感而後動是已發。他們認爲，人性之善惡是通過「心」與「情」表現出來的，而「情」、「心」則是「性」在不同情況下的稱呼。「性之本謂之命，性之自然者謂之天，自性之有形者謂之心，自性之有動者謂之情，凡此數者皆一也。」（《遺書》卷二十五）情與心、性具有同一性。「情者性之動也。」（《粹言》卷一）性動便有喜怒哀樂之情，「性」與「情」都出自內，非出自外，「情」是「性」感於物而發於「心」。性情不可離，「情」爲「心」之已發，而心之未發則爲性。「若既發，則可謂之情，不可謂之心。」（《遺書》卷十八）心之未發爲善，既發爲情，則有善又不善。如性發爲情過其「中」則有不善，若正心養性，制七情使之中便是善，情之善與不善主要看是否符合「中」。

二程認爲，七情之中，欲是最主要的，其他六情，都是企圖以外物滿足人的欲望而引起的。故「人於天理昏者，是只爲嗜欲亂著佗。」（《遺書》卷二上）爲了說明這個問題，他們引出了人心、道心、私欲、天理的概念，認爲欲是「人心」或「私心」，它與「本心」或「道心」是相對立的。「人心私欲，故危殆；道心天理，故精微。滅私欲則天理明矣。」（《遺書》卷二十四）於是，他們從「人心」與「道心」、「私欲」與「天理」的對立出發，提出了「存天理，滅人欲」這個爲理學家奉爲金科玉律的主張。

總之，二程的天命之性與氣質之性的人性論，解決了人性認同方向上的社會屬性與自然屬性的矛盾。它既爲封建道德的神聖性作了論證，又爲後天的修養與教化的必要性作了說明，從而解決了長期以來人性論中的善與惡的關係問題，也解決了孔孟在人性論中就包含的先天與後天、自然與人爲的矛盾，使性與理、性與命統一起來。這種二元人性論的提出標誌著我國人性論思想的成熟與完備。

「存天理，滅人欲」

「存天理，滅人欲」是理學倫理精神的最高宗旨，而這一點正是二程的修養論在中國倫理精神建構中的特有地位。二程修養論的根本特點是把天理絕對化，把物欲非道德化，使理欲絕對對立。他們以義與利、公與私的關係闡釋理欲關係，強調個體道德對社會倫理的絕對認同，從而提出「存天理、滅人欲」的口號，以此解決個體與社會、個體欲望與社會秩序的矛盾。

天理與人欲

二程是從「道心」與「人心」的區分推出「天理」與「人欲」的區分的。他們認爲：「人心，私欲也，危而不安；道心，天理也，微而難得。惟其如是，所以貴於精一也。精之一之，然後能執其中，中者極至之謂也。」（《粹言》卷二）道心即本心，人心即私心，人心與道心的對立，就是人欲與天理的對立。

所謂「天理」，在二程那裡既是最高的本體，又是倫理道德的最高原則，也是眞善美的最高境界。「人之所以爲人者，以有天理也。天理之不存，則與禽獸何異矣。」（《粹言》卷二）因此，要滅人欲，存天理，以免淪爲禽獸。所謂「人欲」，既是私欲，也是物欲。他們認爲，人之所以不善，是由於受眼、耳、鼻、舌、身、色、聲、香、味、安等物欲之引誘，以至「滅天理」而不能迷途知返。「人之爲不善，欲誘之也。誘之而弗知，則至於天理滅而不知反。」（《遺書》卷二十五）顯然，他們把人生的一切欲都歸之爲人欲，都在「窒」和

「滅」之列。他們在人身上劃分出純粹至善之天理與至惡之人欲，天理與人欲的對立，就是道德與非道德的對立。因此，二程理欲觀的結論是：天理人欲「難一」。「大抵人有身，便有自私之理，宜其與道難一。」（《遺書》卷三）因此，天理人欲勢不兩立，「不是天理，便是私欲」，「無人欲即皆天理。」（《遺書》卷十五）

義與利、公與私

與理欲對立相對應，二程提出了他們的義利觀。在這方面，他們的特點是把義利關係落實爲公私關係，「義與利，只是一個公與私也。」（《遺書》卷十七）這是對儒家義利關係的明確揭示。他們認爲，義利關係是一切價值的首要方面，「天下之事，惟義利而已。」（《遺書》卷十一）天理與人欲對立，義與利也是不能同時並存的，「大凡出義則入利，出利則入義。」（《遺書》卷十一）但這裡的「利」只是指作爲行爲價值取向的利，「凡順理無害處便是利，君子未嘗不欲利。」（《遺書》卷十九）提倡「不論利害」、「惟看義當爲不當爲」的價值觀。

何爲義利？義與利的內容是公與私，而公的標準便是仁與禮。「又問：『如何是仁』？曰：『只是一個公字』。學者問仁，則常教他將公字思量。」「凡人須是克盡己私後，只有禮，始是仁處。」「有少私意，便不是仁。」（《遺書》卷二十二）二程的觀點實際上是說從「私」出發的思想行動就是「利」，從「公」出發的就是「義」。從義出發、從公出發的都是道德的。這裡，他們把義與利的內容具體化了，就是說，「利」的關鍵不在於是否是物質利益，而在於追求什麼樣的物質利益，爲私意去追求物質利益就是「利」，爲公利去追求物質利益就是「義」。存義去利，關鍵在於存公去私，其境界是仁，其標準是禮。引申下去，整體利益就是公，就是義；個人利益就是私，就是利。這種把理欲與公私、義利聯繫的觀點，不僅給天理、人欲以具體的內容，而且也給公與私、義與利的關係定下了一個基調。這種價值觀，對中國倫理精神產生了深遠的影響，它既給中國倫理以重整體、輕個體，重整體秩序、輕個體欲望的色彩，也培養了一批犧牲個人利益服從「民族大義」、「殺身成仁」的仁人志士，但它與封建等級的結合則形成了道德的專制主義。

存天理，滅人欲

「存天理，滅人欲」是二程倫理的最高要求，也是他們修養的最高境界。達到這種境界最主要也是最能體現理學倫理精神特色的功夫便是所謂「居敬集義」，「克己改過」。在修養方法上，二程反對道家的絕聖棄智與佛家的坐禪入定，認爲這種修養方法要達到的「寂滅湛靜」，是使人「身如枯木，心如死灰」（《遺書》卷二）。把一切都忘掉，這無助於存理滅欲。他們主張用「主敬」的方法代替佛道「主靜」的方法。「靜」與「敬」是佛家與儒家修養方法的區別之一。「敬」是對倫常規範的尊敬與崇敬，它強調要培養高尚的道德情感，眞心誠意地履行道德規範，言行一致，內外合一，達到「愼獨」的境界。「靜」是道家、佛家所主張的排除物欲、物我兩忘的境界與功夫，前者是積極的，後者是消極的。二程認爲，絕對的虛靜是做不到的，只有集中心思，以虔誠的心情專一於天理，才能存天理。

二程對「居敬」有四方面的規定：⑴「居敬」是「主一」。所謂「敬者，主一謂敬，所謂一者，無適之謂一。」（《遺書》卷二）所謂「主一」就是心不二用，不爲外物所誘，若心不二用，心主於敬，則邪不能入。達到「一」，即必須整齊、嚴肅，「如何一者，無他，只是整齊嚴肅，則心便一，一則自是無非僻之奸，此意但涵養久之，則天理自然明。」（《遺書》卷二）故主一便是居敬。這顯然受了佛家「一心念佛」修行論的影響。⑵「居敬」是「持中」。他們認爲，「敬而無失，便是『喜怒哀樂未發之謂中』也。敬不可謂之中，但敬而無失，即所以中也。」（《遺書》卷二上）心居敬無失，便能發而皆中節。居敬便是天下之大本的「中」的境界。⑶「居敬」是「直內」。「切要之道，無如『敬以直內』。」（《遺書》卷十五）直內是敬之本，直內以達內虛，內虛則無非僻之心。居敬必須排除一切雜念的干擾，專一於天理，因而又是「心虛」。這裡有莊子「心齋」的影子。⑷「敬」是內在修養。涵養須用敬，但此修養也包括從內到外的意思，即包括外貌的修養。通過內在修養，而達容貌端，言語正，不欺慢，莊整嚴肅，使合內外之道而明天理。因此，涵養的方法並非靜修而是動修。

如果說「居敬」是持己之道，則「集義」是踐履倫理道德的修養功夫。他們認爲，敬與義，有兩點區別：⑴「敬以直內，義以方外。與物同矣，故曰敬義立而德不孤，推而放諸四海而準。」（《粹言》卷一）「直內」是修養本心，而不能被外物所誘；「方外」是心之發用，明辨是非，順理而行便是集義。⑵敬講涵養，即持己，因此，居敬是立其體；義講知有是非，是明其用。

如何「居敬集義」？這就要通過格物致知、操存涵養、養心、養志、養氣等一系列具體過程，由此達於「天德」，至於「天理」。

如果說，在二程的修養論中，「居敬集義」是存天理，則「克己改過」便是滅人欲。「克己」即克制自己的私心。「改過」即改正行爲的過失。私心與過失，在他們看來都根源於欲。私心是觀念中的，是未發之時；過失是行爲上的，是已發之後。前者須克己，後者須改過。因而他們認爲在修養中，「克己」比「改過」更重要。二程繼承了孔子克己復禮的思想，認爲「非禮之處便是私意，既是私意，如何得仁，須是克盡己私，皆歸於禮，方始是仁。」克己則私心去，自然能復禮，雖不學文，而禮意已得。（《遺書》卷二上）「克己」是去「私意」，「復禮」是復本心之天理。如果說克己是滅人欲的話，復禮便是復天理。克己的方法，就是「非禮勿視，非禮勿聽，非禮勿言，非禮勿動」。在他們那裡，非禮就是過失，便是人欲。因此他們對改過很重視，認爲：「學問之道無他也，惟其知不善，則速改以從善而已。」（《近思錄》卷五）這裡如果撇開其體內容不談，「改過」的主張還是有積極意義的。

「天理」「人欲」關係的概括及其相互對立的精神格局是宋明理學對中國倫理精神進行綜合的重要方面，也是中國倫理精神生長的必然結果。按照現代倫理學的原理，道德和利益的關係問題是倫理學的基本問題，在這裡，道德就是天理，利益就是人欲。「天理」與「人欲」關係的提出標誌著中國倫理精神的進一步自覺。在宋明以前，這個問題是以義與利的形式來概括提出的，而二程把「天理」與「人欲」的關係問題歸結爲義與利、公與私的關係，形成彼此同一的體系。「存天理，滅人欲」就具體表述爲「存公利，滅私利」，「存公意，滅私意」。它在「天人合一」的宇宙倫理精神體系中突顯了二者的對立，而對二者關係的說明則更體現出一種絕對的整體至上的倫理精神。二程「存天理，滅人欲」的口號比孔子「君子喻以義，小人喻以利」的教條要更徹底、更極端。可以說，中國倫理精神整體至上的價值取向到二程才在理論上自覺地表現出來，並與政治上的專制主義相吻合而形成道德專制主義。這是二程在中國倫理精神建構過程中的又一特殊地位。

二、朱熹的官方哲學

朱熹繼二程而成爲宋明理學的集大成者。他深入佛老，創立了龐大的客觀唯心主義體系，朱熹倫理體系的建立，標誌著理學倫理精神的成熟與完成。後人稱他的思想「致廣大，盡精微，綜羅百代」。他通過對天理以及理、性、命三者本質同一的論述，溝通了天人關係與內外關係，從而使儒家歷來探究的天人、內外關係，在天理論的基礎上得到了新的統一，所以是「致廣大」。他在二程學說的基礎上，對理學的各個範疇都作了系統的整理和闡發，剔除了內在的矛盾，豐富了它們的內容，並對其內在聯繫作了論證，從而將理學的思想構成一個完整的體系，因而是「盡精微」。他總結了當時思想的最高成就，對儒家經典《四書》作了精到詳盡的注釋與闡發，在批判佛老出世避世的同時，對兩家的成就也吸取了很多，因而是「綜羅百代」。朱熹完善了二程的天理論、人性論、修養論相統一的思想體系，克服了其內在矛盾，豐富了其內容。他以「道學問」作爲「尊德性」的必要條件，把「致知窮理」作爲「正心誠意」的前提，企圖建立一個「明其所以然」的倫理體系。朱熹的學說，一方面是中國封建倫理的完成；另一方面也是中國封建倫理的終結。作爲中國的官方哲學，它統治中國達六百年之久。在理學倫理精神的發展中，之所以說朱熹的倫理體系是理學倫理的成熟與完成，主要是因爲它比較圓滿地解決了三個問題：第一，提出「理一分殊」的命題，解決了天理的至上性與具體性的關係問題；第二，在二程的基礎上進一步解決了天命之性與氣質之性、人心與道心以及心、性、情、欲、天命的關係問題；第三，提出了天理人欲「同行異情」、「利在義中」的命題，進一步解決了天理與人欲的關係問題。由此，便形成了一個完備的理學倫理精神體系。朱熹的倫理精神體系，其論證是理性的，而根本精神則具有宗教性質。由於「天理」在本質上不可能是倫理的信念，只能是宗教的信仰，因此其體系越是精緻，內在矛盾越是尖銳。心學家看到了這些矛盾，企圖從主觀唯心主義的角度消除這些矛盾，反而使這些矛盾更加突出，最終導致了理學的解體。

「理一分殊」

朱熹繼承了二程的傳統，以「理」或「天理」爲倫理體系的最高範疇。與二程相比，朱熹天理論的主要貢獻與最大特色是發揮了「理一分殊」的理論，解決了封建道德的統一性與等級性，至高無上的先驗本體如何轉化爲個體德性，個體如何使天理內外化，轉化爲個體德性的問題，這樣，他不僅找到了封建道德的「所以然」，而且使「當然」歸於「必然」，使「所當然」、「所以然」、「所必然」相統一，從而使天理不僅有神聖性、必然性，而且具有現實性，從而完成了中國倫理精神生長過程中被稱爲「道德宿命論」的理論總結。

理之規定

朱熹在二程的基礎上，沿襲了華嚴宗的理事說，給「理」以衆多的規定性。

第一，「理」是絕對的精神本體，是「太極」。他認爲理是在自然與社會產生以前就存在的精神本體，它派生著世界上的萬事萬物，「未有天地之先，畢竟也只是理，有此理，便有此天地，若無此理，便亦無天地，無人無物，都無該載了。有理便有氣流行，發育萬物。」（《朱子語類》卷一）理在萬物之先，自然界、社會都是如此。「未有這事，先有這理，如未有君臣，已先有君臣之理，未有父子，已先有父子之理。不成元無此理，直待有君臣父子，卻旋將道理入在裡面。」（《朱子語類》卷九十五）不是先有君臣父子的倫理關係，才有反映這些關係的倫理觀念，而是先有君臣父子之理，然後才有這些關係。倫理關係，不過是「理」的體現。這種論證比二程更加清楚地突出了「理」作爲最高本體的意義。

第二，「理」是自然規律與社會規律的綜合。他認爲：「宇宙之間一理而已。天得之而爲天，地得之而爲地，而凡生於天地之間者，又各得之以爲性。其張之爲三綱，其紀之爲五常。蓋皆此理之流行，無所適而不在。」（《晦庵文集》卷七十）理是天地萬物與三綱五常的創造者，可以離開萬物而獨立存在。「自未始有物之前，以至人消物盡之後，終則復始，始得有終，又未嘗有頃刻之或物也。」（同上）理是宇宙間唯一的、最高的永恒存在，是自然規律與社會法則的創造者。

第三，「理」即是人道，即是五常。他的天理論雖然說到天道，但更多的說人道。他認爲「道即是理也。以人所共由而言，則謂之道；以其各有條理而言，則謂之理，其目則不出乎君臣、父子、兄弟、夫婦、朋友之間，而其實無二物也。」（《晦庵文集》卷四九）道與理相通，就人的社會法則而言是道，就事物各有條理的意義上說是理，其具體內容不外封建綱常秩序。既然「道」是人們共同遵循的道理，「德」便是自己得到了「道」。「道者，古今共由之理。如父之慈，子之孝，君仁，君臣，是一個公共底道理。德，便是得此道於身，則爲君必仁，爲臣必忠之類，皆是自有（得於）己，方解恁地。」（《朱子語類》卷一三）因此，他的結論是：理或道，「五常而已」。「蓋仁，則是個溫和慈愛底道理。義，則是個斷制載割底道理。禮，則是個恭敬撙節底道理。智，則是個分別是非底道理」。「所謂性者是個眞實無妄底道理。」「天下道理無不出於此。」（《晦庵文集》卷七十四）

「理」是朱熹哲學的最高範疇。而這「理」與天總是聯繫著的，可以說「理」是精神化了的天，故曰「天理」，「天，即理也，其尊無對。」（《論語集注》卷一）作爲萬事萬物法則的理是如何化生萬物，回到物自身的？他又借助於「氣」，把氣作爲化生萬物的中介環節。他認爲，氣與本體的理相比，最大的特點就是生氣勃勃，既能凝聚，又能化生萬物。理與氣的結合便化生出自然界與社會中的萬事萬物。在人類社會中，理是善的，而氣則有善有不善。由此便解決了善惡的起源問題。

理一分殊

爲了回答統一的天理與多樣性的萬事萬物之間的關係，尤其是解決統一的封建道德與處在不同階段、不同社會地位的人所擔當的不同道德責任的關係問題，朱熹提出了「理一分殊」的命題。他認爲，理是抽象與具體的統一，世界上萬事萬物都有各自特殊的理，在衆多分殊的理之上整個宇宙又有所謂「總理」，這就叫「理一分殊」。就「總理」來說它，叫「太極」。「太極」是道德性的。「太極只是個極好至善底道理。人人有一太極，物物有一太極，周子所謂太極，是天地人物萬善至好底表德。」（《朱子語類》卷九十四）而自然界的法則與人類社會的倫理則是它的特殊表現，即「分殊」。在人類社會中，不同的「倫」，具有不同的理。「綱理之大者有四，故命之曰仁、義、禮、智。」（《朱子語類》卷九四）但其根本的理是一致的，這便是「理一分殊」。在社會的倫理生活中，他又用全體與部分的關係說明「理一分殊」。認爲「分殊」是不同等級的人所應盡的「天職」或倫份，而「理一」則是這些不同的部分構成的整體。「『男正位乎外，女正位乎內』，直是有內外之辨。君尊於上，臣恭於下，尊卑大小，截然不可犯，似若不和之甚，然能使之各得其宜，則其和也孰大於是。」（《朱子語類》卷六八）在他看來，正是這種似若「不和之甚」的尊卑大小的「分」，才構成封建秩序的和諧，也就是「理一」。相互不同、相互對立的部分，構成多樣性的和諧整體，這就是他的「理一分殊」。

朱熹「理一分殊」的理論直接由二程而來，但又進一步加以發展。「伊川說得好，曰『理一分殊』。合天地萬物而言，只是一個理，及在人，則又各自有一個理。」（《朱子語類》卷一）作爲太極，萬物只是一個理。從理推之萬物而言，則萬物分有太極，他用「月映萬川」說明這個道理，這顯然接受了佛教華嚴宗與禪宗的思想。朱熹曾直截了當地引用惠能的弟子玄覺的話：「一月普現一切水，一切水攝一月」，認為「那釋氏也窺見得這些道理。」（《朱子語類》卷十八）但是，與佛教不同，朱熹的著重點在強調「分殊」，強調「分殊」，強調人之理、馬之理、君臣之理與父子之理的「分殊」，其根本目的是為了論證封建等級差別及其宗法等級道德的合理性。「萬物皆有此理，理皆同出一原，但所居之位不同，則其理之用不一。」（《朱子語類》卷十八）

朱熹就是用「理一分殊」的命題，從理論上論證了中國倫理內在地存在著的「倫」與「份」的關係問題，宗法等級與整個封建制度「和」的問題。「理一分殊」可以說是對孔子「禮」的精神的一種理論上的說明。「分殊」是正名的精神，「理一」是正名後達到的和諧。不同的是，它給孔子的禮以及中國倫理實體的設計以更加濃烈的宗法等級的內容與更加富有思辨性的說明。在實質性內容上，「理一分殊」是整體與個體、整體利益與個體利益、倫常秩序與個體意志的哲學圖式，這種圖式在其「天理人欲」觀中得到了進一步的貫徹與發揮。

理與仁

朱熹的天理論，實際上就是一個以「仁」為核心的嚴密精緻的倫理規範體系。

朱熹同以前的倫理思想家一樣，把封建社會中人與人的關係歸結為五倫關係。他認為五倫是天命決定的，是先驗的絕對。「且所謂天理，復是何物？仁義禮智，豈不是天理！君臣、父子、兄弟、朋友、豈不是天理！」（《晦庵文集》卷五十九）他繼承兩漢傳統，在五倫之中，最重君臣、父子、夫婦三倫，把它們稱作三綱。而三綱之中又尤重君臣、父子二倫，因而調整此二倫關係的仁義便被抬到很高的地

位。「仁莫大於父子，義莫大於君臣，是謂三綱之要，五常之本，人倫天理之至，無所逃乎天地之間。」（《晦庵文集》卷十三）

何謂「仁」？朱熹給「仁」下了個新定義：「仁者，心之德，愛之理。」（《孟子集注．梁惠王上》）這個定義他在《論語》、《孟子》注釋中引用了十多處。何爲「仁者，心之德？」他的學生陳淳解釋說：「蓋仁是心中個生理，常流行生生不息，徹始終無間斷。」（《北溪字義》卷上）就是說，作爲「心之德」的「仁」就是生生不息之理，於是仁便與天地相通。朱熹認爲，作爲「心之德」的仁，不僅使倫理上升爲天理，而且是人們向善的原動力即「良心」。所以，只要人們「存而不失」，其行爲便可以符合封建道德，「有序而和」了。何謂「仁者，愛之理」？這就是說，仁是本質，愛是它的表現，仁是體，愛是用。「仁者愛之理，理是根，愛是苗。仁之愛，如糖之甜，醋之酸，愛是那滋味。」（《朱子語類》卷二〇）在這裡，他把仁與愛統一了起來，把仁作爲愛的性質的規定者，反對離開仁而談愛。在社會意義上說，就是反對離開等級制度而泛言「愛」。「心之德」、「愛之理」二者是統一的。他強調「愛之理，心之德，愛是惻隱，惻隱是情，其理則謂之仁。心之德，德又只是愛，謂之心之德，卻是愛之本柄。」（《朱子語類》卷六）就是說，仁是人心之根本德性，這種德性是人固有之「天理」，而天理的本性是常流行而生生不息，故也稱爲「生理」。生理之實質是愛，所以它又稱爲「愛之理」。因此，作爲人心根本德性的「仁」，發而爲情，即是愛，「德愛曰仁。」（《朱子語類》卷九十四）他對「仁」的這種解釋，不僅在事實上，而且在理論上成爲新儒家學說的中心。

「仁」與其他道德原則、規範的關係如何？具體地說，仁與義、禮、智、信的關係如何？在宋以前，仁雖列於五常四德之首，但基本上是與其他德目並行的，朱熹則作了區分。他認爲，作爲一個具體道德規範，它與義、禮、智是並列的，合稱「四德」，但作爲「心之德」的「生生不息」之理，它又是「這四者」，這就是所謂「仁包五常」的命題。這樣既肯定了仁的核心地位，又承認了它作爲一個具體道德規範的作用。爲何「仁包五常」，「兼統四者」？他論證說：「仁則爲慈愛之類；義則爲剛斷之類；禮則爲謙遜；智則爲明辨；信便是眞個有仁義理智，不是假，謂之信。」（《朱子語類》卷二十）仁是本體，義是對仁的決策，即按仁而做皆適宜。智是對仁的體認、認識與把握，「知猶識也。」（《大學章句・經一章》）禮是按仁的原則行事時，能熟習各種符合仁的標準禮節，即所謂「天理之節文，人事之理則」，「實之謂信。」（《論語集注》卷一）信實於仁義禮智。朱熹把仁作爲倫理的核心，一方面要給人們的善惡判斷以一個統一的標準，另一方面想通過仁把天道與人道統一起來，以論證封建道德的神聖性、合理性，使仁成爲上達天理、下達三綱的樞紐。而仁的具體環節，他則發揮了孔孟的思想，認爲禮即封建等級秩序是仁的目標；孝悌是「爲仁之本」；忠恕是「爲仁之方」，從而形成一個完整的仁學體系。這種道德體系由此成爲僵化的說教，給中國社會以極大的影響。

心性論

對於人性問題，朱熹在綜合各家的基礎上解決了倫理史上爭論不休的人性界定問題。在確定「性」的本體的基礎上，指出了更加活躍、更富有主體性的「心」。而「命」的範疇的提出，不僅解決了天理向人性的內化，而且解決了人性如何轉化爲道德行爲的問題，從而確立起天理向個體內化又向道德行爲轉化的完整鏈環與精緻模式。

人性認同

在人性認同方面，朱熹對於以前的各種人性論（包括人性的界定及其善惡屬性）進行了批判性的總結，通過與其天理論的結合，爲天理的內化找到了人性的根據。朱熹認爲，性是一切有生命的生物，包括草木、鳥獸、人類所具備的天理，是一切生物所得以生之理。在這一點上，人與物是相同的，但至於性的具體內容，人性畢竟不同於物性，「性者，人之所得於天之理也；生者，人之所得於天之氣也。」（《孟子集注・告子章句上》）在朱熹以前，對性的解說主要有三種：「性即理」；「天命之謂性」；「生之謂性」。朱熹說明了三者的關係，把它們統一了起來。「性即理」是他人性論的基本方面，「性者，人之所稟之天理也。」「性者天理，未有不善者也。」（《孟子集注・告子章句上》）這種解釋，不僅使人性論與本體論相通，而且可使人性論與行爲準則相通。萬物皆有性，便皆有其理，理是共相或總體，其體現在人物之上是各不相同的。人物體現理的多寡、厚薄之不同，稱爲「命」。「命」是「理」與人物聯繫的中介環節，故「天命之謂性」。命、性、理的關係是，「理者，天之體；命者，理之用」。「天所賦爲命，物所受爲性。」（《朱子語類》卷五）這一定義爲他區分人性與物性，以及人性之中的智愚、賢不肖提供了根據。「生之謂性」則是從另一個角度講性與理的區別。他認爲，性是人、物產生之後才具備的，它與理有區別，是理寓於具體的「形氣」之中而構成的。至此，朱熹的人性定義，不僅強調了性之共同性，又解釋了性之善惡來源，以往關於人性定義中的一些矛盾，在這裡獲得解決。

在此基礎上，朱熹採取了二程把人性分爲天命之性與氣質之性的說法，認爲具備天理的人性叫「天命之性」，理與氣雜的人性叫「氣質之性」。「天下無無性之物。蓋有此物，則有此性，無此物，則無此性。」（《朱子語類》卷四）「天命之性」是理，理只是一般的道理，它是沒有形體的，必須借助氣質之性才有現實性，「所謂天命之與氣質，亦相袞同。才有天命，便有氣質，不能相離。若缺一，便生物不得。既有天命，須是有此氣，方能承當得此理，若無此氣，則此

理如何頓放。」（《朱子語類》卷四）

朱熹把人性分爲天命之性與氣質之性，以爲這樣就最完善地解決了中國倫理史上長期爭論的人性善惡問題。他認爲，孟子講性善，是從本質上說的，但他只知有天命之性，不知有氣質之性，因此不完備，不能解決人性的善惡問題，所以一有不善，就說是陷溺。荀子講性惡，只是講氣質之性，不知有至善的天命之性，不但說不清人性，反而以惡蒙害了天理。而所謂的性無善惡論，自以爲「得性之眞」，實際上是佛教的說法。他以爲，張、程的人性論就克服了這些矛盾與缺陷，使之完備了。如果說此說早提出來，就不會有性善性惡的爭論了。「張、程之說早出，則這許多說話自不用紛爭，故張、程之說立，則諸子之說泯矣。」所以，他稱讚說：「此起於張、程、某以爲極有功於聖門，有補於後學，讀之使人深有感於張、程。」（《朱子語類》卷四）

天命之性既是純粹至善的，則惡從何而來？朱熹認爲，人性的善惡是從氣質之性來的。氣質之性之所以有善有惡，主要有兩個原因：⑴氣稟不同。人稟氣有清濁、昏明的差別，故性便有善惡。天地間只是一個道理，性便是理。「人之所以有善有不善，只緣氣質之稟各有清濁。」（《朱子語類》卷四）⑵物欲之累。他認爲，物欲之累是產生惡之人性的重要原因，人因有身，「則耳目口體之間，不能無私欲之累，以違於禮而害爾仁。」（《朱子四書或問》卷十二）稟清明之氣而不爲物欲所累者是爲聖；稟其清明而未能純全，微有物欲之累而能去之者爲賢；稟其昏濁之氣，又爲物欲所蔽而不能去之者爲愚爲不肖。他把外物影響都看成是惡的，從而走向了禁欲主義。

人心與道心

朱熹用人性論爲封建道德尋找理論根據。他在天命之性與氣質之性的基礎上，又把人的「心」分爲本體與作用兩方面，本體的「心」

叫「道心」，作用的「心」叫「人心」。他用知覺、神明來形容精神性的心，即道心；以肝肺等來形容形體的心，即人心。把精神性的心說成是形而上的心，把形體的心說成是形而下的心。於是形而上的心主宰決定形而下的心，形而上的心是形而下的心的根源。「道心」來源於「性命之心」，它出於義理；「人心」來源於形體之心，它出於私欲，二者截然不同。但道心只能通過人心來顯現，道心在人心中，所以難免要受人心、私欲的牽累和蒙蔽。由於具體的人是由天命之性與氣質之性結合而形成的，上智者不能不具有氣質之性，下愚者也不能不具有天命之性，只有通過修身養心，使人心轉危為安，道心由隱而顯。「人心惟危，道心惟微。論來只有一個心，那得有兩樣？只就他所主而言，那個便喚做人心，那個便喚做道心。」（《朱子語類》卷六十一）

於是，朱熹便合乎邏輯地把道心、人心與天命之性、氣質之性聯繫了起來。認為道心是從純粹的天命之性出發的，是至善的；人心是從氣質之性出發的，有善有惡。具有道心的聖人能專一於天理，做到「惟精惟一」，不被私心蒙蔽，因而一念一思、一言一行都合乎天理；具有人心的人往往偏於耳目之私不合天理。超凡入聖的方法，就是去掉耳目之欲，不為外物所誘。從倫理精神體系的角度考察，「人心」、「道心」的區分是與「人道」、「天道」的區分相吻合的。朱熹在形而上的本體上把道德分為「人道」與「天道」，把「天道」作為人倫規範的外在實體，又把「人道」上升為「天道」，使其具有「天道」的神聖性，由此求得二者的合一，然而這種合一畢竟只是外在的合一。按照「理一分殊」的要求，客觀的人倫規範要轉化為內在的道德要求，必須要找到主體人性本體上的根據，於是與客觀人倫規範的「人道」、「天道」的區分相適應，他又把主觀的人性分為「人心」與「道心」，以此解決「天道」的內化及「人道」與「天道」一致的內在必然性問題，並與「氣質之性」、「天命之性」的人性論相吻合。「人心」、「道心」的統一是內在人性的天人合一，「人道」、「天道」的統一是外在實體的天人合一。可以說，在邏輯體系上，天人合一是通過「人心」、「道心」的合一與「人道」、「天道」的合一的有機統一實現的，或者說天人合一就是此二者的辯證綜合。「人心」與「道心」合一——「人道」與「天道」合一——天人合一是朱熹天人合一倫理精神體系的邏輯思路，形成一個內在與外在統一、實體與本體統一、抽象與具體統一的辯證發展過程。

性與情、心、天命

朱熹人性論的另一貢獻就是解決了傳統倫理精神中性、情、心、命的關係，從而建立了一個人性論的範疇體系。

性與情　他認為性與情是統一的，情是性的表現形態「情不是反於性，乃性之發處。性如水，情如水之流。情既發，則有善有不善，在人如何耳。」（《朱子語類》卷五十九）性的性質決定了情的性質，由於性之本是天命之性，是善的，因而情也是善的。性之根本是仁、義、禮、智四德，發而為情，就是惻隱、羞惡、辭讓、是非四端。情表現為喜、怒、哀、樂、愛、懼、欲七者，「四端」貫穿於七情之中。如果情能發而皆中節則為善，否則便是惡。性與情的關係是體與用、靜與動的關係，性是本體、情是性之發用，性靜而情動。性是本體狀態的情，情是處於運動狀態中的性。這種性情關係論，實際上是理與氣、形而上與形而下的關係在人性中的運用。

心與性、情　對此朱熹總的觀點是：心統性情。他認為，心的特點是虛靈知覺，由於虛靈，則可以藏理與性；由於有知覺，則有情欲。虛靈是體、是靜；知覺是用、是動。心便是這兩方面的統一。所以，他認為「伊川『性即理也』，橫渠『心統性情』，二句顛撲不破。」（《朱子語類》卷五）就是說，心兼有、包含性情。「心統性情，心兼體用而言，性是心之理，情是心之用。」「性是未動，情是已動，心包得已動未動。蓋心之未動則爲性，已動則爲情，所謂心統性情也。」（《朱子語類》卷五）在他看來，人類的行爲都來自性情，於是，心便成爲「一身之主」。這種心統性情說，目的是要爲其修養論提供根據。他的理氣論，是回答人性中善與惡的來源問題，而心與性情的關係，則是說明人性中「惡」之改造的可能性的問題。

性、情、心與命　　性是理之體，情是性之用，心是性之動，而命則是個體對理的分享與體現。於是他把心、性、情、命統一於一體，「命猶誥敕，性猶職事，情猶設施，心則其人也。」「心大概似個官人，天命便是君之命，性便如職事一般。」（《朱子語類》卷五）理是最高的本體；而個體對天理的分享，天理落實到個體的多寡、程度就是「命」。這裡，「命」既有道德命令的含義，又有命運的意味。「命」的內容是天理，就個體人性必然體現天理來說，它是道德的絕對命令；就個體由於氣稟不同，得到天理的多寡、程度不同而言，它又是命運。朱熹所說的命運既有董仲舒宗教之命的性質，又是天理本體向個體落實的必要環節。因此，朱熹的上述話就可以理解爲：命是道德命令，性是道德命令的內化與內在本體，情是道德命令的執行，心則是執行道德命令的主體。他把心、性、情、命牢牢限制在天理的範圍內，使中國傳統倫理中性情、心、命的矛盾暫時得到了解決。

「明天理，滅人欲」

朱熹倫理精神的宗旨與道德修養的最高境界就是所謂「明天理，滅人欲」。值得注意的是：這裡他提出的是「明」天理，而不是二程的「存」天理。他之所以用「明」取代「存」，一是受《大學》「明明德」思想的影響，把天理作爲人性之中本然的存在，只是爲物欲所蔽，心之能力便在自明天理，使其煥然復明；二是受佛教中「心性本覺」、「心如明鏡台」的影響，認爲心性本明，心有本覺之能力，因而使人性中天理自明。在修養論上，朱熹比二程的進步是：他不是一般地把天理、人欲對立，而是在把天理人欲與義利、公私結合的基礎上，承認二者的滲透甚至統一，把「存天理，滅人欲」落實爲存公去私，並提出「利在義中」的命題，既解決了天理向人性的具體落實問題，又與古典倫理「德者，得也」的傳統精神相一致。應該說，在修養的內容上，朱熹繼承了古典儒家的傳統，而在修養的方法上，又具有道家和佛家的境界，由此實現了修養論上儒家內核與道佛境界的統一。

天理人欲觀

朱熹天理人欲觀的最大特點是把天理與人欲放在一個對立統一體中，既承認二者的統一，又強調彼此的對立，因而它既具有封建禁欲主義的精神，又不能與道家、佛家的絕對的禁欲主義相等同。

何謂「天理」？他認爲，「渾然天理便是仁。」（《朱子語類》卷二八）分而言之，「仁、義、禮、智均是天理。」（《朱子語類》卷二）這種天理是至善的，是人的本性，「蓋天理者，此心之本然，循之則心公而且正人欲者。」（《晦庵文集》卷十三）說到底，天理便是封建道德。

何謂「人欲」？他認爲，人欲是與天理相對立的概念。難能可貴的是，朱熹把「欲」與「人欲」作了區分，即不把人的起碼的生活需求稱作人欲，而認爲人欲只是不正當的欲。「此寡欲，則是合不當如此者，如私欲之類。若是飢而欲食，渴而欲飲，則此欲亦豈能無？但亦是合當如此者。」（《朱子語類》卷九十四）他對正當的「欲」是肯定的，由此，他與佛家的禁欲主義相區分，認爲「釋氏欲驅除物累，至不分善惡，皆欲掃盡」（《朱子語類》卷一二六）的觀點便是錯誤的。同時也糾正了周敦頤、二程把「欲」與「人欲」相混淆而造成的理論上的混亂。他認為，人欲是「不好底」欲或「過節」之欲。當有人問「飲食之間，孰為天理，孰為人欲」時，他回答道，「飲食者，天理也。要求美，人欲也。」（《朱子語類》卷十三）正當的生活需求屬天理，只有過度的物質欲望才是人欲。應該說，這種區分，減少了理論上的混亂與矛盾，比起二程來，是一個進步。

朱熹也承認天理與人欲有統一的一面。「有個天理，便有個人欲，蓋緣這個天理，須有個安頓處，才安頓得不恰好，便有個人欲出來。」所以，「人欲便也是天理裡面做出來，雖是人欲，人欲中自有天理。」（《朱子語類》卷十三）既然欲是情發出來的，而情是性之發，性則本於理，那麼，在邏輯上必然承認天理與人欲具有統一性，這就是所謂「同行」。但天理與人欲又「異情」，異在何處？就「異」在是否溺於物質欲望。「同行異情，蓋亦有之，如『口之於味，目之於色，耳之於聲，鼻之於臭，四肢之於安佚，聖人與常人皆如此，是同行也。然聖人之情不溺於此，所以與常人異耳。』」（《朱子語類》卷一〇一）順此推演下去，朱熹便推出了天理與人欲的對立，這是他的著力之處。他反複強調「天理人欲，不容並列」（《孟子集注·萬章章句上》）。「人之一心，天理存則人欲亡，人欲勝則天理滅。」二者經常處於相互鬥爭中，「此勝則彼退，彼勝則此退，無中立不進退之理，凡人不進便退也。」（《朱子語類》卷十三）由此，他提出了「明天理，滅人欲」的口號。

在以往的研究中，人們常常把朱熹的天理人欲論說成是禁欲主義的。其實，朱熹的「人欲」只是指有悖於天理或有害於天理的那一部分情欲，按照仁、義、禮、智的規範獲得欲望的滿足，不是人欲，而是天理。朱熹天理人欲觀的實質不是要人們去除欲望，而是要人們克制那些有損於封建倫常的欲望，這一點，對把握朱熹倫理精神的性質是至關重要的。

義利觀

天理人欲的關係與義利關係是一致的，在探討天理人欲關係的同時，朱熹對義利關係也作了深入的探討。何爲「義」？他認爲，義是由天理所決定的道德原則與道德規範，「義者，心之制，事之宜也。」（《孟子集注》卷一）「事之宜」即「天理之所宜」，是按照天理的要求行事。義不僅是「事之宜」，而且又是「心之制」，即內心制約的原則，是道德觀念。何爲「利」？利即是人欲之私。他發揮了孟子「君子喻以義，小人喻以利」的思想，認爲，「對義而言，利則爲不善。」（《論語或問》卷四）既然如此，在對待義利關係上，他就是重義輕利。「古聖賢言治，必以仁義爲先，而不以功利爲急。」（《晦庵集》卷七五）他把董仲舒的「正其義而不謀其利，明其道而不計其功」一語作爲自己的學規，但他又不是絕對地不要功利，而是要將利納入義的軌道。「正其義則利自在，明其道則功自在，專去計較利害，定未必有利，未必有功。」「利是那義裡面生出來底，凡事處制得合宜，利便隨之，所以云：利者，義之和。」（《朱子語類》卷六八）他要求人們「天理人欲、義利、公私分別得明白」（《朱子語類》卷十三），並把克除利欲視爲「殺賊工夫」，這種工夫也就是後來王陽明講的「破心中賊」。

公私觀

與二程一樣，朱熹把「天理」和「人欲」的對立，等同於公和私的對立，認爲：「凡一事便有兩端，是底即天理之公，非底即人欲之私」。（《朱子語類》卷一三）何爲公、私？「將天下正大底道理去處是事，便公；以自家之私意去處之，便私。」（同上）這種正大的道理是什麼呢？他說：「己者；人欲之私也；禮者，天理之公也。一人之中，二者不容並立，……出乎此，則入乎彼；出乎彼，則入於此矣。」（《論語或問》卷一二）意思很明確，「公」就是「禮」。於是，「天理」和「人欲」的對立，「公」與「私」的矛盾，歸結起來就是維護「禮」與破壞「禮」之間的鬥爭，轉來轉去，朱熹又回到作爲儒家倫理精神母胎之一的孔子的「禮」中，同時又具有更加明確的階級內涵。當然，從抽象的意義上說，這種觀點要求人們在處理整體利益和個體利益關係時，個體服從整體，體現了整體意識的自覺，自然不無合理性的一面，但「公」、「私」對立的激化，實際上是階級矛盾激化的體現，朱熹想以「禮」作爲共同的價值目標與行爲規範，形成一種絕對的整體至上主義的倫理精神，並以此爲封建政治服務，也正因爲如此，他的倫理說教才成爲後期統治階級的官方哲學。

修養功夫

既然人性之中，天命之性純善，氣質之性有善有惡，則道德修養從天命之性來說，就是「明德」；從氣質之性來說，就是「變化氣質」。如何「明德」以「變化氣質」？他在二程的基礎上提出了一條新的修養途徑。

居敬窮理　如前所述，「主敬」是理學修養論的特點，也是儒家修養之學與佛家修身之道的主要區別之一。朱熹認爲，天理對人性是同一的，而心包萬理，萬理具於一心。心是對天理的虛靈知覺的能力，只要充分發揮「心」的「能覺」功能，即可認識此性之善，明得先驗之理，因而道德修養必須在心上用功夫。這就必須「居敬」，即懷著對天理的崇敬，進行心體的自我觀照，對理進行直覺和體認。

爲此，朱熹很重視二程關於「主敬」的修養方法。認爲作爲道德規範，「敬」是衡量臣對君、弟對兄、卑對尊的思想與行爲的一個道德標準；作爲修養功夫，它在各種方法中占首要地位。「敬字工夫，乃聖門第一義，徹頭徹尾，不可頃刻間斷。」「『敬』之一字，眞聖門之綱領，存養之要法，主乎此更無內外精粗之間。」「如今看聖賢，千言萬語，大事小事，莫不本於敬。」（《朱子語類》卷十二）因此，敬是「道德之大端」（《晦庵文集》卷七五）。如何敬？敬的核心是專一與主一，「持敬在主一。」（《朱子語類》卷十二）「敬」的主要特點是「內無妄思，外無妄動」（《朱子語類》卷十二）。思想主一，就是沒有一點私意，人的思想行動經過各種由內到外的整肅，就不會爲外物所引誘，而自覺地符合綱常名教。

「居敬」與「窮理」是相輔相成的。「學者工夫，唯在居敬窮理二事。」（《晦庵文集》卷九）他講的窮理，既是格物致知的認識論，又是道德修養論。在他那裡，認識論與修養論基本上是一回事，因爲窮理是由理出發，通過對由理派生的事物的了解，把握其間存在的「理」。「爲學之序，學、問、思、辨四者，所以窮理也。」這樣，便可以「窮天理，明人倫，講聖言，通世故。」（《晦庵文集》卷七十四）由此，培養高尚的道德。

存養省察　窮理與存養、涵養是相聯繫的。「存養」就是「存心養性」，這是孟子「存其心，養其性」的修養方法的繼承和發揮。存養的實質，「只要人不失其本心」，即保住先天固有的道德之心。但存養必須在「敬」字上下功夫，「持敬是窮理之本，窮得理明，又是養心之助。」（《朱子語類》卷九）只有在敬字上下功夫，窮得天理，才能存養，而存養又有助於窮理。只有一分一分地把天理存起來，才能除去私意，使「衆理貫通」。

在存養的基礎上，還必須省察。省察即反省自己，其內容是分清天理人欲。「人之一心……未有天理人欲夾雜者，學者須要於此體認省察之。」（《朱子語類》卷十三）他要求人們對於諸事「無時不省察」，否則，則陷於惡而不能自知。通過省察，最終達到「言忠信，行篤敬，懲憤窒欲，遷善改過」（《晦庵文集》卷七十四）的目的。

克己復禮　「克己復禮」是孔子提出的口號，朱熹把它納人「明天理，滅人欲」的公式中。朱熹認爲，「克己」就是「滅人欲」，

「復禮」就是「明天理」，這是同一個過程的兩個方面。「禮是自家本有底，所以說個復。不是待克了己方去復禮。克得那一分人欲去，便復得這一分天理來；克得那二分己去，便復得這二分禮來。」（《朱子語類》卷四一）既然復禮就是復明人性本具的天理，爲何不直接講「復理」而講「復禮」？他認爲「只說理，卻空了去，這個禮是那天理節文，教人有準則處。佛老只爲元無這禮，克來克去空了。」（《朱子語類》卷四一）「釋氏之學，只是克己，更無復禮工夫，所以不中節。」（《朱子語類》卷四一）理的內容與準則便是禮，也就是封建的等級秩序。「明天理，滅人欲」，其目的就是要人們「惟分是安」。至此，朱熹道德修養的階級屬性明顯地體現出來了。

總之，朱熹的「天理」「人欲」觀繼承了二程的傳統，把「天理」與「人欲」問題與「義」與「利」、「公」與「私」問題同一爲一個有機的體系，在理論上解決了「天理人欲」、「義利」、「公私」等一系列重大問題，但在此過程中他又有一些新突破與新創造。總的說來，朱熹的天理人欲觀在傳統倫理精神建構中的特殊地位有二：第一，解決了中國倫理的基本問題。中國倫理傳統在理論上發端於「德」與「得」的關係問題，朱熹「利在義中」、「義中有利」的命題，實際上點明了「德者，得也」的眞諦，「利在義中」、「義中有利」的原始表達就是「得」在「德」中，「德」中有「得」，其實質就是「德」「得」相通，「德」「得」合一。他的義利觀，是主張以義謀利，以「義」爲價値，以「利」爲目標，在道德理論與道德活動中，強調人們的道德利益與道德權利。應該說，這種義利觀是有不少可取之處的，因爲只有按照「義」而取得的「利」才是可取的，否則只會導致道德敗壞，人欲橫流；而「義」如果不以「利」爲內容，也只能是一種空洞的抽象。第二，進一步發展了整體至上的倫理精神傳統。他在把天理人欲具體落實爲義利、公私問題的問題的同時又以「禮」作爲區分天理與人欲、義與利、公與私的現實標準，並使之成爲占統治地位的價值取向，在向倫理傳統的原點復歸的同時實現了對中國倫理的總結與終結。在這個意義上，朱熹不僅是宋明理學的集大成者，也是中國傳統倫理精神的集大成者。

第三章　陸王心學

陸王心學是與程朱道學相抗衡的一個學派。心學的創始人是與朱熹同時代的陸九淵，其學說遠宗思孟，糅合道釋。他把程朱客觀外在的「天理」變成了人所固有的「本心」，提出「心即理」的命題，用主觀性的「心」代替了程朱的「道」或「天理」，其學說比程朱更加直截了當，易於把握。

心學的集大成者是明代中葉的王守仁。王守仁發揮了陸九淵倫理精神中主觀能動的方面，把陸九淵的「心」發展爲更加能動的「良知」，從而使外在的天理實體變爲內在的良知主體，完成了天理由外到內的轉化。如果說程朱提倡的是心對理的認同，陸王提倡的則是心與理的等同。陸王的倫理精神模式仍然是一種天人合一的模式，但這種模式不是通過一系列德性提升的過程達於天理，而是用擴充的「心」或「良知」去統攝、包融天理，因而可以說是一種主體性的天人合一的倫理精神模式。

一、陸九淵的「良心」

陸九淵也把「理」作爲其學說的基本範疇，而且對「理」的解釋也與其他理學家基本相同，因而他的學說屬理學的一個流派。但與程朱不同，他認爲「心即是理」，把心看作是一切的主宰，故後人稱爲「心學」。陸九淵的心學與朱程理學進行了長期的鬥爭，按照黃宗羲的說法，導火線是對《中庸》中「尊德性」與「道學問」的不同理解。

朱熹以「道學問」爲宗，陸九淵以「尊德性」爲宗。其分歧主要表現爲：朱熹強調道學問，認爲一個人要修養成爲聖賢，必須即物窮理，日積月累，最後豁然貫通；陸九淵強調「尊德性」，認爲修養方法是「立大」、「知本」，向內下功夫，從本心中去求學，只要悟得本心，不必多讀書。朱熹主張「持敬」的修養方法，即居敬而持志，並以此反對佛老；陸九淵則主張「安坐瞑目，用力持存，夜以繼日」的神秘主義修養方法。當然，在許多基本問題上二者又是一致的。

良心說

自二程開始，理學家把天理作爲道德的最高宇宙本體，但這就遇到一個問題：寂然不動的天理本體如何轉化爲人們內在的性情與現實的道德行爲？程朱一直致力於解決這個問題。朱熹提出「理一分殊」的命題，突出理的作用，形成一個自圓其說的天理體系。但這種論證十分繁瑣，先要把天理等同於太極；然後，再把天理落實爲普遍人性；還要通過「理一分殊」轉化爲具體的人心人性，因而難以爲一般人把握。陸九淵看到了這個問題，採取跨越理與性的中介環節的方法，直接將心與理合一，把外在的理移入人心中，作爲人心的先驗內容與固有屬性，從而使客觀的天理主觀化，具有主體的能動性和直接的現實性。

心即是理，即是性

陸九淵是一個主觀唯心主義者，他的著名命題是：「宇宙便是吾心，吾心即是宇宙。」（《象山集·卷二十二·雜說》）「萬物森然於方寸之間。滿心而發，充塞宇宙，無非此理。」（《語錄上》，《陸九淵集》卷三十四）世界的本體不是物質的，而只是「吾心」，吾心之外，不存在任何東西，萬物只不過是吾心的幻化。這種「心」與本體的「理」當然也是等同的。因而，他認爲：心即是理，「人皆有是心，心皆具是理，心即理也。」（《象山集·卷一·與李宰》）「蓋心，一心也；理，一理也；至當歸一，精義無二。此心此理，實不容有二。」（《象山集·卷二·與曾宅之》）心與理是一個東西，社會倫理與主觀的道德觀念都根源於人心，是由人心決定的。

在此基礎上，他提出了「良心」的概念。他的基本觀點是：「吾心之良，吾所固有也。」（《象山外集·卷四·養心莫善於寡欲》）「良」也就是善。從這點出發，他把心與性情相等同，當他的學生問性、情的區分時，他回答：「情、性、心、才，都是一般事物，言論不同耳。」「聖賢急於教人，故以情、以性、以心、以才說與人。」（《語錄下》，《陸九淵集》卷三十五）所以，他反對把性、心加以區分，常把「良心吾性」合一。

良心是道德的本體

所謂「心」，在陸九淵那裡，不僅是思維的器官，更重要的是指道德實體。他認為人的道德原則、規範、標準無不囊括於人心中。「仁義者，人之本心也。孟子曰：『存乎人者，豈無仁義之心哉』。又曰：『我固有之，非由外鍊我也』。」（《象山集·卷一·與趙監》）「仁即此心也，此理也，求則得之，得此理也。」（《象山集·卷一·與曾宅之》）總之，舉凡調節社會關係的一切原則、規範都本源於人的心。於是，他不是在外在的客體中，而是在內在的主體中找到了道德的起源。在他那裡，人心不但是道德觀念的來源，而且還先驗地具有辨別善惡的能力。他認為善惡的標準，不是由客觀決定的，而是吾心所固有的，本心無不有善。「苟此心之存，則此理自明，當惻隱處自惻隱，當羞惡，當辭遜，是非在前，自能辨之。」（《象山語錄》卷一）要使自己的行為合乎道德要求，只要「開發本心」就可以了。

他認為，這種道德良心是普遍的，永恒不變的，因此，道德原則規範也是絕對的，不可違背的。「心只是一個心。某之心，吾友之心，上而千百載聖賢之心，下而千百載復有一聖賢，其心亦只如此。心之體甚大，若能盡我之心，便與天同。」（《象山語錄》卷三）因而這種本體的心又是唯一的。他撇開了心與理的具體內容，鼓吹心與理的絕對性和永恒性，就是企圖證明，人們的行動永遠不能逃脫理的約束，並進而證明，服從尊卑自然之序，就是有德之人，就能得福。「士庶人有德，能保其身，卿大夫有德，能保其家；諸侯有德，能保其國；天子有德，能保天下。」否則就會發生禍害，於是，德與福、性與命便得統一，心與天也得到統一。他是借助「天」說明仁、義、禮、智統一於心，認爲心是天之主宰的表現。「義理之在人心，實天之所與，而不可泯滅焉者也。」（《象山外集・卷四・思則得之》）「千古聖賢同堂合席，必無盡合之理。然此心此理，萬世一揆也。」（《語錄上》，《陸九淵集》卷三十四卷）

惡之來源

心是本體，是本然之善，則惡從何來？陸九淵認爲，善惡是不可分的，「有善必有惡，眞如反覆乎！然善卻自本然，惡卻是反了方有。」（《語錄上》，《陸九淵集》卷三十四）就是說，善惡是對主的，惡就是對本然之心的違反。至於惡之來源，他歸結爲兩點：一是資稟，實際上也就是氣質；二是「心之邪」，即「私意」和「利欲」。他雖激烈批判朱熹天理之性與氣質之性的劃分，但爲了說明惡之來源，又不得不借用朱熹的概念，而對私意、利欲的說明，雖然在側重點上與朱熹有所區別，但原則上沒有什麼區別。

爲了進一步說明善惡的具體內容，他又引出了義與利的關係問題。陸九淵義利觀的特點是把義利、公私結合起來加以闡述。在他看來，人生在世，首先應當懂得做人的道理，分清義利、公私的界限。「凡欲學者，當先識義利公私之辨，今所學果爲何事？人生天地間，爲人自當盡人道。學者所以爲學，學爲人而已，非有爲也。」（《年譜》，

《陸九淵集》卷三十六）他片面強調義，主張爲道義而道義，不看重功利。因此，他認爲，人類社會的歷史，就是利興起，義墮落，公湮沒，私膨脹的歷史，人們越講功利，社會越墮落。與其他理學家一樣，他把義與利、公與私絕對對立起來，「私意與公理，利欲與道義，其勢不兩立。」（《象山集·卷十四·與包敏道》）因此，只有去利存義，去私存公，才能體會道義。

可見，陸九淵的倫理精神體系與程朱一樣，以「理」爲最高價值目標，不同的是他把「理」從客觀外在的宇宙本體變爲主觀內在的「心」。這一變更具有十分重要的意義。程朱的天理論使天理由古典儒家價值提升的對象變成人心認同的對象，這一轉化是通過宗教情感的機制實現的。陸九淵的「心」，使心與理直接同一，從而使人倫原理與個體德性合而爲一，於是天理便具備了更大的直接性。這種變革也具有理論上的根據，因爲理與性向道德行爲的轉化必須通過「心」的環節，陸九淵拋開理的外在性，使天理直接指向人性，與心合而爲一，達到體用合一，使天理向行爲的轉化具有更大的直接性、神聖性。在根本精神上，它與古典儒家尤其是孟子的模式基本一致。而其境界顯然與佛家的「即心即佛」一脈相承。不僅如此，這一變更在中國文化中也有其必然性。傳統的倫理強調性，但性作爲本體是看不見，摸不著的，陸九淵用具體的「心」代替抽象的「性」的本體，便與中國傳統的直覺思維的特點一致起來。但「心」的主體性、能動性、獨立性在理論上又會導致對「理」的反思與理性考察，因而在心與理合而爲一的過程中，往往又會導致對理的懷疑甚至否定。而且，人心與人性不同，它具有很強的世俗性，儘管他把人心與道心加以區分，但「心」中總固有著蔽蓋「理」、使理污染而隱而不彰的因素。不僅如此，從內在結構上說，對心的肯定，歸根到底會導致對作爲人心的重要內容之一的「欲」的肯定。因此，當陸九淵用「心」代替「理」的時候，客觀上就在理學的倫理精神結構上引進了一個自我否定的因素。這是心學最終所以會導致理學瓦解的內在原因。

「簡易工夫」

陸九淵從「心即理」出發，認爲人心既然已經具備了仁、義、禮、智等一切美德，能夠判斷一切善惡是非，那麼，只要保存本心，就能培養出好的德行。因而他把道德修養歸結爲對本心的直覺，即對本心的自我認識，用不著像朱熹那樣格物致知、大費手腳，這就是他所津津樂道的「簡易工夫」，其內容包括存心、去欲、力行。

存心

「存心」即是存自身之固有良心，亦即是存心養性，在理學中它又叫「存養」。由於「心」「性」同一，故存心養性的修養工夫在他這裡又叫「存養本心」。

如何「存心」？他認爲「先要立乎其大者」，就是說，先要在自己心中確立起仁義道德原則，形成牢固的道德信念。他沿襲了孟子這一句話，反來復去強調以致受到人們非議，他卻不以爲然：「近有議吾者云，除了『先立乎其大者』一句，全無伎倆。吾聞之曰：『誠然』。」（《象山語錄》卷一）這大者就是本心，即良心。他把本心比作內藏無數寶物的大廈，說它莫不具備，甚安且廣，只要好好保護之，就夠用了。他教育自己的學生說：「汝耳自聰，目自明，事父自能孝，事兄自能弟，本無見缺不必他求，在乎自立而已。」（《象山語錄》卷一）做到這一點，則外物不能移，邪說不能惑。這實際上是孟子「萬物皆備於我」的發揮。

在他看來，人心是道德的本體和源泉，進行道德修養，最需要的就是直截了當地向內用力，開發本心，因而在「先立乎其大者」後，他要人們切己反身，務絕外求。「人孰無心，道不外索，患在戕賊之耳，放失之耳，古人教人，不過存心、養心、求放心。此心之良，人所固有，人惟不知保養，而反戕賊放失之耳。」（《象山集‧卷五‧與舒西美》）道德修養的任務就是保全本心，使之不失，如果本心已經放失了，就要把它求回來。「古人之求放心，不啻如飢之於食，渴之於飲，焦之待救，溺之待援，固其宜也。學問之道蓋於是乎在。」（《象山外集‧卷四‧學問求放心》）這就是所謂的「收拾自家精神」。收回了放心之後，又要加以保養，這就是所謂「養心」。而養心反過來又有助於存心。他認爲：本心是俱足的，壽、福、康寧全在其中。「若能保有是心，即爲保極，宜得其壽，宜得其福，宜得康寧。是謂攸好德，是謂考終命。」（《象山集‧卷二十三‧荊門軍上元設廳皇極講義》）只要保有此心，存心，正心，便能行爲得宜，變禍爲福，即使不壽，不富，患難，其心實際上還是壽、富、康寧的，「身或不壽，此心實壽；家或不富，此心實富；縱有患難，心實康寧。」（《象山集‧卷二十三‧荊門軍上元設廳皇極講義》）

去　欲

洗心滌妄，習善去欲，是他「簡易工夫」的第二條。他認爲：本心放失，主要是由物欲引起的，因此，要做到存心，就必須去欲，「夫所以害吾心者何也？欲也。欲之多，則心存者必寡；欲之寡，則心存者必多。故君子不患夫心之不存，而患夫欲之不寡；欲去則心自存矣。」（《象山集‧外集‧卷四‧養心莫善於寡欲》）要寡欲，就必須「洗心」，使人「免於物欲之累」。這種「洗心」他又叫做「剝落」即一層一層剝落私欲的功夫，「人心有病，須是剝落。剝落得一番，即一番清明，後隨起來。又剝落，又清明。須是剝落得淨盡方是。」（《象山語錄》卷四）這個剝落的功夫，也就是不斷去欲的功夫，剝落淨盡，才能得本心清明。不難看出，這實際上是從禪宗的北宗「時時勤拂拭，勿使染塵埃」脫胎出來的。而這種剝落去欲的過程，也就是遷善改過、習善去惡的過程。他十分重視「習」，認爲「習」能變化氣質，去惡從善，但由於志的不同，「習」又有善惡之不同。「志乎義，則所習者必在於義；所習在義，斯喻於義矣。志乎利，則所習者必在於利；所習在利，斯喻於利矣。」（《象山集．二十三卷．白鹿洞書院論語講義》）只要改過自新，惟新是圖，即使失去「本心」的小人，也可以成爲君子。

力 行

陸九淵主張修養要反身切己，閉門靜修，但又並不因此而否認踐履，相反他十分強調踏履與踐行，提倡一種力行精神。力行的內容是什麼？顯然，他的力行不是指社會實踐，而是指在日常禮節中體現綱常名教。爲此，他十分重視人的自信與自尊，把人抬到與天地共存的地位，認爲人決不可「自暴、自棄、自屈」。並從人應「自立、自重」的前提出發，提倡懷疑精神，認爲「爲學患無疑，疑則有進」。（《語錄下》，《陸九淵集》卷三十五）他的力行說企圖破除在傳統道德說教面前頂禮膜拜所造成的因循苟且，自欺欺人所造成的道德虛僞，提倡人的能動性和自覺性，培植一種眞誠的、人人易知易行的道德風尚，應該說這些方面是有借鑑意義的。

陸九淵的「簡易工夫」，既有儒家自立自強的進取精神，提倡不斷加強自身的道德修養；也有道家的懷疑精神，這種懷疑精神是由「心」的能動性的引入產生的；更有禪宗「一念之覺，便成正果」的境界。當然，在根本精神上，它是孟子「反身而誠」的發展。這種工夫不但簡單易行，而且把道德的主動權與責任完全交給了個體，因而在世俗生活中也更加可行。

二、王守仁的良知

朱熹以後，道學取得了絕對的統治地位，《四書集注》成爲取士的標準答案與封建士大夫的政治科書，這不僅助長了文化專制主義，而且程朱道學也完全成爲獵取功名利祿的工具而趨於僵化。在此之機，王守仁（王陽明）冒「天下之譏」，破「是朱非陸」之風，重建「心學」。王學的出現，標誌著宋明理學在其演變過程中，進入破壞或解體階級。

王守仁以良知爲核心的心學倫理體系的出現，是對人的主體性日益自覺的反映。從漢到宋，在由董仲舒到朱熹的倫理思想中，天、天命、理、天理成爲萬物的本體和主宰，個人在這裡完全是消極的、被動的，個人被取消了獨立存在的價值，王守仁把吾心良知作爲最高的範疇，取天理而代之，使「吾心良知」具有了最高本體與能動主體的地位。王守仁的思想影響具有兩重性，既有維護封建綱常的一面，也有「蕩軼禮法」、蔑視倫常的一面，因此他的學說曾被進步思想家作爲反對專制主義的思想武器。

良知說

王守仁曾說，他的全部學說都概括在「良知」裡面。他的思想遠接思孟學派，吸收禪學的某些思想，而陸九淵的心學則是其直接的先驅。他以良知爲最高範疇，創立了一個以良知爲基礎的倫理思想體系。

心與理

王陽明在建構其體系時，面臨如何改造程朱道學爲心學，如何使「理」異化爲「心」，以致成爲「心中之理」的問題。在這方面他煞費苦心。一般認爲，程朱與陸王的區別在於：前者主張道即理，後者主張心即理。實際上，程朱也講「心即理」。其分野在於，程朱以理爲客觀精神，並以此爲倫理的最高範疇；陸王以「心」爲主觀精神，並以此爲倫理的最高範疇。

何爲「心」？王守仁早年「格竹子」的失敗，使他由朱熹轉而求諸於佛教，以解決如何獲得「理」的問題，其任務是徹底否定朱熹的「心」「理」二分之弊，從而使心與理、主體與客體合一。在他那裡，心具有多方面的特徵：一、「心」是具有意識的精神實體，心不僅主宰身，而且心便是知覺。「心者身之主宰，目雖視而所以視者，心也；耳雖聽而所以聽者，心也；口與四肢雖言動而所以言動者，心也。」（《王文成全書・卷三・語錄三》）二、「心」是具有封建倫理內容的主觀意識，他認爲，心是整一的，「以其全體惻隱而言，謂之仁；以其得宜而言，謂之義；以其條理而言，謂之理。」他將朱熹的理從心外移至身內，認爲「心即性，性即理。」（《王文成全書・卷一・語錄一》）不可外心以求仁，不可外心以求義，獨可外心以求理乎？心得乎天理之性，因而是至善的。三、「心」之體是不動的，是本體，但蘊含著發爲萬事萬物的功能。「心之本體，原自不動，心之本體即是性，性即是理，性原不動，理原不動，集義是復其心之本體。」（《王文成全書・卷一・語錄一》）。

何爲「理」？理在王守仁的心學結構中，似乎是一個不和諧的結構，但由此卻可以看出克服朱熹之理的外在客觀性的努力。他認爲，理爲心之條理，爲心之所發，亦是心的表現，「理也者，心之條理也。是理也，發之於親則爲孝，發之於君則爲忠，發之於朋友則爲信。千變萬化，至不可窮竭，而莫非發於吾之一心。」（《王文成全書・卷八・書諸陽卷（甲申）》）理是心的條理節文，發的對象不同，其表現不同，故有忠、孝、信等變化。儘管千變萬化，不可窮盡，但歸根到底，不過是我心之發。可見王守仁比陸九淵更徹底地發揮了「心即理」的觀點。在他那裡，理就是封建道德倫理之理，具有濃厚的倫理性，因而他以理爲封建倫理的概括與封建道德的升華，「理」就是「禮」。理發於外便是仁義禮智信的五常。他解析說：「禮字即是理字。

理之發見可見者，謂之文；文之隱微不可見者，謂之理，只是一物。」（《王文成全書·卷一·語錄一》）於是，理的內容和形式就是等級規範。

這樣，他便用「心」的「主體」吞併了朱熹「天理」的「實體」，使外在客觀的實體轉化爲內在能動的主體，從而避免了心、理二分的矛盾，突出了主體德性的能動性，完成了由客觀倫理精神到主觀倫理精神的過渡。

良知之規定

王守仁倫理精神的特點集中體現在其「良知說」上。「良知」是由陸九淵的「良心」引申發展而來的，但「良知」更進一步突出了「心」的知覺神明的能力，就是說，更進一步突出了「心」作爲善之主體的主體性與主觀能動作用，可以說良知是對良心的進一步抽象。他通過良知，克服了現象與本體、主體與客體的矛盾。良知概念的提出，標誌著他的學說的成熟。

「良知說」所包含的主體性倫理精神集中體現在他對良知的規定中。

第一，「良知」爲心之本體。王陽明以「心」爲倫理的最高範疇，那麼，「心」與「良知」是何關係呢？他認爲，「良知者，心之本體，即前所謂恒照者也。」（《王文成全書·卷二·語錄二·答陸原靜書》）「知是心之本體，心自然會知。由父自然知孝，見兄自然知弟，見孺子入井自然知惻隱，此便是良知，不假外求。」（《王文成全書·卷一·傳習錄一》）他把排除了「私欲」和外物干擾的「本心」，從具體的人心升華爲「良知」，良知便是心的本體，它處於虛靈明覺和恒照的狀態，因此，作爲脫離了具體身心特徵的「良知」，便是脫離了「器」的道，良知即是道。良知之在人心，不但聖賢、雖常人亦無不如此。若無有物欲牽散，循著良心發用流行，即無不是道。「良知即天道。」（《王文成全書・卷七・惜陰說》）這裡，良知是離開具體身心而又在身心之中的主體精神或本體精神。需要指出的是，在王陽明看來，良知與心是有所區別的，良知是心的本體，是心之虛靈明覺的狀態或能力，因而是心的抽象與升華。良知所突出的是心對天理的知覺與判斷的能力，其目的是要抬高道德的主體地位。

第二，「良知」是先驗的主觀精神，是宇宙萬物的本原和主宰，它無所不在，能生天地，造化萬物，因而是「天下之大本」。「良知是造化的精靈，這些精靈，生天生地，成鬼成帝，皆從此出，眞是與物無對。」（《王文成全書・卷三・語錄三》）沒有良知便沒有天地萬物，天地無人的良知，亦不可爲天地。因而良知便是人人都有的，永恒不變的，「天理在人心，亘古亘今，無有終始，天理即是良知。」（同上）「夫良知一也，以其妙用而言，謂之神；以其流行而言，謂之氣；以其凝聚而言，謂之精。」（《王文成全書・卷二・語錄二・答陸原靜書》）良知作爲心之本體，不能「有加損於毫末」。這裡，他充分擴充了人的主觀精神，把良知從心的本體提高到宇宙本體之高度。

第三，「良知」是先驗的道德準則。良知就其實質說，是封建倫理道德的概括，也就是仁義禮智的封建道德規範，「良知是天理之昭明靈覺處，故良知即是天理。思是良知之發用，若是良知發用之思，則所思莫非天理矣。」（《王文成全書・卷二・語錄二・答歐陽崇一》）在朱熹那裡，這些道德準則和規範是獨立於自然之外的客觀精神，而在王守仁這裡，是主宰人的身軀的主觀精神。他認爲，良知是先天固有的道德意識，只要開發良知，求諸於心，便可以獲得一切道德觀念。「心即理也」。「不可外心以求仁，不可外心以求義，獨可外心以求理乎？外心以求理，此知行之所以二也。」（《王文成全書・卷二・語錄二》）良知人人皆有，聖愚的區分不在於有沒有良知，而在於能不能「致良知」，即能不能進行道德修養。

第四，「良知」是至善的天命之性，是善惡判斷的主體，是辨別是非善惡的標準。他認爲，良知即心之本體，心之本體純粹至善，良知無善惡，無私欲之蔽而爲至善，其於人性來說，即「天命之性」，「至善者，明德親民之極則也。天命之性，粹然至善，其靈昭不昧者，此其至善之發見，是乃明德之本體，而即所謂良知者也。」（《王文成全書・卷二十六・大學問》）他把天命、天理之性統統納入吾心之良知中。「夫禮也者，天理也。」「天命之性，具於吾心。」（《王文成全書・卷七・博約說》）這樣的天、命、性、心都爲一，是吾心良知，由此，良知已成了判別是非善惡的標準。「良知者，孟子所謂『是非之心人皆有之』者也。是非之心，不待慮而知，不待學而能，是故謂之良知。是乃天命之性，吾心之本體自然靈昭明覺者也。凡意念之發，吾心之良知無有不自知者，其善歟？惟吾心之良知自知之；其不善歟？亦惟吾心之良知自知之。」（《王文成全書・卷二十六・大學問》）因而他認爲良知「眞是個試金石，指南針」，「爾那一點是爾自家底準則」。這裡，王守仁把良知作爲「爾自家的準則」，宣稱良知是善惡判斷的主體，這就把善惡價值判斷的主動權交給了主體自身，突出了人的主體性與主動性，實際上否定了道學所提倡的以孔子的是非爲是非，以「六經」作爲善惡標準的傳統理論，給倫理精神注進了活力。從理論上說，這種精神的高度發展必然導致綱常倫理正統地位的否定。

總之，王守仁的良知不是感官知覺，也不是簡單的道德意識，而是天理的「昭明」與「靈覺」。作爲「昭明」，良知是一種憑藉自我生成的「知的直覺」抓住最終本體的洞察力；作爲「靈覺」，良知是一種憑藉自滿自足的人類宇宙情感與整個宇宙合一的無所不包的直覺力。因爲良知既是天理的特徵，又是「心」體認直覺天理的能力，所

以他得出結論：「天道之遠，無一息之或停；吾心良知之遠，無一息之或停。良知即天道。」（《王文成全書・卷七・惜陰說》）

知行合一

針對程朱道學心理二元、知行分裂的弊病，王守仁提出「知行合一」說。「外心以求理，此知行之所以二也；求理於吾心，此聖門知行合一之教，吾子又何疑乎？」（《王文成全書・卷二・語錄二》）這種知行合一說，既是他倫理精神體系的必然要求，也是他因時而發，有感於社會腐敗、道德虛僞而開出的醫治社會痼疾的良方。

「知行合一」是他良知說的重要一環。他認爲，知行的本體是良知，知行都是良知的發用，如果知與行是不分開的，那在發用過程中就保持了良知的本來面目；反之，如二者分裂，爲私意隔斷，那麼所謂「知」，也等於「未知」，如此，良知本體就不明。講知行合一，正是要恢復良知本體，所以，知行合一講的是作爲本體的良知在見之於客觀的過程中的道德意識和道德行爲的關係。

何爲「知行合一」？「知行」是良知發用時的形態，「一」指良知本體；「合」即同。因此，所謂「知行合一」，也就是良知的體用合一，指良知在發用流行中趨同於本體，復明那被私欲隔斷了的本體。具體地說，所謂「知」，主要是指對封建道德的認識，「知如何而爲溫凊之節，知如何而爲奉養之宜者，所謂知也。」（《王文成全書・卷二・語錄二・答顧東橋書》）他以爲所謂「行」，既包括「致良知」的工夫，也包括行爲者踐行封建道德的活動。「凡謂之行者，只是實踐著去做這件事。若著實做學問思辨的功夫，則學問思辨亦是行矣。」（《王文成全書・卷八・答友人問》）他反覆強調道德認識與道德行爲是一體的，不可分離的，「知之眞切篤實處即是行，行之明精察處即是知，知行功夫本不可離，只爲後世學者分作兩截用功，失卻知行本體，故有合一並進之說。」（《王文成全書・卷二・語錄二》）因此，他提出兩個命題：⑴知就是行，行就是知。他認爲「知是行的主意，行是知的功夫。知是行之始，行是知之成。若會得時，只說一個知，已自有行在；只說一個行，已自有知在。」「知是行之始，行是知之成。聖學只是一個功夫，知行不可分作兩事。」（《王文成全書·卷一·語錄一》）這種說法把知與行相同一，抹殺了二者的差別，在反對朱熹知行分裂的同時走向了極端。當然，這種觀點，在中國倫理中也有內在根據，它是中國倫理情感至上的產物。因爲中國倫埋精神的本體是情感統攝下的情與理的統一，而情感與理性不同，它具有直接的行爲意義，往往是一種本能式的反射，因而可以說知是就行。⑵眞知必行，不行不知。他認爲，「未有知而不行者」，「知而不行，只是未知」。如果我只是講習討論做知的功夫，待眞知了再去行，就會終身不行，終身不知。他以孝悌爲例，「就如稱某人知孝，某人知弟，必是其人已曾行孝行弟，方可稱他知孝知弟，不成只是曉得說些孝弟的話，便可稱爲知孝知弟。」（《王文成全書·卷一·語錄一》）他以水爲喻說明「知行合一」的道理，「知猶水也，人心之無不知，猶水之無不就下也，決而行之，無有不就下者。決而行之者，致知之謂也。此吾所謂知行合一者也。」（《王文成全書·卷八·書朱守諧卷》）杜維明先生闡釋王守仁「知行合一」時認爲：「『知』表明了人在未來所處的理想狀態，但『知』並不只是認識的『知』，所爲內容的形式，它也同時把人的當下的存在轉變爲向著未來理想的存在狀態。確實，這個決心也就是『行』，這個『行』記錄著人的存在環境並影響著人的生活的所有方面。」①這樣的「知行合一」既不是一個既得的狀態，也不是一個嚮往的理想，而是一種轉化和完善自身的內在決心的過程。就是說，如果認識內在的聖是根本問題的話，那麼只要思想的意向表現出來，實踐的活動就開始了。另一方面，只要實踐的過程還未完成，意識的反映作爲一種指導就決不會停止發生作用。

因此，王守仁主張：「知者行之始，行者知之成。聖學只一個功夫，知行不可分作兩事。」（《王文成全書・卷一・語錄一》）

「知行合一」命題的提出，使王守仁的良知體系與朱熹的格物致知體系分道揚鑣了。「格物」把主體與客體理解爲兩個獨立實體，當主體自覺努力達到客體時，它們才發生聯繫，「知行合一」則強調人的主體性而不是抽象的概念才是自我實現的眞正動力；「格物」過分強調自我修養的形式，傾向於把道德規範具體化爲自我努力的目標，「知行合一」則通過把焦點集中在思想實踐的連接上而溝通了內與外；「格物」傾向於把道德量化爲一系列的抽象行爲，而「知行合一」則訴諸「愼獨」的道德意識的監督；「格物」強調自我實現是一個漸進的過程，而知行合一則把焦點集中在意志的直接性上，強調當下的道德修養，就是說，「格物」強調漸悟，「知行合一」強調頓悟。這種「知行合一」說，強調道德實踐的重要，反對「空著」，突出道德意識的自覺性、主動性，因而正如杜維明先生所說，「知行合一被公認爲整個儒家學說的主要思想」②。其特點是通過良知把「心」與「理」統一起來。

總之，王守仁良知說的根本特點是強調人的德性的主體性，把人倫之理與個體德性完全等同起來，認爲人心之中天生具有天理以及知天理的能力。但是，這種主體性與主觀主義有著根本的不同。作爲內在的聖與眞實的我，代表著中國倫理中眞正的人道，而且這種人道從本體論意義上說是至上的實在。它是自足的，又是一種自我實現的動力與創造力，這種自我實現的過程終將達到對天理的徹底了解。在這種主體性中，作爲本體實在的天理是人的原始本質，這種原始本質必然會發展起來，這個過程是知行合一的，人的主觀能動的過程。

致良知

與程朱一樣，陸王也提倡「存天理，滅人欲」。所不同的是，他們在德性提升、造就聖人的方法上有著特殊的途徑。王守仁既然以內在的良知作爲天理之主體，因而「致良知」便是其道德修養的根本方法。「致良知」是他主體性倫理精神的集中體現，這種能動的主體性精神的發揮最終導致了理學倫理精神的解體。

「王門四句教」

對王守仁的學說，他的弟子曾概括爲四句話，「無善無惡是心之體，有善有惡是意之動，知善知惡是良知，爲善去惡是格物。」（《王文成全書・卷三・語錄三》）此即「王門四句教」。它是王守仁學說的總概括，也是自我修養、接人待物的行動指南。

「無善無惡是心之體。」王守仁主張，「至善者，性也，性無一毫之惡。」（《王文成全書・卷一・語錄一》）「至善者，心之本體也。」（《王文成全書・卷三・語錄三》）這種至善說與無善無惡說並不矛盾，在他的倫理結構中，善惡是有層次之分的。自本體上說，本體之善是不受善惡影響的，它處在「未發」之中，無善惡之分，此時人性完全自足，晶瑩無瑕；自發用上說，有了人的意念活動，便有善惡的分別。體無善惡，用有善惡，這種體用之分，也就是所謂「源頭」與「流弊」之分。

「有善有惡是意之動。」這是講善惡從何而來。他認爲：「心之發動，不能無不善，故須就此處著力，便是在誠意，如一念發在好善上，便實實落落去好善；一念發在惡惡上，便實實落落去惡惡。」（《王文成全書・卷三・語錄三》）意念發在善上爲善，發在惡上爲惡，這實際上是一種先驗道德論。

「知善知惡是良知」。就是說，良知是善惡的主體，良知能知善與惡，他認爲：「則凡所謂善惡之機、眞妄之辨者，捨吾心之良知，亦將何所致其體察乎。」（《王文成全書・卷二・語錄二・答顧東橋書》）辨眞妄與善惡的微妙差異，惟有「吾心良知」，因爲他將良知喻爲規矩，就像規矩檢驗方圓一樣檢驗善惡，由於它以吾心良知爲標準，便突破了程朱以古聖爲標準的局限。

「爲善去惡是格物」。這是致良知的途徑。朱熹從理一元論的結構出發，以理爲至善的天命之性，提出「明天理，滅人欲」的主張；陸九淵以「心」取代「理」，提出「存心去欲」的主張；王守仁依其心外無理的理論，也提出「存心去欲」的主張。在這裡，「存天理」也就是「存心」。「善念存時，即是天理，此念即善，更思何善，此念非惡，更去何惡。」（《王文成全書·卷一·語錄一》）存善念或無私欲，二者都是天理。

王守仁的「四句教」既與道家的精神結合在一起，更與禪宗的精神有非常密切的聯繫，而其基本思想則源於《大學》的「三綱八目」。它在結構上可比作八條目的前四階段，即格物、致知、正心、誠意，它們都屬修身範圍。它的學生龍溪從本體的角度用「四無」來表示四句教的特徵，就是說心、意、知、物四個根本的概念都被看作是處於「無」的狀態。而從道德修養的角度上說，這「四無」就是「四有」，即心、意、知、物這四個根本概念都被認爲處於存在的狀態中。對於心、意、知、物的關係王守仁曾作過專門的闡釋：「理一而已。」具體說來便是以其理的凝聚而言則謂之性；以其凝聚之主宰而言則謂之心；以其主宰之發動而言則謂之意；以其發動之明覺而言則謂之知；以其明覺之感應而言則謂之物。這四句教可以理解爲一個自我深化的過程，這一過程包括三個必要的步驟：一是從心物到良知，這是說所有的德性努力都基於「智的直覺」；二是了解善惡植根於意的活動之中，這是一個更精緻的自我修養方式；三是必須把人的德性努力滲透到主觀性的最深層之中，即達於心之本體，否則修養仍然是不完全的。因而自我修養不是一種漸悟而只能是一種頓悟，自我修養的本體和眞正力量是內在的良知，其唯一基礎在於自我覺醒。沒有這個覺醒，有善有惡的意將逃出人們的道德檢查。就是說，關鍵在於悟與不悟，一念之悟，便成正果，這便是禪宗式的智慧。

「致良知」功夫

何爲「致良知」？按照王守仁的思想，「致」包含求致、恢復和躬行的意思。「致良知」就是除盡利欲，恢復良知，使行爲符合封建道德。他認爲，良知是固有的，關鍵是致良知，以達於「知行合一」的境界。這就是所謂「知之匪艱，行之惟艱。」（《王文成全書·卷三·語錄三》）「致良知」是他道德修養的根本方法，也是他倫理思想的目標。他把「致良知」當作「學問大頭腦」，「聖人教人第一義」，也是平生講學的核心與宗旨。「致良知」的核心是「存天理，去人欲」，此亦爲「作聖人功」。因而他要求人們「靜時念念去人欲存天理，動時念念去人欲存天理。」（《王文成全書·卷一·語錄一》）修養工夫即是在動與靜時都做到「去人欲，存天理」。這種功夫包括體認良知與實現良知兩方面。前者從積極方面說是居敬存養，從消極方面說是省察克治；後者則是所謂「事上磨練」。

居敬存養　他對此解釋說：「曰：『居敬是存養功夫，窮理是窮事物之理。』曰：『存養個甚？』曰：『是存養此心之天理』。」（《王文成全書·卷一·語錄一》）居敬作爲存養的功夫，按照王守仁的解釋，其含義便是「主一」。「如何是『敬』？曰『只是主一。』」（《王文成全書·卷一·語錄一》）「主一」並非「專一」，專一是讀書便一心在讀書上，接事便一心在接事上，他認爲「主一是專一個天理」，「一者天理，主一是一心在天理上。」（《王文成全書·卷一·語錄一》）否則，便是「逐物」。「一心皆在天理上用功，所以居敬亦即是窮理（《王文成全書·卷一·語錄一》）「居敬主一」就是存天理，天理存則人欲去。在這方面，他與陸九淵思想相似。

省察克治　他認爲，「省察克治之功，則無時而可間。」（《王文成全書・卷一・語錄一》）所謂省察克治之功，有三個方面的含義。(1)省察功夫，就是反身而誠的內省，靜坐思慮，將好色好貨等私欲逐一搜出來，找到病根。「其心本無昧也，而欲爲之蔽，習爲之害，故去蔽與害而明復，匪自外得也。心猶水也，污入之而流濁；猶鑑也，垢積之而光昧。」（《王文成全書・卷七・別黃宗賢歸天台序》）(2)搜集到了病因所在便要拔除病根，這便是克治功夫，克治即克己。在這方面，他反對只閑談而不腳踏實在地去做，要求「眞實切己」因而要「戒愼克治」，「戒愼克治即是常提不放之功。」「克己」必須把人欲掃除廓清，使之一毫不存，「有一毫在，則衆惡相引而來。」(3)思誠。去得人欲，存得天理，就必須思誠，「必欲此心純乎天理而無一毫人欲之私，此作聖之功也。」（《王文成全書・卷二・語錄二》）由此便可人人自存，個個圓成。便能「大以成大，小以成小，不假外慕，無不具足。」最後達到「無生死念頭」的境界，徹底地滅人欲，存天理。

事上磨練　他認爲僅是省察克治還不夠，還必須通過具體的日常生活中的事，加強自己的道德修養的磨練「只有在事上磨」，方能「靜亦定，動亦定。」「人須在事上磨練做功夫，乃有益，若只好靜遇事，便亂終無長進。」（《王文成全書・卷三・語錄三》）這便是「事上磨練」。在具體事上不要過，也不要不及，過與不及都是私意，只有達到天理中和處，方能去掉私意，識得天理。這種磨練是通過事來磨練「吾心」，而非眞才實學，其實質是把封建道德貫徹到人們的一行一動、一思一慮之中，以便有效地約束人們的行動。

居敬存養，省察克治，事上磨練，都屬「爲善去惡」的格物功夫。他認爲要達到良知的極致，必須格物。但他的格物與朱熹的格物有著根本的區別，他認爲「心外無學」，致知格物只是向內用功，所以朱熹把格物理解爲「即物窮理」是「背叛孔孟之說，昧於《大學》格物之訓」（《王文成全書・卷七・別黃宗賢歸天台序》）。他對「格物」的理解是「格者正也，正其不正以歸於正之謂也。正其不正者，去惡之謂也；歸於正者，爲善之謂也。夫是之謂格。」（《王文成全書・卷二十六・大學問》）在他看來，格物即是格心、正心，即在心中做爲善去惡的功夫，因而格物就是心的直覺與自我觀照，使吾心良知煥然復明。

王守仁致良知的精神，一方面以主觀吞併客觀，用內省直覺的道德修養取代道德認識；另一方面消「行」爲「知」，把封建道德觀念與道德行爲融爲一體。其倫理精神的特點是發展和片面誇大了人的主觀能動性。其倫理思想在中國的倫理精神生長中，具有特殊的地位。他在封建社會後期理學趨於腐朽墮落之際，抨擊程朱道學，倡導陸九淵的心學，從理論與實際上揭露了理學的內在矛盾和現實危害，暴露了其虛僞性。同時他的致良知說把主觀的良知作爲判定是非善惡的唯一標準，要人們尋求於本心，這在客觀上啓發人們懷疑傳統的倫理教條。他的「致良知」說要人們能動地進行封建道德修養，但由於他在理論上發展了個人的能動性，倡導懷疑精神，結果適得其反，在客觀上造成了對封建道德的離心力，並埋下了發展個性的種子。儘管他的思想是後期封建地主階級意識形態的一部分，其目的是爲維護封建等級秩序服務的，但統治階級接受了王陽明的良知說，實際上是自身吞下了一顆苦果，最終導致了宋明理學的自我否定。

【附註】

① 杜維明：《人性與自我修養》，第86頁。

② 《人性與自我修養》，第88頁。

第四章　王夫之對宋明理學的批判性總結

宋明理學發展到明清之際，便進入了全面地、系統地批判總結的階段，王夫之便是這一時期公認的思想家。從倫理學的角度說，他的地位主要是「出入理學」，既是從宋明理學中脫穎出來的，又是宋明理學的批判者和總結者。從其「入理學」即與理學的聯繫看，他主要是繼承和發揮了張載的學說，他明白聲稱自己「以橫渠爲宗」，同時，他所使用的範疇，基本上是理學家所討論的範疇，如命、性、情、誠等，他對這些範疇作了多層次的研究，不僅豐富了它們的內涵，而且在某些方面作了正確的解決，與理學家有著吸收、繼承與改造的關係。從其「出理學」即對理學的批判看，他對程朱與陸王都進行了批判，但比較而言，他對程朱之學採取了修正的態度，而對陸王之學則視之爲「異端」，然而在不知不覺中受到了陸王的影響。何謂總結？所謂總結，大致包括兩方面的含義，一方面，他糾正了以往倫理學家的錯誤和漏洞，對一些理論作了在當時是比較正確的解決，另一方面，他在總結中國倫理特別是宋明倫理的基礎上，成爲中國古代倫理思想的集大成者。在這個意義上，可以說王夫之對宋明理學進行的是批判性總結。

一、「性日生」論

由張載開創的理學人性論，以天命之性與氣質之性的性二元論解決傳統人性論中性善與性惡的問題，這種性二元論，被二程推崇爲「極有功於聖門」。然而這種人性論只是以抽象的形式實現了性善與性惡的統一，至於善從何來，惡自何起？二者如何具體、歷史地統一？這些問題並未能得到解決。而且，這種二元人性論本身也包含了不可克服的內在矛盾。王夫之人性論的貢獻就在於在理學抽象的二元人性論的基礎上實現了人性的新的統一。他的性日生日成的一元人性論既回答了人性善的問題，又解決了人性變化的問題，可以說是傳統人性論達到的最高成就。

「性者生理」

自從張載、二程提出天命之性與氣質之性，經朱熹的繼承發展，理學家以爲已經從理論上解決了人性問題，然而他們的二重人性論仍然是一種先驗的人性論。王夫之對他們的人性論進行批判性總結，提出了自己對人性的規定。

王夫之沿用了程朱「性即理也」的命題，但其含義與程朱截然不同。程朱講「性即理也」，講的是「天命之性」。王夫之則認爲，「理」不能離開「氣」，即不能離開有形體的人，「理」即「氣」之理，因而「性即理」是不能離開「氣」而言的，「夫性即理也，理者理乎氣而爲氣之理也，是豈於氣之外別有一理以遊行於氣之中者乎？」（《讀四書大全說》卷十）他對氣質之性同樣作了新的解釋，「所謂『氣質之性者』，猶言氣質中之性也。質是人之形質，範圍著者生理在內；形質之內，則氣充之。而盈天地間，人身以內人身以外，無非氣者，故亦無非理者。理，行乎氣中，而與氣爲主持分劑者也。故質以函氣，而氣以函理……是氣質中之性，依然一本然之性也。」（《讀四書大全說》卷七．陽貨篇）所以，他的「氣質之性」與「性即理也」之性實際上是一個東西，即「氣之理」。

在此基礎上，王夫之提出了「性者生理也」的命題。在這裡，「生理」包括兩個方面，一是指人的自然生理、心理條件、機能和欲望。他認爲：人性離不開「飲食起居，見聞言動」等日常生活，以及「目日生視，耳日生聽，心日生思」等生理、心理活動，從這個意義上說，「人之性猶牛之性，牛之性猶犬之性。」二是指人類生活的準則，是人判斷各種善惡的能力和道德意識，即「人生之理」。因而他又說，牛之性、犬之性「不可概之以成乎人之性也」（《周易外傳》卷五）。人之所以爲人，在於他不同於動物，這叫「人之獨」，「人道則爲人之獨。」（《思問錄・內篇》）正是這種「人之獨」的人道，才把人和禽獸區別開來。

程朱講的「氣質之性」，是指人的生理、心理的物質條件，「天命之性」則是指仁、義、禮、智等封建道德意識，他們把二者對立起來，引出所謂「人心」與「道心」的對立，並由此提出「存天理，滅人欲」的封建禁欲主義道德綱領。王夫之「性者生理」的命題，就解決了理與氣的關係問題：一方面，他通過對性與情、理與欲的關係論述，指出人的生理、心理機能、生理欲求和道德意識是「合兩而通爲一體」的，「唯性生情，情以顯性。」（《讀四書大全說》卷二・中庸一章・一六）有情就不可能不有所追求，人情與外物都是「天地之產」，「情上受性，下授欲」，（《詩廣傳》卷一）物欲以人情所生，物欲與理「同行異情」，「人欲之各得，即天理之大同。」（《讀四書大全說》卷四・里仁篇一一）這樣，人欲和天理的鴻溝被打破了，所以，他的結論是「理欲合性」，人性就是理與欲的統一體。另一方面，在肯定人性這兩方面統一的前提下，他進而提出了「仁義之本」的思想。認爲人的生理機能、欲求只是條件，而道德意識則是基礎。就人的本性而言，後者離不開前者，但前者又依靠後者，「然仁義自是性，天事也；思則是心官，人事也。天與人以仁義之心，只在心裡面。唯其有仁義之心，是以心有其思之能，不然，則但解知知覺運動而已。此仁義爲本而生乎思也。」（《讀四書大全說》卷十・告子上篇二六）就是說，人的道德意識與知覺、思維活動是二位一體的，人之所以爲人，就在於有判斷各種善惡的能力，即道德意識。

王夫之「性者生理」的人性界定對宋明理學的總結主要表現在兩個方面：一是通過「生之理」把天命之性與氣質之性統一了起來。在他那裡，「生之理」既是自然生理上的「厚其生」之理，也是德性提升的生生不息之理，從而在傳統理學性二元論的基礎上，達到了新的性一元論。應該說，他的人性界定比程朱、陸王達到了更高的抽象程度。二是把人性與物性相區分。程朱、陸王的人性界定，是從宇宙本體的意義上，把人性等同於萬物之性，這種人性界定，是把人性與物性相混淆，看不到人性、人道的特殊性，王夫之突出「人之獨」的人道，以此界定人性，實際上是看到了人的社會性。

「性日生」論

王夫之「性者生理」的命題，揭示出人性不是一個絕對的概念，而是一個發展的過程。他所說的「生」，具有「生生不息」之義，因此他提出了「性日生」的命題，「夫性者生理也，日生則日成也。」（《尚書引義》卷三）他從三個方面對這個觀點進行了論證。第一，人性「日生」。他認爲，「性」就是「生」的意思，日日新生，日日形成，人性便在此日生、日成中完善起來。由此，他否定了程朱把來自理的天命之性說成是與生俱來、不可改變的觀點，「故離理於氣而二之，則以生歸氣而性歸理，因以謂生初有命，既生而命息，初生受性，既生則但受氣而不復受性，其亦膠固而不達於天人之際矣。」（《讀四書大全說》卷十・告子上篇一八）理不離氣，氣不停地運動變化，因而理也是變化日新的。第二，人性「可革」，即「習與性成」。

「革」是「改」之意。他認爲人性的「日生日成」並不止是個氣化流行的自然過程，也是一個「習與性成」的過程，這種「習」不是習慣的習，而是習行之習，即人在環境中的學習與實踐。人性在形成過程中，有善有惡。人性可革，便包括變惡爲善，推故出新，日生不滯。「未成可成，已成可革。」已成善惡之性都是可革的，如執初生一頃之間而論定善惡，只能是胡亂揣測。第三，所謂「天命之性」。儘管王夫之以人性「日生」、「可革」批判了「氣稟有定」、「一成不易」說，但仍然留有先天道德論的痕跡。他認爲「天之於人者，氣無間斷，則理亦無間斷，故命不息而性日生。」（《讀四書大全說》卷十一・告子上篇一八）人出生時便有了天賦的仁、義、禮、智的內在根據，然而如果沒有後天的日生日成，則「年逝而性日忘也」，隨著年齡的增長，天賦的理之性亦無所作爲，因此，天賦的內在根據只有通過外界才能起作用。

王夫之「性日生」論的人性生成論，突破了傳統理學的道德命定論，通過「日生」爲主體的德性提升找到了理論根據，同時又突出了社會環境、後天教化對人性的作用。可以說「性日生」論比較合理地解決了德性自我修養與道德教化之間的矛盾。當然，在這個過程中，它仍然爲天賦道德論留下了地盤。

心、性、情、欲

在心、性、情、欲的關係問題上，王夫之既繼承了朱熹道學，又吸取了陸王心學強調心的主體性、能動性的特點，並對傳統理學給予了批判性總結。

「心統性情」是宋明理學占統治地位的觀點，王夫之對它作了修正。他把心分爲「靈明之心」與「仁義之心」兩方面。前者是主體認識的器官，後者是「心之德」或「心所具之理」。在心性關係問題上，他以性爲體，心爲用。理具於心性，心性合而爲一，性爲心之所統，心爲性之所生，因而心與理不得分爲二。他十分強調心的主體作用，認爲心是「大本」。在性情關係上，他接受了朱熹性體情用說，但他把體用統一起來，充分肯定感性欲望的合理性。「是故情性相需者也。始終相成者也，體用相涵者也。性以發情，情以充性；始以肇終，終以集始，體以致用，用以備體。」（《周易外傳》卷五）這種觀點與傳統理學一致。他的特點在於把情與欲統一起來，不離欲而談情，不離欲而說性。他認爲，發於「不自己」者爲「性」，動而不自得者爲「欲」。情和欲都是自然感情的流露和感性欲望，都是從性中發出的，「惟性生情，情以顯性，故人心原以資道心之用。道心之中有人心，非人心之中有道心也。」（《讀四書大全說》卷二・中庸一六）既然性發爲情，而情發爲欲，性藏於情而情藏於欲，那麼，欲中必然有情有性，三者原是一致的。

總的說來，王夫之的人性論最終也未超出抽象的人性論，並且深深地打上了先驗的封建道德論的烙印。但是，他對理學人性論作出了很多突破。在關於什麼是人性的問題上，他的「性者生理也」、「理欲合性」的思想，一方面承認人的自然屬性，另一方面接觸到人的社會屬性，並力圖把它們區別開來。這說明，他以抽象的形式論述了人性是人的自然屬性和社會屬性的統一，並力圖在社會屬性的基礎上尋找這種統一的基礎。他的「性日生日成」說、「習與性成」說，論述了人生的形成和發展是一個客觀的自然發展和人的自覺活動相統一的過程，並力圖把這種統一奠定在人的習性基礎上，這說明，他還是力圖突破抽象人性論和天賦道德論的局限的。

二、理欲觀

王夫之基於「性者生理」、「日生日成」的觀點，進一步探討了人欲與天理的關係問題。他認為理欲關係與義利關係實質上是一個問題，但在具體論述中，對這兩個問題又作了區分。一方面，他提出「理欲皆自然」、「理寓欲中」的觀點，反對理學家「絕欲存理」的說教，肯定道德與人的生活欲求是不可分的。另一方面，他又提出「以理導欲」、「以義制利」、「禮樂居本，衣食居末」的主張。他的理欲觀在傳統倫理精神生長過程中的地位，可以說是終結了理學理欲對立的格局，使理欲由對立走向統一，比較合理地解決了人倫規範與主體欲望的關係問題。

理寓欲中

宋明以來的理學家，無論是程朱，還是陸王，都把人欲與天理對立起來，主張「存天理，滅人欲」，認為天理、人欲，猶如水火不可兩立。王夫之反對這種割裂，著重從統一性方面論述了二者的關係，提出「私欲之中，天理所寓」的觀點。

天理、人欲相依不相離　　他認為，「理欲皆自然」，「天理寓於人欲之中」，「有欲斯有理」，「是禮雖純為天理之節文，而必寓於人欲以見；（自注：飲食，貨。男女，色。）雖居敬而為感通之則，然因乎變合以章其用。（自注：飲食變之用，男女合之用。）唯然，故終不離人而別有天，（自注：禮，天道也，故《中庸》曰『不可以不知天』。）終不離欲而別有理也。」（《讀四書大全說》卷八・梁惠王下篇三）所謂人欲，無非是飲食男女之類，天理必須通過人欲以顯現，離開人欲便無所謂天理，不可離天理而別求人欲，「離欲而別為理，其唯釋氏為然。蓋厭棄物則，而廢人之大倫矣。」（《讀四書大全》卷八・梁惠王下篇三）離欲而求理，便流於佛教厭棄人倫所要求的飲食男女的規則，廢棄、違背君臣、父子、夫妻、兄弟、朋友之大倫，實則是沒有「理」，天理與人欲只能是「隨處見人欲，即隨處見天理」（《讀四書大全》卷八・梁惠王下篇三）。由此，他認爲，人的物質欲望不但不可廢，而且也不可能無條件地懲窒，「忿非暴發，不可得而懲也」，「欲非已濫，不可得而窒也。」（《周易外傳》卷三）懲窒都得看具體情況，不得籠統講，否則，便是滅絕人的情感，違背人的本性。他得出結論說：「薄於欲者亦薄於理」，只有充分發展「天地之產」，合理分配，使人們的物質生活「協以其安」，飲食男女之欲都得到充分的滿足，才是合「理」的。

人欲即天理　　他認爲，「飲食男女之欲，人之大共也」，人的物質生活要求便是「人生大倫」，所以，天理人欲並不是對立的，如果人能推己之欲，以給人之欲，便合乎天理了。「若聖人，則欲即理也。」（《讀四書大全說》卷四・里仁篇一〇）「聖人有欲，其欲即天之理。天無欲，其理即人之欲。學者有理有欲，理盡則合人之欲，欲推即合天之理。於此可見：人欲之各得，即天理之大同；天理之大同，無人欲之或異。」（《讀四書大全說》卷四・里仁篇一一）人欲即天理，理盡則與人欲相符合，兩者不可分割。私欲之中，天理所寓。人欲之大公，即天理之至正。

王夫之強調理與欲的統一，不僅把人類共同的物質生活欲求看作道德原則、規範的基礎，而且還認爲禮義等道德原則、規範是以人類共同的物質生活欲求爲內容的。他反對「存天理，滅人欲」的禁欲主義說教，並把人情、人欲抬高到天性、天理的高度，充分肯定人類物質生活欲求的合理性，這些都具有啓蒙主義的進步作用。

以理導欲

王夫之肯定人的物質生活欲求的合理性，並沒有因此走上享樂主義與個人主義的道路。他認爲：「無理則欲濫，無欲則理廢。」他繼承了先秦諸子的「導欲於理」、「以義制利」的思想，強調由不合「理」而至於「理」的重要性。表面上看來，這同他肯定人欲似乎矛盾，其實不然。他講的天理，是人類需要的「公欲」，至於「私欲」，則有一個符不符合公欲的問題。而且，即使人們出於「形色天性」的「公欲」，也各不相同，必然相互矛盾，因此，就需要「秩其分，協以其安」，即用道德原則規範來調解人們間的關係。正是在這個意義上，他提出了「以理導欲」、「以義制利」的主張。他認爲，人的個性發展，欲求滿足，總是受到條件的限制，所以，那些「縱其血氣以用物」的人，最終還是「非能縱也」。因爲這會導致「天下之群求塞」。在他看來，個人的自由和欲求，不可能無限制地發展和滿足，而須受不妨礙他人、群體的自由和欲求的限制，這在當時是一個十分深刻的思想。

三、「成人之道」

從人性論、理欲觀必然引出人生觀、修養論，這種修養論，在王夫之那裡就是所謂「成人之道」。王夫之的「成人之道」的特點是強調成身與成性的統一，並在此基礎上提出「以身任天下」的人生觀。這種人生觀，包含著重視人的作用和強調理想道德的精神，它既具有傳統儒家修身見世的聖人精神，更具有以身捐世的志士氣節。可以說，他的成人之道，突出地弘揚了中國倫理的主體性德性精神，又具有經典儒家樸素的仁道內涵，對近代中國倫理精神的發展產生了深遠的影響。

天與人

西漢時期，董仲舒爲把封建綱常神聖化，提出「天人感應」的宿命論人生觀。到宋明時期，董仲舒的天命被改造成爲「天理」。王夫之批判了董仲舒的觀點，認爲「天」就是自然規律，「天道」與「人道」是統一的，「人之道，天之道也」，自然界被用於人，人利用和改造自然界，「天人之合用，人合天地之用也。」（《周易外傳》卷五）把人作爲改造自然的主體，「自然者天地，主持者人。」（《周易外傳》卷二）因此，他對儒家傳統的「知命」、「造命」、「俟命」的理論作了新的闡發，提出人要「知命」，但目的是爲了「造命」，只有「造命」，才能「俟命」。這裡的「知命」，即掌握客觀規律，也就是所謂「承天以佑民」；「造命」就是發揮人的主觀能動作用，自己掌握自己的命運；因此，「俟命」不是消極地等待，而是積極「造命」的結果。他強調人能夠成爲命運的主人，反映了在長期的封建主義禁錮之後，人開始覺醒的動向。

生與義

人如何造命？其中一個重要的問題是如何對待生命與道德即生與義的關係。

孔孟特別是宋明理學，一般都主張輕生重義說。佛家更認爲，生命形體是物質欲望的根源，有礙於義理的發揮。而道家則主張「貴生」，「全性保眞，不以物累於形」，以求「長生久視」。二者表面對立，但都有一個共同特點，即宣揚主靜窒欲，把生與義對立起來。王夫之則認爲，生與義是統一的，生是義的基礎，「以生載義」，義是生的價值；「義以立生」，人必須重視自己的生命。「聖人者人之徒，人者生之徒。既已是人矣，則不得不珍其生。生者，所以舒天地之氣而不病於盈也。」（《周易外傳》卷二）因此他提出「珍生」與「主動」說，即珍視生命，反對「致虛守靜」的說教。在他看來，只有珍生，才有道德可言；只有主動，才有善惡之分。這種珍生的觀點是重視人的價値的表現，也具有啓蒙主義的作用。

但是，他認爲「珍生」與「載義」是不可分的。生命之所以可貴，就在於它能載義，生固然重要，義更加重要，生命不體現道德原則，就沒有價値。「將其其生，生非不可貴也；將捨其生，生非不可捨也。……生以載義，生可貴；義以立生，生可捨。」（《尙書引義》卷五）生命能體現道德原則，才可貴，才有價値。「生以載義」是把生命看成是實現道德原則的前提和基礎，而「義以立生」則是把維護道德原則作爲生命的重要價値。正因爲這樣，生命是可貴的，但當「生」與「義」二者不能兼顧的時候，就應該「捨生」，作出自我犧牲，這種人生觀，繼承了我國「捨身取義」、「殺身成仁」的倫理傳統，更加突出了人格尊嚴和生命的道德價値，具有鮮明的時代特色。

正因爲如此，他特別強調志氣、氣節在人生中的意義。指出「人之所以異於禽獸者，唯志而已矣。不守其心，不充其量，則人何異於禽獸哉。」（《思問錄》外篇）「若其權不自我，勢不可回，身可辱，生可損，國可亡，而志不可奪。」（《續春秋左氏傳博義》卷下）在他看來，人生應有「堅貞之志，與日月爭光」，抱定一個崇高目的，做到「以身任天下」，「寵不驚而辱不屈」，「生死當前而不變」，這樣才能「立一純之局」，成爲一個純粹高尙的人。

「身成」與「性成」

從「性者生理」的人性論與理欲統一的理欲觀出發，王夫之提出了「身成」與「性成」相統一的「成人之道」。這既是人的全面的自我實現即身之完成與德性完成的統一，又是人倫之理與德性提升的和諧統一。何謂「身成」與「性成」？在他看來，「身」是「道」之用，性是道之體，以道體身而身成。在這裡，「身」即是形色，指「聲色臭味之欲」；「性」即爲德性，是仁義禮智之理。「身成」就是以道體身，即以理導欲，使欲望得到合理的滿足；「性成」就是「大其心以盡性」，擴充本然的良心善性，這是對張載「君子之道，成身成性以爲功者也」的發揮。他認爲「性成」離不開『身成』，二者是同一個過程，「成身」是厚其身，「成性」是正其德，只有使聲色臭味「順其道」，才能成性之善，二者的結合才是完全的成人之道。

宋明理學占主導地位的成人之道是「存天理，滅人欲」，這實際上也是同一個過程的兩個方面。王夫之的「成人之道」雖然也要求「明天理」，但不是像程朱那樣通過滅人欲實現，在他這裡，自我實現是「身成」與「性成」的統一，這種「成人」是形色欲望與天理德性協調發展的人。只有這種成身與成性的統一，才能眞正做到「以身任天下」，而不是像傳統理學家那樣，只是「以心寄天下」，也只有這種人才能眞正達到「入世中出世」、「從心所欲不逾矩」的境界。這種成人之道，比程、朱、陸、王更富有切實性，實際上也是一種更高的境界。

第五章　戴震對理學的批判與傳統倫理精神的自我否定

中國倫理精神發展到王夫之的時代，已經形成了一個比較完整的倫理精神結構。明清以後，中國學術界出現了批判理學、倡導啓蒙的「清代思潮」，其中最突出的是戴震。在中國倫理精神的生長過程中，戴震是一位承先啓後，由傳統倫理精神向近代倫理精神轉化的中介人物。戴震對宋明理學的激烈批判是我國封建社會中國傳統倫理思想的自我否定，它標誌著我國封建時代反理學鬥爭的終結。戴震的倫理精神結構及其對傳統倫理精神的突破主要表現在三方面：血氣心知的人性論；達情遂欲的理欲觀；必然與自然相統一的倫理精神格局。由此，中國傳統倫理精神開始向近代倫理精神過渡。

一、「血氣心知」的人性論

戴震人性論對宋明理學的突破表現在三方面：一是區分了人之性與物之性，在王夫之的基礎上進一步突破了理學把人性與物性相等同的宇宙本體論的思維方式；二是把血氣心知作爲人性的結構，突出欲的地位，突破了理學禁欲主義的人生觀；三是批判了理學的「復初說」，突破了自足封閉的人性模式。

人性與物性

宋明理學對人性論證方法的特點是在天人合的精神取向下，把人性上升爲最高的宇宙本體，從而使人性與物性完全等同。戴震不同意這種思維方式，他的人性論首先對人性與物性作了區分。他認爲，性是區別事物本質屬性的範疇，「性者，分於陰陽五行以爲血氣、心知、品物，區以別焉。舉凡既生之後所有之事，所具之能，所全之德，咸以是爲其本，故《易》曰『成之者性也』。」（《孟子字義疏證》卷中）凡有生之物，皆有其性，這個性就是同其他事物區別開來的本質屬性。宇宙間的人與物都是陰陽二氣化生而成的，氣化生人生物，萬變不同，各有其性，「然性雖不同，大致以類爲之區別，故《論語》曰：『性相近也』，此就人與人相近言之也。」（《孟子字義疏證》卷中）氣生萬物後分爲不同種類，人是生物中最高的一類，「人爲萬物之靈」，因而人性不同於物性，人類最大的特點，就在於對天地之常有能動作用，使自己的欲望與自然界的法則相一致。這裡他用物質性的氣說明人性的來源，用「類」的概念說明人性的特殊本質，而不是用宇宙本體說明人性，因爲與朱熹的「萬物一性」的理論具有不同的性質，可以說，在某種程度上突破了理學的人性框架。

戴震的人性論的另一特點是不僅指出了人與萬物的區別，而且指出了人與人的特殊差別，這就是所謂「性才之分」。他的所謂「才」，就是人與萬物按其不同的特性表現出來的自然性質及其不同的知覺能力。他認爲「性」與「才」是相輔相成的，「才」是「性」的表現，離開「才」也就難以得到所謂「性」。由於「性」各不相同，「才質」也就有所不同。「才者，人與百物各如其性以爲形質，而知能遂區以別焉，孟子所謂『天之降才』是也。氣化生人生物，據其限於所分而言謂之命，據其爲人物之本始而言謂之性，據其體質而言謂之才。由成性各殊，故才質亦殊。才質者，性之所呈也；捨才質安睹所謂性哉。」（《孟子字義疏證》卷下）由此，他進一步認爲，人與人之間的才質雖有等差，認識能力也各不相同，但這種才質上的差別，並不能改變人之所以爲人的自然本性，「故才之美惡，於性無所增，亦無所損。」（《孟子字義疏證》卷下）人的才質雖有差別，但它對於性是無所謂增進或減損的。由此，他又爲道德確定了一個共同的基礎。

人性的結構與內容

在氣一元論的基礎上，戴震探討了人性的結構與內容的問題，他認爲，「夫人之生也，血氣心知而已矣。」（《孟子字義疏證》卷上）他把「血氣心知」作爲「性之實體」，「陰陽五行，道之實體也；血氣心知，性之實體也。有實體，故可分，惟分也，故不齊，古人言性惟本於天道如是。」（《孟子字義疏證》卷中）「人之血氣心知本乎陰陽五行者，性也。」（《孟子字義疏證》卷上）「血氣」，是指感官及其感性功能，「心知」，是指思維器官及其理性功能。「味與聲色，在物不在我，接於我之血氣，能辨之而悅之」，「其悅者，必其尤美者也。」「理義在事情之條分縷析，接於我之心知，能辨之而悅之，其悅者，必其至是者也。」（《孟子字義疏證》卷上）有血氣才有心知，有感情才有理性，這就是所謂「一本」。「天下惟一本，無所外。有血氣，則有心知；有心知，則學以進於神明，一本然也。」（《孟子字義疏證》卷上）「一本」即本於血氣，實際上也就是本於氣稟、氣質，這就是他的血氣心知的「一本」說。由此他批判了程朱天命之性、氣質之性的「二本論」，從而用「氣一元」代替了傳統的「性二本」。

用欲、情、知三者說明人性，這是戴震以前任何一個思想家所沒有的。在三者之中，他把欲提到首要的地位，說成是性的基礎，並由此論述了理與欲的關係。他認爲，理與欲的關係，如同理氣關係一樣是不可分的。欲是物，理是則；欲是自然，理是必然。「欲，其物；理，其則也。」「有物必有則，有欲必有理，理者欲之理也。」「欲者，血氣之自然，其好是懿德也，心知之自然，……由血氣之自然，而審察之以知其必然，是之謂理義；自然之與必然，非二事也。」（《孟子字義疏證》卷上）把欲作爲人性的第一要素，並以欲爲理的基礎，這是近代啓蒙主義倫理精神的重要特點。

性與善

戴震認爲，「血氣心知」不是人所獨有的特性，草木等植物也有自己的「氣」。至於動物，則屬「有血氣」者，但動物缺乏「百體」之覺中最大的一項——心之知覺。人恰恰就在於能擴充此心知，以達於「神明」，做到仁義禮智無不全，這就是人區別於動物的特殊性之所在。就是說，血氣與一般的知覺是人與動物所共有的，「心知」這是人所獨有，而這恰恰是人的道德屬性的根源。「人則能擴充其知至於神明，仁義禮智無不全也。仁義禮智非他，心之明之所止也，知之極其量也。知覺運動者，人物之生；知覺運動之所以異者，人物之殊其性。」（《孟子字義疏證》卷中）這種「心知」是什麼？戴震認爲，它就是能「思」的性格，「性者，血氣心知本乎陰陽五行，人物莫不區以別焉是也；而理義者，人之心知，有思輒通，能不惑乎所行也。」（《孟子字義疏證》卷中）人之心知之所以能自覺掌握仁義禮智的道德準則，就是因爲有理性辨別的能力。他的結論是：「無人性即所謂人見其禽獸也，有人性即相近也，善也。」（《孟子字義疏證》卷中）

可見，戴震的所謂「性善」，與宋儒有很大區別。他所謂的「善」，實際上指人性與物性的不同。「性者，飛潛動植之通名；性善者，論人之性也。」（《孟子字義疏證》卷中）所謂「性善」，專就人性而言，是人之所以異於禽獸者。他認爲，善不離血氣心知，不離欲和情，它與宋儒的天命之性、本然之性不是一回事。宋儒以理爲善，認爲氣質有善有惡；戴震則認爲，人的氣質之性、血氣心知之性、情欲等，統統都是善的。「孟子之所謂性，即口之於味、目之於色、耳之於聲、鼻之於臭、四肢於安佚之爲性；所謂人無有不善，即能知限而不逾之爲善，即血氣心知能底於無失之爲善；所謂仁義禮智，即以名其血氣心知，所謂原於天地之化者之能協於天地之德也。」（《孟子字義疏證》卷中）「性」就是耳目口鼻之欲，「善」就是欲之「不逾」、「無失」。

由此，他批判了宋儒的所謂「復初」說。宋儒認爲，人性即天命之性是本善的，只是爲氣質所染，人欲所蔽，才有善與不善，道德修養的任務就是「明明德」，以復其本然之善。戴震否定了這種「復初」論，他認爲：「試以人之形體與人之德性比而論之，形體始乎幼小，終乎長大；德性始乎蒙昧，終乎聖智。其形體之長大也，資於飲食之養，乃長日加益，非『復其初』；德性資於學問，進而聖智，非『復其初』明矣。」（《孟子字義疏證》卷上）這實際上是強調物質生活條件與後天學習的重要性。否定了「復初」論，也就否定了宋儒由至善的天命之性出發通過修養再向人性復歸的人性模式，是當時對傳統的自足人性模式的突破。戴震還公開聲明自己的道德、人性與理學家有著根本的區別，「此事在今日，不惟彼所謂道德非吾所謂道德，舉凡性與天道、聖智、仁義、誠明，以及曰善，曰命，曰理，曰知，曰行，無非假其名而易其實。」（《答彭進士允初書》）他把自己的學說與傳統理學公開對立起來，在人性論上與理學分道揚鑣。

戴震以血氣心知爲實體的人性論，與近代西方學者提出的自然主義人性論頗相似。這種人性論對批判宋明理學以先驗道德論爲特徵的禁欲主義具有積極的意義。而且，他也沒有像西方人性論者那樣得出享樂主義、利己主義的結論。當然，他的人性論還是一種抽象的人性論，他的貢獻，在於批判了宋儒的傳統人性說教，勾畫出了一個具有啓蒙特性的人性結構。

二、達情遂欲的理欲觀

理欲觀是宋明理學也是中國傳統倫理精神的重要內容。針對宋明理學「存理滅欲」的說教，戴震提出以「達情遂欲」爲準則的理欲觀。他的觀點是「道德之盛，使人之欲無不遂，人之情無不達，斯已矣。」（《孟子字義疏證》卷下）理欲觀是戴震倫理精神的核心，也是他突破傳統倫理精神的最爲重要的方面。他的「達情遂欲」的理欲觀，既揭露了封建倫理的實質，又繼承了經典儒家的忠恕傳統；既有濃烈的人性氣息，又具有早期人文主義的傾向，是傳統倫理精神與近代倫理精神承上啓下的環節。

「理存乎欲」

戴震力圖運用氣一元論和以血氣心知爲實體的人性論，闡明「理義在事」、「理存乎欲」的道理，批判程朱「理在氣先」、「存理滅欲」的觀點。

何謂「理」？他認爲，所謂「理」，就是萬物的秩序、條理，也是各種事物存在、發展的具體規律或法則。「陰陽流行，其自然也；精言之，期於無憾，所謂理也。理非他，蓋其必然也。」（《緒言》卷上）「理」就是事物的「條理」。因而「理在氣中」，「理在事中」。把這種觀點用到理欲關係上，他提出了「理存乎欲」、「欲中求理」的觀點。他認爲，所謂「人之理」，就是存乎人倫日用人的必然法則，人的欲有節適中（不爽失）就是「理」，離開情欲，則無所謂人之理，「聖人而後盡乎人之理，盡乎人之理，非他，人倫日用盡乎其必然而已矣。」（《緒言》上）「理也者，情之不爽失也，未有情不得而理得者也。」（《孟子字義疏證》卷上）因此，與宋明理學的理欲對立論相反，戴震認爲理與欲是統一的。「古賢聖所謂仁義禮智，不求於所謂欲之外，不離乎血氣心知。」「理者存乎欲也。」（《孟子字義疏證》卷中）爲了進一步說明理與欲的關係，戴震區分了「欲」與「私」，認爲欲不是私，「欲之失爲私，私則貪邪隨之矣」，所要反對的應當是「私」而不是「欲」，「是故聖賢之道，無私而非無欲。」（《孟子字義疏證》卷下）賢「不私，則其欲皆仁也，皆禮義也。」（《孟子字義疏證》卷下）天理不存，只是爲私欲所蔽，離開人的情欲的所謂「理」，只能是「己之意見」。「苟捨情求理，其所謂理，無非意見也，未有任其意見而不禍斯民者。」（《孟子字義疏證》卷上）可見，戴震對於理與欲及二者關係的理解與程朱有著根本的區別。

由此，他批判了把「天理」與「人欲」截然對立起來的觀念。「欲不流於私則仁，不溺而爲慝則義，情發而中節則和，如是之謂天理。情欲未動，湛然無失，是謂天性。非天性自天性，情欲自情欲，天理自天理也。」（《答彭進士允初書》）他明確地把天性、情欲、天理三者看成是一致的。有情欲是人的天性，天性表現出來就是情欲，情欲中節有當就是天理，離開人的情欲而談天理只能是欺人之談。這種理欲論，是對宋明理學倫理精神的具有決定意義的突破。

以情絜情

針對宋儒「存理滅欲」的綱領，戴震繼承了儒家忠恕的傳統，提出了「以情絜情」的主張。

在他那裡，「以情絜情」既是德性提升的一種途徑，又是人倫實現的一種方式。「天下之事，使欲之得遂，情之得達，斯已矣。惟人之知，小之能盡美醜之極致，大之能盡是非之極致。然後遂己之欲者，廣之能遂人之欲；達己之情者，廣之能達人之情。」（《孟子字義疏證》卷下）人生有欲、有情、有知，只有當人類辨別美醜是非的能力提高到「極致」的程度時，人們才能由「遂己之欲」推而廣之到「遂人之欲」；由「達己之情」，推而廣之到「達人之情」；最後達到「使人之欲無不遂，人之情無不達」的道德極盛境界，這就是所謂「以情絜情」。戴震認為，只有「以我之情，絜之人情」，才能做到「情不爽失」而合乎理。他要求人們的行為要做到「能節」、「無失」，否則，便流於縱欲主義。「理也者，情之不爽失也，未有情不得而理得者也。凡有所施於人，反躬而靜思之，人以此施於我，能受之乎？凡有所責於人，反躬而靜思之：『人以此責於我，能盡之乎？』以我絜之人，則理明。天理云者，言乎自然之分理也；自然之分理，以我之情絜人之情，而無不得其平是也。」（《孟子字義疏證》卷上）堅持「以情絜情」的原則，做到「純粹中正」而「無失」，便是理，便是善，否則，便是欲，便是惡。「情與理之名何以異？曰：在己與人皆謂之情，無過情無不及情之謂理。」（《孟子字義疏證》卷上）人們的情與欲必須保持無過無不及的狀態，做到「中節」、「不失」。「欲，不患其不及而患其過。過者，狃於私而忘乎人，其心溺，其行慝，故孟子曰『養心莫善於寡欲』。情之當也，患其不及而亦勿使之過；未當也，不惟患其過而務自省以救其失。」（《答彭進士允初書》）那麼，人的情欲為何會出現「過失」呢？他把它歸之為私、偏、蔽，「欲之失為私，私則貪邪隨之矣；情之失為偏，偏則乖戾隨之矣；知之失為蔽，蔽則差謬隨之矣。不私，則其欲皆仁也，皆禮義也；不偏，則其情必和易而平恕也；不蔽，則其知乃所謂聰明聖智也。」（《孟子字義疏證》卷下）私為欲之失，偏為情之失，蔽則是知之失。基於此，他尖銳地批判了佛老的無欲說和宋儒的「人欲所蔽」說，指出，「因私而咎欲，因欲而咎血氣，因蔽而咎知，因知而咎心。老氏所以言『常使民無知無欲』。彼自外其形骸，貴其眞宰。後之釋氏，其論說似異而實同。」（《孟子字義疏證》卷上）他認為，道、佛大談無欲，實際上是幻想「長生久視」、「不生不滅」，是十足的自私。「老、莊、釋氏，無欲而非無私，彼以無欲成其自私者也。」（《孟子字義疏證》卷下）這種批判，在當時已經達到了相當的高度。

「以情絜情」既是對傳統倫理精神的繼承，在一定程度上又是對傳統倫理精神的突破。在深層的文化精神原理上，「以情絜情」與孔子的「忠恕之道」有著相通之處。忠恕之道的基本原理是將心比心、推己及人，而「以情絜情」可以說是將情比情、推己及人，它具有質樸的民族性內涵，也是在新的時代精神下向先秦儒學復歸的表現。然而「以情絜情」的核心內容的「情」，具體地說是人的情感與情欲，它強調的不是人在仁、義、禮、智的道德性上的相通，而是人的情感、情欲、生理欲求方面的相通，強調的是一種共通的情，以對人的情欲的肯定爲前提，要求以自己的情契合、對待別人的情，即以合乎人性與道德的方式對待自己的情與別人的情。在以情爲核心、肯定情的意義上，「以情絜情」具有近代人文主義的傾向，是對傳統倫理的突破。

「以理殺人」

在闡明理欲關係的同時，戴震揭露了宋明理學「存理滅欲」的實質。他認爲，宋儒比道、佛具有更大的虛僞性與欺騙性。「宋以來儒者，蓋以理說之。其辨乎理欲，猶之執中無權；舉凡飢寒愁怨、飲食男女、常情隱曲之感，則名之曰『人欲』，故終其身見欲之難制；其所謂『存理』，空有理之名，究不過絕情欲之感耳。」（《孟子字義疏證》卷下）就是說，理學的所謂「天理」，只是空有其理，它並不是客觀事物之理，其實質是滅人欲。他尖銳地指出，宋儒的所謂「天理」，只是利用人倫道德謀尊卑等級的私利，「人知老、莊、釋氏異於聖人，聞其無欲之說，猶未之信也；於宋儒，則信以爲同於聖人，理欲之分，人人能言之。……尊者以理責卑，長者以理責幼，貴者以理責賤，雖失，謂之順；卑者、幼者、賤者以理爭之，雖得，謂之逆。於是下之人不能以天下之同情、天下之同欲達之於上；上以理責其下，而在下之罪，人人不勝指數。」（《孟子字義疏證》卷上）「理」是尊者、長者、貴者指責卑者、幼者、賤者的工具。他揭露這種「理」的實質是：「酷吏以法殺人，後儒以理殺人，浸浸乎捨法而論理死矣，更無可救矣。」（《與某書》）於是，他爲之感嘆道：「人死於法，猶有憐之者，死於理，其誰憐之！」（《孟子字義疏證》卷上）在此，戴震揭露了這種由原始儒家的血緣——宗法——倫理三位爲一體，經封建化、神聖化而成的理學的極其殘忍的實質，擊中了理學的要害。在這個意義上，他終結了封建時代人們對理學的批判；而且，在統治階級竭力以理學禁錮人們思想、以理殺人、鞏固其統治的時代，他的這種批判，無異於一聲春雷。

三、「必然」與「自然」相統一的精神格局

「必然」與「自然」的關係問題，是中國倫理精神結構中的基本問題之一。「必然」是指人倫與道德必然性，「自然」是指人的自然本性與道德自由；「必然」是人倫之理，「自然」是個體德性；「必然」是客觀的要求，「自然」是主體的認同。戴震從他的「血氣心知」的人性論與「達情遂欲」的理欲觀出發，改造了傳統的「必然」與「自然」範疇，提出了「歸於必然」、「適完其自然」的主張，闡述了人倫規範的必要性與合理性之間的關係，從最抽象的意義上解決了倫理精神中必然與自然、必然與自由的關係問題，進一步批判了理學家的禁欲主義道德觀。

「必然」與「自然」

戴震認爲，一切實體實事都有必然和自然兩個方面。「實體實事，罔非自然，而歸於必然。」（《孟子字義疏證》卷上）他所說的「自然」，是指事物運動本來如此的狀態，而「必然」則是事物的「不變之則」或「理」。在這裡，他的「必然」一方面是客觀的人倫日用的現實性，另一方面是指人們對於「自然」的正確反映。具體地說，「自然」就是人性，「心然」就是人性之善。「自然」與「必然」的關係就是性與善的關係。他認爲，「必然」是貫穿在人倫日用及人們的自然之中的。「人道，人倫日用身之所行皆是也。」「善，其必然也；性，其自然也。歸於必然，適完其自然，此之謂自然之極致，天地人物之道於是乎盡。」（《孟子字義疏證》卷下）在他看來，「自然」和「必然」的關係，就是欲和理、人倫日用之道德生活與道德準則（理義）的關係。所謂「歸於必然，適完其自然」，是說在人類的道德生活中，理和欲、人倫日用的社會生活與道德準則是一致的，道德準則源於人倫日用的社會生活，道德準則作爲必然，是爲了使人們不喪失自我，使自我臻於完善。「自然之於必然，非二事也。就其自然，明之盡而無幾微之失焉，是其必然也。如是而後無憾，如是而後安，是乃自然之極則。若任其自然而流於失，轉喪其自然，而非自然也。故歸於必然，適完其自然。」（《孟子字義疏證》卷上）「必然」是爲了「適完」「自然」是「自然」的需要。這裡從人及人的社會生活本身論證道德的重要，在道德思維方式上是一個很重要的突破，在理論上克服了宋儒天理的先驗、外在、神秘的性質。同時，實際上爲「必然」提供了一個重要的價值標準——自然，這就否定了「理」的神聖性、永恒性與先驗性。這必然得出一個結論：仁義禮智等道德規範由「自然」的「人倫日用」而來，必須服從於人倫日用的需要。這是對人性、人的社會生活的肯定。

在此基礎上，他批判了宋儒把「理」說成是先於「人倫日用」的先驗本體的觀點，宋儒把這種得之於天而存在於人中的空虛無形的「理」視爲「形而上」，而把「人倫日用」看成是紛繁雜亂的「形而下」，戴震認爲，這種觀點與道、佛「捨人倫日用別有所謂德」的理論，其實質是一致的。他指出，仁、義、禮等是從人倫日用中抽象出來的。「就人倫日用而語於仁，語於禮義，捨人倫日用，無所謂仁、所謂義、所謂禮也。……人倫日用，皆血氣心知所有事，故日『率性之謂道』。」（《孟子字義疏證》卷下）人倫日用與理的關係，是「物」與「則」的關係。「則」爲「物」之「則」，「則」離不開「物」。應該說，這種觀點，無論在理論上還是在批判理學方面都是很深刻的。

命、性、才

戴震的「必然」與「自然」的關係理論，還涉及到了人在道德生活中的自由和必然的關係。自由和必然的關係體現在個體身上，便表現爲命、性、才三個方面的關係。何謂「命」？「命」是事物發展的必然性在人身上的體現，在倫理學上，就是個體應遵循的道德準則與應盡的道德義務；何謂「性」？性即是這種必然性在人身上的體現，是「本天地之化，分而爲品物者也」；何謂「才」？「才者，人與百物各如其性以爲形質，而知能遂區以別焉。」（《孟子字義疏證》卷下）「才」是根據各個人不同的個性而表現出來的不同才能。命、性、才三者統稱爲人的「天性」，都是人們稟於宇宙，生而自然的，人們踐行道德準則即踐行天命與盡性盡才都是一回事，都是自然的客觀存在。

人既然有「命」的限制，與人的性、才關係如何呢？「『欲』根於血氣，故日性也，而有所限而不可逾，則命之謂也。仁義禮智之懿不能盡人如一者，限於生初，所謂命也，而皆可以擴而充之，則人之性也。謂性猶之『藉口於性』耳；君子不藉口於性，以逞其欲，不藉口於命之限而不盡其材。」（《孟子字義疏證》卷中）人的自爲狀態就是「性」，這種「性」是受人的「命」即道德規範制約的。命的限制無礙於性，而性又必須以「命」爲限制，否則，性的發展便會流於失，而且「命」必須符合「才」與「性」才有合理性。就是說，縱欲主義與禁欲主義都是不可取的。在他看來，道德作爲人倫日用中的「必然」，正是由於它來源於人的血氣心知的自由，是使人不致喪失自然而能完善其自然的法則，因而在人類的道德生活中，必然和自由而能完善其自然的法則，因而在人類的道德生活中，必然和自由並不是絕對對立的，而是相反相成的，人們可以在「命」即道德準則的制約中獲得自由，這就是「歸於必然，適完其自然」。

第六章　《四書》模式與理學模式

到宋明理學的終結，中國傳統倫理精神的歷史建構完成了。如果說，《四書》倫理精神是中國倫理精神的古典形態的話，理學倫理精神則是中國倫理精神的最後形態。從整體構架上說，《四書》倫理精神與理學倫理精神同屬一個模式，都是「天人合一」的目的性的德性倫理精神模式，但是在精神旨趣與具體內容上，二者則有原則的區別。對這兩種模式進行比較，有助於我們進一步把握中國倫理精神生長的原理及其建構的歷史過程。

從主導方面說，理學倫理是以《四書》倫理爲範型的，尤其是作爲理學集大成者的朱熹，就是通過對《四書》的詮釋展開他的整個思想體系的。應該說，在精神方向上二者是一致的。但是，在《四書》倫理精神與理學倫理精神之間，中國倫理精神經歷了一個抽象發展的階段，這一階段對理解《四書》倫理精神向理學倫理精神的轉變有著至關重要的意義。這一階段經過了三個時期：一是董仲舒的三綱五常的倫理精神即兩漢德性；二是魏晉以玄學爲主體，道家與儒家相結合的倫理精神；三是佛家倫理精神，即隋唐佛性。兩漢德性是《四書》倫理精神的異化，其特點是將以雙向義務、成己成物爲特徵的倫理精神異化爲片面的等級服從的大一統的倫理精神。而魏晉道心、隋唐佛性從邏輯上說都是由於這種異化而帶來的精神的內在分裂的必然產物與必然要求。這三個時期是《四書》倫理精神向理學倫理精神過渡的必要環節，它是形成理學倫理精神與《四書》倫理精神相區別的內在要素。從根本上說，兩漢德性、魏晉道心、隋唐佛性的倫理精神模式都可以說成是天人合一的德性倫理精神模式。董仲舒倫理精神的特點是把天與人直接同一。在他那裡，天是宗教的天，人與天的關係就是人與神的關係，從邏輯上說，人既是天的產兒，因而必然與天相通合一。這種強制性的結構是古典倫理精神的異化，也是五倫演化爲三綱的必然要求，但它卻是一種十分粗糙的模式。魏晉道心的「天人合一」實際上是人與自然的合一。在道家那裡，天是自然的天，人與天的合一就是人與自然的合一。道家倫理以「自然」爲最高價值，復歸於自然實際上也就是與天相接。隋唐佛性以彼岸的佛爲最高境界，要世俗的人歸於彼岸的佛，實際上是「天人合一」的另一種宗教形式。可見，中國倫理精神一以貫之的是天人合一的德性倫理精神模式，但由於這三個時期的過渡，或者說由於這三種倫理精神結構的滲入與綜合，就使得理學倫理精神與《四書》倫理精神具有了迥然不同的特性與功能。這些區別主要表現在：

第一，從人倫建構的原理上說，《四書》倫理建構的是「人理」，而理學倫理建構的是「天理」。《四書》倫理尤其是孔孟倫理是從人倫日用之情中尋找人倫的原理與德性的根據，其主要的特點是在血緣情感中尋找人倫的原理與德性的根據，其主要的特點是在血緣情感中尋找道德的根據，以血緣關係爲範型建構其他一切社會關係，因而孝悌成爲《四書》倫理體系的不可動搖的根基。在此基礎上，它強調推己及人，強調仁之擴充，以及爲人、待人、治人相統一的內聖外王之道。正是在這個意義上，我把《四書》倫理精神說成是人情主義的。而理學倫理則不同，《四書》的人理在這裡被上升或異化爲天理，他們把天與理相同一，又把天理與禮相等同，給禮、理以本體論的說明，建立了本體論的宇宙倫理模式。這種改變，一方面是吸取了道家精神指向特點的結果，另一方面在理論上也希圖由此解決「應然」與「必然」、「當然」與「所以然」之間的關係。同時，更重要的它是《四書》倫理異化的必然要求，因為董仲舒的三綱不可能像孔孟的五倫那樣在人性、人情中找到內在的根據，因而只能訴諸天，只能把「人理」變為「天理」。於是，人倫之理就不再是內在人倫之情的自然流露，也不是主體的內在要求，而只能是接受、認同的對象。「人理」與「天理」的區別是《四書》倫理精神與理學倫理精神最根本的區別，它最集中地體現了兩種精神模式根本性質的區別。

第二，從德性提升、自我實現的方式上看，二者也有根本的不同。《四書》倫理以天、地、人為「三才」，以「天」為人的最高境界與最後歸宿，主體通過上達下求、修己安人、成己成物等環節提升自身的德性，實現自身，最終與天道合一，做一個頂天立地的「大人」。而理學則不同，它認為天與人、天道與人道本身就是合一的，天理就在人心人性之中，一旦體悟出了自身之中的天理，便達到了天人合一的境界。這種方法與佛家的覺悟論實無二致。《四書》認為，人性之中僅有仁、義、禮、智之善端，因而需要擴充；而理學則認為，只要具有天理，人性便完全自足，所不同的是，具有天理的方式各有千秋，程朱主張人性與天理的自身認同，而陸王則主張人心與天理的自身等同。在精神體系上，應該說理學比《四書》更精緻，在《四書》中還未實現性與心、天、理、命的統一，而在理學中則達到了這種統一。理學家認為性、心、天、理本來只為一物，都是宇宙本體的體現；而命則是天向心、性轉化的環節。由此，天人合一的環節與過程便完備了。

第三，在德性提升與人倫建構的和諧方面，二者有著不同的旨趣。孔孟與理學家都主張通過自身的修養達到人格的建立與人倫的實現，但在具體內容與內在機制上卻是不同的。《四書》認為，人性之中固有善端，因而只要存心、養性、求放心，或者說通過「明明德」、「親民」便可以「止於至善」，其具體的途徑則是修身、齊家、治國、平天下的「大學之道」。而理學則不同，理學以「存天理，滅人欲」爲精神的最高取向與修養的根本功夫，他們用義利、公私解釋天理與人欲的關係，主張去利存義、去私存公，最後建立的是一種道德專制主義。另一方面，《四書》倫理形成了一個自足的精神體系，認爲「萬物皆備於我」，反身而誠，就是人性自我實現。理學倫理則在這種自身體系的基礎上引進了克服自身矛盾的自足機制。由董仲舒的三綱五常的倫理精神的異化而帶來的中國倫理精神的最爲深刻的矛盾就是性與命的矛盾，而理學倫理則通過道家避世、佛家出世的精神機制在精神內部消除了這一矛盾。在這裡，「莫之致而至」的「命」變成了倫理的使命和道德的絕對命令，由此，主體的倫理精神不但自給，而且自足，「存天理，滅人欲」就是這種自給自足精神體系的集中體現。由此，就使得中國人無論在性與命如何激烈衝突的境遇下都能找到並確立起自身安身立命的基地。

因此，從人生意向、精神境界、性格特徵上看，如果說《四書》倫理精神是單一的入世，道家、佛家倫理精神是「出世中的入世」的話，理學倫理精神就是一種「入世中的出世」。三者都以入世爲旨趣，但理學倫理在入世中更有一套出世的功夫，就是說能擺脫人倫之牽、人欲之累，達到大徹大悟、「從心所欲不逾矩」的境界。

概括起來說，在精神體系上，理學倫理精神模式比《四書》倫理精神模式更完備、更精緻，但在具體內容上，《四書》則比理學更多一些樸素性、合理性與人性氣息。作爲中國倫理精神最完備形態的是理學倫理，但作爲中國倫理精神重建的立足點與本體的應當是《四書》倫理精神。從根本上說，它們雖然同是儒家倫理精神的模式，但後者的封建成分更多些，前者的民族性內涵更多些。我們今天要突破的首先是理學的模式，而作爲民族倫理傳統最重要的應當是作爲古典形態的《四書》倫理精神。正因爲如此，港台學者研究中國傳統倫理時尤其重視《四書》倫理的研究，並使它在某種意義上與「傳統倫理」相等同。

結　論

中國傳統倫理精神的突破與現代轉化

以上我們對中國傳統倫理精神的發展過程作了闡述與剖析。當中國傳統倫理發展到清代，隨著古代社會向近代社會的轉變，隨著中國資本主義萌芽的發展，到宋明理學的綜合與總結，傳統意義上的中國倫理精神便完成與終結了，而以戴震爲突出代表的清代反理學思潮，則是中國傳統倫理精神內部的自我批判與自我否定。隨著近代資本主義的出現，產生了中國傳統倫理精神的近代意義上的突破，這就是以近代啓蒙主義與資本主義爲核心的倫理精神。在這個突破的過程中，建設新的、現代意義上的中國民族倫理精神的任務並沒有眞正完成，就是說，還沒有成功地實現傳統倫理精神的現代轉化。在傳統與現代相結合，建設新的具有民族特色的倫理精神的過程中，還有許多有待進一步完成的課題。因此，尋找到中國傳統倫理精神的現代出路，這是我們研究中國傳統倫理精神的現代意義。

一、中國傳統倫理精神的形態與內在矛盾

在緖論中，我曾指出，中國倫理精神是由儒家的德性、道家的道心、佛家的佛性構成的三維結構，這種結構經過先秦的孕育展開、漢唐的抽象發展、宋明的辯證結合得以完成。這種結構具有特殊的形態，也具有特殊的內在矛盾，它是中國倫精神的特殊品格與特殊價值之所

在。

三維結構的形態

德性、道心、佛性三者的統一便形成了中國傳統倫理精神的三維結構。其中，德性是主體和核心，它既代表中國文化方向的主流，又是中國倫理精神的正統；道心、佛性是對它的補充與完善。儒家德性雖然構成中國倫理精神的主體，但它本身還不能獨立地支撐起入世的倫理文化背景下中國民族的精神與個體精神，有了道心與佛性的補充，中國倫理精神才像幾何原理那樣具有了三角的穩定性。

這種三維結構的形態特徵是什麼？我認爲就是自給自足。這種自給自足表現在兩個方面，一方面，自身之內就具有道德的一切要素，自身就是道德的源泉，這就是所謂「自給」；另一方面，自身之內具有克服主體內在的人生矛盾以及外在的人倫矛盾，實現自我滿足、自我平衡的機制，這就是「自足」。自我中心、自我圓滿、自我滿足是這種結構的內涵。中國倫理精神在宏觀上表現爲民族精神，而個體倫理精神則是民族倫理精神的縮影。在「類」與個體的意義上，不僅儒家倫理而且佛家以至道家倫理都認爲人性是本善的，只要恢復、弘揚這種善就是道德的完成、倫理的實現。而儒家德性對這種善的論述最爲完善，它從人們先驗的血緣情感推出人倫情感，再從人倫情感推出政治意識。於是，道德不需外求，即在自身本性之中，只需修身養性，明心見性，便可實現道德。在這裡，血緣情感成爲一切道德情感的源泉。而在倫理實體的設計上，其原理是把一切政治關係歸結爲倫理關係，又把倫理關係歸結到血緣的深處，因而一切人倫關係也就具有天經地義的性質。由此出發，人的道德觀念無須向外攝取，只要向內反求，自身的善之本性就是人的道德的取之不盡用之不竭的源泉。儒家倫理的基本原理就是所謂「推」，即推己及人，亦即是「忠恕之道」。

在人格上，它強調「己立立人」的心意感通，用自己的思想、意識、情感作爲對他人行爲選擇與評價的尺度；在人倫上，它強調把家族的血緣關係的原理應用到一切人倫關係中，所謂「老吾老以及人之老，幼吾幼以及人之幼」。這種「推」有一個共同的特徵，以自身爲本體、爲出發點，認爲道德的源泉與動力存在於自身之內，因而人們的道德修養就是向這種善之人性的回復，即所謂「明明德」，道德生活的全部內容就是發揚這種善性。道心的所謂返樸歸眞，佛性的所謂「衆生皆具佛性」，一方面，在功能上是對儒家這一特徵的加強，另一方面在其最根本的原理上與德性的這種「自給」的原理與模式是一致的。它們都是強調自身之內具備達到道德上理想人格的一切條件和要素，設計的是一條由人的本性出發，在現世生活中通過修養再向人性復歸的模式。

所謂「自足」，是三維結構對倫理精神的平衡機制。這種平衡主要表現在兩方面：一方面，它能克服與消化個體精神的內在矛盾，亦即所謂主觀矛盾。在人倫與人格、義與利等矛盾中，儒家主張通過以克己爲特徵的道德修養達到人格的自我生長和滿足。這種自足精神是道德性的自足，或者說是一種道德需要的滿足。對於儒家德性自身不可克服的主觀與客觀、主觀德性與客觀現實（性與命）、人與我的矛盾，道家的隱世與佛家的出世則是一種補償機制。通過這種機制，倫理精神外在的矛盾便得到了克服，達到了一種結構的平衡。在這裡，道家或是以相對主義、虛無主義抹殺客觀的矛盾與對立，或是通過心與身的分裂來達到精神生活的逍遙。佛家則以其「空無」否定了一切，又使各種矛盾在超人生中得到了現實的克服。在這個意義上，道心、佛性不僅是精神結構平衡的機制，而且也是因各種人生、人倫矛盾而喪失安身立命基地者的避難所。

從三維結構的內在關係上說，倫理精神內在的自給主要是由德性實現的，而道心與佛性則主要是外在的平衡，是對德性的補充與完善，三者的結合才是完整意義上的自給自足。

這種三維結構既具有自我進取的性質，又具有自我保護的性質。這種自我進取是一種道德性的進取，即不斷的道德修養，不斷的人格生長。在這種修養與生長的過程中，道心與佛性則是一種自我解脫與超脫的機制，因而對個體倫理精神的平衡又起到某種保護作用。這種結構的實質是向內追索，既在自身之內尋找道德的源泉，又把各種內在與外在的矛盾歸之於主體自身，在反求自身之中實現精神的平衡與社會的和諧。所不同的是，道家是通過精神與肉體的分裂，即肉體上的隨波逐流與精神上的清高脫俗達到這種平衡；佛性是通過人生過程的延長與因果報應的機制達到這種平衡。在這種向內追索的形態中，三維結構成爲一個無所不具、無所不能的道德性的小宇宙，其特徵是按照社會的倫理要求不斷改變主體自身，以維持社會的和諧。

三維結構的內在矛盾

德性、道心、佛性互補互攝的中國傳統精神，是一種自我圓滿、自我平衡、自我滿足的結構模式，從結構的意義上說，它具有以下幾個方面的內在矛盾。

個體與整體、個體至善與社會至善的矛盾

個體與整體、個體至善與社會至善的矛盾，是中國倫理精神結構意義上的基本矛盾。在德性、道心、佛性的三維結構中，德性是主幹，道心、佛性是對它的強化和補充。德性是以整體對個體的泯滅、個體對社會秩序的無條件的自覺服從爲特徵的。如果說，儒家是以積極的形式要求個體自覺地維護整體的社會秩序的話，道家、佛家則教導人們在個體與整體發生矛盾時，寧可隱世、出世也不要危及社會秩序。當然，這種情況本身根源於中國文化中社會的過分強大與個體的過分

弱小，在這種背景下，隱世與出世不失爲一種保身與活命的哲學。但另一方面，這種結構本身又進一步強化了這種文化現象。因此，在德性、道心、佛性中我們發現了一個共同的原理：「順」！德性要求人們順應世道，順乎潮流；道心是由厭世、玩世歸於順世；佛性則是由出世而順世。儒家的順世帶有自覺能動的性質，道家、佛家的順世則具有「韌」與「忍」的內涵。

由此，我們碰到了倫理史上一個普遍的矛盾：個體至善與社會至善。從邏輯上說，個體至善與社會至善應當互爲前提、互爲條件，然而從倫理的本性上說社會至善應當比個體至善更具有意義。因爲個體至善的根本要求是對社會秩序與社會規範的維護，如果這種秩序與規範本身不合理，缺乏善的本性，那麼，這種個體至善只會強化這種不合理，這就是王陽明所說的：「迷路騎良馬。」因此，在個體倫理精神中，應當包含對社會至善的要求與追求，這是一種倫理精神合理性的內涵。然而在中國倫理精神的三維結構中，我們見到的只是對個體至善的片面性的要求。在個體面前，倫理實體、社會秩序是盡善盡美，只供效法、不可質疑的神聖的母本，它是當然至善的。在這裡，懷疑與批判的精神是不存在的，個體至善就是倫理生活中的唯一要求。

於是，必然產生另一種矛盾：修身養性與民主意識。在中國倫理思想史上，到處可見的是對修身養性的重視與強調，人們唯一的平等就是道德人格的平等，人們唯一的能動性就是道德的能動性，唯一的權利就是修身養性的權利，至於個體社會人格的主體性，個體的社會權利、政治利益則是不存在的，因而民主意識根本無法產生。這裡，我們找到了專制的必然性：這一方面是由於血緣、倫理、政治同一的人倫關係，以及血緣情感、道德情感、政治意識同一的主體人格，它使倫理實體神聖化；另一方面，也由於中國專制政治的強大，它們從內在與外在、主觀與客觀兩方面抹殺了人民的民主精神與要求。

德性、道心、佛性，都是以對社會秩序的認同與肯定爲特點。德性直接以維護禮的社會秩序爲己任，並作爲個體人格與個體道德的最高價值，可以說，它是以積極的方法維護現有的秩序。在這裡既存的社會秩序是當然的前提，既是道德行爲價值的目標，又是個體價值實現的手段。道心、佛性也是以對社會秩序的承認與維繫爲前提的，而且，更進一步的是，當個體與社會發生矛盾時，寧可避世、出世，也不破壞現有的秩序，可以說是一種消極的維護，但從倫理精神自身的平衡來說，它具有一定的積極意義。因此，這種結構的三要素有一個共同的特點：以積極或消極的方式肯定現有秩序，並由此達到個體的完善。儒家強調獨善其身與兼善天下的統一，其實，這種「兼善天下」，也只是一種道德上的擴張，是「己善善人」，決不是「改善天下」。在他們那裡，善就是對社會秩序的遵從與維護。道家的潔身自好、明哲保身也只是追求精神的超脫；佛家的出世表面是消極的，然而在消彌社會矛盾、維護社會秩序方面，又是積極的。於是，必然產生個體至善與社會至善的矛盾，產生個體進取與社會秩序、個體與整體的內在衝突，從合乎情理的血緣關係中產生、演化出一種最不合理、最殘酷的專制制度，倫理規範最終蛻變爲「以理殺人」的工具。

心與身、精神自由與社會必然的矛盾

自給自足的倫理精神結構是以心與身、精神自由與社會必然的分裂爲特徵和前提的，這種分裂不僅體現於三維結構的原理中，而且體現於德性、道心、佛性本身的內涵中。儒家德性在「人獸之分」的意義上確立人性，把人的道德性與動物性截然對立，認爲人的全部道德屬性就是弘揚擴充人的善性即所謂「四心」，因而身總是心克服的對象，所以以「克己修身」作爲人格建立的根本途徑。這種心與身的分裂，實際上也就是靈與肉、主觀與客觀的分裂。儒家倫理的最高境界——「從心所欲不逾矩」的自由，實際上就是心之道德性完全把握、駕馭、克服了身之動物性而達到的一種境界。這種心與身的分裂在道家那裡表現得尤為突出，道家倫理的全部特性與功能就是以這種分裂為條件的。道家倫理精神是「遊心」與「遊世」的統一，其特徵是「形隨俗而志清高，身處世而心逍遙」。一方面，他們要在精神上達到超脫塵世的絕對自由；另一方面，在現實生活中往往又「身不由己」，因而混世揚波，玩世不恭。就是說「心」是自由的，而「身」是必然的。身之隱世是為求志之清高，身之順世是為求心之逍遙。因而道家精神在「隱世」的同時，往往帶有「玩世」的特色。佛家精神的根本旨趣則是通過心之膨脹而徹底泯滅「身」之存在。在它看來，「身」之一切都是虛幻的，唯「心」才是眞實的、永恒的，成佛就是「心」對「身」的超越。三維結構之中，儒、佛偏重於「心」，而道家則側重於「身」。

從人性與動物性的定義上講，儒家的德性是超越性的。它主張超越自己的生物性本能達到道德的完成。道心、佛性從某種意義上也主張超越，道家主張超越現世的得失，佛家主張超越現世人生本身，然而，這些超越都是以某種虛幻的否定為前提的。德性的超越否定了人們的生物性的要求及對道德生活的作用，從而最終導致了倫理精神的空想性與欺騙性。道家從「無」的觀點出發超越現世紛爭，導致了苟生惟我的精神；佛性的「空」對現世人生的超越更是導致了一種消極的解脫，因而都不是眞實的超越、人格的升華。

而且，由於這種超越與超脫矛盾的存在，產生了倫理人格的多重性。儒家的超越，既造就了一代代仁人志士，也造就了一些「滿口仁義道德，一肚子男盜女娼」的偽君子；道家的超越，既造就了一些自命清高的隱君子，也造就了一些玩世不恭、世故老滑之徒；佛家虛無的解脫更是創造了許多見到腥味就垂涎三尺的幽默滑稽。因此，超脫是暫時的，惟有超越才是隱定，永恒。

不僅如此，超越與超脫在倫理精神的三維結構中都具有片面進取的性質。儒家的超越只是一種道德的進取，對人與自然的關係，對社會的至善，這種精神的進取性是不大或是缺乏的。而道家的超脫的消極性，佛家的自度度人的進取的虛幻性更是顯而易見。

自我意識與社會意識、向內探求與向外追索的矛盾

三維結構的特點是以自我意識爲核心向外的一種擴散，然而這種自我意識與社會意識都是一種片面的意識。自我意識是一種片面的修身養性的意識，而不是一種完整意義上的自身權利與義務的自覺；社會意識是一種片面的維護整體秩序的意識，或者說是一種片面的、絕對的社會義務的意識，這種意識的特徵是在自我與社會發生矛盾時，主體自覺地把矛盾的根源與主導方面歸之於自身。因此，在道德認識上，它體現爲自我對社會的一種無條件的認同意識，就是說只是把整體作爲一個當然前提接受，缺乏反思的精神，因而它和以懷疑與批判爲特徵的科學精神是迥然不同甚至是正相對立的，這種特點與倫理精神中自由意識與民主意識的缺乏是分不開的。

由此，在思維方式與道德行爲方面，我們見到了向內探求與向外追索兩種模式的矛盾與對立。從理論上說，向內探求與向外追索應當是統一的。向內探求是對個體至善的要求，向外追索是對社會至善的要求，二者的結合才能產生人格與人倫的至善。忽視前一方面就會導致極端的利己主義，忽視後一方面就會產生專制主義。向內探求是中國倫理精神確立的一種由自身本性出發而最後再向人性復歸的模式，這種模式，奠定了中國倫理精神注重心性修養的特點。然而這種片面性的向內探求的精神，導致了向外追索精神的缺乏，以及對社會秩序合理性以及個體權利的追求的缺乏。這種聖人精神與君子人格對於維護社會穩定是有用的，而對社會的合理性與社會的發展卻造成了一定的障礙。在這裡，我們見到的是一種個體的自制力、內聚力與社會的約束力，而不是個體與社會的一種張力。而在西方倫理精神中，我們發現了這種「張力」：在理性精神與民主精神的作用下，當個體與整體、個人與社會發生矛盾時，其價值取向往往是對個體權利、個體欲望的肯定，並由此導致對社會至善的追求。這裡實際上存在兩種不同的倫理邏輯：在中國，個體至善是社會至善的條件；在西方，社會至善是個體至善的前提。二者在運行中也有不同的功能，與中國向內探求的精神不同，西方向外追索的精神對社會的發展是有推動作用的，對社會的穩定則是一種否定性的因素；中國的自給自足倫理精神在其根本方法上是向內追求的，它從自身之內尋找道德的源泉，尋找矛盾的根源及克服矛盾的途徑。在這裡，形成和強化的是一個由自身本性出發又向自身本性復歸的自我反求的模式，儒、道、佛三家的修養論都是這個模式，因而在倫理性格上，它具有極端內向的性質，並最終形成了自我的封閉。這種封閉是道德型的封閉，有的學者把它叫做「象牙塔」。這種片面的向內追求的精神形成自我壓縮的人格，導致政治自主精神的喪失，在自身之內缺乏自我開放的機制。如果說西方向外追索的開放的倫理精神造就了西方的個人主義與民主精神的話，中國向內探求的封閉則產生了整體至上主義與倫理型的專制主義。

二、中國傳統倫理精神的理論系統與建構原理

中國傳統倫理淵源流長，精微而博大，在特殊的文化方向上形成了自己獨特的理論系統與建構原理。這種系統與原理既是傳統倫理重要的民族性內涵即民族特色之所在，也是在深層上把握傳統倫理的特質不可缺少的要素。在這方面，我們必須拋開一些先驗的理論模式，從中國傳統倫理本身的特質出發進行實事求是的分析與總結。

中國傳統倫理的概念系統

分析與把握傳統倫理精神，最基本也是最重要的就是要從中國文化本身的特殊性出發，尋找並建立中國倫理精神的概念系統，或者說建立具有中國特色的概念體系，繼而對傳統倫理進行分析概括，這是理論體系「中國味」或「中國特色」的重要方面。這一點往往被理論界所忽視。人們往往用既成的、甚至相當一部分是西方文化的概念對中國傳統倫理進行分析，這種做法有一定的必要性，它能形成一種文化上的反差與比照，如果運用得恰當，可以從時代精神的角度對傳統倫理進行觀照。但是，一個淺顯的道理是：要打開傳統倫理這把幾千年文化鑄成的大鎖，非得找到與它配套的鑰匙不可。或者說，要把握傳統倫理的文化生理，就必須首先找到它自身的脈絡。如果用現代的或西方文化的概念系統對中國傳統倫理進行剖析，往往只能是南轅北轍，難以感受傳統倫理自身的脈動。因此，我以爲尋找並建立具有中國特色的、與傳統倫理相匹配的概念系統是把握中國倫理精神的前提。

在對傳統倫理的分析中，「家——國一體」、「倫理政治」、「人情主義」、「自給自足」、形成了有機的概念系統，是中國倫理自身的、具有中國特色的概念體系。它們之間的內在聯繫可以作如下表述：

「家——國一體」是傳統倫理歷史與邏輯的出發點。誠然，按照歷史唯物主義觀點，傳統倫理或傳統文化的最後根據是生產方式，準確地說是農業的生產方式。但是，生產方式對文化尤其是倫理的作用必然要經過許多中介環節。這些環節中最爲重要的就是社會結構。文化是「人化」，而倫理是「人化」的最爲重要的內核，因而追溯到歷史的源頭，人類最初如何向「人」轉化，即如何由原始社會向文明社會過渡就成了文化或倫理的歷史開端。而且，從邏輯上看，如果僅從農業的生產方式分析傳統倫理，就很難顯現出中國這個農業國家與其他農業國家的倫理相區別的特殊性。家——國一體既是中華民族走向文明社會的特殊範式，也是中國特殊的社會結構、文化心理與價值傳統。其基本特點是家與國二位一體，家不僅是國的細胞，而且直接就是國的縮影。這種特殊的文化方向與社會結構包含了日後中國倫理與中國文化的一切秘密，因而成爲我們觀照中國倫理與中國文化的最爲重要的出發點。

既然社會結構是家——國一體，就需要相應的文化原理與文化機制。這種文化原理與文化機制就是「倫理政治」。對於倫理政治的完整理論後文還要詳加闡述，這裡只是說明：「倫理政治」的一般性內涵是血緣、倫理、政治直接同一，三位一體。它在傳統倫理文化中的直接的表述就是所謂「禮」。家——國一體的社會體制具有兩方面的特點。第一，家與國直接同一形成的社會結構既不是西方式的國，也不是傳統意義的家，或原始社會所謂部落、部落聯盟。它既有國的性質又不是「純粹」意義上的國，既有家的成分又不是眞正的家。第二，既然這樣的社會結構是二元的，它融和而形成的社會必然具有獨到的性質，就是說必然有一種凌駕或者超越於家、國之上的東西。「倫理政治」的文化原理與文化機制就解決了這些問題。在血緣、倫理、政治三位一體的基本內涵中，血緣、倫理是家的原理與機制，但家的倫理又直接擴充爲國家政治，因而倫理又具有政治的屬性，這就是所謂倫理政治化，政治倫理化，因而倫理政治便是家——國一體的原理與機制。可以說它是一種非家非國、亦家亦國的機制。倫理政治把家與國融爲一體的原理用一個簡單的圖表示就是：

血緣←→倫理←→政治
↘↙　↘↙
家　　國
↘↙
天下

傳統倫理中禮的實體、五倫的原理就是如此。而倫理政治在文化理念與價值取向上就是天下一家。「天下」的概念在文化上把家與國融爲一體，在邏輯思路上是由家及國，在價值取向上是「天下一家」。倫理政治，既是中國倫理實體的設計，又是傳統倫理的根本原理與機制。

「家——國一體」、「倫理政治」是傳統倫理的客觀基礎與文化原理，剩下的問題是要建立起與此相適應的倫理精神形態，這就是「人情主義」。在中篇的第一章，我曾對人情主義作過嚴格的界定，指出，人情主義的本質是倫理政治，它是人們在主觀精神形態上把倫理與政治融爲一體。人情作爲一種社會互動的機制，其內在的邏輯有三：正己修心；將心比心；以心換心。這裡，互動的主體是抽象的「心」，而問題在於在現實生活中，「心」總是具體的，不可能是抽象的。在傳統倫理中，君之心爲惠，臣之心爲忠；父之心爲慈，子之心爲孝。將心比心、以心換心的結果就是君惠臣忠，父慈子孝。而且在人倫關係中，君臣關係是以父子關係爲原型的，這樣，父子君臣便既具有倫理的屬性，又具有政治的內涵，人情的互動與封建政治的結合就變成：君要臣死，臣不得不死；父要子亡，子不得不亡！當然，在日常生活中，這種人情主義使社會生活具有較濃的人情味與人性氣息，孔子的忠恕之道就是人情主義精神形態的最好表述。這裡只是強調人情主義是與家——國一體、倫理政治相匹配的倫理精神形態。

「自給自足」是傳統倫理精神的結構特徵。倫理政治、人情主義是儒家尤其是以《四書》爲代表的古典儒家的德性提升的倫理精神形態，而在現實生活中，僅是這種以德性爲基礎的人情主義還不足以使人們安身立命。既爲入世文化，就必然遇到各種人生與人倫的矛盾，因而就不僅需要在人倫關係中投入的機制，也需要從人倫關係中撤退與撤離的機制，即在人倫中超越與超脫的機制，就是說需要一種能進能退、剛柔相濟的富有彈性的安身立命基地。而且，中國傳統倫理的邏輯起點是「德」、「得」相通，它要求人們自強不息，不斷地道德進取，然而，在現實生活中，「德」、「得」矛盾是一個客觀存在。在這個矛盾中，傳統倫理要求人們向內探求，追求個體至善，因而就需要一種自我平衡，克服「德」、「得」矛盾的機制。正因爲如此，中國倫理在誕生儒家倫理的同時也孕育了道家的人生智慧，並在中國文化本身的基因中培育起日後的佛家倫理。德性、道心、佛性成爲傳統倫理也成爲「中國人」倫理精神的三維結構，孔子、老子、釋迦牟尼成爲「中國人」不可缺少的人格因子。這種結構的特徵就是自給自足，它使得中國人在道德上向內探求，不斷進取，厚德載物，又可以在任何境遇下都不會失去安身立命的基地。從傳統倫理的結構上看，儒家德性當然是主幹，但沒有道家道心與佛家佛性的輔佐，它仍然不能確立。我以爲「自給自足」是對傳統倫理的精神結構形式的最好概括。這裡需說明的是，在我作出這種概括後，猛然發現它與中國自給自足的自然經濟形態是相適應的，也許這就是歷史與邏輯的一致性吧。

以上就是我所尋找並建立的傳統倫理精神的概念系統。也許這些概念有許多不完善之處，但我堅信從中國文化本身的特點出發建立具有中國特色的概念系統的方向與思路是不會錯的。

「德」、「得」相通與中國道德的精神

「德者，得也」是中國倫理精神的邏輯起點。如前所述，這裡的「得」有「得道」即分享到「道」，內得於己，外施於人之意；另一方面有「獲得」之意。根據中國文化中自覺的「德」的觀念發端於周滅商這樣一個史實，「德者，得也」基本含義是把「德」作爲「得」的途徑與手段，「得」作爲「德」的價值取向與結果。就是說，「得」必須「德」，「德」爲了「得」。這種「德」「得」相通的起點，確

定了日後幾千年中國道德精神的基調，可以說中國傳統道德精神就是「德」、「得」相通的精神或「德」、「得」合一的精神。

「德」、「得」相通是中國倫理的歷史傳統與基本信念。如前所述，「自強不息」、「厚德載物」是《周易》概括的中國民族的精神。這裡「厚德載物」可分爲兩部分：「厚德」與「載物」。「厚德」是「德」，「載物」爲「得」，「德」、「得」合而爲一。中國文化的童年就有善惡報應的信念，這種信念本身就是以「德」、「得」一體爲實質。在中國倫理精神建構的歷史過程中，「德」、「得」問題不僅貫徹始終，而且理論模式與精神形態都以「德」、「得」合一爲核心。

在古典儒家中，這種「德」、「得」相通的理論模式就是所謂「內聖外王」之道，「內聖外王」之道就是「德」、「得」相通之道。這種「內聖外王」之道內在地包含著以下幾方面的原理：「外王」必須「內聖」；「內聖」爲了「外王」。「內聖」是「外王」的條件，「外王」是「內聖」的目標。「內聖」是「德」，「外王」是「得」。這種「內聖外王」之道的具體內涵就是「三綱八目」的「大學之道」。在格物、致知、正心、誠意、修身、齊家、治國、平天下的八條目中，修身以前是內聖的功夫，修身以後是外王的功效；前者是德性修養，後者是自我的完善與實現。以往人們對「內聖外王」之道的分析，往往只強調內聖的內涵，忽視了外王的目標。然而在中國倫理精神的發展中，這種內聖外王之道也始終包含了「德」與「得」的矛盾。當這種「外王」是「道德王」或「素王」即道德上的聖人時，「德」與「得」是統一的，有德、積德就能成爲道德上的楷模，孔孟就是這樣的典範。當這種「王」是政治上的王即君王時，「內聖外王」之道就包含兩個完全不同的邏輯方向：一是王者「必須」爲聖；一是王者「必然」爲聖。前者是以「聖」爲「王」的必要條件，強調道德對自我實現的意義，強調政治的道德基礎與道德價值；後者便是用道德作爲政治的粉飾和裝飾，爲政治統治的神聖性作論證。這裡與西周初年自覺的道德意識產生的背景有著相通之處：一方面，「德」是爲了說明「得」的神聖性和合理性；另一方面，又自覺地意識到「德」對「得」的意義。「德」既是手段，又是目的。作爲手段，它是爲了實現「得」，說明「得」；作爲目的，它與「得」殊途同歸，融爲一體。在中國道德精神中，這兩方面就這樣既統一又矛盾地相互融攝著，構成中國道德的特殊旨趣。

在傳統倫理中，「德」「得」相通的精神形態就是人情主義。前面我曾多次指出，人情主義的核心就是人倫關係中以德性爲基礎的交互主義或互惠主義，是人際互動的機制。建立在血緣家族基礎上的中國倫理遵循的是「孤陰不生，孤陽不長」的通則，認爲「父不自慈，待子而慈；子不自孝，待父而孝」，以雙向回報作爲人倫的法則，雖然在人倫政治關係中這種回報是不對等的或不平等的。在這種回報的人情鏈環中，「德」的目的是爲了「得」，「得」必須以「德」爲手段，中國人「投桃報李」的古老生活準則就揭示了這樣的原理。在這種人情結構中，「正心」的目的是爲了「換心」，而一旦換心，便可以「得人心」，「得人心」便可以「得天下」，這就是中國傳統的德治主義的實質。倫理史上的德治、德化，說到底就是一種倫理政治。《四書》倫理精神的結構便體現了這種深層的精神取向。《四書》倫理精神的結構，是爲人、待人、治人的統一。「倫理人」是爲了，「仁愛」是待人，「德化」是治人，爲人、待人是「德」，治人則是「得」。爲人、待人的目的是爲了治人，而最終形成的則是人我一體、天人合一的中庸境界。因此，人情主義的本質與深層內核就是「德」、「得」合一。

「德」、「得」關係的實質就是「義」「利」關係。德者義也，得者利也。義利關係體現了中國道德特殊的價值取向。學術界一般認爲，中國道德的基本價值取向是重義輕利，孔子言：「君子喻於義，小人喻於利。」（《論語·里仁》）「子罕言利。」（《論語·子罕》）孟子曰「何必曰利，亦有仁義而已矣。」（《孟子·梁惠王》）到董仲舒更是提倡「正其義而不謀其利，明其道而不計其功。」然而，我以爲僅這些命題並不能全面體現傳統道德價值取向的眞諦。孔孟的義利論確實具有道義論的傾向，但往往也具有因時而發、就事論事的特點，且在先秦倫理中，並不只有孔孟的道義主義，還有墨家、法家的功利主義。實際上，中國道德精神的特點在於在「利」中強調「義」的價值，即強調「利」的道德價值，反對離義而謀利，認爲「義」「利」不可分。墨家就認爲：「義，利也。」（《墨子·經上》）荀子則主張先義後利，以義制利。「巨用之者，先義而後利；小用之者，先利而後義。」（《荀子·王霸》）到宋明理學，義利合一的取向更加明顯。宋明理學特別強調義利之分，朱熹就提出：「義利之說，乃儒者第一義。」（《朱子語類·與延平李先生書》）理學把義利問題與天理人欲、公私問題相提並論。對此，朱熹講得最明確，「義者心之制，事之宜也。」（《孟子集注》卷一）利者，「人欲之私。」（同上）由此，他認爲「對義而言，利則爲不善。」（《論語或問》卷四）「古聖言治，必以仁義爲先，而不以功利爲急。」（《晦庵文集》卷七五）正因爲如此，他把「正其義而不謀其利，明其道而不計其功」一語作爲自己的學規。但値得特別注意的是，他並不是絕對地不要功利，而是要將「利」納入「義」的軌道，以「義」求「利」，其根本的原理是：「正其義則利自在，明其道則功自在，專去計較利害，定未必有利，未必有功。」（《朱子語類》卷六八）因而得出了「利在義中」、「義中有利」的結論。這種義利觀，與「德者，得也」的價値取向是完全一致的，只不過它融進了道家「無爲而無不爲」的性格特徵。

因此，中國道德精神具有特殊韻味。它既不是純粹的去利存義，也不是西方式的功利主義。這種「德」「得」相通、「德」「得」合一的道德精神在內在動機上注重的是主體的道德需要，因爲「德」一旦與「得」相聯繫，道德就不只是客體性、外在性的規範約束，而是個體的內在需要，既是人格生長、完善的需要，也是自我實現、「得於人」、「得天下」的需要；在外在現實性上，它注重的是人們的道德權力，這種道德權力往往以強制性的回報機制爲保障。正因爲如此，在中國文化氛圍中，德性是人們立身處世、獲得社會承認的先決條件，也正因爲如此，道德才成爲少數人謀取功名利祿、沽名釣譽的工具。精神與現實的需要就是由於「德」中的實質性內涵所決定的。

總之，「德者，得也」是中國道德精神的眞諦之所在。中國倫理、中國道德就是以此爲元點而生長發展的。這種「德」「得」相通在精神模式上是內聖外王之道；在理論形態上是人情主義；在價值取向上是義中有利，以義求利。可以說，中國傳統道德精神就是「德」「得」相通、「德」「得」合一的精神。這種精神在邏輯與歷史上展開爲豐富多樣的結構性內涵。第一，「得」必須「德」，「得」應當「德」。就是說應當以「德」說「得」，以「德」謀「得」，以「德」作爲「得」的原則和規範，以「德」的方式「得」。這是中國道德精神的精華。第二，「德」爲了「得」。就是說，「德」以「得」爲目標和價值取向，而「德」只是「得」的手段和途徑。這兩點的結合，形成中國特色的德治主義、人情主義、內聖外王之道。第三，「德」必然「得」。這是中國特有的道德信念，其世俗表現就是報應的觀念，所謂「得人心者得天下」，「多行不義必自斃。」第四，「德」就是「得」。它以「德」作爲唯一的目的，形成爲「德」而「德」即爲道德而道德的泛道德主義、道德至上主義。第五，「得」就是「德」。這種邏輯在原初的「德」、「得」觀念中就已蘊藏，當它被統治者利用後就成爲政治統治的工具。五個方面的結合，形成中國道德精神的多樣性與複雜性。理解中國道德精神，就必須從「德」「得」關係中追根溯源，求得本源的解析，並由此發現現代中國道德重建的根源動力與源頭活水。

中國傳統倫理的基本問題

傳統倫理的基本問題，是把握與詮釋中國倫理精神的一根基線。沒有這根基線，傳統倫理的生長就缺乏深層精神的貫穿，倫理精神的建構就缺乏內在的一致性與有機性，倫理史勢必只能成爲各種思想的堆砌。傳統倫理的基本問題及其解決，決定了中國倫理精神的基本特點與性格特徵。

中國傳統倫理的基本問題是什麼？從中國倫理精神發端於「德」「得」相通這個基本的史實與立論出發，我以爲就是「德」與「得」的關係問題。這一問題具體展開爲兩個方面：一是義與利、理與欲（或天理與人欲）、公與私的關係問題；二是個體至善與社會至善的關係問題。可以說，這兩方面就是中國傳統倫理精神的基本問題。

義利、理欲、公私問題表面上是三個問題，實際上只是同一問題的不同表述。根據宋明理學的觀點，天理人欲的問題就是義與利的問題，而義利問題的本質就是公與私的關係問題。他們認爲，義是天理，利是人欲，而人性之中並非所有的欲望都稱人欲，人欲即是私欲，利即是人欲之私，義即爲天理之公。因而二程認爲：「義與利，只是一個公與私也。」（《遺書》卷十七）歸根到底，在中國倫理史上，天理人欲、義利都是以公私爲實質性內涵的。因此，可以說，中國倫理史上的義利之辨、天理人欲之辨，歸根到底是公私之辨。

既然傳統倫理的基本命題是去利取義，「存天理、滅人欲」，因而對公與私的基本價值取向便是去私存公，克己奉公。公與私的問題，用現代的學術語言說，就是個人利益與整體利益的關係問題。在中國家族本位的倫理政治中，中國倫理的基本價值取向便是強調個體利益對整體利益、個體意志對整體秩序的絕對服從，禮的規範，仁的要求，修養的精神，根本旨趣就在於此。對此，學術界一般都有共識。由此我們才可以理解，中國倫理最終爲何成爲封建專制主義的工具。如果不從公私的角度，即個人利益與整體利益、個體意志與社會秩序關係的角度疏解，就不可能對中國義利、理欲的價值取向有一個準確的理解。當然，這種義利問題、理欲問題也具有另一層內涵，即道德與利益的關係，也就是道德觀念與物質利益何者爲第一性的問題，這使各派倫理具有不同的性質。但是，嚴格說來，它屬於道德本體論的問題，與道德價值取向的聯繫不及前者那麼直接、緊密。在這一方面，中國倫理史上雖然也產生過「倉稟實而知禮節，衣食足而知榮辱」，「讓生於有餘，爭起於不足」那樣的具有唯物主義傾向的命題，但從主流上看，是忽視甚至抹殺了物質條件對道德觀念的決定作用，具有唯心主義的傾向。但也正因爲如此，它突出了主體道德生活的主動性、能動性，是中國傳統倫理精神的重要品性。

中國傳統倫理的基本問題的第二個方面：個體至善與社會至善的關係問題，也可以說是倫理學基本問題的第二個方面。這方面往往既被倫理學理論研究工作者所忽視，也被研究中國傳統倫理的學者所忽視。從邏輯上說，個體德性既是對外在的、社會的「道」、「理」的分享與內化，於是便產生兩種內外的方式與價值取向，一是無條件地認同「道」，內得於己；二是先反思「道」，然後再內化。前者是追求個體至善；後者是追求社會至善，即是說，先追求作爲社會規範的「道」與「理」的合理性，然後才形成自己的德性，甚至只追求社會規範的合理性。在中國倫理精神歷史建構的過程中，個體至善與社會至善的問題貫徹始終，而中國倫理基本取向是只追求個體至善，不追求社會至善，其確切的內涵就是只求改變自己的欲望，不求改變社會的秩序。中國倫理強調道德修養，強調克己，提倡存理滅欲，「窮則獨善其身，達則兼善天下」，就是這種追求個體至善的價值取向的體現。

當然，中國倫理還提倡「明明德——親民——止於至善」的大學之道，認爲盡己之性則可以盡人之性；盡人之性則可以盡物之性；最後便可以贊天地化育，達到家齊、國治、天下平，就是說，只要每個人都成爲善人，那整個社會就至善了，「人人皆可爲堯舜」。但這種思路在現實社會中只能是一種幻想，而且在價值取向上，它不是以追求社會及社會規範的公正合理爲目標，而是以個體對社會規範的自覺遵循即個體至善爲條件，於是在政治生活中就導致這樣的現象：個體越修養，越至善，政治越專制，社會越不合理，這不能不說是中國傳統倫理的悲劇。這種價值取向在倫理性格上就表現爲向內探求與向外追索的關係。傳統倫理的性格注重以修養爲主要內容的向內探求，忽視以科學、民主爲內容的向外追索。這些方面，我在前文已作過詳述，這裡不再贅言。值得特別指出的是，我們今天要實現道德現代化，就必須切實注意傳統倫理基本問題的這第二個方面，形成一種現代化的，又具有中國特色的倫理精神與倫理性格。

「德」與「得」的關係問題，具體地說，個體與整體、個體至善與社會至善的關係問題既是中國倫理的基本問題，也是中國倫理的基本矛盾。它給中國倫理打上了深深的民族烙印，既是傳統倫理的精華之所在，也是其缺陷所潛藏，對中國歷史的發展起了十分複雜的作用，是我們當今道德現代化首先必須解決的問題。

三、近代資產階級對傳統倫理的突破

從鴉片戰爭到五四運動是中國近代資本主義的民主主義革命時期。在這一時期，中國資產階級對中國傳統的封建倫理精神進行了批判與否定，從而在一定程度上突破了傳統的倫理精神。由於本書論述的重點是傳統倫理精神，因而對這一部分只能作一概略的介紹。

中國資產階級對封建倫理精神的突破有一個歷史的發展過程。第一階段是鴉片戰爭以後，以龔自珍、魏源為代表的有資產階級傾向的知識分子進行的對程朱理學的批判。他們力求打破理學對人性與道德的禁錮，解放人性，但還沒有對以封建倫理為核心的名教綱常展開批判。第二階段，太平天國、義和團運動時期，以康有為、譚嗣同、嚴復等為代表的資產階級改良派，提出「衝決網羅」的口號，對三綱五常的封建道德體系進行了批判。他們在政治上雖然主張改良，傾向保守，但對封建道德體系的批判卻是猛烈的，在若干理論觀點上，超過了明清之際的思想家，並力圖用資產階級道德規範代替封建道德。第三階段，五四運動前夕，嚴復、胡適、孫中山、章太炎等人對封建道德展開全面批判，提出了一些資產階級道德要求與倫理範疇，提倡個性解放，反對禁欲主義。

概括說來，近代資產階級對傳統倫理精神的突破主要表現在如下幾方面。(1)衝決網羅，反對三綱五常。如前所述，三綱五常是封建道德的核心，反對三綱五常標誌著反封建的開始，對三綱五常的否定是資產階級突破傳統倫理精神的核心。無論是改良派還是革命派在反三綱五常方面都是一致的，以致在辛亥革命時期，一些資產階級倫理學家提出「道德革命」、「三綱革命」的口號。(2)宣揚天賦人權，提倡自由、平等、博愛。天賦人權是對封建君權、父權、夫權、族權的否定，而自由、平等、博愛則是資產階級道德精神的核心。自由是對人身依附的否定；平等是對尊卑等級的否定；而博愛則是對以差愛為本質的仁愛的否定。這種特點，在譚嗣同、康有為的倫理思想中都體現得很明顯，至於孫中山，則更是以自由、平等、博愛爲旗幟。⑶功利主義。功利主義是中國資產階級倫理比較一致的傾向，這種傾向從魏源開始時就已具備，它是對宋明理學反功利主義的反對。⑷利己主義。利己主義是資產階級倫理精神的本質，在中國，這是對宋明理學「存天理、滅人欲」的直接批判，在這方面，梁啓超、康有爲、譚嗣同等人都從人性自私出發，對「合理的利己主義」作了闡述與宣揚。

在突破傳統倫理精神的同時，近代資產階級對傳統道德也有所繼承。一方面，它繼承了傳統倫理中憂國憂民、以天下國家爲己任的道德情操，從龔自珍、魏源到「戊戌六君子」，在民族危機面前所表現的民族責任感和義務感都十分強烈。另一方面，近代資產階級倫理學家在闡釋自己的觀點，或在對傳統的規範、範疇進行的重新解釋中，繼承了傳統道德中的不少思想，主要有：關於道德進化的思想，這是對王夫之思想的繼承；關於主體能動性的思想，這是對傳統倫家主體性思想尤其是從孟子到王守仁思想的繼承；關於人生而平等的思想，這是對「人人可以爲堯舜」思想的發揮；關於人性的思想，孔子的性相近、孟子的性善論成爲他們闡發人性平等的依據。

但是，中國近代資產階級倫理比起西方資產階級來，是不成熟、不完善的。他們並沒有徹底地批判和否定封建倫理精神，並沒有完成突破傳統倫理精神的任務。中國資產階級倫理思想，就其基本理論與觀點來講，可以說是西方資產階級倫理學的移植。梁啓超曾經說過：「在清末三四十年間，學術界活動之中樞，已經移到外來思想之吸受，一時元氣雖然旺盛，然而有兩大毛病：一是混雜，一是膚淺。」（《中國近三百年學術史》）他和譚嗣同等人冥思苦索，欲以構成一種不中不西、即中即西之新學派。這種狀況，後來的發展也沒有根本的變化。中國資產階級倫理思想，顯然是在批判封建綱常的過程中發展起來的，由於本身的軟弱，加上封建傳統的根深蒂固，資產階級思想雖有「衝決網羅」的願望，但往往「無力回天」，沒有能實現對傳統觀念的全面批判總結。不僅如此，中國資產階級的倫理學說，一直沒有在社會生活中占主導地位，這與民族資產階級一直未成爲中國社會的統治階級是一致的。因此，近代資產階級既沒有徹底突破傳統倫理精神，也沒有建立起自己的、近代意義上的倫理精神體系。直到五四運動時對傳統倫理精神，仍舊是沒有眞正的突破。

中國目前不幸處在分裂的狀態之中。大陸四十多年來，對於傳統倫理談不上「突破」，談得上突破的，只是臺灣。臺灣對傳統文化，能繼承的就繼承，不能繼承的就揚棄。政府設有中華文化復興運動促進委員會，極力對中華文化加以闡揚。自然會對倫理精神作突破性的建設。只是限於各種條件，成績不能立竿見影。

四、中國倫理精神的重建

到宋明理學，中國倫理精神已經建構起了由德性、道心、佛性構成的自給自足的大圓圈，隨著中國封建社會的衰落，這種結構由生長、成熟走向僵化、式微，成爲中國社會發展的桎梏。從邏輯上說，中國倫理精神的重建，就是突破這種傳統的大圓圈，向新的圓圈螺旋式地前進，根據時代精神與中國社會發展的需要，建構起新的、現代化的、具有中國特色的倫理精神體系，這是近代以後的中國倫理精神發展的大趨勢。如果把中國倫理精神的重建放在東西方文化融合的國際大潮中，新的中國倫理精神的建構就是由優秀的傳統倫理精神與民主精神、科學精神的辯證統一。科學、民主的精神既是西方文化的精髓，也是近代以來中國社會發展的趨勢，同時又是一股世界性的大潮。只有在傳統倫理精神中注入了這種時代精神，才能給原有的民族精神注入了新的生機與活力。倫理和科學、民主的統一，既是中國文化的新模式，也是中國傳統倫理精神的突破。具體地說，就是：(1)在結構模式中貫徹科學與理性的精神，以克服傳統倫理中向內探求與向外追索的矛盾，使倫理精神與科學精神一致起來，使人生富有科學的意義與價值，這也是人文精神與科學精神的整合。(2)在倫理精神中貫徹自由與平等的精神，以克服個體至善與社會至善、自我意識與社會意識、自我價值與社會價值的矛盾。(3)在倫理實體的設計中貫徹民主的精神，以克服政治意識與道德意識、民主政治與倫理政治的矛盾。(4)在倫理的機制中貫徹法治的精神，以克服家庭成員與社會公民、人情法則與法制精神的矛盾。爲了克服傳統倫理精神的內在矛盾，解決傳統倫理精神的突破與現代轉化的問題，在理論上必須解決以下幾個方面：一是所謂「孔孟之道」，這是對中國傳統倫理的認同的問題；二是「人」的理念，這是如何確立道德自我，實現自身目的，提升自身德性的問題；三是「家」與中國倫理即所謂「家族本位」的問題；四是「天人合一」模式的問題；五是倫理政治與民主政治的問題。

「孔孟之道」

「孔孟之道」在一定程度上往往成爲中國傳統文化的代名詞，甚至與中國封建主義精神相等同。比較一致的看法是：倫理是孔孟之道的主體與核心。因此，對孔孟之道的闡釋對揭示中國傳統倫理精神的性質與現代價值便具有十分重要的意義。

要準確地把握「孔孟之道」，首先必須對它作正本清源的工作。歷史上的孔孟經過歷代的粉飾與改造，具有不同的甚至截然相反的形象：有先秦的眞實之孔孟，或孔孟之本我；有兩漢獨尊之孔孟；更有宋明以後的「至聖」、「亞聖」之孔孟。後二者都是經過統治階級根據自己的需要改造過的孔孟。而在現代人們的文化心理深層上認同的往往是宋明理學之孔孟，並非眞實的孔孟。先秦孔孟從時代的需要出發，建構了獨特的倫理精神體系，其中當然有階級性的內容，但也包含不少民族性、人民性的內容。正因爲如此，孔孟本人及「孔孟之道」才不被當權者所用。董仲舒把先秦的儒家倫理（主要是孔孟之道）變成三綱五常的獨尊，孔孟及孔孟之道異化了。宋明理學雖然是以孔孟之道爲範型，通過詮釋孔孟的倫理思想建構自己的倫理精神體系，向古典儒學復歸，但這時的孔孟及孔孟之道已經被聖化了，而這種聖化是兩漢異化的必然結果。宋明理學中孔孟的形象已經融進了老子與釋迦牟尼的基因，孔孟之道具有了「道」與「佛」的內涵。五四運動所要打倒的「孔家店」、「孔孟之道」，主要就是宋明理學所再造的孔孟與孔孟之道。理學的孔孟之道，詮釋中有歪曲，聖化中有異化。因此，要對孔孟之道有眞切的把握，必須認同孔孟之「本我」即先秦的孔孟及其學說，發現孔孟之道中的民族性內涵及其現代價值。就是說，對孔孟之道的正本清源就是要讓孔孟之道「還原」。

何謂「孔孟之道」？「孔孟之道」的本義是什麼？唐君毅先生認爲：「生活在現實世界的確定的倫理道德關係之中，實踐著那對他人盡自己的義務卻不要求他人去履行他的職責的道德，並且人人都實踐著這樣的道德」①，這就是孔孟之道。就是說，在確定的人倫關係中克盡自己的倫份而不對他人提出權利或回報的要求就是「孔孟之道」。這一論述有幾個要素：一是確定的人倫關係；二是克盡自己的義務；三是不求他人的報答；四是將這種德性推廣於天下，使天下都有這種德性。這種原理，強調人倫關係的確定性，強調自身的義務而不要求得到權利，但一旦人人都實踐這樣的道德，實際上在每個人都克盡自己義務的同時也就獲得了權力。如果說二、三兩條是成己的話，第四條便是成人，即用自己的德性化育他人，感化他人，使他人具有同樣的德性。於是，孔孟之道便是在人倫關係中的成己成人或修己安人，這就是道德的自我實現。但是這種人道具有很大的理想性或空想性，它事實上要以「人人都實踐著這樣的道德」爲前提，若沒有這個前提，則「對他人盡自己的義務卻不要求他人去履行他的職責」的德性提升的要求便變成只求個體至善、不求社會至善的邏輯。這種德性，這種原理，一旦爲封建等級制度所利用，就具有轉化爲「三綱五常」的內在可能性，這也許就是孔孟之道向三綱五常轉變的內在原因。這種孔孟之道在主觀上是單向的，客觀上卻要達到雙向的目的。達到這個目的，就能「贊天地化育」，「與天地參」，在人倫上就是實現了「天下平」的大同世界。也可以說，二、三兩條是內聖之功，第四條是外王之效，後來《大學》把它具體闡發爲修身、齊家、治國、平天下的「修齊治平」之道。杜維明先生在引用唐君毅先生這一觀點時又補充了一條，這就是「己所不欲，勿施於人」②，並認爲，這一孔孟之道的基本思想就是責任感，這個責任感並不會引導到對「權力意識」的要求。這兩方面的結合實際上就是孔孟的所謂「忠恕之道」，前者是「己欲立而立人，己欲達而達人」，後者是「己所不欲，勿施於人」。杜維明先生的補充實際是從反面或「消極方面」闡釋「孔孟之道」。

我認爲，「忠恕之道」可以作爲「孔孟之道」的一種概括，孔子自己曾講述「吾道一以貫之」，這種一以貫之的「道」被他的學生解釋爲「忠恕而已矣」。孔孟之道，就是忠恕之道。這種孔孟之道，或「忠恕之道」，具有十分豐富的結構內涵。一是人倫關係的雙向性和確定性。孔孟之道的人倫原理是所謂五倫，其特點是人倫來源於天倫，從天倫中引申派生出人倫，因而尤其強調家族倫理、家族道德的重要性，孝悌成爲道德體系的核心。二是德性的提升與自我的完成。孔孟倫理是一種德性倫理，它特別強調通過「仁」的擴充提升人性，通過修己安人、成己成人達到自我的實現與完成。三是人我的溝通與倫理的和諧。它強調通過己立立人、推己及人的心意感通實現人我的溝通，達到內外合一、人我合一、天人合一的中庸境界。四是倫理政治與內聖外王。孔孟的倫理精神，從人倫上說是倫理政治，它把身、家、國、天下貫通一體，強調通過修身、齊家、治國、平天下的「大學之道」，建構人倫，實現自我。從德性提升的角度說，這種「大學之道」就是內聖外王之道。從這個意義上說，倫理政治、內聖外王的大學之道就是孔孟之道。這種孔孟之道具有很濃的人情味與人性氣息，它表面上像唐君毅先生所說「不要求他人去履行他的職責」，而實際上通過要求「人人都實踐著這樣的道德」，自身也得到了道德權利和道德需要的滿足，這也是一種「無爲而無不爲」之道。

總之，古典或本然的「孔孟之道」是「忠恕之道」，漢儒的「孔孟之道」是「三綱五常」，理學的「孔孟之道」是「存天理，滅人欲」。我們今天作爲倫理傳統與倫理精神元點與本體的應當是這種本然的孔孟之道。這種認同對中國倫理精神的重建有著十分重要的意義，也許從中我們可以更多地挖掘作爲民族特色與民族倫理精神根源動力的內涵。

「人」的理念

「人」的認同與確立是一切倫理體系與倫理精神的起點。中國倫理精神對「人」有著特殊的認同與確立方式。

中國文化尤其是中國倫理對人是極度重視的，把人放到核心的地位，正是在這個意義上，人們把中國文化、中國倫理稱爲人文主義的。但是，中國倫理認爲，人的本質、區別人獸的標誌是人的倫理道德。中國倫理始終把人作爲一個「類存在」，並努力挖掘這種類存在的意義與價值，而對人的肯定，其最主要的方面是「凡人之所以爲人者，禮義也。」（《禮記·冠義》）如果說西方文化中的人是理性人、政治人；中國文化中的人則是倫理人。在西方文化中，人是「政治的動物」、「理性的動物」；而在中國文化中，人則是「道德的動物」。

倫理道德是人的最重要的社會性的表現之一，它是人類生命的內在秩序。從理論上說，人的自覺的重要方面就是倫理與道德的自覺，但如果把這種「重要方面」作爲「唯一方面」，就把複雜的問題簡單化了。人作爲社會存在物，其活動及相互關係遍及經濟、政治、文化的一切領域，其中，人對外部自然界的改造是人的最基本的活動，人們在生產活動中構成的經濟關係是最基本的社會關係。人的主體性，首先要在改造自然的過程中才能得到確立、發展和完善。但中國文化和中國倫理把倫理道德作爲人的最基本的本質，以倫理關係取代其他一切關係，以道德活動取代其他一切活動，把德性的體現與提升作爲人的價值的最主要的內容。這種認同與設計，在高揚人的道德主體性，維護人的「類」的秩序性與整體性的同時，又限制了人的全面發展與全面解放，因而它是中國形成單一的倫理文化結構的最爲基本的主觀原因。

人的自我認識或自我意識是價值體系形成與確立的基礎，這實際上是人的主體意識的體現。這種主體意識在邏輯與歷史上包含人的類主體意識與個人主體意識兩個方面，然而，中國倫理所確立並作爲其價值體系起點的僅僅是人的類主體意識，它對於人的本質與心性的把握往往只是基於人與動物的區分與比較，故而只具有特殊的「人道」內涵。由於這種類主體意識的覺醒實際上只局限於倫理道德，忽視甚至排除了個體主體意識的覺醒，所以，它限制了個性的自由發展，甚至導致了個性的泯滅。在中國倫理中，「人道」具有兩方面的內涵，一是人倫之道，講的是人與人之間的正當關係；二是人的確立、提升之道，主要是探討人的德性提升。因此，這種倫理，充分肯定了人的類存在，卻缺乏讓主體意識生長的土壤；體現了人的類主體意識的自覺性，卻抑制了個體主體意識的形成。而作爲「人道」體現的人倫規範，往往也包含著對人的個性的否定。不僅是作爲古典倫理精神異化的三綱五常是如此，即使在作爲貫穿整個中國倫理精神生長過程的「

孝道」中也包含了對人的自由意志、行爲的自主權的否定。因而中國倫理給人的印象是：它是一個群體或整體的世界，個體的位置與主體性充其量只是在對人倫規範認同的德性提升的過程中才得找到。

中國倫理倡導聖人人格，給人性的提升規定了一個「極高遠」的中庸境界，這確實包含了對個人主體性的尊敬與肯定。這種主體性塑造了中國倫理史上許多頂天立地的偉大人格，如孟子「富貴不能淫，貧賤不能移，威武不能屈」的「大丈夫」；荀子「權力不能傾，群衆不能移，天下不能蕩」的「成人」都是如此。在這種人格力量的感召下，中華民族培養出一批又一批仁人志士，在一定程度上充實了我們民族的自尊心與自信心。但這些理想人格又表現一個共同的傾向：他們的主體性只是道德的主體性，即是履行社會責任的主體性；他們崇尙的人格並不包括對個人的地位、尊嚴和基本權利的維護，而是體現著對道德理想的強烈追求與獻身精神；他們所表現的宏大抱負和強烈的社會責任感及使命感在心理上超越了個體自我，作爲人的類群體理想道德的代言人，表現出的是一種對社會倫理的道德皈依精神，體現的是一種殉道者的品格。在中國倫理中，聖人是理想化、抽象化了的人，是人的類主體意識的集中體現。中國倫理一方面通過「人人可以爲堯舜」的信念向所有人洞開成聖的大門，另一方面，聖人崇拜及極大地桎梏著人的多方面的發展。在聖人面前，人們無個性與獨立性可言，有的只是對它的無條件的認同與追隨。這就是中國倫理精神中聖人精神的二重性。總之，中國倫理「人」的設計的特點是把人只是作爲單一的倫理道德的主體。中國倫理精神的重建，必須建立一個全面的因而也是具體的人的理念，使人不僅具有道德的屬性，而且更重要的是具有經濟的、政治的屬性，以促進人的全面伸張與全面發展。在弘揚主體意識的同時，充分肯定並弘揚人的個體主體意識，達到類與個體、社會與個人的辯證統一。

「家」與中國倫理

如前所述，中國社會結構的特點是家——國一體，中國倫理精神的根基是家族本位，血緣關係構成中國倫理關係的範型，家族道德成爲個體德性的源泉，「家」在中國倫理中具有絕對的地位。因此，對於家、家族倫理、家族道德的重新審視，便是把握中國傳統倫理精神的現代價値，重建中國倫理精神的至關重要的一步。

由於原始社會向文明社會過渡的特殊方式，自古以來，家便是中國社會結構的單元，也是政治組織的基礎，因此，一些海外學者斷言：家是中國文化的堡壘。中國文化之所以富有韌性和延綿力，原因之一就是有這麼多攻不盡的文化堡壘。日本稻葉君山先生認爲：中國民族的重要障壁，是它的家族制度，這種制度及其支持力量的堅固，恐怕連萬里長城也比不上。中國的傳統家庭，尤其是傳統的大家庭，可以說是一個「自足體系」或一個小宇宙，這個小宇宙能給予一切分子以高度的滿足，從經濟、情感到安全。殷海光先生對中國傳統家庭作了分析，他把這種家庭稱作原始群體，把家庭中各成員之間的關係稱作「原始關係」。在這種原始關係中，如果個體有何反應，這一反應便是對全體的反應，而非對其中一部分人的反映。各分子之間的交往深切而廣泛，在其中個人的情感能得到充分的滿足，並且直接給予其中的分子以安全感。③，這種家族本位的最深刻的表現就是家與國直接同一，形成家——國一體的社會體制，並在此基礎上形成倫理政治的社會結構原理與人情主義的倫理精神形態，成爲傳統倫理最爲重要的基礎與根源。

家族本位給中國倫理精神產生了廣泛而深刻的影響。在人倫建構上，它形成血緣——宗法——等級三位一體的倫理政治，血緣關係成爲一切社會關係的範型：在個體德性上，它強調孝道，以孝悌作爲德性的基礎，強調人倫情感的作用，以情感爲價值判斷的機制；在個體德性與社會倫理的關係上，它強調整體至上，強調修身、齊家、治國、平天下的「大學之道」，形成一種家族式的集體主義。中國倫理精神尤其是儒家倫理精神的許多特點與內在矛盾都與「家」的機制有不可分割的聯繫。可以說，中國倫理之所以在社會生活中起到準宗教的作用，與這種家族倫理的運作是分不開的。如果說宗教情感是西方文化、西方倫理的根基的話，血緣情感就是中國文化、中國倫理的根基。它是中國人入世的人生意向的重要方面，也是中國人安身立命的最重要的根基，抽去了這個根基，中國倫理精神就會發生傾斜。

但是，這種家族本位的倫理精神也有十分明顯的缺陷。它使人的倫理精神意向局限於家族之中，用血緣關係釐定社會關係，這正像黑格爾所說的那樣，中國人主要的角色是家庭成員而不是社會公民。不過，在評估這種家庭倫理精神的價值時，必須注意把二者加以區分：一是家族精神本身的缺陷；一是它被統治階級加以利用，與封建政治整合運作所產生的缺陷。我們所要特別加以注意的應是前者。應該說，中國人精神結構中法制觀念、自主意識、自由意識的缺乏與這個缺陷是分不開的。

「家」在中國社會、中國文化中地位如此重要，以致它既是一個客觀的存在，又是一個不可缺少的文化要素。但是，「家」本身的結構、地位及特點也是隨著社會的不斷發展而變化的。臺灣學者朱岑樓先生曾通過調查方式指出了中國家庭近60年來的32項變遷，其中最突出的就是：傳統式大家庭向小家庭轉化；父權、夫權家庭趨向於平權家庭；長輩權威趨於低落；傳統家庭倫理式微；家庭功能由普化轉向殊化，以滿足家人情感需要爲主要；傳統孝道日益淡薄；夫妻不再受傳統倫理的束縛，趨向以感情爲基礎，穩定性減低；男女趨向平等等等。④因此，中國倫理精神的重建，一方面要改變原有的家族精神中的不足方面，保留並發揚其中具有優越性的特色；另一方面，要根據家族關係的變化改變倫理精神的原理與結構。概括地說，就是要改變家族本位的傳統，由家族本位變爲社會本位，使家族倫理變爲社會倫理。同時要改變由家族權威而導致的尊卑等級的傳統，形成民主、自由的倫理基礎。中國倫理精神的家族本位有其必然性與合理性，但必須根據新的時代精神對加以改造，形成一種新的倫理精神格局。

總之，家族精神是中國倫理精神的本位與根基，也是中國倫理的源頭活水與民族特色之所在。中國倫理精神的重建，一方面必須根據中國社會結構的特點，重視家庭道德在倫理精神結構中的地位；另一方面，又必須克服傳統倫理精神中固有的家與國、家庭成員與社會公民的矛盾，重建中國倫理的精神家園，以此建構具有民族特色與民族優越性的現代化的中國倫理精神。

「天人合一」的模式

在中國倫理精神中，「天人合一」的模式的作用主要有三方面：一是給德性提升以一個最高的精神指向。個體通過道德修養，內求己性，外接諸天，達於天人合一。在此過程中，個體充分高揚了自身的能動性、主體性，形成一種頂天立地的人格。二是解決人倫與人格、整體與個體的矛盾。「天」實際上是人倫原理與整體利益的體現，到宋明，這種「天」發展爲所謂天理，天人合一就是個體利益對整體利益、個體德性對人倫規範的認同。一旦實現了這種認同，便達於天人合一。三是給倫理規範以本然的解釋。不但求其「當然」，而且求其「所以然」。「天人合一」實際上就是天道與人道的合一，並以此論證人道的至上性與神聖性。可以說「天人合一」的模式是中國倫理精神的內在原理與性格特徵。

「天」是中國文化原初的觀念，在文化的發展中又成爲中國文化的最高理念與最高精神指向。「天」在中國文化中具有多種意義：自然的天，它強調客觀性與實在性；命運的天，它代表必然性與規律；神性的天，它體現神聖性；德性的天，它是道德的本體與最後的根源。正因爲如此，我們可以認爲，「天」是中國文化的一個「黑洞」，既是人們精神的最後依歸，又可以使人世間的一切現象從中得到疏解，人們可以從中找到精神的寄托與靈魂的安頓。而四者之中，德性的天又是最核心的，它把「天」與道德結合形成所謂天道，使道德既具有實在性，又具有必然性、至上性、神聖性，從而形成一種形而上的道德本體。與此相應，「天人合一」在中國哲學史上便具有多重意義：自然的天與人合一，由此演化出自然與人爲、自然環境與人類社會和諧發展的思想；信仰的天與人合一，由此產生恐懼敬畏的心理與巨大的震懾力量；德性的天與人合一，由此給予道德以形而上的本體與最高的境界；天道與人道的合一，使人道具有天道的絕對性與天經地義的性質。中國的「天人合一」傳統就是這諸方面的統一。顯而易見，德性的天與人的合一，天道與人道的合一，是其眞諦與實質性內涵之所在，而由於這種道德的「天人合一」中具有自然與信仰的內涵，就使它具有了更加豐富的內涵與更高的旨趣。

中國的天人合一觀念源遠流長。「天人合一」的觀念成熟在先秦，孔、孟、老、莊都從不同的角度提出了這種觀念，他們都強調「人」對「天」的認同、一致、和諧。《四書》建立了一個完整的天人合一的倫理精神模式，但這時的天人合一是指人通過內求與上達的德性提升過程，自覺地與天相接，達到「贊天地之化育」、「與天地參」的境界，因而它主要講的是一種人倫的和諧與德性的境界。孔孟主要是從血緣關係、血緣情感中衍生出人倫關係、道德規範，因而這時的「天人合一」還是一個和諧的結構。董仲舒建立了一個具有宗教色彩的天人合一的倫理精神模式，他的天人合一完全是爲了克服由倫理的異化而帶來的倫理精神異化的需要，這時的天與人即人倫規範與個體人性實際上處於對立的地位，建立天人合一是爲了用「天」的神祕權威使個人屈從於三綱五常的綱常倫理，因而天人合一是一個強制性的結構。宋明理學的「天人合一」把「天」與「理」相結合，使天具有倫理、人性、命定的多重含義，建立了一個宇宙倫理模式，而天人合一的目的是爲了「存天理，滅人欲」，這種和諧的背後正是客觀人倫與內在精神的對立與分裂。如果說先秦的模式是德性的天人合一（當然由於文化的本義，這種「合」也就具有必然性與神聖性），董仲舒的模式是宗教的天人合一的話，理學的模式便是德性的天人合一與宗教的天人合一的統一，是天道與人道的合一。至此，「天人合一」與社會倫常規範既具有了宗教倫理的至上性、神聖性，又具有了世俗倫理的必性、現實性，從而比較徹底地解決了中國倫理的基本問題。

因此，在中國倫理精神中，天人合一既是道德的絕對命令，又是德性的自我生長、自我設計。這種天人合一模式的特點首先是強調社會整體與人倫規範。在這裡，天就是天理，其實質性的內涵就是理學所點出的「公」。其次是強調個體德性的提升，它實際上是給個體的德性規定了一個永遠無法達到的至上境界，而個體修養的自強不息本身就是與天的合一。所以，天人合一不是一種狀態，而是一個過程。三是強調社會人倫與個體德性的和諧，「合一」便是這種和諧的代名詞。但是，從根本上說，天人合一的實質是強調個體對整體的服從，根本的要求是要人們通過不斷提升德性達於「天」。「天人合一」在邏輯上包含兩個相反的結構或精神意向：一是人必須與天合一，這是個體對整體、個體德性對人倫規範的認同；二是天必須與人合一，這是整體對個體或人倫規範對個體人格或權利的認同。前者是中國傳統倫理精神天人合一的意向，後者是近代具有啓蒙主義性質的天人合一的倫理精神傾向。因此，這種天人一精神的極端發展便產生兩個重要的缺陷：一是片面強調整體，忽視甚至抹殺個體；二是只求個體至善，不求社會至善。在這種模式中，整體是絕對的，只是供個體效法的神聖實體，是個體認同的對象。

天人合一是中國倫理精神的傳統模式，它有兩個合理的內核，一是追求和諧的精神，包括人與我的和諧，物與我的和諧，自我內在與外在的和諧；二是德性進取的精神。它們是傳統倫理精神的優勢，並成爲中國民族性格的一部分。如果我們把先秦模式作爲「天人合一」的古典形態，那麼這種模式的特點就是所謂中庸境界，其具體的內容就是「唯天下之至誠，爲能盡其性；能盡其性，則能盡人之性；能盡人之性，則能盡物之性；能盡物之性，則可以贊天地之化育；可以贊天地之化育，則可以與天地參矣。」（《中庸》第二十二章）這裡，「盡其性」可以理解爲內外一體的境界；「盡其性」與「盡人之性」的統一是人我一體的境界；「盡人之性」與「盡物之性」的統一是物我的合一；「贊天地之化育」是萬物一體的境界；「與天地參」則是天人合一的最高境界。而要達到此諸種境界，就必須要求道德上的不斷進取，努力提升德性，自強不息。這方面對我們今天的現代化、道德現代化尤其具有重要的價值。當今的現代化有三個世界性課題需要解決：人與自然的衝突；人與人的衝突；人內心的不平衡。這三個難題困擾著西方的後現代化，而這正是中國「天人合一」精神的優越性之所在。如果我們能吸取傳統天人合一精神的合理內核，並加以弘揚，對解決這些世界性難題將大有裨益。另外，從現代倫理學理論建設的意義上說，「天人合一」實際上是傳統倫理的道德本體論，當今的倫理學只是滿足於從社會存在說明道德現象的根源，而沒有找到道德觀念的形而上的根據，也未能在主觀上解決道德觀念的必然性、神聖性問題。如果我們能從傳統的天人合一精神中得到啓迪，由此建立起現代化的、具有中國特色的道德本體論，對倫理學的建設將具有重大的意義。當然，在這個過程中，必須剔除其對「天」即整體、人倫規範的無條件的認同意識與皈依精神，使「人」不僅合於「天」，而且「天」也要合於「人」；「天」不僅是人認同的對象，而且也是批判、改造的對象。這樣，才能建立一個富有批判精神與創造性的、社會至善與個體至善相統一的、具有健全人道與人文精神的倫理精神模式。

倫理政治與民主政治

民主是五四以來中國社會的普遍呼聲，也是當今中國政治現代化的重要課題。然而在民主建設的過程中，人們在深層意識上往往不知不覺地把西方民主政治作爲仿效模式甚至當然模式，因而愈是要建設民主就愈覺得民主與中國無緣。誠然，作爲西方民族精神與社會政治精華的民主在當今仍具有時代精神的內涵，但是，在各民族發展的過程中，只有具體的社會體制與社會機制，而沒有抽象的供任何國家效法的政治範型。我們要努力建設的，應是適合中國國情的、具有中國特色的民主。這種民主既吸收西方民主精神的合理內涵，又具有民族的根基與優越性。這就必須對中國傳統社會體制有一個準確的、實事求是的把握，並通過與西方政治形態的比較對其固有價值作出觀照，在揚棄傳統的倫理政治精神、吸收西方民主精神合理內核的基礎上，確立起眞正的具有民族特色的民主意識、民主性格與民主制度，實現中國特色的政治現代化。

中國傳統社會的原理與政治特質既不是西方式的專制政治，也不是西方社會中的民主政治，而是倫理政治，是倫理與政治相融匯、膠粘所形成的一種社會結構原理與社會意識形式。其基本的特徵是：倫理與政治直接同一，政治建立在倫理的基礎上，倫理的原理直接上升爲政治的原理，政治具有倫理的形式與原理，倫理具有政治的結構和功能。整個倫理政治是建立在家族血緣的根基上。這樣，政治以倫理爲本位，倫理以血緣爲原型，最終的原理是，家族血緣的情理上升爲國家政治的法則。於是，血緣、倫理、政治三位一體，直接同一。而血緣關係直接就是一種倫理關係，因而這種原理可以直接概括爲倫理政治的原理，它是中國特殊的社會結構與社會意識形式，也是中國特殊的政治傳統。

倫理政治是中國特殊的社會結構的產物。如前所述，中國社會結構的特徵最突出的就是家——國一體，家族本位。國是家的放大與延伸，由家及國，國的原理縮影式地包攝在家的原理之中，家構成社會的本體與本位。臺灣學者吳瓊恩先生在分析中國社會的結構時說：「傳統中國社會是以家庭爲基礎的，從家庭來說，它是社會的縮影，爲社會之小宇宙。」⑤哈克・布登在《中國的文化傳統》一書中也說：「在整個世界上，家庭經常是社會的基礎，但在中國，家庭成了整個社會，因此我們可以說中國的社會，就是中國的家庭制度。」⑥整個中國文化的價值體系都是由「家」化育而成的。因此，二千年來中國的社會結構只能是一個龐大的家族，一個具有鬆散政治形態的大文化區。家庭是社會的重心，以此擴而充之，消融國家與社會，產生「天下」的概念。故傳統中國的社會結構，特別注重家庭與天下兩個層次，而把人消融於家庭，國家消融於社會。就是說，家庭結構擴充成爲整個社會的基礎，形成一個文化意義上的團體。所以有人說：「人們責備中國人只知有家庭，不知有社會，實則中國人除了家庭，沒有社會。」⑦

中國傳統的倫理政治精神的基本內在矛盾，從社會結構上說，是家與國的矛盾；從結構原理上，是血緣、倫理與政治的矛盾；從主體屬性上說，是血緣情感、道德情感與政治意識的矛盾。倫理政治精神的特點是把國歸結爲家，把政治的原理奠基於倫理的原理，又使倫理的原理植根於血緣的原理。就是說，把政治意識訴諸人們的道德意識，又把道德意識歸結爲血緣情感。這種矛盾與特點，與現代的民主政治相混淆，並內在地具有反民主的因素。因此，它對我們當代民主建設產生了極爲不利的影響。

何爲民主政治？民主政治作爲一種政治體制與政府形式，簡單地說，就是以人民意志爲主權、依人民意志而治的政治。西方學者曾把民主政治歸結爲四個基本原則，即人民主權、政治平等、大衆咨詢和多數統治。在這四個原則中，最重要的原則是「人民主權」，這是民主政治的基本理念，它在制度上的運作原則就是「多數統治」。而「多數統治」的前提是自由、平等，也就是政治平等和大衆咨詢。政治民主化是政治現代化的重要標誌。

天下一家與現代國家　「天下一家」與「現代國家」代表兩種不同的文化意識。如前所說，傳統中國的社會結構是由家出發超越政治國家而達於天下一家。「天下一家」與「現代國家」代表傳統與現代兩個不同的政治文化理念，其間有著深刻的分歧。「天下一家」是偏重文化意義上的社會而說的，「現代國家」則是政治性的組織；傳統中國是一大文化社會，故它不是一個國家，而是一個天下；「天下一家」的組織是沒有界限的，而「現代國家」則有固定的疆域領土；「天下一家」的原理是倫理，而「現代國家」的原理則是政治。傳統倫理政治以「天下觀念」代替「國家觀念」，是「文化至上」而非「國家至上」。在「天下一家」的理念中，人們只需由近而遠，推己及人，沒有個體權力的觀念，因而也就不會產生民主的要求。

人格平等與政治平等　所謂「政治平等」是指人人有相同的權利與機會參政議政，它在觀念與制度上肯定人人有平等的機會去運用其政治權利；而所謂「人格平等」即是儒家所肯定的人人皆有道德的心靈，即所謂仁義理智之本心，它肯定人能反求諸己，以體悟人內在本有之仁心，因此人人皆可以爲堯舜。然而人格的平等並不能說明政治的平等，人格平等是一個抽象的倫理概念，而政治平等則是現實的政治要求。人格平等是一種道德意識，而政治平等則是一種政治意識。政治意識的基本概念是權力，是建立在利益關係基礎上的獲得權力、相互賦予權力、分配權力的意識。而道德意識則是一種自我修養的意識。人格平等與政治平等的混淆只能使政治意識消融於道德意識之中，扼殺了人們對政治權力的要求。

匹夫有責與政治參與　「政治參與」簡單地說就是公民參政，它是指公民對於政治行爲有權利與興趣主動表示意見以影響決策，這是現代國家體制下公民的政治利益的表達方式。「匹夫有責」乃是中國傳統「天下一家」文化社會的道德責任觀念，但它對於政治往往採取消極的態度。在「天下一家」的傳統氛圍中，人們關心的是如何建立一個合乎人性、使人能成其爲人的社會，而非從政治參與的角度鼓勵人們關心政治，以改變自己的命運。匹夫有責的觀念雖然可以轉化爲合乎民主參與的觀念，但這種觀念本身並不就是政治參與，而且它對於政治參與是具有排斥性的。

治權民主與政權民主　在倫理政治中，中國沒有「當家作主」的民主觀念，只有「爲民作主」的清官思想，即只有「民之主」的思想，而沒有眞正民主的思想。前者是治權的民主，後者是政權的民主。「治權民主」是一種由上而下的「民主」，人民並不能干預最高權力，只是被動地接受，即使偶遇「聖君賢相」，也不能主動提出政治要求。傳統的倫理政治精神總是站在統治者的地位，爲統治者想辦法。在對待人民的態度上，是「民本」而不是「民主」，民爲邦本能載舟覆舟，君相爲民之父母，因而需要以德保民。這種聖君賢相的政治格局，乃是一種上下的隸屬關係，被統治者只能是政治的客體，而不能是能動的主體，它唯一的希望是清官的出現。這是中國特殊的「民主」傳統。

中國文化與西方文化分別沿著血緣倫理與國家政治兩個方向發展，

因而具有完全不同的原理與法則。道德意識、人格平等，天下一家、匹夫有責、治權民主是家族倫理的機制；而政治意識、政治平等、現代國家政治參與、政權民主則是政治國家的要求。二者既有相互補充，又具有相互排斥的性質。

倫理政治作爲一種與西方傳統的民主政治大相異趣的政治形態與社會關係的組織結構方式，它代表著人類政治文化與政治文明發展的特殊方向，其淵源深藏於中國民族由野蠻社會向文明社會過渡發展的特殊方式中。作爲人類特殊的政治文化成果，它在文明演進與現代社會中具有獨到的價值。

從政治機制與政治原理上說，倫理政治強調政治的倫理價值，強調倫理的人性根基，因而突出政治的人情氣息。這種特點是由中國社會血緣、倫理、政治三位一體、相互同一的結構特性所決定的。血緣強調情，倫理強調理，政治強調法。如果說西方民主政治突出的是外在強制性、普遍性的法的話，中國的倫理政治高揚的則是基於家族血緣的情與理。這種政治形態的設計雖然在運作過程中會帶來許多弊病，但它確實使社會結構具有更大的彈性，賦予社會成員以更多的人格自主性與生活樂趣，這是造成中國式人情味的重要價值取向，對社會的自我完善與自我發展也起著很大的作用，這一點在現代西方爭論不休，人生寡味的社會現實面前尤其顯示出其自身的價值。西方民主政治的設計是基於人性自私與個體利益對立的基本認定，由此以國家爲工具，建立民主制，保護個人的利益。

從個體民主權力的角度說，倫理政治使社會政治的運作植根於個體德性，強調個體政治權力的人性根基與社會責任的內涵，有利於提升個體的素質。而西方式民主強調政治參與，認爲這是現代國家政治體制下公民政治利益的表達方式，它偏重的是個體的政治權力。而中國式民主政治，強調「匹夫有責」的道德責任，透過「道德主體」的自覺，強調個體的人格尊嚴與公民的道德義務，因而也有過單純的政治參與觀念。西方政治平等設計的是「欲望我」的人性，而中國的人格平等設計的是「道德我」的人性。傳統倫理政治主張以主體的眼光來評價人性，認爲人的價值的高低是依德性修養的高低爲其依據。這種傳統，對於提高民主生活的素質，具有十分重要的意義。只有在民主生活中貫徹德性人格的原則，公民作出決定時，才不易流於以外在的金錢和權力來衡量價值的高低，從而達到質與量的統一。

從政治權力的運用來說，傳統的倫理政治強調內聖外王的「大學之道」，強調統治者的人格修養，認爲內聖是外王的條件，外王是內聖的結果。這種治權民主的格局，一方面具有「爲民作主」的家長式的隸屬內涵；但另一方面也有爲民請命、「當官不爲民作主，不如回家賣紅薯」的道德主體意識與社會使命感。這種對統治者道德要求的提出與責任義務意識的確立，提升了政治的價值，使統治者從被動的監督的對象變爲能動的服務主體，從政治法律的約束達到道德的自由，從而提高民主的價值。而且，即使最廣泛的民主監督也必須依賴主體自身的自覺。倫理政治是中國文化、中國社會的特殊原理與機制，然而這種民族性的機制在中國歷史上恰恰成了維護專制制度的工具。一方面，當倫理政治的機制與封建等級社會結合並被封建統治者所利用時，就完全改變了其自身的性質；另一方面，在傳統的倫理政治精神中，也內在地存在著否定甚至排斥民主政治的因素，它形成了民族精神內部對民主政治的抗拒力。這種排斥性的因素，從文化原理上說主要來自兩個方面：第一，從倫理政治的基礎上說，它是深深扎根於血緣家族的基礎上的，而中國式的家族主義正是權威主義的深厚土壤，它極不利於民主精神的生長與民主性格的培養。第二，從基本原理上說，倫理政治以人情主義爲基本原理，而這種人情主義的實質就是以親疏等級爲內容的人治，它排斥人人平等的法治，這也必然導致了人們的民主意識的弱化與泯滅。

總之，由於是以血緣倫理作爲政治體系的起點，在用道德的價值作爲衡量政治的價值的同時，就只能是主張治身而不治法，人們注重的是向內探求的自我修養，而不是向外追索的對政治權力與社會公正的要求。而當社會失去普遍依據的法律的時候，滋生的只能是對淸官的依戀，對統治者內聖外王的要求，只能是站在統治者的角度的恤民、保民，根本不可能有人民當家作主的理念。因此，當血緣、倫理、政治一體化的時候，也就是反民主的專制由內到外完成的時候，只不過它具有了獨特的形式——親民式專制主義。

綜上可見，中國傳統倫理政治中包含了一些與現代民主政治形同而質異甚至根本對立的方面，但它同時又是中國民族心理、社會結構與政治形式的特色之所在。當代中國的民主建設，一方面要克服傳統倫理政治精神非民主與反民主的成分，消除民主建設的惰性力，另一方面要發揚傳統倫理政治的優越方面，根據民族特色，改造和完善西方民主政治的形式，一句話，就是要建設具有中國特色的現代化政治。圍繞這個問題，有三個方面必須考慮：一是中國傳統的倫理政治形式有無合理性；二是如何克服倫理政治對當代民主政治的消極影響；三是如何發揮傳統優勢，建設具有中國特色的民主政治。

倫理與政治，本是相互聯繫的兩個方面，從理論上說，倫理的健全有助於政治的完善，但二者的性質是根本不同，不能合二爲一的。倫理以善爲目的，規定人的正當行爲標準，而政治則屬於國家的實際行動。對二者間的關係，美國學者道格拉斯在《政府的倫理》一書中說：「倫理與政治是有其內在關係而可相互爲用，倫理闡明善的觀念，勉人而爲之，但必須爲政者將善施之於政治，才能努力致於全社會的利益與幸福。」⑧只有合乎倫理的政治行爲才是善的行爲，只有具有德性的個體才能創造出光明的政治。中國傳統的內聖外王、修己安人之道就是倫理與政治的結合。內聖、修己爲倫理，外王、安人爲政治。政治蘊含的倫理精神，代表從政者的政治權力，是一種道德的責任，其要義是將內心所蘊藏的道德意識發揮出來，成爲具體的政治行爲，以謀求大衆的幸福。可以說，只有以倫理爲基礎的政治，才是合乎人性的政治，問題在於這種倫理首先必須具有普遍的眞理性。中國傳統社會倫理與政治相連，倫理爲政治之基礎，政治爲倫理之運用，但它是以家族血緣文化爲前提的，在其中活動的個體不是社會的公民，而是家庭的成員，由此導出的必然是虛幻的缺乏普遍性與合理性的政治。如果說，傳統的倫理政治是以倫理取代政治，把政治問題轉化爲倫理問題的話，西方的民主政治則是把倫理與政治截然分開，把倫理問題轉化爲政治問題，用政治取代倫理。二者代表了兩種文化方向的不同特點。

中國倫理與政治緊密結合的倫理政治精神在現代的民主政治建設中也具有獨到的價值。民主的精神既具有普遍性，也有其特殊性，就所規定的民主四要素來說，在中國就具有特殊的內涵。在人民主權方面，國家權力屬於人民這一概念，在傳統倫理政治精神中是以天下一家涵蓋超越了現代國家的意識，使國家變爲文化團體，把民本思想翻轉爲民主思想。民主建設必須調整這種意識，使人民在國家意識的自覺下，成爲政治上的主體，而非倫理政治的客體。多數統治是民主政治的根本原則，因爲民主的原則根本上是一種重視數量的原則，然而，多數人的決定，未必就是合理性的決定，尤其是在商品經濟條件下，它涉及到人的文化素質與人生觀的問題，必須要有重視德性與價值的文化環境與民主組成有機的生態系統，才能得到完善的實現。西方的政治平等是基於爲了滿足彼此的欲望而自覺尊重個體的尊嚴這一人性的假定，這一假定必須與中國人性論相補充。只有由人格平等引申出來的政治平等，才是民主政治理想更能實踐的人生觀。而大衆咨商則取決於言論自由的保障，中國歷來有「爲政不在多言」的政治傳統，在現代民主政治下，大衆咨商的討論必須由情感型、利害型向學術型轉化，這方面受文化特點的影響更大。

考慮到當前社會上有一些對民主的含糊見解，尤其是對西方民主的盲目崇尚，故有必要澄淸一些事實，從而爲建設具有中國特色的現代化民主政治提供觀念上的啓示。從中國文化的角度看，西方近代民主政治存在三個缺憾。第一，形式與內容的分離。多數統治是民主政治的主要原則，然而在西方這種原則常常受到資本盲目勢力及各種複雜心理的左右，只顧眼前利益，隨波逐流，所以作出的判斷常常是以外在的價值爲標準，實際上喪失了自我作主的能力，使這種大衆化的民主流於庸俗。必須以倫理的精神提升文化的品質，從而提高大衆判斷的素質，使民主的質和量、內容與形式能統一起來。第二，人與人的對立。西方民主制度是以洛克的個人主義爲理論基礎的，這種個人主義認爲每個人都是客觀獨立的一個單元，人與人的關係是外在的。這樣，人與人之間的關係便不能相融，最多只能做到互相尊重、互不干擾而已。在這種狀況下，人與人之間並不是直接發生關係，而是通過公司、商品、組織發生關係，人不是具體的而是抽象的，彼此間缺乏情誼，於是，產生劇烈的外部競爭進而導致社會的不安。同時，由於人與人之間的外在對立，不能感通爲一體，國家便成爲外在於個人的工具。這種狀況在儒家倫理政治精神中卻是不存在的。儒家倫理政治精神強調天人合一、人我合一、內外合一的和諧境界，消融萬物於一體。第三，人性預設問題。西方的民主理論對人性的預設是滿足人的欲望，此即以個人主義爲特徵的自由，也即是邊沁的「最大多數人的最大幸福」。民主制度就是讓每個人有公平的機會去運用自由權利以肯定需求或欲望。但它使人們在滿足各種欲望後感到生命的空虛、人生的寂寞，導致物化文化下價值的混淆、參與的不平等與政治冷漠感。克服這種現象的辦法之一，必須重建一套價值觀與人生態度。

由此可見，我國的現代化民主建設，不能搬抄西方的民主制度，而需要考慮中國人的文化傳統和價值涵義。簡言之，就是將西方民主精神和中國傳統的倫理精神結合起來，建設眞正的中國人的民主。所謂中國人的民主，就是從中國文化土壤裡生長來的民主，換句話說，就是「長成的民主」，有別於「移植的民主」。如果全盤搬用西方的民主，就會產生文化失調和社會失調的毛病。民主的基本原則是假定人人平等，人格必須受尊重，由此假定出發，才發展了種種保障人權的措施與制度。西方民主政治是以「契約精神」來保障人權義務的平等，這是以平面的觀點來看，大家都在外表上同樣地服從法律規範，沒有道德境界上的高低之分。而中國的倫理政治精神恰恰相反，它是以立體的觀點看人，人不僅在外表上服從各項規範，在道德境界上還有聖賢、君子、小人之分。中國的民主政治若能與傳統倫理精神結合起來，就可以彌補西方民主的缺失，創造出中國特色的民主政治。具體地說，就是以道德意識、人格平等、天下一家、匹夫有責、治權民主的觀念補充西方單純的政治意識、政治平等、現代國家、政治參與、政權民主的觀念。單有政治意識沒有道德意識的補充，不可能成功地調解各種社會衝突；單有政治平等沒有人格平等的補充，不可能推選出德才兼備的候選人；而天下一家的觀念則有利於消彌人我對立以及個人與國家互爲工具的觀念，達到人我的一體；匹夫有責與政治參與的結合，不僅能產生基於權力欲的政治意識，而且能使這種參與變爲內在的道德責任；而治權民主則直接是政權民主的一種補充，它可使統治者從被動的受監督的客體成爲政治道德的主體。總之，中國傳統倫理政治精神與西方民主政治精神的互補互攝，才能創造出情、理、法一體的民主政治，創造出一種具有中國特色的現代化的政治文化。⑨

五、傳統的評估與道德現代化的思路

根據以上分析，我們可以得出結論：中國倫理精神代表著人類文明尤其是道德文明的特定方向，在現代社會具有獨到的價值。然而，在實踐中選擇一條什麼樣的道德現代化道路，這是一個至關重要而又十分複雜的問題。筆者在這裡僅從本書所探討的問題出發，就「傳統」與「現代化」的概念詮釋、對傳統倫理進行評估的方法論原則、道德現代化的思路三個層面做些概略性的分析。

何謂傳統？何爲現代化？這似乎是一個熟知而事實上又似是而非的問題。人們在觀念上一般把過去發生的一切都稱作傳統，如從《四書》、《五經》到長袍馬褂等等。我以爲傳統之所以成爲傳統，必須具備三個基本的要素：過去發生的、一以貫之的、在現實生活中發生作用的。傳統必定是過去發生的，但它絕不只是一個時間上的過去，它還必須是一以貫之的，就是說，必須在民族文化的深層得以「傳」下來，成爲一個脈統。也就是說，它是指歷史上發生的那些具有必然性的東西，那些偶發的、未能「傳」下來的東西不能稱爲傳統。同時，它還必須在現代發揮著作用，傳統不僅是僵死的過去，而且是生動的現在，那些現在在文化深層上已經不存在的東西也不能稱之爲傳統。正因爲傳統在現代發揮著作用，才談得上有突破與現代轉化的必要。把對「傳統」的這種詮釋運用到對中國倫理的理解上，就是要區分「傳統倫理」與「倫理傳統」兩個表面相近而又實質相分的概念。所謂「傳統倫理」，是指歷史上曾有的那些倫理思想、典章制度、倫理規範；而「倫理傳統」則是在這些思想、制度、規範背後潛藏著的根本精神，是其中那些深層的帶必然性的精神內容。「傳統倫理」是現象層面，而「倫理傳統」則屬本質層面。正是在這個意義上，本書選擇

「倫理精神」作爲透視層面，以避免各種表面現象的干擾。

「現代化」在社會認知中到目前爲止仍然是一個十分含混的概念，最突出的就是把現代化與西化相混淆。正如余英時先生所說：「西方學者所說的現代化實際上是以17世紀以來西歐與北美的社會爲標準的。所以現代化便是接受西方的基本價值。」⑩也有人把「現代化」與「工業化」相等同。其實，工業化只是發生於現代社會裡的一個過程，而不是現代化本身。正如有的學者所批評的，把現代化與工業化相等同的傾向，是源於把過程中的某個因素當作整體的習慣。因此，現代化是一個具體的概念，而不是一個抽象的模型；是一個發展的整體，而不是孤立的過程。從這種認知出發，所謂現代化，就是指傳統的現代轉化，是傳統社會、傳統文化在現代社會的現實轉變。當然，這種轉化與轉變必須體現時代精神，具有現代特徵，代表時代發展的方向。因而所謂倫理精神的現代化就是深層的傳統倫理精神在現代社會的現實轉化，是民族倫理精神在時代精神衝擊下所進行的體現現代化社會特徵的更新生長。這種更新生長一定是以民族和民族倫理傳統本身爲前提與依托，而不是一個空乏或失去主體的現代化的抽象理念。

對中國傳統倫理精神的評估必須確立科學的方法論原則，並以此作爲策略的前提。在這裡，我將其歸結爲三個問題：全球意識與尋根意識；民族性差異與時代性差異；現代化意識與後現代化意識。第一點解決的是如何確立「民族自我」，創造具有特色的民族文化的問題，因爲說到底沒有特色的文化對人類的貢獻總是有限的。第二點解決的是文化比較中的可比性與不可比性的問題，時代性差異是可比的，而民族性差異是不可比的，不能表面地論高低優劣。這裡我要突出加以發揮的是現代化與後現化的雙重意識問題，它對我們評估傳統倫理精神的現代化價值具有十分重要的方法論意義。

現代化與後現代化是當今世界面臨的兩大課題。如果說我們現在面臨的是現代化的歷史任務，西方社會面臨的就是後現代化的任務。因而我們需要的不一定是西方所需要的，反之，西方所需要的也不一定是我們所需要的。甚至有這樣一種可能性，我們所要破的，或許正是西方所要立的。更爲重要的是，西方社會在後現代化的過程中碰到了許多新問題，產生了許多社會弊病，這與其現代化的不完善有著密切的關係。我們在現代化的過程中，不僅要借鑑西方成功的經驗，也要吸取其教訓，這樣才能高瞻遠矚，在更高的立足點上實現民族倫理精神的現代化。從理論上說，現代化的實質就是要突破傳統的束縛，步入現代社會。然而一個重要的事實是，要趕上或超過已經高度發達的西方社會，走他們發展的老路肯定不能達到目的，必須根據自己文化的源頭活水，發揮民族的優勢，建立起具有超越性的文化機制。

全球化的經濟趨勢爲我們全面審視自己和世界提供了方便，在這種背景下，我們完全有可能通過對西方現代化後現代化過程與現狀的全面分析，尋找出適合本民族發展的捷徑。西方後工業社會在推進自身經濟發展的過程中提出的用「東方藥」治「西方病」的理論，以及隨之而出現的「儒學復興」的趨勢，絕不是簡單地用「傳統藥」治現代病，而是他們眞正在後現代化的過程中發現自身現代化的缺陷，同時，也發現中國文化精神的固有價值，是後工業社會經濟發展對儒家倫理的內在需要。張鴻翼先生從經濟倫理的角度把儒家倫理的現代價值歸納爲四條：一是在工業化的過程中，由於把人視爲價值增值的工具與手段，使人的價值失落，從而造成經濟發展與人的價值實現的尖銳衝突。爲了把這種顚倒了的觀念顚倒過來，人們聯想到儒家經濟倫理中以人爲本的經濟價值觀。二是工業化過程中嚴重的兩極分化使人們聯想到儒家重均平抑分化的經濟倫理觀念。三是個人主義、利己主義的泛濫使社會倫理觀由強調個體轉向強調集體，這爲儒家家族主義集體觀的復興提供了一個文化的契機。四是人情冷漠、信念崩潰的社會危機，使人們由重金錢、重利益轉向重情感、重道德的價值取向，產生對中國式的人情味的嚮往。在這種背景下，以儒家倫理爲代表的中國傳統文化很可能會成爲這種高度綜合的人類新文化的一個重要的源頭活水。⑪這啓示我們，在實現道德現代化的過程中，應當打破「矯枉過正」的傳統心理，以客觀的、理性的、中庸的態度對待傳統模式和傳統倫理，在借鑑西方的經驗教訓、發掘本民族倫理精神價值的基礎上，建立起一種超越性的民族倫理精神，否則，只能像西方那樣走回頭路。這種彎路對西方來說是必然的，而對於處在世界大潮中，已有前車之鑑的中華民族來說既無必要，也永遠談不上趕上與超過西方的問題。更值得注意的是，當代世界已經發現了在中國文化尤其中國倫理基礎上實現現代化的新模式，這就是「東亞五小龍」（包括日本、南朝鮮、香港、臺灣、新加坡），即所謂「儒家資本主義」。這種模式的優越性與生命活力已爲世界所承認，被稱爲「第三種工業文明」。特別是日本，不少西方學者已經指出，日本的經濟發展已經有超過美國的勢頭，因而中國倫理固有的價值與活力日益爲西方所重視。這些國家在儒家思想的影響下，在許多方面，如人與自然的關係即生態問題，家庭親情問題，個人的安頓，價值保持與提升問題都解決得比較好，因而避免了許多「西方病」，促進了整個社會的和諧發展，表現出較強的生命力。這是我們評估傳統倫理，進行道德現代化的思考一定要注意的問題。

由此，我們便可以得出結論：中國道德現代化的思路應當是現代化、民族化、世界化的有機統一。需要強調的是，一方面道德自身的規律決定了道德現代化只能在傳統的基礎上生長和轉化；另一方面，世界的發展，已經向我們呈現了實現傳統倫理精神的創造性轉化的前景。現代化是世界潮流，但現代化的模式卻是豐富多樣的，最根本的就是要具有民族的特點。正如杜維明先生所說：「全盤西化的口號未免過分感情化了，根本無法落實。」⑫傳統文化對一個民族來說往往具有文化血緣的性質，它滲透於民族精神、民族心理、民族性格的深層，況且中國文化本身又是一種血緣文化，文化血緣與血緣文化的交互作用，使中國文化具有極強的延續力與再生力。因此，中國道德的現代化必然是現代化與民族化的結合。只有現代化，才能保持民族性；而只有保持和發揚優良的民族特色，才能實現眞正的、有生命力的現代化。而實現了現代化與民族化的結合，也就實現了世界化。世界化的意義就在於：它使民族文化匯入世界現代化的大潮，同時又把優秀的民族文化與民族精神推向世界，獲得在現代化前提下世界性的更新與再生，通過中西文化的整合，孕育出具有世界性的意義與價值。這種理論落實到道德現代化的過程中，就是根據現代化的要求對民族倫理精神作出反思與批判，根據民族本身的特點與發展，通過借鑑西方現代化過程中的經驗教訓，繼承和弘揚優良的民族倫理精神，賦予其世界性的意義與價值，最終實現中國倫理精神的現代化與世界化。

【附註】

① 轉引自杜維明：《人性與自我修養》，第25頁。

② 杜維明：《人性與自我修養》，第25頁。

③ 見殷海光：《中國文化的展望》（上），臺灣桂冠圖書公司1988年版，第117—128頁。

④ 參見《港臺及海外學者論中國文化》，上海人民出版社，1988年版。

⑤ 吳瓊恩：《儒家政治思想與中國政治現代化》，臺灣中央文物供應社1985年版，第 85頁。

⑥ 哈克·布登：《中國的文化傳統》，第43頁，轉引自《儒家政治思想與中國政治現代化》，第85頁。

⑦ 盧作孚：《中國的家庭革命》，轉引自《儒家政治思想與中國政治現代化》，

第87頁。

⑧ 轉引自黃奏勝：《倫理與政治的整合與運作》，臺灣中央文物供應社1985年版，第 11頁。

⑨ 本部分參閱黃奏勝《倫理與政治的整合與運作》。

⑩ 余英時：《中國思想傳統的現代詮釋》，江蘇人民出版社1989年版，第4頁。

⑪ 見張鴻翼：《儒家經濟倫理》，湖南教育出版社1989年版，第304—305頁。

⑫ 《論中國傳統文化》，三聯書店1988年版第125頁。

後　記

中國傳統倫理精神是一個國內外學者熱切關注因而進行過廣泛深入的挖掘的古老課題。在寫這部書時，我首先考慮的問題是：如何爲這一課題的推進作出自己的努力與貢獻？或者說如何在研究中創造自己的特色？誠然，在研究中繼承學術界的一切成果是重要的，但我以爲作爲一個年輕後學，最重要的是要發現並提出一些新的問題，給這一古老的領域帶來一絲新的氣息。因而必須確立新視角，採用新方法。爲此，我試圖在以下幾方面有所新意：第一，以「倫理精神」作爲透視層面，把握的對象不是傳統倫理思想，而是傳統倫理思想中所體現的精神性、體系性、結構性的元素與內涵，在這個意義上可以說是對傳統倫理思想的深層抽繹。第二，在研究的主題上把中國倫理精神看作是有機的結構體系與自我生長的歷史過程，著力探究中國倫理精神的自我建構以及自我生長的內在邏輯，剖析中國倫理精神生長的邏輯起點、結構體系、建構原理、內在矛盾，力求對傳統倫理有一個整體的把握與貫通的疏解。第三，在對傳統倫理精神的詮釋與解剖中，著力建立中國倫理自身的概念系統，力圖用中國文化自身的鑰匙打開中國倫理這把幾千年文化鑄成的大鎖，努力傾聽中國倫理自身的脈動。我認爲，如果用西方文化的概念詮釋中國倫理，只能是南轅北轍，緣木求魚，甚至引起理論上的混亂。爲了達到上述目標，我確定的研究戰略是把哲學、倫理學、倫理史融爲一體，用哲學的思辨，從倫理的層面，進行中國倫理史的分析概括，這不僅是根據個人的特點揚長避短，更重要的是完成該課題的要求。我的目標是努力通過自己的獨立研究得出一些新的結論，以期最終能形成一家之言。顯然，本書與她的作者一樣還是十分稚嫩的，許多觀點還有待進一步完善。但我堅信，在茫茫書山中自己披荊斬棘，踏出一條曲折而又狹小的阡陌，總比步前人後塵對社會的貢獻要大些，只有每個人都以嚴肅的態度進行開拓性的研究，才能突破學術成果的機械重複與簡單循環，推動學術事業的發展。

本書的最終完成是學術界許多前輩與同仁指導、扶持、幫助的結果。在研究過程中，倫理學界的老前輩周輔成先生多次給予指導與鼓勵，其誨人不倦、嚴謹治學的態度給我以終身的鞭策和惕礪；著名海外學者、世界中國哲學學會會長、美國夏威夷大學哲學教授成中英先生熱切關注、多次面教，並親自作序；本書採用的方法是對導師蕭焜燾先生的學步，雖然在運用中貫穿了我的理解，但它確實得益於蕭先生的啓發；導師王育殊先生精心培育我多年，審閱了此書的第一稿，多方面給予指導；我的老師中國人民大學著名學者宋希仁先生審閱了緒論部分，提出了修改意見。江蘇人民出版社以學術爲重，積極扶持中青年作者，熱情指導，副社會兼副總編佘孟仁先生仔細披閱，終審定稿。江蘇農學院的史宇澄同志、陳健康同志爲本書的成稿提供了大量的幫助；在此我一並表示衷心的感謝。我深感自己的成果有負大家的幫助，惟有以更大的學術成績與更嚴謹的治學才能報答諸位前輩與同仁的厚愛。

作者

1989年9月30日初稿

於東南大學「水帘居」

1991年9月30日改定